Código Limpo

Código Limpo

Habilidades Práticas do Agile Software

Edição Revisada

Mentor Object:
Robert C. Martin
Michael C. Feathers Timothy R. Ottinger
Jeffrey J. Langr Brett L. Schuchert
James W. Grenning Kevin Dean Wampler
Object Mentor Inc.

Para poder considerar a si mesmo um profissional, você deve criar um código limpo. Não há desculpa racional para não dar o melhor de si.

ALTA BOOKS
GRUPO EDITORIAL
Rio de Janeiro – 2022

Código Limpo: Habilidades Práticas do Agile Software
ISBN: 978-85-7608-267-5

Produção Editorial
Starlin Alta Con. Com. Ltda

Gerência Editorial
Anderson da Silva Vieira
Carlos Almeida

Supervisão de Produção
Angel Cabeza
Augusto Coutinho
Leonardo Portella

Equipe Editorial
Andréa Bellotti
Deborah Marques
Heloisa Pereira
Sergio Cabral

Tradução
Leandro Chu

Revisão Gramatical
Michele Aguiar
APED

Revisão Técnica
Ingrid Almeida
Josivan de Souza

Diagramação
Renata Borges
Sergio Cabral

Fechamento
Equipe Alta Books

Dados Internacionais de Catalogação na Publicação (CIP)

C669 Código limpo : habilidades práticas do Agile Software / Robert C. Martin ... [et al.] ; [prefácio de James O. Coplien]. – Rio de Janeiro, RJ : Alta Books, 2011.
456 p. : il. – Série de Robert C. Martin

Inclui bibliografia, anexos e índice.
Tradução de: Clean code. A Handbook of Agile Software Craftmanship
ISBN 978-85-7608-267-5

1 1. Software - Desenvolvimento. 2. Linguagem de programação (Computadores). I. Martin, Robert C. II. Título. III. Série.
CDU 004.415
CDD 005.1

Índice para catálogo sistemático:
1. Software : Desenvolvimento 004.415

(Bibliotecária responsável: Sabrina Leal Araujo – CRB 10/1507)

Rua Viúva Cláudio, 291 – Bairro Industrial do Jacaré
CEP: 20970-031 – Rio de Janeiro – Tels.: 21 3278-8069/8419 Fax: 21 3277-1253
www.altabooks.com.br – e-mail: altabooks@altabooks.com.br

Para Ann Marie: o amor eterno de minha vida.

Sumário

Prefácio

Um de nossos doces favoritos aqui na Dinamarca é o Ga-Jol, cujos fortes vapores de licorice são um complemento perfeito para nosso clima úmido e, geralmente, frio. Parte do charme do Ga-Jol, para nós dinamarqueses, são os dizeres sábios impressos em cada caixa. Comprei dois pacotes dessa iguaria essa manhã e nela veio este antigo ditado dinamarquês:

Ærlighed i små ting er ikke nogen lille ting.

"Honestidade em pequenas coisas não é uma coisa pequena". Era um bom presságio para com o que eu já desejava dizer aqui. Pequenas coisas são importantes. Este é um livro sobre preocupações modestas cujos valores estão longe de ser pequenos.

Deus está nos detalhes, disse o arquiteto Ludwig Mies van der Rohe. Essa citação retoma argumentos com contemporâneos sobre o papel da arquitetura no desenvolvimento de software, especialmente no mundo Agile. Bob e eu, às vezes, acabávamos engajados entusiasmadamente debatendo sobre este assunto. E sim, Mies van der Rohe atentava para os utilitários e as formas imemoriais de construção que fundamentam uma ótima arquitetura. Por outro lado, ele também selecionava pessoalmente cada maçaneta para cada casa que ele projetava. Por quê? Por que pequenas coisas são importantes.

Em nosso "debate" sobre Desenvolvimento Dirigido a Testes (TDD, sigla em inglês), Bob e eu descobrimos que concordamos que a arquitetura do software possui um lugar importante no desenvolvimento, embora provavelmente tenhamos perspectivas diferentes do significado exato disso. Essas diferenças são relativamente irrelevantes contudo, pois podemos admitir que profissionais responsáveis dedicam algum tempo para pensar e planejar o início de um projeto. As noções de desenvolvimento dirigido apenas por testes e por códigos do final da década de 1990 já não existem mais. Mesmo assim, a atenção aos detalhes é um fundamento de profissionalismo ainda mais crítico do que qualquer visão maior. Primeiro, é por meio da prática em pequenos trabalhos que profissionais adquirem proficiência e confiança para se aventurar nos maiores. Segundo, a menor parte de uma construção desleixada, a porta que não fecha direito ou o azulejo levemente torto do chão, ou mesmo uma mesa desarrumada, retiram completamente o charme do todo. É sobre isso que se trata o código limpo.

Ainda assim, a arquitetura é apenas uma metáfora para o desenvolvimento de software, especialmente para a parte que entrega o produto inicial no mesmo sentido que um arquiteto entrega uma construção imaculada. Nessa época do Scrum e do Agile, o foco está em colocar o produto rapidamente no mercado. Desejamos que a indústria funcione em velocidade máxima na produção de software. Essas fábricas humanas: programadores que pensam e sentem, que trabalham a partir das pendências de um produto ou do user story para criar o produto. A metáfora da fabricação está mais forte do que nunca no pensamento. Os aspectos da produção da manufatura japonesa de automóveis, de um mundo voltado para a linha de montagem, inspiraram grande parte do Scrum.

Ainda assim, mesmo na indústria automobilística, a maior parte do trabalho não está na fabricação, mas na manutenção – ou na prevenção. Em software, 80% ou mais do que fazemos é chamado de "manutenção": o ato de reparar. Em vez de abraçar o típico foco ocidental sobre a produção de bons softwares, deveríamos pensar mais como um pedreiro que conserta casas na indústria de construção, ou um mecânico de automóveis na área automotiva. O que o gerenciamento japonês tem a dizer sobre isso?

Por volta de 1951, uma abordagem qualitativa chamada Manutenção Produtiva Total (Total Productive Maintenance - TPM em inglês) surgiu no cenário japonês. Seu foco era na manutenção em vez da produção. Um dos maiores fundamentos da TPM é o conjunto dos chamados princípios 5S, uma série de disciplinas – uso aqui o termo "disciplina" para fins educativos. Os princípios 5S, na verdade, são os fundamentos do Lean – outro jargão no cenário ocidental, e cada vez mais conhecida no mundo dos softwares. Esses princípios não são uma opção. Assim como Tio Bob diz em suas preliminares, a prática de um bom software requer tal disciplina: foco, presença de espírito e pensamento. Nem sempre é sobre fazer, sobre pressionar os equipamentos da fábrica para produzir em velocidade máxima. A filosofia dos 5S inclui os seguintes conceitos:

Seiri, ou organização (pense em "ordenar"). Saber onde estão as coisas – usar abordagens como nomes adequados – é crucial. Acha que dar nome a identificadores não é importante? Leia próximos capítulos.

Seiton, ou arrumação (pense em "sistematizar"). Há um antigo ditado americano que diz: "Um lugar para tudo, e tudo em seu lugar". Um pedaço de código deve estar onde você espera encontrá-lo – caso não esteja, refatore e o coloque lá.

Seiso, ou limpeza (pensem em "polir"): manter o local de trabalho livre de fios pendurados, gordura, migalhas e lixo. O que os autores falam aqui sobre encher seu código com comentários e linhas de códigos como comentários que informa o passado ou os desejos para o futuro? Livre-se deles.

Seiketsu, ou padronização: a equipe concorda em manter o local de trabalho limpo. Você acha que este livro fala algo sobre ter um estilo de programação consistente e uma série de práticas dentro da equipe? De onde vêm tais padrões? Continue a leitura.

Shutsuke, ou disciplina (autodisciplina). Isso significa ter disciplina para seguir as práticas e refletir frequentemente isso no trabalho e estar disposto a mudar.

Se aceitar o desafio – isso, o desafio – de ler e aplicar o que é aconselhado neste livro, você entenderá e apreciará o último item. Aqui estamos finalmente indo em direção às raízes do profissionalismo responsável numa profissão que deve se preocupar com o ciclo de vida de um produto. Conforme façamos a manutenção de automóveis e outras máquinas na TPM, a manutenção corretiva – esperar que bugs apareçam – é a exceção. Em vez disso, subimos um nível: inspecionamos as máquinas todos os dias e consertamos as partes desgastadas antes de quebrarem, ou percorremos o equivalente aos famosos 16.000 km antes da primeira troca de óleo para testar o desgaste. No código, a refatoração é impiedosa. Você ainda pode melhorar um nível a mais com o advento do movimento da TPM há 50 anos; construa máquinas que sejam passíveis de manutenção. Tornar seu código legível é tão importante quanto torná-lo executável. A última prática, adicionada à TPM em torno de 1960, é focar na inclusão de máquinas inteiramente novas ou substituir as antigas. Como nos adverte Fred Brooks, provavelmente devemos refazer partes principais do software a partir do zero a cada sete anos ou então se livrar dos entulhos. Talvez devêssemos atualizar a constante de tempo de Fred para semanas, dias ou horas, em vez de anos. É aí onde ficam os detalhes.

Há um grande poder nos detalhes, mesmo assim existe algo simples e profundo sobre essa abordagem para a vida, como talvez esperemos de qualquer abordagem que afirme ter origem japonesa. Mas essa não é apenas uma visão ocidental de mundo sobre a vida; a sabedoria de ingleses e americanos também está cheia dessas advertências. A citação de Seiton mais acima veio da ponta da caneta de um ministro em Ohio que visualizou literalmente a organização "como um remédio para todos os níveis de mal". E Seiso? Deus ama a limpeza. Por mais bonita que uma casa seja, uma mesa desarrumada retira seu esplendor. E Shutsuke nessas pequenas questões? Quem é fiel no pouco também é no muito. E que tal ficar ansioso para refatorar na hora certa, fortalecendo sua posição para as "grandes" decisões subsequentes, em vez de descartá-las? Um homem prevenido vale por dois. Deus ajuda a quem cedo madruga. Não deixe para amanhã o que se pode fazer hoje. (Esse era o sentido original da frase "o último momento de responsabilidade", em Lean, até cair nas mãos dos consultores de software). E que tal "calibrar" o local de esforços pequenos e individuais num grande todo? De grão em grão a galinha enche o papo. Ou que tal integrar um trabalho de prevenção no dia a dia? Antes prevenir do que remediar. O código limpo honra as profundas raízes do conhecimento sob nossa cultura mais ampla, ou como ela fora um dia, ou deve ser, e poderá vir a ser com a atenção correta aos detalhes.

Mesmo na grande literatura na área de arquitetura encontramos visões que remetem a esses supostos detalhes. Pense nas maçanetas de Mies van der Rohe. Aquilo é seiri. É ficar atento a cada nome de variável. Deve-se escolher o nome de uma variável com cuidado, como se fosse seu primeiro filho.

Como todo proprietário de uma casa sabe, tal cuidado e constante refinamento jamais acaba. O arquiteto Christopher Alexander – pai dos padrões e das linguagens de padrões – enxerga cada ato do próprio projeto como um conserto pequeno e local. E ele enxerga a habilidade de uma boa estrutura como o único objetivo do arquiteto; pode-se deixar as formas maiores para os padrões e seus aplicativos para os moradores. O design é constante não só ao adicionarmos um novo cômodo a uma casa, mas ao nos atentarmos a repintura, a substituição de carpetes gastos ou a melhoria da pia da cozinha. A maioria das artes reflete relações análogas. Em nossa busca por outras pessoas que dizem que a casa de Deus foi feita nos mínimos detalhes, encontramo-nos em boa companhia do autor francês Gustav Flaubert, do século XIX. O poeta francês Paul Valery nos informa que um poema nunca fica pronto e requer trabalho contínuo, e parar de trabalhar nele seria abandoná-lo. Tal preocupação com os detalhes é comum a todos os encargos de excelência. Portanto, talvez haja pouca coisa nova aqui, mas ao ler este livro você será desafiado a retomar a disciplina que você há muito largou para a apatia ou um desejo pela espontaneidade e apenas "respondia às mudanças".

Infelizmente, não costumamos enxergar essas questões como peças fundamentais da arte de programar. Abandonamos nosso código antecipadamente, não porque ele já esteja pronto, mas porque nosso sistema de valores se foca mais na aparência externa do que no conteúdo que entregamos.

No final, essa falta de atenção nos custa: Dinheiro ruim sempre reaparece. Pesquisas, nem no mercado e nem nas universidades, são humildes o bastante para se rebaixar e manter o código limpo. Na época em que trabalhei na empresa Bell Labs Software Production Research (produção, de fato!), ao ficarmos mexendo aqui e ali, nos deparamos com descobertas que sugeriam que o estilo consistente de endentação era um dos indicadores mais significantes estatisticamente da baixa incidência de bugs. Queríamos que a qualidade fosse produzida por essa ou aquela estrutura ou linguagem de programação ou outra noção de alto nível; conforme as pessoas cujo suposto profissionalismo se dá ao domínio de ferramentas e métodos de design grandioso, sentimo-nos ofendidos pelo valor que aquelas máquinas de fábricas, os codificadores, recebem devido a simples aplicação consistente em um estilo de endentação. Para citar meu próprio livro de 17 anos atrás, tal estilo faz a distinção entre excelência e mera competência. A visão de mundo japonesa entende o valor crucial do trabalhador diário e, além do mais, dos sistemas de desenvolvimento voltados para as ações simples e diárias desses trabalhadores. A qualidade é o resultado de um milhão de atos altruístas de importar-se – não apenas um grande método qualquer que desça dos céus. Não é porque esses atos são simples que eles sejam simplistas, e muito menos que sejam fáceis. Eles são, não obstante, a fábrica de magnitude e, também, de beleza em qualquer esforço humano. Ignorá-los é não ser ainda completamente humano.

É claro que ainda defendo o conceito de um escopo mais amplo, e, especialmente, o do valor de abordagens arquitetônicas arraigadas profundamente no conhecimento do domínio e de usabilidade do software. Este livro não é sobre isso – ou, pelo menos, não de modo direto. Mas ele passa uma mensagem mais sutil cuja essência não deve ser subestimada. Ele se encaixa à máxima atual das pessoas que realmente se preocupam com o código, como Peter Sommerlad, Kevlin Henney e Giovanni. "O código é o projeto" e "Código simples" são seus mantras. Enquanto devamos tentar nos lembrar de que a interface é o programa, e que suas estruturas dizem bastante sobre a estrutura de nosso programa, é crucial adotar a humilde postura de que o projeto vive no código. E enquanto o retrabalho na metáfora da manufatura leva ao custo, o no projeto leva ao valor. Devemos ver nosso código como a bela articulação dos nobres esforços do projeto – projeto como um processo, e não uma meta estática. É no código que ocorrem as medidas estruturais de acoplamento e coesão. Se você vir a descrição de Larry Constantine sobre esses dois fatores, ele os conceitua em termos de código – e não em conceitos de alto nível como se pode encontrar em UML. Richard Gabriel nos informa em seu artigo Abstraction Descant que a abstração é maligna. O código é antimaligno, e talvez o código limpo seja divino.

Voltando à minha pequena embalagem de Ga-Jol, acho importante notar que a sabedoria dinamarquesa nos aconselha a não só prestar atenção a pequenas coisas, mas também a ser honesto em pequenas coisas. Isso significa ser honesto com o código e tanto com nossos colegas e, acima de tudo, com nós mesmos sobre o estado de nosso código. Fizemos o Melhor para "deixar o local mais limpo do que como o encontramos"? Refatoramos nosso código antes de verificá-lo? Essas não são preocupações externas, mas preocupações que estão no centro dos valores do Agile. Que a refatoração seja parte do conceito de "Pronto", é uma prática recomendada no Scrum. Nem a arquitetura e nem o código limpo exigem perfeição, apenas honestidade e que façamos o melhor de nós. Errar é humano; perdoar é divino. No Scrum, tornamos as coisas visíveis. Arejamos nossa roupa suja. Somos honestos sobre o estado de nosso código porque o código nunca é perfeito. Tornamo-nos mais completamente humanos, mais merecedores do divino e mais próximos da magnitude dos detalhes.

Em nossa profissão, precisamos desesperadamente de toda ajuda que conseguirmos. Se o piso de uma loja reduz os acidentes e suas ferramentas bem organizadas aumentam a produtividade, então sou totalmente a favor. E relação a este livro, ele é a melhor aplicação pragmática dos princípios de Lean ao software que já vi. Eu não esperava nada mais deste pequeno grupo prático de indivíduos que se esforçaram juntos por anos não só para se aperfeiçoarem, mas também para presentear com seus conhecimentos o mercado com obras como esta em suas mãos agora. Isso deixa o mundo um pouco melhor do que quando o encontrei antes de Tio Bob me enviar o manuscrito.

Após ter finalizado estes exercícios com conhecimentos tão sublimes, agora vou limpar minha mesa.

James O. Coplien

Mørdrup, Dinamarca

Introdução

Reproduzido com a gentil autorização de Thom Holwerda.
http://www.osnews.com/story/19266/WTFs_m

Que porta representa seu código? Que porta representa sua equipe ou sua companhia? Por que estamos naquela sala? É apenas uma revisão normal de código ou encontramos uma série de problemas terríveis logo após iniciarmos a apresentação? Estamos depurando em pânico, lendo meticulosamente um código que pensávamos que funcionava? Os clientes estão indo embora aos bandos e estamos com os gerentes em nossos pescoços? Como podemos garantir que cheguemos atrás da porta certa quando o caminho fica difícil? A resposta é: habilidade profissional.

Há duas vertentes para se obter habilidade profissional: conhecimento e trabalho. Você deve adquirir o conhecimento dos princípios, padrões, práticas e heurísticas que um profissional habilidoso sabe, e também esmiuçar esse conhecimento com seus dedos, olhos e corpo por meio do trabalho árduo e da prática.

Posso lhe ensinar a mecânica para se andar de bicicleta. Na verdade, a matemática clássica é relativamente direta. Gravidade, atrito, momento angular, centro de massa, e assim por diante, podem ser demonstrados com menos de uma página cheia de equações. Dada essas fórmulas, eu poderia provar para você que é prático andar de bicicleta e lhe dar todo o conhecimento necessário para que você consiga. E mesmo assim você cairá na primeira vez que tentar.

Programar não é diferente. Poderíamos pôr no papel todos os princípios necessários para um código limpo e, então, confiar que você fará as tarefas (isto é, deixar você cair quando subir na bicicleta), mas que tipo de professores e de estudantes isso faria de nós?

Não. Esse não é o caminho que este livro seguirá.

Aprender a criar códigos limpos é uma tarefa árdua e requer mais do que o simples conhecimento dos princípios e padrões. Você deve suar a camisa; praticar sozinho e ver que cometeu erros; assistir a outros praticarem e errarem; vê-los tropeçar e refazer seus passos; vê-los agonizar para tomar decisões e o preço que pagarão por as terem tomado da maneira errada.

Esteja preparado para trabalhar duro enquanto lê este livro. Esse não é um livro fácil e simples que você pode ler num avião e terminar antes de aterrissar. Este livro lhe fará trabalhar, e trabalhar duro. Que tipo de trabalho você fará? Você lerá códigos aqui, muitos códigos. E você deverá descobrir o que está correto e errado nos códigos. Você terá de seguir o raciocínio conforme dividirmos módulos e os unirmos novamente. Isso levará tempo e esforço, mas achamos que valerá a pena.

Dividimos este livro em três partes. Na primeira há diversos capítulos que descrevem os princípios, padrões e práticas para criar um código limpo. Há um tanto de códigos nessa parte, e será desafiador lê-los. Eles lhe prepararão para a seção seguinte. Se você deixar o livro de lado após essa primeira parte. Bem, boa sorte!

Na segunda parte entra o trabalho pesado que consiste em diversos estudos de caso de complexidade cada vez maior. Cada um é um exercício para limpar um código – resolver alguns problemas dele. O detalhamento nesta seção é intenso. Você terá de ir e voltar por entre as folhas de textos e códigos, e analisar e entender o código com o qual estamos trabalhando e captar nosso raciocínio para cada alteração que fizermos. Reserve um tempo para essa parte, pois deverá levar dias.

A terceira parte é a compensação. É um único capítulo com uma lista de heurísticas e "odores" reunidos durante a criação dos estudos de caso. Conforme progredirmos e limparmos os códigos nos estudos de caso, documentaremos cada motivo para nossas ações como uma heurística ou um "odor". Tentaremos entender nossas próprias reações em relação ao código quando estivermos lendo ou alterando-o, e trabalharemos duro para captar por que nos sentimos de tal forma e por que fizemos isso ou aquilo. O resultado será um conhecimento base que descreve a forma como pensamos quando criamos, lemos e limpamos um código.

Este conhecimento base possui um valor limitado se você não ler com atenção ao longo dos casos de estudo na segunda parte deste livro. Neles, anotamos cuidadosamente cada alteração que fizemos com referências posteriores às heurísticas. Tais referências aparecem em colchetes, assim: [H22]. Isso lhe permite ver o contexto no qual são aplicadas e escritas aquelas heurísticas! Essas, em si, não são tão valiosas, mas, sim, a relação entre elas e as diferentes decisões que tomamos ao limpar o código nos casos de estudo.

A fim de lhe ajudar ainda mais com essas relações, colocamos no final do livro uma referência cruzada que mostra o número da página para cada referência. Você pode usá-la com um guia rápido de consulta para saber onde uma determinada heurística foi aplicada.

Mesmo se você ler a primeira e a terceira seções e pular para os casos de estudo, ainda assim terá lido um livro que satisfaz sobre a criação de um bom software. Mas se não tiver pressa e explorar os casos de estudo, seguindo cada pequeno passo e cada minuto de decisão, se colocando em nosso lugar e se forçando a seguir a mesma linha de raciocínio que usamos, então você adquiriu um entendimento muito mais rico de todos aqueles princípios, padrões, práticas e heurísticas. Todo esse conhecimento ficará em cada fibra de seu corpo. Ele se tornará parte de você da mesma forma que ao aprender a andar de bicicleta ela se torna uma extensão de sua vontade.

Agradecimentos

Ilustrações

Meus agradecimentos a minhas duas artistas, Jeniffer Kohnke e Angela Brooks. Jennifer é a responsável pelas maravilhosas e criativas figuras no início de cada capítulo e também pelos retratos de Kent Beck, Ward Cunningham, Bjarne Stroustrup, Ron Jeffries, Grady Booch, Dave Thomas, Michael Feathers e de mim mesmo.

Angela é a responsável pelas figuras engenhosas que enfeitam os capítulos. Ao longo dos anos, ela criou bastantes imagens para mim, incluindo muitas das que estão no livro Agile Software Development: Principles, Patterns, and Practices. Angela também é minha primogênita e de quem me sinto muito orgulhoso.

Sobre a capa

A imagem da capa se é a M104 – a Galáxia Sombrero –, que fica na constelação de Virgem e está a pouco menos de 30 milhões de anos-luz de nós. Em seu centro há um buraco negro supermassivo cujo peso equivale um bilhão de vezes a massa do sol.

A imagem lhe faz lembrar da explosão da lua Praxis, de Klingon? Eu me recordo vividamente a cena de Jornada nas Estrelas VI que mostrava um anel equatorial de destroços voando devido à explosão. Desde essa cena, o anel equatorial se tornou um componente comum às explosões em filmes de ficção científica. Ele até foi adicionado à explosão de Alderaan nas últimas versões do filme Guerra nas Estrelas.

O que causou a formação desse anel em torno de M104? Por que ele possui um bojo tão amplo e um núcleo tão minúsculo e brilhoso? Parece-me como se o buraco negro central perdeu sua graça e lançou um buraco de 30.000 anos-luz no meio da galáxia, devastando quaisquer civilizações que estivessem no caminho daquele distúrbio cósmico.

Buracos negros supermassivos engolem estrelas inteiras no almoço, convertendo uma considerável fração de sua massa em energia. E = MC2 já é bastante potência, mas quando M é uma massa estelar: Cuidado! Quantas estrelas caíram impetuosamente naquelas presas antes de o monstro ficar saciado? O tamanho do vão central poderia ser uma dica?

A imagem de M104 da capa é uma combinação da famosa fotografia de luz visível do Hubble (foto superior) com a recente imagem infravermelha do observatório espacial Spitzer (foto inferior). É essa segunda imagem que nos mostra claramente a natureza do anel da galáxia. Na luz visível, vemos apenas a extremidade frontal do anel como uma silhueta. O bojo central ofusca o resto do anel.

Mas no infravermelho, as partículas "quentes" – isto é, altamente radioativas – no anel brilham através do bojo central. A combinação de ambas as imagens nos mostra uma visão que não havíamos visto antes e indica que, há muito tempo atrás, lá havia um inferno enfurecido de atividades.

Sobre a capa

1

Código Limpo

Há duas razões pelas quais você está lendo este livro: você é programador e deseja se tornar um ainda melhor. Ótimo. Precisamos de programadores melhores.

Este livro fala sobre programação e está repleto de códigos que examinaremos a partir de diferentes perspectivas: de baixo para cima, de cima para baixo e de dentro para fora. Ao terminarmos, teremos um amplo conhecimento sobre códigos e seremos capazes de distinguir entre um código bom e um código ruim. Saberemos como escrever um bom código e como tornar um ruim em um bom.

O Código

Podem dizer que um livro sobre códigos é, de certa forma, algo ultrapassado, que a programação deixou de ser uma preocupação e que devemos nos preocupar com modelos e requisitos. Outros até mesmo alegam que o fim do código, ou seja, da programação, está próximo; que logo todo código será gerado e não mais escrito. E que não precisarão mais de programadores, pois as pessoas criarão programas a partir de especificações.

Bobagens! Nunca nos livraremos dos códigos, pois eles representam os detalhes dos requisitos. Em certo nível, não há como ignorar ou abstrair esses detalhes; eles precisam ser especificados. E especificar requisitos detalhadamente de modo que uma máquina possa executá-los *é programar* – e tal especificação *é o código*.

Espero que o nível de abstração de nossas linguagens continue a aumentar e que o número de linguagens específicas a um domínio continue crescendo. Isso será bom, mas não acabará com a programação. De fato, todas as especificações escritas nessas linguagens de níveis mais altos e específicas a um domínio *serão códigos*! Eles precisarão ser minuciosos, exatos e bastante formais e detalhados para que uma máquina possa entendê-los e executá-los.

As pessoas que pensam que o código um dia desaparecerá são como matemáticos que esperam algum dia descobrir uma matemática que não precise ser formal. Elas esperam que um dia descubramos uma forma de criar máquinas que possam fazer o que desejamos em vez do que mandamos. Tais máquinas terão de ser capazes de nos entender tão bem de modo que possam traduzir exigências vagamente especificadas em programas executáveis perfeitos para satisfazer nossas necessidades.

Isso jamais acontecerá. Nem mesmo os seres humanos, com toda sua intuição e criatividade, têm sido capazes de criar sistemas bem sucedidos a partir das carências confusas de seus clientes. Na verdade, se a matéria sobre especificação de requisitos não nos ensinou nada, é porque os requisitos bem especificados são tão formais quanto os códigos e podem agir como testes executáveis de tais códigos!

Lembre-se de que o código é a linguagem na qual expressamos nossos requisitos. Podemos criar linguagens que sejam mais próximas a eles. Podemos criar ferramentas que nos ajudem a analisar a sintaxe e unir tais requisitos em estruturas formais. Mas jamais eliminaremos a precisão necessária – portanto, sempre haverá um código.

Código ruim

Recentemente li o prefácio do livro *Implementation Patterns*[1] de Kent Beck, no qual ele diz "... este livro baseia-se numa premissa frágil de que um bom código importa...". Uma premissa frágil? Não concordo! Acho que essa premissa é uma das mais robustas, apoiadas e plenas do que todas as outras em nossa área (e sei que Kent sabe disso). Estamos cientes de que um bom código importa, pois tivemos de lidar com a falta dele por muito tempo.

Lembro que no final da década de 1980 uma empresa criou um aplicativo extraordinário que se tornou muito popular e muitos profissionais o compraram e usaram. Mas, então, o intervalo entre os lançamentos das novas distribuições começou a aumentar. Os *bugs* não eram consertados na distribuição seguinte. E o tempo de carregamento do aplicativo e o número de travamentos aumentaram. Lembro-me do dia em que, frustrado, fechei o programa e nunca mais o usei. A empresa saiu do mercado logo depois.

Duas décadas depois encontrei um dos funcionários de tal empresa na época e o perguntei o que havia acontecido, e o que eu temia fora confirmado. Eles tiveram de apressar o lançamento do produto e, devido a isso, o código ficou uma zona. Então, conforme foram adicionando mais e mais recursos, o código piorava cada vez mais até que simplesmente não era mais possível gerenciá-lo. Foi o código ruim que acabou com a empresa.

Alguma vez um código ruim já lhe atrasou consideravelmente? Se você for um programador, independente de sua experiência, então já se deparou várias vezes com esse obstáculo. Aliás, é como se caminhássemos penosamente por um lamaçal de arbustos emaranhados com armadilhas ocultas. Isso é o que fazemos num código ruim. Pelejamos para encontrar nosso caminho, esperando avistar alguma dica, alguma indicação do que está acontecendo; mas tudo o que vemos é um código cada vez mais sem sentido.

É claro que um código ruim já lhe atrasou. Mas, então, por que você o escreveu dessa forma?

Estava tentando ser rápido? Estava com pressa? Provavelmente. Talvez você pensou que não tivesse tempo para fazer um bom trabalho; que seu chefe ficaria com raiva se você demorasse um pouco mais para limpar seu código. Talvez você estava apenas cansado de trabalhar neste programa e queria terminá-lo logo. Ou verificou a lista de coisas que havia prometido fazer e percebeu que precisava finalizar este módulo de uma vez, de modo que pudesse passar para o próximo.

Todos já fizemos isso, já vimos a bagunça que fizemos e, então, optamos por arrumá-las outro dia. Todos já nos sentimos aliviados ao vermos nosso programa confuso funcionar e

1. [Beck07]

decidimos que uma bagunça que funciona é melhor do que nada. Todos nós já dissemos que revisaríamos e limparíamos o código depois. É claro que naquela época não conhecíamos a lei de LeBlanc: *Mais tarde é igual a nunca.*

O Custo de Ter um Código Confuso

Se você é programador há mais de dois ou três anos, provavelmente o código confuso de outra pessoa já fez com que você trabalhasse mais lentamente e provavelmente seu próprio código já lhe trouxe problemas. O nível de retardo pode ser significativo. Ao longo de um ou dois anos, as equipes que trabalharam rapidamente no início de um projeto podem perceber mais tarde que estão indo a passos de tartaruga. Cada alteração feita no código causa uma falha em outras duas ou três partes do mesmo código. Mudança alguma é trivial. Cada adição ou modificação ao sistema exige que restaurações, amarrações e remendos sejam "entendidas" de modo que outras possam ser incluídas. Com o tempo, a bagunça se torna tão grande e profunda que não dá para arrumá-la. Não há absolutamente solução alguma.

Conforme a confusão aumenta, a produtividade da equipe diminui, assintoticamente aproximando-se de zero. Com a redução da produtividade, a gerência faz a única coisa que ela pode; adiciona mais membros ao projeto na esperança de aumentar a produtividade. Mas esses novos membros não conhecem o projeto do sistema, não sabem a diferença entre uma mudança que altera o propósito do projeto e aquela que o atrapalha. Ademais, eles, e todo o resto da equipe, estão sobre tremenda pressão para aumentar a produtividade. Com isso todos criam mais e mais confusões, levando a produtividade mais perto ainda de zero (veja a Figura 1.1).

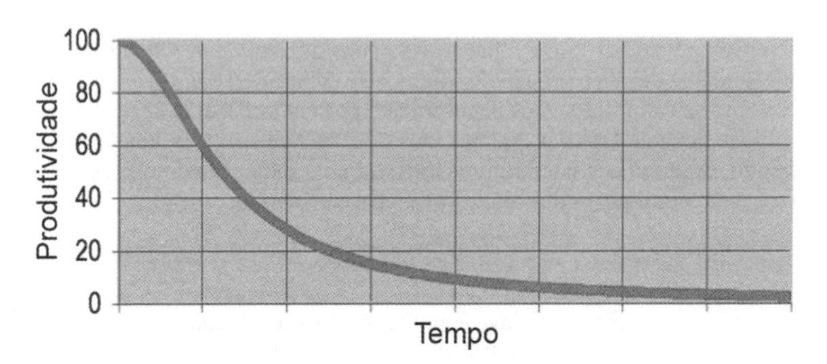

Figura 1.1

Produtividade *vs* Tempo

O Grande Replanejamento

No final, a equipe se rebela. Todos informam à gerência que não conseguem mais trabalhar neste irritante código-fonte e exigem um replanejamento do projeto. Apesar de a gerência não querer gastar recursos em uma nova remodelação, ela não pode negar que a produtividade está péssima. No final das contas, ela acaba cedendo às exigências dos desenvolvedores e autoriza o grande replanejamento desejado.

É, então, formada uma nova equipe especializada. Por ser um projeto inteiramente novo, todos querem fazer parte dessa equipe. Eles desejam começar do zero e criar algo belo de verdade. Mas apenas os melhores e mais brilhantes são selecionados e os outros deverão continuar na manutenção do sistema atual.

Agora ambos os times estão numa corrida. A nova equipe precisa construir um novo sistema que faça o mesmo que o antigo, além de ter de se manter atualizada em relação às mudanças feitas constantemente no sistema antigo. Este, a gerência não substituirá até que o novo possa fazer tudo também.

Essa corrida pode durar um bom tempo. Já vi umas levarem 10 anos. E, quando ela termina, os membros originais da nova equipe já foram embora há muito tempo, e os atuais exigem o replanejamento de um novo sistema, pois está tudo uma zona novamente.

Se você já vivenciou pelo menos um pouco dessa situação, então sabe que dedicar tempo para limpar seu código não é apenas eficaz em termos de custo, mas uma questão de sobrevivência profissional.

Atitude

Você já teve de trabalhar penosamente por uma confusão tão grave que levou semanas o que deveria ter levado horas? Você já presenciou o que deveria ser uma alteração única e direta, mas que em vez disso foi feita em diversos módulos distintos? Todos esses sintomas são bastante comuns.

Por que isso ocorre em um código? Por que um código bom se decompõe tão rápido em um ruim? Temos diversas explicações para isso. Reclamamos que os requisitos mudaram de tal forma que estragaram o projeto original. Criticamos os prazos por serem curtos demais para fazermos as coisas certas. Resmungamos sobre gerentes tolos e clientes intolerantes e tipos de marketing inúteis e técnicos de telefone. Mas o padrão, querido Dilbert, não está em nossas estrelas, mas sim em nós mesmos. Somos profissionais.

Isso pode ser algo difícil de engolir. Mas como poderia essa zona ser *nossa* culpa? E os requisitos? E o prazo? E os tolos gerentes e tipos de marketing inúteis? Eles não carregam alguma parcela da culpa?

Não. Os gerentes e marketeiros buscam em nós as informações que precisam para fazer promessas e firmarem compromissos; e mesmo quando não nos procuram, não devemos dar uma de tímidos ao dizer-lhes nossa opinião. Os usuários esperam que validemos as maneiras pelas quais os requisitos se encaixarão no sistema. Os gerentes esperam que os ajudemos a cumprir o prazo. Nossa cumplicidade no planejamento do projeto é tamanha que compartilhamos de uma grande parcela da responsabilidade em caso de falhas; especialmente se estas forem em relação a um código ruim.

"Mas, espere!", você diz. "E se eu não fizer o que meu gerente quer, serei demitido". É provável que não. A maioria dos gerentes quer a verdade, mesmo que demonstrem o contrário. A maioria deles quer um código bom, mesmo estourando o prazo. Eles podem proteger com paixão o prazo e os requisitos, mas essa é a função deles. A *sua* é proteger o código com essa mesma paixão.

Para finalizar essa questão, e se você fosse médico e um paciente exigisse que você parasse com toda aquela lavação das mãos na preparação para a cirurgia só porque isso leva muito tempo?[2] É óbvio que o chefe neste caso é o paciente; mas, mesmo assim, o médico deverá totalmente se recusar obedecê-lo. Por quê? Porque o médico sabe mais do que o paciente sobre os riscos de doenças e infecções. Não seria profissional (sem mencionar criminoso) que o médico obedecesse ao paciente neste cenário.

Da mesma forma que não é profissional que programadores cedam à vontade dos gerentes que não entendem os riscos de se gerar códigos confusos.

O Principal Dilema

Os programadores se deparam com um dilema de valores básicos. Todos os desenvolvedores com alguns anos a mais de experiência sabem que bagunças antigas reduzem o rendimento. Mesmo assim todos eles se sentem pressionados a cometer essas bagunças para cumprir os prazos. Resumindo, eles não se esforçam para.

Os profissionais sérios sabem que a segunda parte do dilema está errada. Você não cumprirá o prazo se fizer bagunça no código. De fato, tal desorganização reduzirá instantaneamente sua velocidade de trabalho, e você perderá o prazo. A *única* maneira de isso não acontecer – a única maneira de ir mais rápido – é sempre manter o código limpo.

A Arte do Código Limpo?

Digamos que você acredite que um código confuso seja um obstáculo relevante. Digamos que você aceite que a única forma de trabalhar mais rápido é manter seu código limpo. Então, você deve se perguntar: "Como escrever um código limpo?" Não vale de nada tentar escrever um código limpo se você não souber o que isso significa.

As más notícias são que escrever um código limpo é como pintar um quadro. A maioria de nós sabe quando a figura foi bem ou mal pintada. Mas ser capaz de distinguir uma boa arte de uma ruim não significa que você saiba pintar. Assim como saber distinguir um código limpo de um ruim não quer dizer que saibamos escrever um código limpo.

Escrever um código limpo exige o uso disciplinado de uma miríade de pequenas técnicas aplicadas por meio de uma sensibilidade meticulosamente adquirida sobre "limpeza". A "sensibilidade ao código" é o segredo. Alguns de nós já nascemos com ela. Outros precisam se esforçar para adquiri-la. Ela não só nos permite perceber se o código é bom ou ruim, como

2. Em 1847, quando Ignaz Semmelweis sugeriu pela primeira vez a lavagem das mãos, ela foi rejeitada, baseando-se no fato de que os médicos eram ocupados demais e não teriam tempo para lavar as mãos entre um paciente e outro.

também nos mostra a estratégia e disciplina de como transformar um código ruim em um limpo.

Um programador sem "sensibilidade ao código" pode visualizar um módulo confuso e reconhecer a bagunça, mas não saberá o que fazer a respeito dela. Já um com essa sensibilidade olhará um módulo confuso e verá alternativas. A "sensibilidade ao código" ajudará a esse programador a escolher a melhor alternativa e o orientará na criação de uma sequência de comportamentos para proteger as alterações feitas aqui e ali.

Em suma, um programador que escreve um código limpo é um artista que pode pegar uma tela em branco e submetê-la a uma série de transformações até que se torne um sistema graciosamente programado.

O que é um Código Limpo?

Provavelmente existem tantas definições como existem programadores. Portanto, perguntei a alguns programadores bem conhecidos e com muita experiência o que achavam.

Bjarne Stroustrup, criador do C++ e autor do livro A linguagem de programação C++

Gosto do meu código elegante e eficiente. A lógica deve ser direta para dificultar o encobrimento de bugs, as dependências mínimas para facilitar a manutenção, o tratamento de erro completo de acordo com uma estratégia clara e o desempenho próximo do mais eficiente de modo a não incitar as pessoas a tornarem o código confuso com otimizações sorrateiras. O código limpo faz bem apenas uma coisa.

Bjarne usa a palavra "elegante" – uma palavra e tanto! O dicionário do meu MacBook® fornece as seguintes definições: *que se caracteriza pela naturalidade de harmonia, leveza, simplicidade; naturalidade no modo se dispor; requintado, fino, estiloso.* Observe a ênfase dada à palavra "naturalidade". Aparentemente, Bjarne acha que um código limpo proporciona uma leitura natural; e lê-lo deve ser belo como ouvir uma música num rádio ou visualizar um carro de design magnífico.

Bjarne também menciona duas vezes "eficiência". Talvez isso não devesse nos surpreender vindo do criador do C++, mas acho que ele quis dizer mais do que um simples desejo por agilidade. A repetição de ciclos não é elegante, não é bela. E repare que Bjarne usa a palavra "incitar" para descrever a consequência de tal deselegância. A verdade aqui é que um código ruim incita o crescimento do caos num código. Quando outras pessoas alteram um código ruim, elas tendem a piorá-lo.

Pragmáticos, Dave Thomas e Andy Hunt expressam isso de outra forma. Eles usam a metáfora das janelas quebradas.[3] Uma construção com janelas quebradas parece que ninguém cuida dela. Dessa forma, outras pessoas deixam de se preocupar com ela também. Elas permitem que as outras janelas se quebrem também. No final das contas, as próprias pessoas as quebram. Elas estragam a fachada com pichações e deixam acumular lixo. Uma única janela inicia o processo de degradação.

Bjarne também menciona que o tratamento de erro deva ser completo. Isso significa prestar atenção nos detalhes. Um tratamento de erro reduzido é apenas uma das maneiras pela qual os programadores deixam de notar os detalhes. Perdas de memória e condições de corrida são outras. Nomenclaturas inconsistentes são ainda outras. A conclusão é que um código limpo requer bastante atenção aos detalhes.

Bjarne conclui com a asseveração de que um código limpo faz bem apenas uma coisa. Não é por acaso que inúmeros princípios de desenvolvimento de software podem ser resumidos a essa simples afirmação. Vários escritores já tentaram passar essa ideia. Um código ruim tenta fazer coisas demais, ele está cheio de propósitos obscuros e ambíguos. O código limpo é *centralizado*. Cada função, cada classe, cada módulo expõe uma única tarefa que nunca sofre interferência de outros detalhes ou fica rodeada por eles.

Grady Booch, autor do livro *Object Oriented Analysis and Design with Applications*

Um código limpo é simples e direto. Ele é tão bem legível quanto uma prosa bem escrita. Ele jamais torna confuso o objetivo do desenvolvedor, em vez disso, ele está repleto de abstrações claras e linhas de controle objetivas.

Grady fala de alguns dos mesmos pontos que Bjarne, voltando-se mais para questão da legibilidade. Eu, particularmente, gosto desse ponto de vista de que ler um código limpo deve ser como ler uma prosa bem escrita. Pense num livro muito bom que você já leu. Lembre-se de como as palavras eram substituídas por imagens! Era como assistir a um filme, não era? Melhor ainda, você via os personagens, ouvia os sons, envolvia-se nas emoções e no humor.

Ler um código limpo jamais será como ler *O Senhor dos Anéis*. Mesmo assim, a analogia com a literatura não é ruim. Como um bom romance, um código limpo deve expor claramente as questões do problema a ser solucionado. Ele deve desenvolvê-las até um clímax e, então, dar ao leitor aquele "Ahá! Mas é claro!", como as questões e os suspenses que são resolvidos na revelação de uma solução óbvia.

Acho que o uso que Grady faz da frase "abstrações claras" é um paradoxo fascinante!

---

3. http://www.pragmaticprogrammer.com/booksellers/2004-12.html

Apesar de tudo, a palavra "clara" é praticamente um sinônimo para "explícito". Meu dicionário do MacBook tem a seguinte definição para "claro(a)": *direto, decisivo, sem devaneios ou detalhes desnecessários.* Apesar desta justaposição de significados, as palavras carregam uma mensagem poderosa. Nosso código deve ser decisivo, sem especulações. Ele deve conter apenas o necessário. Nossos leitores devem assumir que fomos decisivos.

O "grande" Dave Thomas, fundador da OTI, o padrinho da estratégia Eclipse

Além de seu criador, um desenvolvedor pode ler e melhorar um código limpo. Ele tem testes unitários e de aceitação, nomes significativos; ele oferece apenas uma maneira, e não várias, de se fazer uma tarefa; possui poucas dependências, as quais são explicitamente declaradas e oferecem um API mínimo e claro. O código deve ser inteligível já que dependendo da linguagem, nem toda informação necessária pode ser expressa no código em si.

Dave compartilha do mesmo desejo de Grady pela legibilidade, mas com uma diferença relevante. Dave afirma que um código limpo facilita para que outras pessoas o melhorem. Pode parecer óbvio, mas não se deve enfatizar muito isso. Há, afinal de contas, uma diferença entre um código fácil de ler e um fácil de alterar.

Dave associa limpeza a testes! Dez anos atrás, isso levantaria um ar de desconfiança. Mas o estudo do Desenvolvimento Dirigido a Testes teve grande impacto em nossa indústria e se tornou uma de nossos campos de estudo mais essenciais. Dave está certo. Um código, sem testes, não está limpo. Não importa o quão elegante, legível ou acessível esteja, se ele não possuir testes, ele não é limpo.

Dave usa a palavra mínima duas vezes. Aparentemente ele dá preferência a um código pequeno. De fato, esse tem sido uma citação comum na literatura computacional. Quando menor, melhor.

Dave também diz que o código deve ser *inteligível* – referência esta à *programação inteligível*[4] (do livro *Literate Programming*) de Donald Knuth. A conclusão é que o código deve ser escrito de uma forma que seja inteligível aos seres humanos.

4. [Knuth92]

Michael Feathers, autor de *Working Effectively with Legacy Code*

> *Eu poderia listar todas as qualidades que vejo em um código limpo, mas há uma predominante que leva a todas as outras. Um código limpo sempre parece que foi escrito por alguém que se importava. Não há nada de óbvio no que se pode fazer para torná-lo melhor. Tudo foi pensado pelo autor do código, e se tentar pensar em algumas melhoras, você voltará ao início, ou seja, apreciando o código deixado para você por alguém que se importa bastante com essa tarefa.*

Em duas palavras: se importar. É esse o assunto deste livro. Talvez um subtítulo apropriado seria *Como se importar com o código.*

Michael bate na testa: um código limpo é um código que foi cuidado por alguém. Alguém que calmamente o manteve simples e organizado; alguém que prestou a atenção necessária aos detalhes; alguém que se importou.

Ron Jeffries, autor de *Extreme Programming Installed and Extreme Programming Adventures in C#*

Ron iniciou sua carreira de programador em Fortran, no Strategic Air Command, e criou códigos em quase todas as linguagens e máquinas. Vale a pena considerar suas palavras:

> *Nestes anos recentes, comecei, e quase finalizei, com as regras de Beck sobre código simples. Em ordem de prioridade, são:*

- *Efetue todos os testes;*
- *Sem duplicação de código;*
- *Expressa todas as ideias do projeto que estão no sistema;*
- *Minimiza o número de entidades, como classes, métodos, funções e outras do tipo.*

Dessas quatro, foco-me mais na de duplicação. Quando a mesma coisa é feita repetidas vezes, é sinal de que uma ideia em sua cabeça não está bem representada no código. Tento descobrir o que é e, então, expressar aquela ideia com mais clareza.

Expressividade para mim são nomes significativos e costume mudar o nome das coisas várias vezes antes de finalizar. Com ferramentas de programação modernas, como a Eclipse, renomear é bastante fácil, e por isso não me incomodo em fazer isso. Entretanto, a expressividade vai além de nomes. Também verifico se um método ou objeto faz mais de uma tarefa. Se for um objeto, provavelmente ele precisará ser dividido em dois ou mais. Se for um método, sempre uso a refatoração do Método de Extração, resultando em um método que expressa mais claramente sua função e em outros métodos que dizem como ela é feita.

Duplicação e expressividade me levam ao que considero um código limpo, e melhorar um código ruim com apenas esses dois conceitos na mente pode fazer uma grande diferença. Há, porém, uma outra coisa da qual estou ciente quando programo, que é um pouco mais difícil de explicar.

Após anos de trabalho, parece-me que todos os programadores pensam tudo igual. Um exemplo é "encontrar coisas numa coleção". Tenhamos uma base de dados com registros de funcionários ou uma tabela hash de chaves e valores ou um vetor de itens de algum tipo, geralmente procuramos um item específico naquela coleção. Quando percebo isso, costumo implementar essa função em um método ou classe mais abstrato – o que me proporciona algumas vantagens interessantes.

Posso implementar a funcionalidade agora com algo mais simples, digamos uma tabela hash, mas como agora todas as referências àquela busca estão na minha classe ou método abstrato, posso alterar a implementação sempre que desejar. Posso ainda prosseguir rapidamente enquanto preservo a capacidade de alteração futura.

Além disso, a abstração de coleções geralmente chama minha atenção para o que realmente está acontecendo, e impede que eu implemente funcionalidades arbitrárias em coleções quando tudo que eu preciso são simples maneiras de encontrar o que desejo.

Redução de duplicação de código, alta expressividade e criação no início de abstrações simples. É isso que torna para mim um código limpo.

Aqui, em alguns breves parágrafos, Ron resumiu o conteúdo deste livro. Sem duplicação, uma tarefa, expressividade, pequenas abstrações. Tudo foi mencionado.

Ward Cunningham, criador do conceito de "Wiki", criador do Fit, cocriador da Programação Extrema (*eXtreme Programming*). Incentivador dos Padrões de Projeto. Líder da Smalltalk e da OO. Pai de todos aqueles que se importam com o código.

Você sabe que está criando um código limpo quando cada rotina que você lê se mostra como o que você esperava. Você pode chamar de código belo quando ele também faz parecer que a linguagem foi feita para o problema.

Declarações como essa são características de Ward. Você a lê, coloca na sua cabeça e segue para a próxima. Parece tão racional, tão óbvio que raramente é memorizada como algo profundo. Você acha que basicamente já pensava assim. Mas observemos mais atentamente.

"... o que você esperava". Qual foi a última vez que você viu um módulo como você o esperava que fosse? Não é mais comum eles serem complexos, complicados, emaranhados? Interpretá-lo erroneamente não é a regra? Você não está acostumado a se descontrolar ao tentar entender o raciocínio que gerou todo o sistema e associá-lo ao módulo que estás lendo? Quando foi a última vez que você leu um código para o qual você assentiu com a cabeça da mesma forma que fez com a declaração de Ward?

Ward espera que ao ler um código limpo nada lhe surpreenda. De fato, não será nem preciso muito esforço. Você irá lê-lo e será basicamente o que você já esperava. O código é óbvio, simples e convincente. Cada módulo prepara o terreno para o seguinte. Cada um lhe diz como o próximo estará escrito. Os programas que são tão limpos e claros assim foram tão bem escritos que você nem perceberá. O programador o faz parecer super simples, como o é todo projeto extraordinário.

E a noção de beleza do Ward? Todos já reclamamos do fato de nossas linguagens não terem sido desenvolvidas para os nossos problemas. Mas a declaração de Ward coloca novamente o peso sobre nós. Ele diz que um código belo *faz parecer que a linguagem foi feita para o problema*! Portanto, é *nossa* responsabilidade fazer a linguagem parecer simples. Há brigas por causa das linguagens em todo lugar. Cuidado! Não é a linguagem que faz os programas parecerem simples, é o programador.

Escolas de Pensamento

E eu (Tio Bob)? O que é um código limpo para mim? É isso o que este livro lhe dirá em detalhes, o que eu e meus compatriotas consideramos um código limpo. Diremo-lhe o que consideramos como nomes limpos de variáveis, funções limpas, classes limpas etc. Apresentaremos nossos conceitos como verdades absolutas, e não nos desculparemos por nossa austeridade. Para nós, a essa altura de nossa carreira, tais conceitos *são* absolutos. São *nossa escola de pensamento* acerca do que seja um código limpo.

Nem todos os mestres de artes marciais concordam com qual seria a melhor arte marcial de todas ou a melhor técnica dentro de uma arte marcial específica. Geralmente, eles criam suas próprias escolas de pensamento e recrutam alunos para serem ensinados. Dessa forma, temos o *Jiu Jitsu dos Gracie*, criado e ensinado pela família Gracie, no Brasil; o *Jiu Jitsu de Hakkoryu*, criado e ensinado por Okuyama Ryuho, em Tóquio; e o *Jeet Kune Do*, criado e ensinado por Bruce Lee, nos EUA.

Os estudantes se dedicam à doutrina ensinada por aquela determinada arte, e aprendem o que seus mestres ensinam, geralmente ignorando os ensinamentos de outros mestres. Depois, conforme os estudantes progridem, costuma-se mudar o mestre de modo que possam expandir seus conhecimentos e práticas. Alguns, no final, continuam a fim de refinar suas habilidades, descobrem novas técnicas e criam suas próprias escolas.

Nenhuma dessas escolas está 100% *certa*. Mesmo assim dentro de uma determinada escola *agimos* como os ensinamentos e técnicas *fossem* os certos. Apesar de tudo, há uma forma correta de praticar o Jiu Jitsu de Hakkoryu, ou Jeet Kune Do. Mas essa retidão dentro de uma escola não invalida as técnicas de outra.

Considere este livro como uma descrição da *Escola de Código Limpo da Object Mentor*. As técnicas e ensinamentos são a maneira pela qual praticamos nossa *arte*. Estamos dispostos a alegar que se você seguir esses ensinamentos, desfrutará dos benefícios que também aproveitamos e aprenderá a escrever códigos limpos e profissionais. Mas não pense você que nós estamos 100% "certos". Provavelmente há outras escolas e mestres que têm tanto para oferecer quanto nós. O correto seria que você aprendesse com elas também.

De fato, muitas das recomendações neste livro são controversas. Provavelmente você não concordará com todas e poderá até mesmo discordar intensivamente com algumas. Tudo bem. Não podemos querer ter a palavra final. Por outro lado, pensamos bastante e por muito tempo sobre as recomendações neste livro. As aprendemos ao longo de décadas de experiência e repetidos testes e erros. Portanto, concorde você ou não, seria uma pena se você não conseguisse enxergar nosso ponto de vista.

Somos Autores

O campo `@author` de um Javadoc nos diz quem somos. Nós somos autores, e todo autor tem leitores, com os quais uma boa comunicação é de responsabilidade dos autores. Na próxima vez em que você escrever uma linha de código, lembre-se de que você é um autor, escrevendo para leitores que julgarão seus esforços.

Você talvez se pergunte: o quanto realmente se lê de um código? A maioria do trabalho não é escrevê-lo?

Você já reproduziu uma sessão de edição? Nas décadas de 1980 e 1990, tínhamos editores, como o Emacs, que mantinham um registro de cada tecla pressionada. Você podia trabalhar por horas e, então, reproduzir toda a sua sessão de edição como um filme passando em alta velocidade. Quando fiz isso, os resultados foram fascinantes.

A grande maioria da reprodução era rolamento de tela e navegação para outros módulos!

Bob entra no módulo.

Ele desce até a função que precisava ser alterada.

Ele para e considera suas opções.

Oh, ele sobe para o início do módulo a fim de verificar a inicialização da variável.

Agora ele desce novamente e começa a digitar.

Opa, ele está apagando o que digitou!

Ele digita novamente.

Ele apaga novamente.

Ele digita a metade de algo e apaga!

Ele desce até outra função que chama a que ele está modificando para ver como ela é chamada.

Ele sobe novamente e digita o mesmo código que acabara de digitar.

Ele para.

Ele apaga novamente!

Ele abre uma outra janela e analisa uma subclasse. A função é sobrescrita?

...

Bem, você entendeu! Na verdade, a taxa de tempo gasto na leitura v. na escrita é de 10x1. Constantemente lemos um código antigo quando estamos criando um novo.

Devido à tamanha diferença, desejamos que a leitura do código seja fácil, mesmo se sua criação for árdua. É claro que não há como escrever um código sem lê-lo, portanto torná-lo de fácil leitura realmente facilita a escrita.

Não há como escapar desta lógica. Você não pode escrever um código se não quiser ler as outras partes dele. O código que você tenta escrever hoje será de difícil ou fácil leitura dependendo da facilidade de leitura da outra parte do código. Se quiser ser rápido, se quiser acabar logo, se quiser que seu código seja de fácil escrita, torne-o de fácil leitura.

A Regra de Escoteiro

Não basta escrever um código bom. Ele precisa ser mantido sempre limpo. Todos já vimos códigos estragarem e degradarem com o tempo, portanto, precisamos assumir um papel ativo na prevenção da degradação.

A Boy Scouts of America, maior organização de jovens escoteiros dos EUA, tem uma regra simples que podemos aplicar à nossa profissão.

Deixe a área do acampamento mais limpa do que como você a encontrou.[5]

Se todos deixássemos nosso código mais limpo do que quando o começamos, ele simplesmente não degradaria. A limpeza não precisa ser algo grande. Troque o nome de uma variável por um melhor, divida uma função que esteja um pouco grande demais, elimine um pouco de repetição de código, reduza uma instrução if aninhada.

Consegue se imaginar trabalhando num projeto no qual o código simplesmente melhorou com o tempo? Você acredita que qualquer alternativa seja profissional? Na verdade, o aperfeiçoamento contínuo não é inerente ao profissionalismo?

Prequela e Princípios

Em muitas maneiras este livro é uma “prequela” de outro que escrevi em 2002, chamado *Agile Software Development: Principles, Patterns, and Practices* (PPP). Ele fala sobre os princípios do projeto orientado a objeto e muitas das práticas utilizadas por desenvolvedores profissionais. Se você ainda não leu o PPP, talvez ache que é a continuação deste livro. Se já o leu, então perceberá que ele é bastante parecido a esse em relação aos códigos.

---

5. Essa frase foi adaptada da mensagem de despedida de Robert Stephenson Smyth Baden-Powell para os Escoteiros: “Experimente e deixe este mundo um pouco melhor de como você o achou...”

Neste livro há referências esporádicas a diversos princípios de projeto, dentre os quais estão: Princípio da Responsabilidade Única (SRP, sigla em inglês), Princípio de Aberto-Fechado (OCP, sigla em inglês), Princípio da Inversão da Independência (DIP, sigla em inglês), dentre outros. Esses princípios são descritos detalhadamente no PPP.

Conclusão

Livros sobre arte não prometem lhe tornar um artista. Tudo o que podem fazer é lhe oferecer algumas das ferramentas, técnicas e linhas de pensamento que outros artistas usaram. Portanto, este livro não pode prometer lhe tornar um bom programador. Ou lhe dar a "sensibilidade ao código". Tudo o que ele pode fazer é lhe mostrar a linha de pensamento de bons programadores e os truques, técnicas e ferramentas que eles usam.

Assim como um livro sobre arte, este está cheio de detalhes. Há muitos códigos. Você verá códigos bons e ruins; código ruim sendo transformado em bom; listas de heurísticas, orientações e técnicas; e também exemplo após exemplo. Depois disso, é por sua conta.

Lembre-se daquela piada sobre o violinista que se perdeu no caminho para a apresentação em um concerto? Ele aborda um senhor na esquina e lhe pergunta como chegar ao Carnegie Hall. O senhor observa o violinista com seu violino debaixo dos braços e diz: "Pratique, filho. Pratique!".

Bibliografia

[Beck07]: *Implementation Patterns*, Kent Beck, Addison-Wesley, 2007.

[Knuth92]: *Literate Programming*, Donald E. Knuth, Center for the Study of Language and Information, Leland Stanford Junior University, 1992.

2

Nomes Significativos

por Tim Ottinger

Introdução

Há nomes por todos os lados em um software. Nomeamos nossas variáveis, funções, parâmetros, classes e pacotes, assim como os arquivos-fonte e os diretórios que os possui. Nomeamos também nossos arquivos jar, war e ear. E nomeamos, nomeamos e nomeamos. Como fazemos muito isso, é melhor que o façamos bem. A seguir estão algumas regras simples para a criação de bons nomes.

Use Nomes que Revelem seu Propósito

Dizer que os nomes devem demonstrar seu propósito é fácil. Mas queremos que você saiba que estamos falando *sério*. Escolher bons nomes leva tempo, mas economiza mais. Portanto, cuide de seus nomes e troque-os quando encontrar melhores. Todos que lerem seu código (incluindo você mesmo) ficarão agradecidos.

O nome de uma variável, função ou classe deve responder a todas as grandes questões. Ele deve lhe dizer porque existe, o que faz e como é usado. Se um nome requer um comentário, então ele não revela seu propósito.

```
int d; // tempo decorrido em dias
```

O nome `d` não revela nada. Ele não indica a ideia de tempo decorrido, nem de dias. Devemos escolher um nome que especifique seu uso para mensuração e a unidade usada.

```
int elapsedTimeInDays;
int daysSinceCreation;
int daysSinceModification;
int fileAgeInDays;
```

Escolher nomes que revelem seu propósito pode facilitar bastante o entendimento e a alteração do código. Qual o propósito deste código?

```
public List<int[]> getThem() {
  List<int[]> list1 = new ArrayList<int[]>();
  for (int[] x : theList)
    if (x[0] == 4)
      list1.add(x);
  return list1;
}
```

Por que é difícil dizer o que o código faz? Não há expressões complexas. O espaçamento e a indentação são cabíveis. Só há três variáveis e duas constantes. Nem mesmo há classes refinadas ou métodos polimórficos, apenas uma lista de arrays (pelo menos é o que parece).

O problema não é a simplicidade do código, mas seu aspecto implícito, isto é, o contexto não está explícito no código. Devido a isso, é necessário que saibamos as repostas para questões como:

1. Que tipos de coisas estão em `theList`?
2. Qual a importância de um item na posição zero na `theList`?
3. Qual a importância do valor `4`?
4. Como eu usaria a lista retornada?

As respostas para tais questões não estão presentes no exemplo do código, mas poderiam. Digamos que estejamos trabalhando num jogo do tipo "campo minado". Percebemos que o tabuleiro é uma lista de células chamada theList. Vamos renomeá-la para gameBoard.

Cada quadrado no tabuleiro é representada por um vetor simples. Mais tarde, descobrimos que a posição zero é armazena um valor de status e que o valor 4 significa "marcado com uma bandeirinha". Ao dar esses nomes explicativos, podemos melhorar consideravelmente o código:

```
public List<int[]> getFlaggedCells() {
  List<int[]> flaggedCells = new ArrayList<int[]>();
  for (int[] cell : gameBoard)
    if (cell[STATUS_VALUE] == FLAGGED)
      flaggedCells.add(cell);
  return flaggedCells;
}
```

Note que a simplicidade do código não mudou. Ele ainda possui o mesmo número de operadores e constantes, com o mesmo número de itens aninhados. Entretanto, o código ficou muito mais explícito.

Podemos continuar e criar uma classe simples para as células, em vez de usar um vetor intS. Ela pode ter uma função com um nome que revele seu propósito (chamada isFlagged, ou seja "está marcada com uma bandeirinha") para ocultar os números mágicos. O resultado é uma nova versão da função:

```
public List<Cell> getFlaggedCells() {
  List<Cell> flaggedCells = new ArrayList<Cell>();
  for (Cell cell : gameBoard)
    if (cell.isFlagged())
      flaggedCells.add(cell);
  return flaggedCells;
}
```

Com essas simples alterações de nomes, não fica difícil entender o que está acontecendo. Esse é o poder de escolher bons nomes.

Evite Informações Erradas

Os programadores devem evitar passar dicas falsas que confundam o sentido do código. Devemos evitar palavras cujos significados podem se desviar daquele que desejamos. Por exemplo, `hp`, `aix` e `sco` seriam nomes ruins de variáveis, pois são nomes de plataformas Unix ou variantes. Mesmo se estiver programando uma hipotenusa e `hp` parecer uma boa abreviação, o nome pode ser mal interpretado.

Não se refira a um grupo de contas como `accountList`, a menos que realmente seja uma `List`. A palavra *list* (lista) significa algo específico para programadores. Se o que armazena as contas não for uma `List` de verdade, poderá confundir os outros.[1] Portanto, `accountGroup` ou `bunchOfAccounts` ou apenas `accounts` seria melhor.

1. Como veremos depois, mesmo se for uma lista, provavelmente é melhor não colocar o tipo no nome.

Cuidado ao usar nomes muito parecidos. Fica difícil perceber a pequena diferença entre `XYZControllerForEfficientHandlingOfStrings` em um módulo e `XYZController ForEfficientStorageOfStrings` em outro. Ambas as palavras são muito semelhantes.

Usar conceitos similares para montar palavras é *informação*. Usar formatos inconsistentes para palavras leva a uma *má interpretação*. Com os ambientes Java de hoje dispomos do recurso de autocompletar palavras. Digitamos alguns caracteres de um nome e pressionamos uma combinação de teclas (se houver uma) e, então, aparece uma lista de possíveis palavras que se iniciam com tais letras. Isso é muito prático se houver nomes muito parecidos organizados alfabeticamente num mesmo local e se as diferenças forem óbvias, pois é mais provável que o desenvolvedor escolha um objeto pelo nome, sem consultar seus comentários ou mesmo a lista de métodos fornecidos por aquela classe.

Um exemplo real de nomes que podem gerar confusão é o uso da letra "l" minúscula ou da vogal "O" maiúscula como nome de variáveis. O problema é que eles se parecem com o um e o zero, respectivamente.

```
int a = l;
if ( O == l )
  a = O1;
else
  l = 01;
```

O leitor pode achar que inventamos esse exemplo, mas já vimos códigos nos quais isso acontecia bastante. Uma vez, o autor do código sugeriu o uso de fontes distintas de modo a realçar mais as diferenças, uma solução que teria de ser repassada de forma oral ou escrita a todos os futuros desenvolvedores. Com uma simples troca de nome, o problema é resolvido com objetividade e sem precisar criar novas tarefas.

Faça Distinções Significativas

Os programadores criam problemas para si próprios quando criam um código voltado unicamente para um compilador ou interpretador. Por exemplo, como não é possível usar o mesmo nome para referir-se a duas coisas diferentes num mesmo escopo, você pode decidir alterar o nome de maneira arbitrária. Às vezes, isso é feito escrevendo um dos nomes errado, produzindo a uma situação na qual a correção de erros de ortografia impossibilita a compilação.[2]

Não basta adicionar números ou palavras muito comuns, mesmo que o compilador fique satisfeito. Se os nomes precisam ser diferentes, então também devem ter significados distintos.

2. Considere, por exemplo, a horrível, porém verdadeira, prática de se criar uma variável chamada klass só porque class já está sendo usado.

Usar números sequenciais em nomes (a1, a2,...,aN) é o oposto da seleção de nomes expressivos. Eles não geram confusão, simplesmente não oferecem informação alguma ou dica sobre a intenção de seu criador. Considere o seguinte:

```
public static void copyChars(char a1[], char a2[]) {
  for (int i = 0; i < a1.length; i++) {
    a2[i] = a1[i];
  }
}
```

Fica muito mais fácil ler essa função quando usam-se source e destination como nomes de parâmetros.

Palavras muito comuns são outra forma de distinção que nada expressam. Imagine que você tenha uma classe Product. Se houver outra chamada ProductInfo ou ProductData, você usou nomes distintos que não revelam nada de diferente. Info e Data são palavras muito comuns e vagas, como "um", "uma" e "a".

Observe que não há problema em usar prefixos como "um" e "a", contanto que façam uma distinção significativa. Por exemplo, você pode usar "um" para variáveis locais e "a" para todos os parâmetros de funções.[3] O problema surge quando você decide chamar uma variável de aZork só porque já existe outra chamada zork.

Palavras muito comuns são redundantes. O nome de uma variável jamais deve conter a palavra "variável". O nome de uma tabela jamais deve conter a palavra tabela. Então como NameString é melhor do que Name? Um Name pode ser um número do tipo ponto flutuante? Caso possa, estaria violando uma regra sobre passar informações incorretas. Imagine que você encontre uma classe Customer e outra CustomerObject. O que a diferença nos nomes lhe diz? Qual seria a melhor para possuir o histórico de pagamento de um cliente?

Conhecemos um aplicativo que é assim. A fim de proteger seus desenvolvedores, trocamos os nomes, mas abaixo está exatamente o tipo de erro:

```
getActiveAccount();
getActiveAccounts();
getActiveAccountInfo();
```

Como os programadores desse projeto poderiam saber qual das três funções chamar?

Na ausência de convenções específicas, não há como distinguir moneyAmount de money, customerInfo de customer, accountData de account e theMessage de message. Faça a distinção dos nomes de uma forma que o leitor compreenda as diferenças.

Use Nomes Pronunciáveis

Os ser humano é bom com as palavras. Uma parte considerável de seu cérebro é responsável pelo conceito das palavras. E, por definição, as palavras são pronunciáveis. Seria uma lástima não tirar proveito dessa importante parte de nosso cérebro que evoluiu para lidar com a língua falada. Sendo assim, crie nomes pronunciáveis.

3. Tio Bob costumava fazer isso em C++, mas desistiu de tal prática porque as IDEs modernas a tornaram desnecessária.

Se não puder pronunciá-lo, não terá como discutir sobre tal nome sem parecer um idiota. "Bem, aqui no bê cê erre três cê ene tê, temos um pê esse zê quê int, viram?". Isso importa porque a programação é uma atividade social.

Conheço uma empresa que possui uma variável `genymdhms` (*generation date, year, month, day, hour, minute e second*) e seus funcionários saem falando "gen ipslon eme dê agá eme esse". Tenho um hábito irritante de pronunciar tudo como está escrito, portanto comecei a falar "gen-yah-muddahims". Depois desenvolvedores e analistas estavam falando assim também, e ainda soava estúpido. Mas estávamos fazendo uma brincadeira e, por isso, foi divertido. Engraçado ou não, estamos tolerando nomeações de baixa qualidade. Novos desenvolvedores tiveram de pedir que lhes explicassem as variáveis, e, então, em vez de usar termos existentes na língua, inventavam palavras bobas ao pronunciá-las. Compare

```
class DtaRcrd102 {
  private Date genymdhms;
  private Date modymdhms;
  private final String pszqint = "102";
  /* ... */
};
```

com

```
class Customer {
  private Date generationTimestamp;
  private Date modificationTimestamp;;
  private final String recordId = "102";
  /* ... */
};
```

Agora é possível uma conversa inteligente: "Ei, Mikey, dê uma olhada este registro! O momento de geração (*generation timestamp*) ("criação de marcação de horário") está marcado para amanhã! Como pode?".

Use Nomes Passíveis de Busca

Nomes de uma só letra ou números possuem um problema em particular por não ser fácil localizá-los ao longo de um texto.

Pode-se usar facilmente o `grep` para `MAX_CLASSES_PER_STUDENT`, mas buscar o número 7 poderia ser mais complicado. Nomes, definições de constantes e várias outras expressões que possuam tal número, usado para outros propósitos podem ser resultados da busca. Pior ainda quando uma constante é um número grande e alguém talvez tenha trocado os dígitos, criando assim um bug e ao mesmo tempo não sendo captada pela busca efetuada.

Da mesma forma, o nome `e` é uma escolha ruim para qualquer variável a qual um programador talvez precise fazer uma busca. É uma letra muito comum e provavelmente aparecerá em todo texto em qualquer programa. Devido a isso, nomes longos se sobressaem aos curtos, e qualquer nome passível de busca se sobressai a uma constante no código.

Particularmente, prefiro que nomes com uma única letra SÓ sejam usados como variáveis locais dentro de métodos pequenos. *O tamanho de um nome deve ser proporcional ao tamanho do escopo* [N5]. Se uma variável ou constante pode ser vista ou usada em vários lugares dentro do código, é imperativo atribuí-la um nome fácil para busca. Novamente, compare

```
for (int j=0; j<34; j++) {
  s += (t[j]*4)/5;
}
```

com

```
int realDaysPerIdealDay = 4;
const int WORK_DAYS_PER_WEEK = 5;
int sum = 0;
for (int j=0; j < NUMBER_OF_TASKS; j++) {
  int realTaskDays = taskEstimate[j] * realDaysPerIdealDay;
  int realTaskWeeks = (realdays / WORK_DAYS_PER_WEEK);
  sum += realTaskWeeks;
}
```

Note que `sum` não é um nome prático, mas pelo menos é fácil de procurar. O nome usado no código serve para uma função maior, mas pense como seria muito mais fácil encontrar `WORK_DAYS_PER_WEEK` do que buscar em todos os lugares nos quais o 5 aparece e, então, filtrar os resultados para exibir apenas as instâncias que você deseja.

Evite Codificações

Já temos de lidar com bastante codificação e não precisamos acrescentar mais. Codificar informações do escopo ou tipos em nomes simplesmente adiciona uma tarefa extra de decodificação. Dificilmente parece lógico contratar um novo funcionário para aprender outra "linguagem" codificadora além da atual usada no código no qual se está trabalhando. É uma sobrecarga mental desnecessária ao tentar resolver um problema. Nomes codificados raramente são pronunciáveis, além de ser fácil escrevê-los incorretamente.

A Notação Húngara

Antigamente, quando trabalhávamos com linguagens com limite de tamanho para os nomes, violávamos essa regra quando necessário, com certo arrependimento. O Fortran forçava codificações ao tornar a primeira letra uma indicação para o tipo. Versões anteriores do BASIC só permitiam uma letra mais um dígito. A Notação Húngara (NH) inovou essas limitações.

Na época da API em C do Windows, a NH era considerada muito importante, quando tudo era um inteiro ou um ponteiro para um inteiro long de 32 bits ou um ponteiro do tipo `void`, ou uma das diversas implementações de "strings" (com finalidades e atributos diferentes). O compilador não verificava os tipos naquele tempo, então os programadores precisavam de ajuda para lembrar dos tipos.

Em linguagens modernas, temos tipos muito melhores, e os compiladores os reconhecem e os tornam obrigatórios. Ademais, há uma certa tendência para a criação de classes e funções menores de modo que as pessoas possam ver onde cada variável que estão usando foi declarada.

Os programadores Java não precisam definir o tipo. Os objetos já são o próprio tipo, e o ambiente se tornou tão avançada que detectam quando se usa inadequadamente um tipo antes mesmo da compilação! Portanto, hoje em dia, a NH e outras formas de convenção de tipos são basicamente obstáculos. Eles dificultam a alteração do nome ou do tipo de uma variável, função ou classe; dificultam a leitura do código; e criam a possibilidade de que o sistema de codificação induza o leitor ao erro.

```
PhoneNumber phoneString;
// o nome nao muda na alteracao do tipo!
```

Prefixos de Variáveis Membro

Você não precisa mais colocar o prefixo `m_` em variáveis membro. Mas para isso, suas classes e funções devem ser pequenas. E você deve usar um ambiente de edição que realce ou colore as variáveis membro de modo a distingui-las.

```
public class Part {
  private String m_dsc; // Descrição textual
  void setName(String name) {
    m_dsc = name;
  }
}
```

```
public class Part {
  String description;
  void setDescription(String description) {
    this.description = description;
  }
}
```

Além disso, as pessoas rapidamente aprendem a ignorar o prefixo (ou sufixo) para visualizar a parte significativa do nome. Quanto mais lemos o código, menos prefixos enxergamos. No final, estes se tornam partes invisíveis e um indicativo de código velho.

Interfaces e Implementações

Às vezes, há casos especiais para codificações. Por exemplo, digamos que você esteja construindo uma ABSTRACT FACTORY para criar formas. Essa factory será uma interface, e implementada por uma classe concreta. Como devemos nomeá-la? `IShapeFactory` e `ShapeFactory`? Prefiro não enfeitar as interfaces. O "`I`" no início, tão comum no hoje em dia, é na melhor das hipóteses uma distração, e na pior são informações excessivas. Não quero que meus usuários saibam que estou lhes dando uma interface, e, sim, apenas uma `ShapeFactory`. Portanto, se eu devo codificar seja a interface ou a implementação, escolho esta. Para codificar a interface, é preferível chamá-la de `ShapeFactoryImp`, ou mesmo de `CShapeFactory`.

Evite o Mapeamento Mental

Os leitores não devem ter de traduzir mentalmente os nomes que você escolheu por outros que eles conheçam. Essa questão costuma levar a decisão de não usar os termos do domínio do problema e nem os da solução.

Este é um problema com nomes de variáveis de uma só letra. Certamente um contador de iterações pode ser chamado de `i`, `j`ou `k` (mas nunca `l`) – isso já se tornou uma tradição – se seu escopo for muito pequeno e não houver outros nomes que possam entrar em conflito com ele. Entretanto, na maioria dos contextos, um nome de uma só letra é uma escolha ruim; é apenas um armazenador que o leitor deverá mentalmente mapear de acordo com o conceito em uso. Não há razão pior do que usar o nome `c` só porque `a` e `b` já estão sendo usados.

De maneira geral, os programadores são pessoas muito espertas. E esse tipo de pessoas gosta de se exibir mostrando suas habilidades mentais. Apesar de tudo, se você puder confiantemente se lembrar de que o `r` minúsculo é uma versão da url sem o host e o contexto, então obviamente você é muito esperto.

Uma diferença entre um programador esperto e um programador profissional é que este entende que *clareza é fundamental.* Os profissionais usam seus poderes para o bem, e escrevem códigos que outros possam entender.

Nomes de Classes

Classes e objetos devem ter nomes com substantivo(s), como `Customer`, `WikePage`, `Account` e `AddressParser`. Evite palavras como `Gerente`, `Processador`, `Dados` ou `Info` no nome de uma classe, que também não deve ser um verbo.

Nomes de Métodos

Os nomes de métodos devem ter verbos, como `Post  Payment`, `Delete Page` ou `Save`. Devem-se nomear métodos de acesso, alteração e autenticação segundo seus valores e adicionar os prefixos `get`, `set` ou `is` de acordo com o padrão javabean[4].

```
string name = employee.getName();
customer.setName("mike");
if (paycheck.isPosted())...
```

Quando os construtores estiverem sobrecarregados, use métodos de fábrica (factory methody)estáticos com nomes que descrevam os parâmetros. Por exemplo,

```
Complex fulcrumPoint = Complex.FromRealNumber(23.0);
```

é melhor do que

```
Complex fulcrumPoint = new Complex(23.0);
```

Para forçar seu uso, torne os construtores correspondentes como privados.

4. http://java.sun.com/products/javabeans/docs/spec.html

Não dê uma de Espertinho

Se os nomes forem muito "espertinhos", apenas as pessoas que compartilhem do mesmo senso de humor que seu dono irão lembrá-los, e só enquanto se lembrarem da brincadeira. Eles saberão o que deve fazer a função `HolyHandGrenade`? Claro, é engraçado, mas talvez nesse caso `DeleteItems` fique melhor. Opte por clareza no lugar de divertimento.

Essas gracinhas em códigos costumam aparecer na forma de coloquialismos e gírias. Por exemplo, não use `whack()` para significar `kill()`. Não use piadas de baixo calão, como `eatMyShorts ()` para significar `abort()`.

Diga o que você quer expressar. Expresse o que você quer dizer.

Selecione uma Palavra por Conceito

Escolha uma palavra por cada conceito abstrato e fique com ela. Por exemplo, é confuso ter `fetch`, `retrieve` e `get` como métodos equivalentes de classes diferentes. Como lembrar a qual método pertence cada classe? Infelizmente, você geralmente precisa se lembrar qual empresa, grupo ou pessoa criou a biblioteca ou a classe de modo a recordar qual termo foi usado. Caso contrário, você perde muito tempo vasculhando pelos cabeçalhos e exemplos de códigos antigos.

Os ambientes modernos de edição, como o Eclipse e o IntelliJ, oferecem dicas relacionadas ao contexto, como a lista de métodos que você pode chamar em um determinado objeto. Mas note que a lista geralmente não lhe oferece os comentários que você escreveu em torno dos nomes de suas funções. Você tem sorte se receber o parâmetro *names* das declarações das funções. Os nomes das funções têm de ficar sozinhos, e devem ser consistentes de modo que você possa selecionar o método correto sem qualquer busca extra.

Da mesma forma, é confuso ter um `controller`, um `manager` e um `driver` no mesmo código-fonte. Qual a principal diferença entre um `DeviceManager` e um `Protocolcontroler`? Por que ambos não são `controller` ou `managers`? Ambos são realmente drivers? O nome faz com que você espere dois objetos com tipos bem distintos, assim como ter classes diferentes.

Um léxico consistente é uma grande vantagem aos programadores que precisem usar seu código.

Não Faça Trocadilhos

Evite usar a mesma palavra para dois propósitos. Usar o mesmo termo para duas ideias diferentes é basicamente um trocadilho.

Se você seguir a regra "uma palavra por conceito", você pode acabar ficando com muitas classes que possuam, por exemplo, um método `add`. Contanto que as listas de parâmetros e os valores retornados dos diversos métodos add sejam semanticamente equivalentes, tudo bem.

Entretanto, uma pessoa pode decidir usar a palavra `add` por fins de "consistência" quando ela na verdade não aplica o mesmo sentido a todas. Digamos que tenhamos muitas classes nas quais `add` criará um novo valor por meio da adição e concatenação de dois valores existentes. Agora, digamos que estejamos criando uma nova classe que possua um método que coloque seu único parâmetro em uma coleção. Deveríamos chamar este método de `add`? Por termos tantos outros métodos `add`, isso pode parecer consistente. Mas, neste caso, a semântica é diferente. Portanto, deveríamos usar um nome como `insert` ou `append`. Chamar este novo método de `add` seria um trocadilho.

Nosso objetivo, como autores, é tornar a leitura de nosso código o mais fácil possível. Desejamos que nosso código seja de rápida leitura, e não um estudo demorado. Queremos usar a linguagem de um livro popular no qual é responsabilidade do autor ser claro, e não uma linguagem acadêmica na qual a tarefa do estudante é entender minuciosamente o que está escrito.

Use nomes a partir do Domínio da Solução

Lembre-se de que serão programadores que lerão seu código. Portanto, pode usar termos de Informática, nomes de algoritmos, nomes de padrões, termos matemáticos etc. Não é prudente pensar num nome a partir do domínio do problema, pois não queremos que nossos companheiros de trabalho tenham de consultar o cliente toda hora para saber o significado de um nome o qual eles já conhecem o conceito, só que por outro nome.

O nome `AccountVisitor` ("conta do visitante") significa o bastante para um programador familiarizado com o padrão VISITOR. Qual programador não saberia o que é uma `JobQueue` ("fila de tarefas")? Há muitas coisas técnicas que os programadores devem fazer. Selecionar nomes técnicos para tais coisas é, geralmente, o método mais adequado.

Use nomes de Domínios do Problema

Quando não houver uma solução "à la programador", use o nome do domínio do problema. Pelo menos o programador que fizer a manutenção do seu código poderá perguntar a um especialista em tal domínio o que o nome significa.

Distinguir os conceitos do domínio do problema dos do domínio da solução é parte da tarefa de um bom programador e projetista. O código que tem mais a ver com os conceitos do domínio do problema tem nomes derivados de tal domínio.

Adicione um Contexto Significativo

Há poucos nomes que são significativos por si só – a maioria não é. Por conta disso, você precisa usar nomes que façam parte do contexto para o leitor. Para isso você os coloca em classes, funções e namespaces bem nomeados. Se nada disso funcionar, então talvez como último recurso seja necessário adicionar prefixos ao nome.

Imagine que você tenha variáveis chamadas `firstName`, `lastName`, `street`, `houseNumber`, `city`, `state` e `zipcode`. Vistas juntas, fica bem claro que elas formam um endereço. Mas e se você só visse a variável `state` sozinha num método? Automaticamente você assumiria ser parte de um endereço?

Podem-se usar prefixos para adicionar um contexto: `addrFirstName`, `addrLastName`, `addrState` etc. Pelo menos os leitores entenderão que essas variáveis são parte de uma estrutura maior. É claro que uma melhor solução seria criar uma classe chamada `Address`. Então, até o compilador sabe que as variáveis pertencem a um escopo maior.

Veja o método na Listagem 2-1. As variáveis precisam de um contexto mais significativo? O nome da função oferece apenas parte do contexto; o algoritmo apresenta o resto. Após ter lido a função, você vê que três variáveis, `number`, `verb` e `pluralModifier`, fazem parte da mensagem de dedução (*guess statistics message*). Infelizmente, o contexto deve ser inferido. Ao olhar pela primeira vez o método, o significado das variáveis não está claro.

Listagem 2-1

`Variáveis com contexto obscuro`

```
private void printGuessStatistics(char candidate, int count) {
    String number;
    String verb;
    String pluralModifier;
    if (count == 0) {
        number = "no";
        verb = "are";
        pluralModifier = "s";
    } else if (count == 1) {
        number = "1";
        verb = "is";
        pluralModifier = "";
    } else {
        number = Integer.toString(count);
        verb = "are";
        pluralModifier = "s";
    }
    String guessMessage = String.format(
    "There %s %s %s%s", verb, number, candidate, pluralModifier
    );
    print(guessMessage);
  }
```

A função é um pouco extensa demais também e as variáveis são bastante usadas. A fim de dividir a função em partes menores, precisamos criar uma classe `GuessStatisticsMessage` e tornar as três variáveis como campos desta classe. Isso oferecerá um contexto mais claro para as três variáveis. Elas são *definitivamente* parte da `GuessStatisticsMessage`. A melhora do contexto também permite ao algoritmo ficar muito mais claro ao dividi-lo em funções menores (veja a Listagem 2-2).

Listagem 2-2
Variáveis possuem contexto

```
public class GuessStatisticsMessage {
private String number;
private String verb;
private String pluralModifier;

public String make(char candidate, int count) {
  createPluralDependentMessageParts(count);
  return String.format(
    "There %s %s %s%s",
    verb, number, candidate, pluralModifier );
}

  private void createPluralDependentMessageParts(int count) {
    if (count == 0) {
      thereAreNoLetters();
    } else if (count == 1) {
      thereIsOneLetter();
    } else {
      thereAreManyLetters(count);
    }
  }

  private void thereAreManyLetters(int count) {
    number = Integer.toString(count);
    verb = "are";
    pluralModifier = "s";
  }

  private void thereIsOneLetter() {
    number = "1";
    verb = "is";
    pluralModifier = "";
  }

  private void thereAreNoLetters() {
    number = "no";
    verb = "are";
    pluralModifier = "s";
  }
}
```

Não Adicione Contextos Desnecessários

Em um aplicativo fictício chamado "Gas Station Deluxe" (GSD), seria uma péssima ideia adicionar prefixos a toda classe com `GSD`. Para ser sincero, você estará trabalhando contra suas ferramentas. Você digita `G` e pressiona a tecla de autocompletar e recebe uma lista quilométrica de cada classe no sistema. Isso é inteligente? Para que dificultar a ajuda da IDE?

Da mesma forma, digamos que você inventou uma classe `MailingAddress` no módulo de contabilidade do `GSD` e que o chamou de `GSDAccountAddress`.Mais tarde, você precisa armazenar um endereço postal de seu cliente no aplicativo. Você usaria `GSDAccountAddress`? Parece que o nome é adequado? Dez dos 17 caracteres são redundantes ou irrelevantes.

Nomes curtos geralmente são melhores contanto que sejam claros. Não adicione mais contexto a um nome do que o necessário.

Os nomes `accountAddress` e `customerAddress` estão bons para instâncias da classe Address, mas seriam ruins para nomes de classes. `Address` está bom para uma classe. Se precisar diferenciar entre endereços MAC, endereços de portas e endereços da Web, uma ideia seria `PostalAddress`, `MAC` e `URI`. Os nomes resultantes são mais precisos, motivo esse da tarefa de se atribuir nomes.

Conclusão

O mais difícil sobre escolher bons nomes é a necessidade de se possuir boas habilidades de descrição e um histórico cultural compartilhado. Essa é uma questão de aprender, e não técnica, gerencial ou empresarial. Como consequência, muitas pessoas nessa área não aprendem essa tarefa muito bem.

Elas também têm receio de renomear as coisas por temer que outros desenvolvedores sejam contra. Não compartilhamos desse medo e achamos que ficamos realmente agradecidos quando os nomes mudam (para melhor). Na maioria das vezes, não memorizamos os nomes de classes e métodos. Mas usamos ferramentas modernas para lidar com detalhes de modo que possamos nos focalizar e ver se o código é lido como parágrafos, frases, ou pelo menos como tabelas e estruturas de dados (uma frase nem sempre é a melhor forma de se exibir dados). Provavelmente você acabará surpreendendo alguém quando renomear algo, assim como qualquer outra melhoria no código. Não deixe que isso atrapalhe seu progresso.

Siga alguma dessas regras e note se você não melhorou a legibilidade de seu código. Se estiver fazendo a manutenção do código de outra pessoa, use ferramentas de refatoração para ajudar a resolver essas questões. Em pouco tempo valerá a pena, e continuará a vale em longo prazo.

3

Funções

Nos primórdios da programação, formávamos nossos sistemas com rotinas e sub-rotinas. Já na era do Fortran e do PL/1, usávamos programas, subprogramas e funções. De tudo isso, apenas função prevaleceu. As funções são a primeira linha de organização em qualquer programa. Escrevê-las bem é o assunto deste capítulo.

Veja o código na Listagem 3-1. É difícil encontrar uma função grande em FitNesse[1], mas procurando um pouco mais encontramos uma. Além de ser longo, seu código é repetido, há diversas strings estranhas e muitos tipos de dados e APIs esquisitos e nada óbvios. Veja o quanto você consegue compreender nos próximos três minutos.

Listagem 3-1
HtmlUtil.java (FitNesse 20070619)

```
public static String testableHtml(
  PageData pageData,
  boolean includeSuiteSetup
) throws Exception {
  WikiPage wikiPage = pageData.getWikiPage();
  StringBuffer buffer = new StringBuffer();
  if (pageData.hasAttribute("Test")) {
    if (includeSuiteSetup) {
      WikiPage suiteSetup =
        PageCrawlerImpl.getInheritedPage(
                SuiteResponder.SUITE_SETUP_NAME, wikiPage
        );
      if (suiteSetup != null) {
        WikiPagePath pagePath =
          suiteSetup.getPageCrawler().getFullPath(suiteSetup);
        String pagePathName = PathParser.render(pagePath);
        buffer.append("!include -setup .")
              .append(pagePathName)
              .append("\n");
      }
    }
    WikiPage setup =
      PageCrawlerImpl.getInheritedPage("SetUp", wikiPage);
    if (setup != null) {
      WikiPagePath setupPath =
        wikiPage.getPageCrawler().getFullPath(setup);
      String setupPathName = PathParser.render(setupPath);
      buffer.append("!include -setup .")
            .append(setupPathName)
            .append("\n");
    }
  }
  buffer.append(pageData.getContent());
  if (pageData.hasAttribute("Test")) {
    WikiPage teardown =
      PageCrawlerImpl.getInheritedPage("TearDown", wikiPage);
    if (teardown != null) {
      WikiPagePath tearDownPath =
        wikiPage.getPageCrawler().getFullPath(teardown);
      String tearDownPathName = PathParser.render(tearDownPath);
      buffer.append("\n")
            .append("!include -teardown .")
            .append(tearDownPathName)
            .append("\n");
    }
```

1. Ferramenta de teste de código aberto, www.fitnese.org.

Listagem 3-1 (continuação)
HtmlUtil.java (FitNesse 20070619)

```
    if (includeSuiteSetup) {
      WikiPage suiteTeardown =
        PageCrawlerImpl.getInheritedPage(
                SuiteResponder.SUITE_TEARDOWN_NAME,
                wikiPage
        );
      if (suiteTeardown != null) {
        WikiPagePath pagePath =
          suiteTeardown.getPageCrawler().getFullPath (suiteTeardown);
        String pagePathName = PathParser.render(pagePath);
        buffer.append("!include -teardown .")
              .append(pagePathName)
              .append("\n");
      }
    }
  }
  pageData.setContent(buffer.toString());
  return pageData.getHtml();
}
```

Conseguiu entender a função depois desses três minutos estudando-a? Provavelmente não. Há muita coisa acontecendo lá em muitos níveis diferentes de . Há strings estranhas e chamadas a funções esquisitas misturadas com dois `if` aninhados controlados por flags.

Entretanto, com umas poucas extrações simples de métodos, algumas renomeações e um pouco de reestruturação, fui capaz de entender o propósito da função nas nove linhas da Listagem 3-2. Veja se você consegue compreender isso em três minutos.

Listagem 3-2
HtmlUtil.java (refatorado)

```
public static String renderPageWithSetupsAndTeardowns(
  PageData pageData, boolean isSuite
) throws Exception {
  boolean isTestPage = pageData.hasAttribute("Test");
  if (isTestPage) {
    WikiPage testPage = pageData.getWikiPage();
    StringBuffer newPageContent = new StringBuffer();
    includeSetupPages(testPage, newPageContent, isSuite);
    newPageContent.append(pageData.getContent());
    includeTeardownPages(testPage, newPageContent, isSuite);
    pageData.setContent(newPageContent.toString());
  }

  return pageData.getHtml();
}
```

A menos que já estivesse estudando o FitNesse, provavelmente você não entendeu todos os detalhes. Ainda assim você talvez tenha compreendido que essa função efetua a inclusão de algumas páginas `SetUp` e `TearDown` em uma página de teste e, então, exibir tal página em HTML. Se estiver familiarizado com o JUnit[2], você já deve ter percebido que essa função pertença a algum tipo de framework de teste voltado para a Web. E você está certo. Deduzir tal informação da Listagem 3-2 é muito fácil, mas ela está bastante obscura na Listagem 3-1.

Então, o que torna uma função como a da Listagem 3-2 fácil de ler e entender? Como fazer uma função transmitir seu propósito? Quais atributos dar às nossas funções que permitirão um leitor comum deduzir o tipo do programa ali contido?

Pequenas!

A primeira regra para funções é que elas devem ser pequenas. A segunda é que *precisam ser mais espertas do que isso.* Não tenho como justificar essa afirmação. Não tenho referências de pesquisas que mostrem que funções muito pequenas são melhores. Só posso dizer que por cerca de quatro décadas tenho criado funções de tamanhos variados. Já escrevi diversos monstros de 3.000 linhas; bastantes funções de 100 a 300 linhas; e funções que tinham apenas de 20 a 30 linhas. Essa experiência me ensinou que, ao longo de muitas tentativas e erros, as funções devem ser muito pequenas.

Na década de 1980, costumávamos dizer que uma função não deveria ser maior do que a tela. É claro que na época usávamos as telas VT100, de 24 linhas por 80 colunas, e nossos editores usavam 4 linhas para fins gerenciamento. Hoje em dia, com fontes reduzidas e um belo e grande monitor, você consegue colocar 150 caracteres em uma linha – não se deve ultrapassar esse limite – e umas 100 linhas ou mais por tela – as funções não devem chegar a isso tudo, elas devem ter no máximo 20 linhas.

O quão pequena deve ser uma função? Em 1999, fui visitar Kent Beck em sua casa, em Oregon, EUA. Sentamo-nos e programamos um pouco juntos. Em certo ponto, ele me mostrou um simpático programa de nome Java/Swing o qual ele chamava de *Sparkle.* Ele produzia na tela um efeito visual similar a uma varinha mágica da fada madrinha do filme da Cinderela. Ao mover o mouse, faíscas (*sparkles,* em inglês) caíam do ponteiro do mouse com um belo cintilar até o fim da janela, como se houvesse gravidade na tela. Quando Kent me mostrou o código, fiquei surpreso com o quão pequenas eram as funções das funções. Eu estava acostumado a funções que seguiam verticalmente por quilômetros em programas Swing. Cada função *neste* programa tinha apenas duas, ou três, ou quatro linhas. Cada uma possuia uma obviedade transparente. Cada uma contava uma história. E cada uma levava você a próxima em uma ordem atraente. É assim que suas funções deveriam ser[3].

---

2. Ferramenta de código aberto de teste de unidade para Java, www.junit.org.

3. Perguntei ao Kent se ele ainda tinha uma cópia, mas ele não a encontrou. Procurei em todos os meus computadores antigos, mas foi em vão. Tudo o que resta agora do programa está na minha mente.

O quão pequenas devem ser suas funções? Geralmente menores do que a da Listagem 3-2! Na verdade, a Listagem 3-2 deveria ser enxuta para a Listagem 3-3.

Listagem 3-3
HtmlUtil.java (refatorado novamente)

```
public static String renderPageWithSetupsAndTeardowns(
  PageData pageData, boolean isSuite) throws Exception {
  if (isTestPage(pageData))
    includeSetupAndTeardownPages(pageData, isSuite);
  return pageData.getHtml();
}
```

Blocos e Indentação

Aqui quero dizer que blocos dentro de instruções `if`, `else`, `while` e outros devem ter apenas uma linha. Possivelmente uma chamada de função. Além de manter a função pequena, isso adiciona um valor significativo, pois a função chamada de dentro do bloco pode receber um nome descritivo.

Isso também implica que as funções não devem ser grandes e ter estruturas aninhadas. Portanto, o nível de indentação de uma função deve ser de, no máximo, um ou dois. Isso, é claro, facilita a leitura e compreensão das funções.

Faça Apenas uma Coisa

Deve ter ficado claro que a Listagem 3-1 faz muito mais de uma coisa. Ela cria buffers, pega páginas, busca por páginas herdadas, exibe caminhos, anexa strings estranhas e gera HTML, dentre outras coisas. A Listagem 3-1 vive ocupada fazendo diversas coisas diferentes. Por outro lado, a Listagem 3-3 faz apenas uma coisa simples. Ela inclui SetUp e TearDown em páginas de teste.

O conselho a seguir tem aparecido de uma forma ou de outra por 30 anos ou mais.

AS FUNÇÕES DEVEM FAZER UMA COISA. DEVEM FAZÊ-LA BEM. DEVEM FAZER APENAS ELA.

O problema dessa declaração é que é difícil saber o que é "uma coisa". A Listagem 3-3 faz uma coisa? É fácil dizer que ela faz três:

1. Determina se a página é de teste.
2. Se for, inclui SetUps e TearDowns.
3. Exibe a página em HTML.

Então, qual é? A função está fazendo uma ou três coisas? Note que os três passos da função estão em um nível de abstração abaixo do nome da função. Podemos descrever a função com um breve parágrafo TO[4]:

TO RenderPageWithSetupsAndTeardowns, verificamos se a página é de teste, se for, incluímos setups e teardowns. Em ambos os casos, exibimos a página em HTML.

Se uma função faz apenas aqueles passos em um nível abaixo do nome da função, então ela está fazendo uma só coisa. Apesar de tudo, o motivo de criarmos função é para decompor um conceito maior (em outras palavras, o nome da função) em uma série de passos no próximo nível de abstração.

Deve estar claro que a Listagem 3-1 contém passos em muitos níveis diferentes de abstração. Portanto, obviamente ela faz mais de uma coisa. Mesmo a Listagem 3-2 possui dois níveis de abstração, como comprovado pela nossa capacidade de redução. Mas ficaria muito difícil reduzir a Listagem 3-3 de modo significativo. Poderíamos colocar a instrução `if` numa função chamada `includeSetupsAndTeardownsIfTestPage`, mas isso simplesmente reformula o código, sem modificar o nível de abstração.

Portanto, outra forma de saber se uma função faz mais de "uma coisa" é se você pode extrair outra função dela a partir de seu nome que não seja apenas uma reformulação de sua implementação [G34].

Seções Dentro de Funções

Veja a Listagem 4-7 na página 7-1. Note que a função `generatePrimes` está dividida em seções, como *declarações, inicializações e seleção.* Esse é um indício óbvio de estar fazendo mais de uma coisa. Não dá para, de forma significativa, dividir em seções as funções que fazem apenas uma coisa.

Um Nível de Abstração por Função

A fim de confirmar se nossas funções fazem só "uma coisa". Precisamos verificar se todas as instruções dentro da função estão no mesmo nível de abstração. É fácil ver como a Listagem 3-1 viola essa regra. Há outros conceitos lá que estão em um nível de abstração bem alto, como o `getHtml()`; outros que estão em um nível intermediário, como abstração `String pagePathName = PathParser.render (pagePath)`; e outros que estão em um nível consideravelmente baixo, como `.append("\n")`.

Vários níveis de abstração dentro de uma função sempre geram confusão. Os leitores podem não conseguir dizer se uma expressão determinada é um conceito essencial ou um mero detalhe. Pior, como janelas quebradas, uma vez misturados os detalhes aos conceitos, mais e mais detalhes tendem a se agregar dentro da função.

4. A linguagem LOGO usava a palavra "TO" ("PARA") da mesma forma que Ruby e Python usam "def". Portanto, toda função começa com a palavra "TO", o que cria um efeito interessante na maneira como as funções são projetadas.

Ler o Código de Cima para Baixo: *Regra Decrescente*

Queremos que o código seja lido de cima para baixo, como uma narrativa[5]. Desejamos que cada função seja seguida pelas outras no próximo nível de abstração de modo que possamos ler o programa descendo um nível de abstração de cada vez conforme percorremos a lista de funções. Chamamos isso de *Regra Decrescente.*

Em outras palavras, queremos poder ler o programa como se fosse uma série de parágrafos *TO*, cada um descrevendo o nível atual de abstração e fazendo referência aos parágrafos *TO* consecutivos no próximo nível abaixo.

Para incluir setups e teardowns, incluímos os setups, depois o conteúdo da página de teste e, então, adicionamos os teardowns.

Para incluir setups, adicionamos o suite setup, se este for uma coleção, incluímos o setup normal.

Para incluir o suite setup, buscamos na hierarquia acima a página "SuiteSetUp" e adicionamos uma instrução de inclusão com o caminho àquela página. Para procurar na hierarquia acima...

Acaba sendo muito difícil para os programadores aprenderem a seguir essa regra e criar funções que fiquem em apenas um nível de abstração. Mas aprender esse truque é também muito importante, pois ele é o segredo para manter as funções curtas e garantir que façam apenas "uma coisa". Fazer com que a leitura do código possa ser feita de cima para baixo como uma série de parágrafos *TO* é uma técnica eficiente para manter o nível de abstração consistente.

Veja a listagem 3-7 no final deste capítulo. Ela mostra toda a função `testableHtml` refatorada de acordo com os princípios descrito aqui. Note como cada função indica a seguinte e como cada uma mantém um nível consistente de abstração.

Instruções Switch

É difícil criar uma estrutura `switch` pequena[6], pois mesmo uma `switch` com apenas dois cases é maior do que eu gostaria que um bloco ou uma função fossem. Também é difícil construir uma `switch` que fala apenas uma coisa. Por padrão, as estruturas `switch` sempre fazem *N* coisas. Infelizmente, nem sempre conseguimos evitar o uso da estrutura `switch`, mas *podemos* nos certificar se cada `switch` está em uma classe de baixo nível e nunca é repetido. Para isso, usamos o polimorfismo.

5. [KP78], p. 37

6. E, é claro, também estão incluídas as estruturas if/else.

Veja a Listagem 3-4. Ela mostra apenas uma das operações que podem depender do tipo de funcionário (*employee*, em inglês).

Listagem 3-4
Payroll.java

```
public Money calculatePay(Employee e)
throws InvalidEmployeeType {
    switch (e.type) {
      case COMMISSIONED:
        return calculateCommissionedPay(e);
      case HOURLY:
        return calculateHourlyPay(e);
      case SALARIED:
        return calculateSalariedPay(e);
      default:
        throw new InvalidEmployeeType(e.type);
    }
}
```

Esta função tem vários problemas. Primeiro, ela é grande, e quando se adiciona novos tipos de funcionários ela crescerá mais ainda. Segundo, obviamente ela faz mais de uma coisa. Terceiro, ela viola o Principio da Responsabilidade Única[7] (SRP, sigla em inglês) por haver mais de um motivo para alterá-la. Quarto, ela viola o Princípio de Aberto-Fechado[8] (OCP, sigla em inglês), pois precisa ser modificada sempre que novos tipos forem adicionados. Mas, provavelmente, o pior problema com essa função é a quantidade ilimitada de outras funções que terão a mesma estrutura. Por exemplo, poderíamos ter

```
isPayday(Employee e, Date date)
```

ou

```
deliverPay(Employee e, Money pay)
```

ou um outro grupo. Todas teriam a mesma estrutura deletéria.

A solução (veja a Listagem 3-5) é inserir a estrutura `switch` no fundo de uma ABSTRACT FACTORY[9] e jamais deixar que alguém a veja. A factory usará o `switch` para criar instâncias apropriadas derivadas de Employee, e as funções, como `calculatePay`, `isPayday` e `deliverPay`, serão enviadas de forma polifórmica através da interface `Employee`.

Minha regra geral para estruturas `switch` é que são aceitáveis se aparecerem apenas uma vez, como para a criação de objetos polifórmicos, e estiverem escondidas atrás de uma relação de herança de modo que o resto do sistema não possa enxergá-la [G23]. É claro que cada caso é um caso e haverá vezes que não respeitarei uma ou mais partes dessa regra.

---

7. a. http://en.wikipedia.org/wiki/Single_responsibility_principle
   b. http://www.objectmentor.com/resources/articles/srp.pdf

8. a. http://en.wikipedia.org/wiki/Open/closed_principle
   b. http://www.objectmentor.com/resources/articles/ocp.pdf

9. [GOF]

Listagem 3-5
Employee e Factory

```
public abstract class Employee {
  public abstract boolean isPayday();
  public abstract Money calculatePay();
  public abstract void deliverPay(Money pay);
}
-----------------
public interface EmployeeFactory {
  public Employee makeEmployee(EmployeeRecord r) throws InvalidEmployeeType;
}
-----------------
public class EmployeeFactoryImpl implements EmployeeFactory {
  public Employee makeEmployee(EmployeeRecord r) throws InvalidEmployeeType {
    switch (r.type) {
      case COMMISSIONED:
        return new CommissionedEmployee(r) ;
      case HOURLY:
        return new HourlyEmployee(r);
      case SALARIED:
        return new SalariedEmploye(r);
      default:
        throw new InvalidEmployeeType(r.type);
    }
  }
}
```

Use Nomes Descritivos

Na Listagem 3-7, eu mudei o nome do exemplo de nossa função `testableHtml` para `SetupTeardownIncluder.render`, que é bem melhor, pois descreve o que a função faz. Também dei a cada método privado nomes igualmente descritivos, como `isTestable` ou `includeSetupAndTeardownPages`. É difícil superestimar o valor de bons nomes. Lembre-se do princípio de Ward: *"Você sabe que está criando um código limpo quando cada rotina que você lê é como você esperava"*. Metade do esforço para satisfazer esse princípio é escolher bons nomes para funções pequenas que fazem apenas uma coisa. Quando menor e mais centralizada for a função, mais fácil será pensar em um nome descritivo.

Não tenha medo de criar nomes extensos, pois eles são melhores do que um pequeno e enigmático. Um nome longo e descritivo é melhor do que um comentário extenso e descritivo. Use uma convenção de nomenclatura que possibilite uma fácil leitura de nomes de funções com várias palavras e, então, use estas para dar à função um nome que explique o que ela faz.

Não se preocupe com o tempo ao escolher um nome. Na verdade, você deve tentar vários nomes e, então, ler o código com cada um deles. IDEs modernas, como Eclipse ou IntelliJ, facilita a troca de nomes. Utilize uma dessas IDEs e experimente diversos nomes até encontrar um que seja bem descritivo.

Selecionar nomes descritivos esclarecerá o modelo do módulo em sua mente e lhe ajudará a melhorá-lo. É comum que ao buscar nomes adequados resulte numa boa reestruturação do código.

Seja consistente nos nomes. Use as mesmas frases, substantivos e verbos nos nomes de funções de seu módulo. Considere, por exemplo, os nomes `includeSetupAndTeardownPages`, `includeSetupPages`, `includeSuiteSetupPage` e `includeSetupPage`. A fraseologia nesses nomes permite uma sequência de fácil dedução. Na verdade, se eu lhe mostrasse apenas a série acima, você se perguntaria: "O que aconteceu com `includeTeardownPages`, `includeSuiteTeardownPage` e `includeTeardowPage`?" Como isso é "... o que você esperava?".

Parâmetros de Funções

A quantidade ideal de parâmetros para uma função é zero (nulo). Depois vem um (mônade), seguido de dois (díade). Sempre que possível devem-se evitar três parâmetros (tríade). Para mais de três deve-se ter um motivo muito especial (políade) – mesmo assim não devem ser usados.

Parâmetros são complicados. Eles requerem bastante conceito. É por isso que me livrei de quase todos no exemplo. Considere, por exemplo, o `StringBuffer`. Poderíamos tê-lo passado como parâmetro em vez de instanciá-lo como uma variável, mas então nossos leitores teriam de interpretá-lo sempre que o vissem. Ao ler a estória contada por pelo módulo, fica mais fácil entender `includeSetupPage()` do que `includeSetupPageInto(newPageContent)`. O parâmetro não está no nível de abstração que o nome função, forçando-lhe reconhecer de um detalhe (ou seja, o `StringBuffer`) que não seja importante particularmente naquele momento.

Os parâmetros são mais difíceis ainda a partir de um ponto de vista de testes. Imagine a dificuldade de escrever todos os casos de teste para se certificar de que todas as várias combinações de parâmetros funcionem adequadamente. Se não houver parâmetros, essa tarefa é simples. Se houver um, não é tão difícil assim. Com dois, a situação fica um pouco mais desafiadora. Com mais de dois, pode ser desencorajador testar cada combinação de valores apropriados.

Os parâmetros de saída são ainda mais difíceis de entender do que os de entrada. Quando lemos uma função, estamos acostumados à ideia de informações *entrando* na função através de parâmetros e *saindo* através do valor retornado. Geralmente não esperamos dados saindo através de parâmetros. Portanto, parâmetros de saída costumam nos deixar surpresos e fazer com que leiamos novamente.

Um parâmetro de entrada é a melhor coisa depois de zero parâmetro. É fácil entender `SetupTeardownIncluder.render(pageData)`. Está óbvio que renderizemos os dados no objeto `pageData`.

Formas Mônades Comuns

Há duas razões bastante comuns para se passar um único parâmetro a uma função. Você pode estar fazendo uma pergunta sobre aquele parâmetro, como em `boolean fileExists("MyFile")`. Ou você pode trabalhar naquele parâmetro, transformando-o em outra coisa e retornando-o. Por exemplo, `InputStream fileOpen("MyFile")` transforma a `String` do nome de um arquivo em um valor retornado por InputStream. São esses dois usos que os leitores esperam ver em uma função.

Você deve escolher nomes que tornem clara a distinção, e sempre use duas formas em um contexto consistente. (Veja a seguir Separação comando consulta). Uma forma menos comum mas ainda bastante útil de um parâmetro para uma função é um evento. Nesta forma, há um parâmetro de entrada, mas nenhum de saída. O programa em si serve para interpretar a chamada da função como um evento, e usar o parâmetro para alterar o estado do sistema, por exemplo, `void passwordAttemptFailedNtimes(int attempts)`. Use esse tipo com cautela. Deve ficar claro para o leitor que se trata de um evento. Escolha os nomes e os contextos com atenção.

Tente evitar funções mônades que não sigam essas formas, por exemplo, `void includeSetupPageInto(StringBuffer pageText)`. Usar um parâmetro de saída em vez de um valor de retorno para uma modificação fica confuso. Se uma função vai transformar seu parâmetro de entrada, a alteração deve aparecer como o valor retornado. De fato, `StringBuffer transform(StringBuffer in)` é melhor do que `void transform-(StringBuffer out)`, mesmo que a implementação do primeiro simplesmente retorne o parâmetro de entrada. Pelo menos ele ainda segue o formato de uma modificação.

Parâmetros Lógicos

Esses parâmetros são feios. Passar um booleano para uma função certamente é uma prática horrível, pois ele complica imediatamente a assinatura do método, mostrando explicitamente que a função faz mais de uma coisa. Ela faz uma coisa se o valor for verdadeiro, e outra se for falso!

Na Listagem 3-7, não tínhamos alternativa, pois os chamadores já estavam passando aquela flag (valor booleano) como parâmetro, e eu queria limitar o escopo da refatoração à função e para baixo. Mesmo assim, a chamada do método `render(true)` é muito confusa para um leitor simples. Analisar a chamada e visualizar `render(boolean isSuite)` ajuda um pouco, mas nem tanto. Deveríamos dividir a função em duas: `renderForSuite()` e `renderForSingleTest()`.

Funções Díades

Uma função com dois parâmetros é mais difícil de entender do que uma com um (mônade). Por exemplo, é mais fácil compreender `writeField(name)` do que `writeField(output-Stream, name)`[10]. Embora o significado de ambas esteja claro, a primeira apresenta seu propósito explicitamente quando a lemos. A segunda requer uma pequena pausa até aprendermos a ignorar o primeiro parâmetro. E *isso*, é claro, acaba resultando em problemas, pois nunca devemos ignorar qualquer parte do código. O local que ignoramos é justamente aonde se esconderão os bugs.

Há casos, é claro, em que dois parâmetros são necessários como, por exemplo, em `Point p = new Point(0,0)`. Os pontos de eixos cartesianos naturalmente recebem dois parâmetros. De fato, ficaríamos surpresos se víssemos `new Point(0)`. Entretanto, os dois parâmetros neste caso *são componentes de um único valor*! Enquanto que `output Stream` e `name` não são partes de um mesmo valor.

Mesmo funções díades óbvias, como `assertEquals(expected, actual)`, são problemáticas. Quantas vezes você já colocou `actual` onde deveria ser `expected`? Os dois parâmetros não possuem uma ordem pré-determinada natural. A ordem `expected, actual` é uma convenção que requer prática para assimilá-la.

Díades não são ruins, e você certamente terá de usá-las. Entretanto, deve-se estar ciente de que haverá um preço a pagar e, portanto, deve-se pensar em tirar proveito dos mecanismos disponíveis a você para convertê-los em mônades. Por exemplo, você poderia tornar o método `writeField` um membro de `outputStream` de modo que pudesse dizer `outputStream.writeField(name)`; tornar `outputStream` uma variável membro da classe em uso de modo que não precisasse passá-lo por parâmetro; ou extrair uma nova classe, como `FieldWriter`, que receba o outputStream em seu construtor e possua um método `write`.

Tríades

Funções que recebem três parâmetros são consideravelmente mais difíceis de entender do que as díades. A questão de ordenação, pausa e ignoração apresentam mais do que o dobro de dificuldade. Sugiro que você pense bastante antes de criar uma tríade.

Por exemplo, considere a sobrecarga comum de `assertEquals` que recebe três parâmetros: `assertEquals(message, expected, actual)`. Quantas vezes você leu o parâmetro `message` e pensou ser o `expected`? Muitas vezes já me deparei com essa tríade em particular e tive de fazer uma pausa. Na verdade, *toda vez que a vejo*, tenho de ler novamente e, então, a ignoro.

Por outro lado, uma tríade que não é nem tão perigosa assim é a `assertEquals(1.0, amount, .001)`. Embora ainda seja preciso lê-la duas vezes, é uma que vale a pena. Sempre é bom uma dica de que a igualdade de valores do tipo ponto flutuante é relativa.

10. Acabei de refatorar um módulo que usava uma díade. Consegui tornar o outputStream um campo da classe e converter todas as chamadas ao writeField para o formato mônade. O código ficou muito mais claro.

Objetos como Parâmetros

Quando uma função parece precisar de mais de dois o três parâmetros, é provável que alguns deles podem ser colocados em uma classe própria. Considere, por exemplo, a diferença entre as duas declarações seguintes:

```
Circle makeCircle(double x, double y, double radius);
Circle makeCircle(Point center, double radius);
```

Reduzir o número de parâmetros através da criação de objetos a partir deles pode parecer uma trapaça, mas não é. Quando grupos de variáveis são passados juntos, como `x` e `y` no exemplo acima, é mais provável que sejam parte de um conceito que mereça um nome só para ele.

Listas como Parâmetros

Às vezes, queremos passar um número variável de parâmetros para uma função. Considere, por exemplo, o método `String.format`:

```
String.format("%s worked %.2f hours.", name, hours);
```

Se os parâmetros variáveis forem todos tratados da mesma forma, como no exemplo acima, então eles serão equivalentes a um único parâmetro do tipo `list`. Devido a isso, `String.format` é realmente díade. Na verdade, sua declaração, como mostra abaixo, é explicitamente díade.

```
public String format(String format, Object... args)
```

Portanto, todas as mesmas regras são aplicáveis. As funções que recebem argumentos variáveis podem ser mônades, díades ou mesmo tríades. Mas seria um erro passar mais parâmetros do que isso.

```
void monad(Integer... args);
void dyad(String name, Integer... args);
void triad(String name, int count, Integer... args);
```

Verbos e Palavras-Chave

Escolher bons nomes para funções pode ir desde explicar o propósito da função à ordem e a finalidade dos parâmetros. No caso de uma mônade, a função e o parâmetro devem formar um belo par verbo/substantivo. Por exemplo, `write(name)` é bastante claro. Seja o que for esse "nome", ele será "escrito". Um nome ainda melhor seria `writeField(name)`, que nos diz que "nome" é um "campo".

Este último é um exemplo do formato *palavra-chave* do nome de uma função. Ao usar este formato codificamos os nomes dos parâmetros no nome da função. Por exemplo, pode ser melhor escrever `assertEquals` do que `assertExpectedEqualsActual(expected, actual)`, o que resolveria o problema de ter de lembrar a ordem dos parâmetros.

Evite Efeitos Colaterais

Efeitos colaterais são mentiras. Sua função promete fazer apenas uma coisa, mas ela também faz outras *coisas escondidas*. Às vezes, ela fará alterações inesperadas nas variáveis de sua própria classe. Às vezes, ela adicionará as variáveis aos parâmetros passados à função ou às globais do sistema. Em ambos os casos elas são "verdades" enganosas e prejudiciais, que geralmente resultam em acoplamentos temporários estranhos e dependências.

Considere, por exemplo, a função aparentemente inofensiva na Listagem 3-6. Ela usa um algoritmo padrão para comparar um `userName` a um `password`. Ela retorna `true` se forem iguais, e `false` caso contrário. Mas há também um efeito colateral. Consegue identificá-lo?

Listagem 3-6
`UserValidator.java`

```
public class UserValidator {
  private Cryptographer cryptographer;

  public boolean checkPassword(String userName, String password) {
    User user = UserGateway.findByName(userName);
    if (user != User.NULL) {
      String codedPhrase = user.getPhraseEncodedByPassword();
      String phrase = cryptographer.decrypt(codedPhrase, password);
      if ("Valid Password".equals(phrase)) {
        Session.initialize();
        return true;
      }
    }
    return false;
  }
}
```

O efeito colateral é a chamada ao `Session.initialize()`, é claro. A função `checkPassword`, segundo seu nome, diz que verifica a senha. O nome não indica que ela inicializa a sessão. Portanto, um chamador que acredita no que diz o nome da função corre o risco de apagar os dados da sessão existente quando ele decidir autenticar do usuário.

Esse efeito colateral cria um acoplamento temporário. Isto é, `checkPassword` só poderá ser chamado em determinadas horas (em outras palavras, quando for seguro inicializar a sessão). Se for chamado fora de ordem, sem querer, os dados da sessão poderão ser perdidos. Os acoplamentos temporários são confusos, especialmente quando são um efeito colateral. Se for preciso esse tipo de acoplamento, é preciso deixar claro no nome da função. Neste caso, poderíamos renomear a função para `checkPasswordAndInitializeSession`, embora isso certamente violaria o "fazer apenas uma única coisa".

Parâmetros de Saída

Os parâmetros são comumente interpretados como *entradas* de uma função. Se já usa o programa há alguns anos, estou certo de que você já teve de voltar e ler novamente um parâmetro que era, na verdade, de *saída*, e não de entrada. Por exemplo:

```
appendFooter(s);
```

Essa função anexa `s` como rodapé (Footer, em inglês) em algo? Ou anexa um rodapé a `s`? O `s` é uma entrada ou uma saída? Não precisa olhar muito a assinatura da função para ver:

```
public void appendFooter(StringBuffer report)
```

Isso esclarece a questão, mas à custa da verificação da declaração da função. Qualquer coisa que lhe force a verificar a assinatura da função é equivalente a uma releitura. Isso é uma interrupção do raciocínio e deve ser evitado.

Antes do surgimento da programação orientada a objeto, às vezes era preciso ter parâmetros de saída. Entretanto, grande parte dessa necessidade sumiu nas linguagens OO, pois o *propósito* de `this` é servir como um parâmetro de saída. Em outras palavras, seria melhor invocar `appendFooter` como:

```
report.appendFooter();
```

De modo geral, devem-se evitar parâmetros de saída. Caso sua função precise alterar o estado de algo, faça-a mudar o estado do objeto que a pertence.

Separação comando-consulta

As funções devem fazer ou responder algo, mas não ambos. Sua função ou altera o estado de um objeto ou retorna informações sobre ele. Efetuar as duas tarefas costuma gerar confusão. Considere, por exemplo, a função abaixo:

```
public boolean set(String attribute, String value);
```

Esta função define o valor de um dado atributo e retorna `true` se obtiver êxito e `false` se tal atributo não existir. Isso leva a instruções estranhas como:

```
if (set("username", "unclebob"))...
```

Imagine isso pelo ponto de vista do leitor. O que isso significa? Está perguntando se o atributo "`username`" anteriormente recebeu o valor "`unclebob`"? Ou se "`username`" obteve êxito ao receber o valor "`unclebob`"? É difícil adivinhar baseando-se na chamada, pois não está claro se a palavra "set" é um verbo ou um adjetivo.

O intuito do autor era que `set` fosse um verbo, mas no contexto da estrutura `if`, *parece* um adjetivo. Portanto, a instrução lê-se "Se o atributo `username` anteriormente recebeu o valor `unclebob`" e não "atribua o valor `unclebob` ao atributo `username`, e se isso funcionar, então...". Poderíamos tentar resolver isso renomeando a função set para `setAndCheckIfExists`, mas não ajudaria muito para a legibilidade da estrutura `if`.

```
if (attributeExists("username")) {
  setAttribute("username", "unclebob");
  ...
}
```

Prefira exceções a retorno de códigos de erro

Fazer funções retornarem códigos de erros é uma leve violação da separação comando-consulta, pois os comandos são usados como expressões de comparação em estruturas `if`.

```
if (deletePage(page) == E_OK)
```

O problema gerado aqui não é a confusão verbo/adjetivo, mas sim a criação de estruturas aninhadas. Ao retornar um código de erro, você cria um problema para o chamador, que deverá lidar imediatamente com o erro.

```
if (deletePage(page) == E_OK) {
  if (registry.deleteReference(page.name) == E_OK) {
    if (configKeys.deleteKey(page.name.makeKey()) == E_OK){
      logger.log("página excluída");
    } else {
      logger.log("configKey não foi excluída");
    }
  } else {
    logger.log("deleteReference não foi excluído do registro");
  }
} else {
  logger.log("a exclusão falhou");
  return E_ERROR;
}
```

Por outro lado, se você usar exceções em vez de retornar códigos de erros, então o código de tratamento de erro poderá ficar separado do código e ser simplificado:

```
try {
  deletePage(page);
  registry.deleteReference(page.name);
  configKeys.deleteKey(page.name.makeKey());
}
catch (Exception e) {
  logger.log(e.getMessage());
}
```

Extraia os blocos try/catch

Esses blocos são feios por sí só. Eles confundem a estrutura do código e misturam o tratamento de erro com o processamento normal do código. Portanto, é melhor colocar as estruturas `try` e `catch` em suas próprias funções.

```
public void delete(Page page) {
  try {
    deletePageAndAllReferences(page);
  }
  catch (Exception e) {
    logError(e);
  }
}
private void deletePageAndAllReferences(Page page) throws Exception {
  deletePage(page);
  registry.deleteReference(page.name);
  configKeys.deleteKey(page.name.makeKey());
}
private void logError(Exception e) {
  logger.log(e.getMessage());
}
```

A função `delete` acima só faz tratamento de erro. E é fácil entendê-la e seguir adiante. A função `deletePageAndAllReferences` só trata de processos que excluem toda uma `page`. Pode-se ignorar o tratamento de erro. Isso oferece uma boa separação que facilita a compreensão e alteração do código.

Tratamento de erro é uma coisa só

As funções devem fazer uma coisa só. Tratamento de erro é uma coisa só. Portanto, uma função que trata de erros não deve fazer mais nada. Isso implica (como no exemplo acima) que a palavra try está dentro de uma função e deve ser a primeira instrução e nada mais deve vir após os blocos `catch/finally`.

`Error.java`, a dependência magnética

Retornar códigos de erro costuma implicar que há classes ou enum nos quais estão definidos todos os códigos de erro.

```
public enum Error {
  OK,
  INVALID,
  NO_SUCH,
  LOCKED,
  OUT_OF_RESOURCES,
  WAITING_FOR_EVENT;
}
```

Classes como esta são dependências magnéticas, muitas outras classes devem importá-las e usá-las. Portanto, quando o `enum Error`, é preciso recompilar todas as outras classes e reimplantá-las[11]. Isso coloca uma pressão negativa na classe Error. Os programadores não querem adicionar novos erros porque senão eles teriam de compilar e distribuir tudo

11. Aqueles que pensaram que poderiam se livrar da recompilação e da redistribuição foram encontrados, e tomadas as devidas providências.

novamente. Por isso, eles reutilizam códigos de erros antigos em vez de adicionar novos.

Quando se usam exceções em vez de códigos de erro, as novas exceções são *derivadas* da classe de exceções. Podem-se adicioná-las sem ter de recompilar ou redistribuir[12].

Evite repetição[13]

Leia novamente com atenção a Listagem 3-1 e notará que há um algoritmo que se repete quatro vezes em quatro casos: `SetUp`, `SuiteSetUp`, `TearDown` e `SuiteTearDown`. Não é fácil perceber essa duplicação, pois as quatro instâncias estão misturadas com outros códigos e não estão uniformemente repetidas. Mesmo assim, a duplicação é um problema, pois ela amontoa o código e serão necessárias quatro modificações se o algoritmo mudar. Além de serem quatro oportunidades para a omissão de um erro.

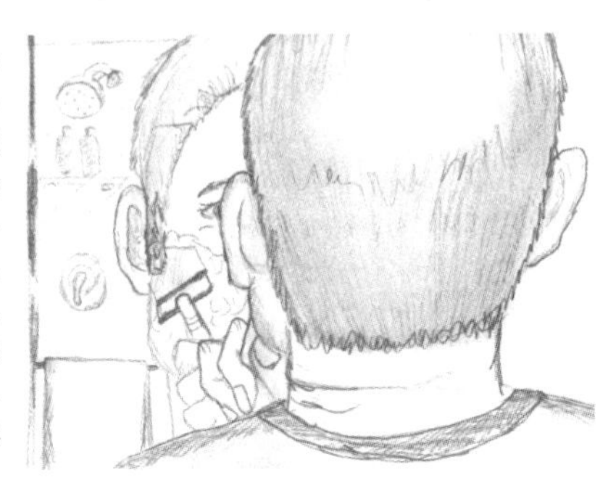

Sanou-se essa duplicação através do método `include` na Listagem 3-7. Leia este código novamente e note como a legibilidade do módulo inteiro foi melhorada com a retirada de tais repetições.

A duplicação pode ser a raiz de todo o mal no software. Muitos princípios e práticas têm sido criados com a finalidade de controlá-la ou eliminá-la. Considere, por exemplo, que todas as regras de normalização de banco de dados de Ted Codd servem para eliminar duplicação de dados. Considere também como a programação orientada a objeto serve para centralizar o código em classes-base que seriam outrora redundantes. Programação estruturada, Programação Orientada a Aspecto e Programação Orientada a Componentes são todas, em parte, estratégias para eliminar duplicação de código. Parece que desde a invenção da sub-rotina, inovações no desenvolvimento de software têm sido uma tentativa contínua para eliminar a duplicação de nossos códigos fonte.

Programação estruturada

Alguns programadores seguem as regras programação estruturada de Edsger Dijkstra[14], que disse que cada função e bloco dentro de uma função deve ter uma entrada e uma saída. Cumprir essas regras significa que deveria haver apenas uma instrução `return` na função, nenhum `break` ou `continue` num loop e jamais um `goto`.

---

12. Este é um exemplo do Princípio de Aberto-Fechado (OCP, sigla em inglês [PPP02]).

13. O Principio do Não Se Repita. [PRAG].

14. [SP72]

Enquanto somos solidários com os objetivos e disciplinas da programação estruturada, tais regras oferecem pouca vantagem quando as funções são muito pequenas. Apenas em funções maiores tais regras proporcionam benefícios significativos.

Portanto, se você mantiver suas funções pequenas, então as várias instruções `return`, `break` ou `continue` casuais não trarão problemas e poderão ser até mesmo mais expressivas do que a simples regra de uma entrada e uma saída. Por outro lado, o `goto` só faz sentido em funções grandes, portanto ele deve-se evitá-lo.

Como escrever funções como essa?

Criar um software é como qualquer outro tipo de escrita. Ao escrever um artigo, você primeiro coloca seus pensamentos no papel e depois os organiza de modo que fiquem fáceis de ler. O primeiro rascunho pode ficar desastroso e desorganizado, então você, reestrutura e refina até que ele fique como você deseja.

Quando escrevo funções, elas começam longas e complexas; há muitas endentações e loops aninhados; possuem longas listas de parâmetros; os nomes são arbitrários; e há duplicação de código. Mas eu também tenho uma coleção de testes de unidade que analisam cada uma dessas linhas desorganizadas do código.

Sendo assim, eu organizo e refino o código, divido funções, troco os nomes, elimino a duplicação, reduzo os métodos e os reorganizo. Às vezes, desmonto classes inteiras, tudo com os testes em execução.

No final, minhas funções seguem as regras que citei neste capítulo. Não as aplico desde o início. Acho que isso não seja possível.

Conclusão

Cada sistema é construído a partir de uma linguagem específica a um domínio desenvolvida por programadores para descrever o sistema. As funções são os verbos dessa linguagem, e classes os substantivos. Isso não é um tipo de retomada da antiga noção de que substantivos e verbos nos requerimentos de um documento sejam os primeiros palpites das classes e funções de um sistema. Mas sim uma verdade muito mais antiga. A arte de programar é, e sempre foi, a arte do projeto de linguagem.

Programadores experientes veem os sistemas como histórias a serem contadas em vez de programas a serem escritos. Eles usam os recursos da linguagem de programação que escolhem para construir uma linguagem muito mais rica e expressiva do que a usada para contar a estória. Parte da linguagem específica a um domínio é a hierarquia de funções que descreve todas as ações que ocorrem dentro daquele sistema. Em um ato engenhoso, escrevem-se essas funções para usar a mesma linguagem específica a um domínio que eles criaram para contar sua própria parte da história.

Este capítulo falou sobre a mecânica de se escrever bem funções. Se seguir as regras aqui descritas, suas funções serão curtas, bem nomeadas e bem organizadas. Mas jamais se esqueça de que seu objetivo verdadeiro é contar a história do sistema, e que as funções que você escrever precisam estar em perfeita sincronia e formar uma linguagem clara e precisa para lhe ajudar na narração.

SetupTeardownIncluder

Listagem 3-7

SetupTeardownIncluder.java

```
package fitnesse.html;

import fitnesse.responders.run.SuiteResponder;
import fitnesse.wiki.*;

public class SetupTeardownIncluder {
  private PageData pageData;
  private boolean isSuite;
  private WikiPage testPage;
  private StringBuffer newPageContent;
  private PageCrawler pageCrawler;


  public static String render(PageData pageData) throws Exception {
    return render(pageData, false);
  }

  public static String render(PageData pageData, boolean isSuite)
    throws Exception {
    return new SetupTeardownIncluder(pageData).render(isSuite);
  }

  private SetupTeardownIncluder(PageData pageData) {
    this.pageData = pageData;
    testPage = pageData.getWikiPage();
    pageCrawler = testPage.getPageCrawler();
    newPageContent = new StringBuffer();
  }

  private String render(boolean isSuite) throws Exception {
    this.isSuite = isSuite;
    if (isTestPage())
      includeSetupAndTeardownPages();
    return pageData.getHtml();
  }

  private boolean isTestPage() throws Exception {
    return pageData.hasAttribute("Test");
  }

  private void includeSetupAndTeardownPages() throws Exception {
    includeSetupPages();
    includePageContent();
    includeTeardownPages();
    updatePageContent();
  }
```

Listagem 3-7 (continuação):
SetupTeardownIncluder.java

```
  private void includeSetupPages() throws Exception {
    if (isSuite)
      includeSuiteSetupPage();
    includeSetupPage();
  }

  private void includeSuiteSetupPage() throws Exception {
    include(SuiteResponder.SUITE_SETUP_NAME, "-setup");
  }

  private void includeSetupPage() throws Exception {
    include("SetUp", "-setup");
  }

  private void includePageContent() throws Exception {
    newPageContent.append(pageData.getContent());
  }

  private void includeTeardownPages() throws Exception {
    includeTeardownPage();
    if (isSuite)
      includeSuiteTeardownPage();
  }

  private void includeTeardownPage() throws Exception {
    include("TearDown", "-teardown");
  }

  private void includeSuiteTeardownPage() throws Exception {
    include(SuiteResponder.SUITE_TEARDOWN_NAME, "-teardown");
  }

  private void updatePageContent() throws Exception {
    pageData.setContent(newPageContent.toString());
  }

  private void include(String pageName, String arg) throws Exception {
    WikiPage inheritedPage = findInheritedPage(pageName);
    if (inheritedPage != null) {
      String pagePathName = getPathNameForPage(inheritedPage);
      buildIncludeDirective(pagePathName, arg);
    }
  }

  private WikiPage findInheritedPage(String pageName) throws Exception {
    return PageCrawlerImpl.getInheritedPage(pageName, testPage);
  }

  private String getPathNameForPage(WikiPage page) throws Exception {
    WikiPagePath pagePath = pageCrawler.getFullPath(page);
    return PathParser.render(pagePath);
  }

  private void buildIncludeDirective(String pagePathName, String arg) {
    newPageContent
      .append("\n!include ")
```

Listagem 3-7 (continuação):
SetupTeardownIncluder.java

```
            .append(arg)
            .append(" .")
            .append(pagePathName)
            .append("\n");
    }
}
```

Bibliografia

[KP78]: Kernighan and Plaugher, *The Elements of Programming Style*, 2d. ed., McGraw-Hill, 1978.

[PPP02]: Robert C. Martin, *Agile Software Development: Principles, Patterns, and Practices*, Prentice Hall, 2002.

[GOF]: *Design Patterns: Elements of Reusable Object Oriented Software,* Gamma et al., Addison-Wesley, 1996

[PRAG]: *The Pragmatic Programmer*, Andrew Hunt, Dave Thomas, Addison-Wesley, 2000.

[SP72]: *Structured Programming,* O.-J. Dahl, E. W. Dijkstra, C. A. R. Hoare, Academic Press, London, 1972.

4

Comentários

"Não insira comentários num código ruim, reescreva-o".

—Brian W. Kernighan e P. J. Plaugher[1]

Nada pode ser tão útil quanto um comentário bem colocado. Nada consegue amontoar um módulo mais do que comentários dogmáticos e supérfluos. Nada pode ser tão prejudicial quanto um velho comentário mal feito que dissemina mentiras e informações incorretas.

Comentários não são como a Lista de Schindler. Não são o "bom puro". De fato, eles são, no máximo, um mal necessário. Se nossas linguagens de programação fos-

1. [KP78], p. 144.

sem expressivas o suficiente ou se tivéssemos o talento para manipular com destreza tais linguagens de modo a expressar nossa intenção, não precisaríamos de muitos comentários, quiçá nenhum.

O uso adequado de comentários é compensar nosso fracasso em nos expressar no código. Observe que usei a palavra fracasso. E é isso que eu quis dizer. Comentários são sempre fracassos. Devemos usá-los porque nem sempre encontramos uma forma de nos expressar sem eles, mas seu uso não é motivo para comemoração.

Então, quando você estiver numa situação na qual precise criar um comentário, pense bem e veja se não há como se expressar através do código em si. Toda vez que você fizer isso, dê em si mesmo um tapinha de aprovação nas costas. Toda vez que você escrever um comentário, faça uma careta e sinta o fracasso de sua capacidade de expressão.

Por que eu não gosto de comentários? Porque eles mentem. Nem sempre, e não intencionalmente, mas é muito comum. Quanto mais antigo um comentário for e quanto mais longe estiver do código o qual ele descreve, mais provável será que esteja errado. O motivo é simples. Não é realístico que programadores consigam mantê-los atualizados.

Códigos mudam e evoluem. Movem-se blocos para lá e para cá, que se bifurcam e se reproduzem e se unem novamente, formando monstros gigantescos. Infelizmente, os comentários nem sempre os seguem – nem sempre é possível. E, muito frequentemente, os comentários ficam longe do código o qual descrevem e se tornam dizeres órfãos com uma exatidão cada vez menor. Por exemplo, olhe o que aconteceu com o comentário abaixo e a linha que ele procurava descrever:

```
MockRequest request;
private final String HTTP_DATE_REGEXP =
   "[SMTWF][a-z]{2}\\,\\s[0-9]{2}\\s[JFMASOND][a-z]{2}\\s"+
   "[0-9]{4}\\s[0-9]{2}\\:[0-9]{2}\\:[0-9]{2}\\sGMT";
private Response response;
private FitNesseContext context;
private FileResponder responder;
private Locale saveLocale;
// Exemplo: "Tue, 02 Apr 2003 22:18:49 GMT"
```

Outras variáveis de instâncias que provavelmente foram adicionadas posteriormente ficaram entre a constante `HTTP_DATE_REGEXP` e seu comentário descritivo.

É possível dizer que os programadores deveriam ser disciplinados o bastante para manter os comentários em um elevado estado de atualização, relevância e precisão. Concordo que deveriam. Mas eu preferiria que essa energia fosse direcionada para tornar o código tão claro e descritivo que de início nem se precisaria de comentários.

Comentários imprecisos são muito piores do que nenhum. Eles enganam e iludem; deixam expectativas que jamais serão cumpridas; citam regras antigas que não precisariam mais, ou não deveriam, ser seguidas.

Só se pode encontrar a verdade em um lugar: no código. Só ele pode realmente lhe dizer o que ele faz. Ele é a única fonte de informações verdadeiramente precisas. Entretanto, embora às vezes comentários sejam necessários, gastaríamos energia considerável para minimizá-los.

Comentários Compensam um Código Ruim

Uma das motivações mais comuns para criar comentários é um código ruim. Construímos um módulo e sabemos que está confuso e desorganizado. Estamos cientes da bagunça. Nós mesmos dizemos "Oh, é melhor inserir um comentário!". Não! É melhor limpá-lo.

Códigos claros e expressivos com poucos comentários são de longe superiores a um amontoado e complexo com muitos comentários. Ao invés de gastar seu tempo criando comentários para explicar a bagunça que você fez, use-o para limpar essa zona.

Explique-se no código

Certamente há vezes em que não é possível se expressar direito no código. Infelizmente, devido a isso, muitos programadores assumiram que o código raramente é, se é que possa ser, um bom meio para se explicar. Evidentemente isso é falso. O que você preferiria ver? Isso:

```
// Verifica se o funcionário tem direito a todos os benefícios
if ((employee.flags & HOURLY_FLAG) &&
    (employee.age > 65))
```

Ou isso?

```
if (employee.isEligibleForFullBenefits())
```

Só é preciso alguns segundos de pensamento para explicar a maioria de sua intenção no código. Em muitos casos, é simplesmente uma questão de criar uma função cujo nome diga a mesma coisa que você deseja colocar no comentário.

Comentários Bons

Certos comentários são necessários ou benéficos. Veremos alguns que considero valerem os bits que consumem. Tenha em mente, contudo, que o único comentário verdadeiramente bom é aquele em que você encontrou uma forma para não escrevê-lo.

Comentários Legais

Às vezes, nossos padrões de programação corporativa nos forçam a escrever certos comentários por questões legais. Por exemplo, frases sobre direitos autorais e autoria são informações necessárias e lógicas para se colocar no início de um arquivo fonte.

Por exemplo, abaixo está o comentário padrão de cabeçalho que colocamos no início de todo arquivo fonte do FitNesse. Fico feliz em dizer que nossa IDE evita a união automática desse comentário para que não fique aglomerado.

```
// Direitos autorais (C) 2003,2004,2005 por Object Mentor, Inc. Todos
// os direitos reservados.
// Distribuido sob os termos da versão 2 ou posterior da Licença
// Publica Geral da GNU.
```

Comentários como esse não devem ser contratos ou tomos legais. Onde for possível, faça referência a uma licença padrão ou outro documento externo em vez de colocar todos os termos e condições no mesmo comentário.

Comentários Informativos

Às vezes é prático fornecer informações básicas em um comentário. Por exemplo, considere o comentário abaixo que explica o valor retornado de um método abstrato:

```
// Retorna uma instancia do Responder sendo testado.
protected abstract Responder responderInstance();
```

Um comentário como este pode ser útil às vezes, mas, sempre que possível, é melhor usar o nome da função para transmitir a informação. Por exemplo, neste caso, o comentário ficaria redundante se trocássemos o nome da função: `responderBeingTested`.

Assim ficaria um pouco melhor:

```
// formato igual a kk:mm:ss EEE, MMM dd, aaaa
Pattern timeMatcher = Pattern.compile(
  "\\d*:\\d*:\\d* \\w*, \\w* \\d*, \\d*");
```

Neste caso, o comentário nos permite saber que a expressão regular deve combinar com uma hora e data formatadas com a função SimpleDateFormat.format usando a string específica com o formato. Mesmo assim, teria ficado melhor e mais claro se esse código tivesse sido colocado em uma classe especial para converter os formatos de datas e horas. Então, o comentário provavelmente seria supérfluo.

Explicação da intenção

Às vezes, um comentário vai além de ser apenas informações úteis sobre a implementação e fornece a intenção por trás de uma decisão. No caso a seguir, vemos uma decisão interessante documentada através de um comentário. Ao comparar dois objetos, o autor decidiu que queria classificar como superiores os objetos de sua classe em relação aos de outras.

```
public int compareTo(Object o)
{
  if(o instanceof WikiPagePath)
  {
    WikiPagePath p = (WikiPagePath) o;
    String compressedName = StringUtil.join(names, "");
    String compressedArgumentName = StringUtil.join(p.names, "");
    return compressedName.compareTo(compressedArgumentName);
  }
  return 1; // somos superiores porque somos o tipo certo.
}
```

Abaixo está um exemplo melhor ainda. Talvez você discorde da solução do programador, mas pelo menos você sabe o que ele estava tentando fazer.

```
public void testConcurrentAddWidgets() throws Exception {
  WidgetBuilder widgetBuilder =
    new WidgetBuilder(new Class[]{BoldWidge t.class});
  String text = "'''bold text'''";
```

```
    ParentWidget parent =
      new BoldWidget(new MockWidgetRoot(), "'''bold text'''");
    AtomicBoolean failFlag = new AtomicBoolean();
    failFlag.set(false);
    //Essa é a nossa melhor tentativa para conseguir uma condição de
    //corrida.
    //Para isso criamos um grande número de threads.
    for (int i = 0; i < 25000; i++) {
      WidgetBuilderThread widgetBuilderThread =
        new WidgetBuilderThread(widgetBuilder, text, parent, failFlag);
      Thread thread = new Thread(widgetBuilderThread);
      thread.start();
    }
    assertEquals(false, failFlag.get());
  }
```

Esclarecimento

Às vezes é bom traduzir o significado de alguns parâmetros ou valores retornados obscuros para algo inteligível. De modo geral, é melhor encontrar uma forma de esclarecer tal parâmetro ou valor retornado por si só, mas quando for parte da biblioteca padrão, ou de um código que não se possa alterar, então um comentário esclarecedor pode ser útil.

```
  public void testCompareTo() throws Exception
  {
    WikiPagePath a = PathParser.parse("PageA");
    WikiPagePath ab = PathParser.parse("PageA.PageB");
    WikiPagePath b = PathParser.parse("PageB");
    WikiPagePath aa = PathParser.parse("PageA.PageA");
    WikiPagePath bb = PathParser.parse("PageB.PageB");
    WikiPagePath ba = PathParser.parse("PageB.PageA");

    assertTrue(a.compareTo(a) == 0); // a == a
    assertTrue(a.compareTo(b) != 0); // a != b
    assertTrue(ab.compareTo(ab) == 0); // ab == ab
    assertTrue(a.compareTo(b) == -1); // a < b
    assertTrue(aa.compareTo(ab) == -1); // aa < ab
    assertTrue(ba.compareTo(bb) == -1); // ba < bb
    assertTrue(b.compareTo(a) == 1); // b > a
    assertTrue(ab.compareTo(aa) == 1); // ab > aa
    assertTrue(bb.compareTo(ba) == 1); // bb > ba
  }
```

Há um risco considerável, é claro, de que um comentário esclarecedor possa estar incorreto. Leia o exemplo anterior e veja como é difícil verificar se estão corretos. Isso explica tanto o porquê da necessidade do esclarecimento como seu risco. Portanto, antes de criar comentários como esses, certifique-se de que não há outra saída melhor e, então, certifique-se ainda mais se estão precisos.

Alerta Sobre Consequências

Às vezes é útil alertar outros programadores sobre certas consequências. Por exemplo, o comentário abaixo explica porque um caso de teste em particular está desabilitado:

```
// Não execute a menos que você
// tenha tempo disponível.
public void testWithReallyBigFile()
{
  writeLinesToFile(10000000);

  response.setBody(testFile);
  response.readyToSend(this);
  String responseString = output.toString();
  assertSubString("Content-Length: 1000000000", responseString);
  assertTrue(bytesSent > 1000000000);
}
```

Hoje em dia, desabilitaríamos o caso de teste através do atributo `@Ignore` com uma string explanatória adequada: `@Ignore ("Leva muito tempo para executar")`. Antes da chegada do JUnit4, uma convenção comum era colocar um traço inferior (*underscore*) no início do nome do método. O comentário, enquanto divertido, passa sua mensagem muito bem.

Outro exemplo mais direto seria:

```
public static SimpleDateFormat makeStandardHttpDateFormat()
{
  //SimpleDateFormat não é uma thread segura,
  //é preciso criar cada instância independentemente.
  SimpleDateFormat df = new SimpleDateFormat("EEE, dd MMM yyyy HH:mm:ss z");
  df.setTimeZone(TimeZone.getTimeZone("GMT"));
  return df;
}
```

Talvez você reclame por haver melhores maneiras de resolver esse problema. Talvez eu concorde com você, mas o comentário como foi feito é perfeitamente lógico. Ele evitará que um programador afoito use um inicializador estático em prol da eficiência.

Comentário TODO

Às vezes é cabível deixar notas "To Do" ('Para Fazer') em comentários no formato `//TODO`. No caso a seguir, o comentário `TODO` explica por que a função tem uma implementação degradante e o que se deveria fazer com aquela função.

```
//TODO-MdM essas não são necessárias
//Esperamos que isso não esteja mais aqui quando verificarmos o modelo
protected VersionInfo makeVersion() throws Exception
{
  return null;
}
```

TODOs são tarefas que os programadores acham que devem ser efetuadas, mas, por alguma razão, não podem no momento. Pode ser um lembrete para excluir uma instrução desnecessária ou um apelo para que alguém olhe o problema. Ou um pedido para que alguém pense em um nome melhor ou um lembrete para fazer uma alteração que é dependente de um evento determinado. Seja qual for o TODO, ele não justifica deixar um código ruim no sistema.

Hoje em dia, a maioria das IDEs oferecem ferramentas e recursos para localizar todos os comentários TODO; portanto, não é provável que fiquem perdidos no código. Mesmo assim, você não deseja que seu código fique amontoado de TODOs, sendo assim, procure-os regularmente e elimine os que puder.

Destaque

Pode-se usar um comentário para destacar a importância de algo que talvez pareça irrelevante.

```
String listItemContent = match.group(3).trim();
// a função trim é muito importante. Ela remove os espaços
// iniciais que poderiam fazer com que o item fosse
// reconhecido como outra lista.
new ListItemWidget(this, listItemContent, this.level + 1);
return buildList(text.substring(match.end()));
```

Javadocs em APIs Públicas

Não há nada de tão prático e satisfatório como uma API pública bem descrita. Os javadocs para a biblioteca Java padrão são um exemplo. No máximo, seria difícil escrever programas Java sem eles.

Se estiver criando uma API pública, então você certamente deveria escrever bons javadocs para ela. Mas tenha em mente os outros conselhos neste capítulo. Os javadocs podem ser tão enganadores, não-locais e desonestos como qualquer outro tipo de comentário.

Comentários Ruins

A maioria dos comentários cai nesta categoria. Geralmente eles são suportes ou desculpas para um código de baixa qualidade ou justificativas para a falta de decisões, amontoados como se o programador estivesse falando com si mesmo.

Murmúrio

Usar um comentário só porque você sente que deve ou porque o processo o requer é besteira. Se optar criar um comentário, então gaste o tempo necessário para fazê-lo bem.

Por exemplo, a seguir está um caso que encontrei no FitNesse, no qual um comentário poderia ter sido útil. Entretanto, o autor estava com pressa ou não prestava muita atenção. Seu murmúrio foi deixado para trás como um enigma:

```
public void loadProperties()
{
  try
  {
  String propertiesPath = propertiesLocation + "/" + PROPERTIES_FILE;
  FileInputStream propertiesStream = new FileInputStream(propertiesPath);
    loadedProperties.load(propertiesStream);
  }
  catch(IOException e)
  {
    //Nenhum arquivo de propriedades significa que todos os padrões
    //estão carregados
  }
}
```

O que esse comentário no bloco `catch` significa? Claramente fazia sentido para o autor, mas o significado não foi muito bem transmitido. Aparentemente, se capturarmos (catch) uma `IOException`, significaria que não há arquivo de propriedades; e, neste caso, todos os padrões estão carregados. Mas quem carrega os padrões? Eles foram carregados antes da chamada ao `loadProperties.load`? Ou este capturou a exceção, carregou os padrões e, então, passou a exceção para que ignorássemos? Ou `loadProperties.load` carregou todos os padrões antes de tentar carregar o arquivo? Será que o autor estava limpando sua consciência por ter deixado o bloco do catch vazio? Ou – e essa possibilidade é assustadora – ele estava tentando dizer a si mesmo para voltar depois e escrever o código que carregaria os padrões?

Nosso único recurso é examinar o código em outras partes do sistema para descobrir o que está acontecendo. Qualquer comentário que lhe obrigue a analisar outro módulo em busca de um significado falhou em transmitir sua mensagem e não vale os bits que consume.

Comentários Redundantes

A Listagem 4-1 uma função simples com um comentário no cabeçalho que é completamente redundante. Provavelmente leva-se mais tempo para lê-lo do que o código em si.

Listagem 4-1

`waitForClose`

```
// Utility method that returns when this.closed is true. Throws an exceptio
// if the timeout is reached.
public synchronized void waitForClose(final long timeoutMillis)
throws Exception
{
  if(!closed)
  {
    wait(timeoutMillis);
    if(!closed)
      throw new Exception("MockResponseSender could not be closed");
  }
}
```

Qual o propósito desse comentário? Certamente não é mais informativo do que o código. Nem mesmo justifica o código ou oferece uma intenção ou raciocínio. É mais fácil ler o código apenas. De fato, ele é menos preciso do que o código e induz o leitor a aceitar tal falta de precisão em vez da interpretação verdadeira. É mais como um vendedor interesseiro de carros usados lhe garantindo que não é preciso olhar sob o capô.

Agora considere o grande número de javadocs inúteis e redundantes na Listagem 4-2 retirada do Tomcat. Esses comentários só servem para amontoar e encobrir o código. Eles não passam informação alguma. Para piorar, só lhe mostrei os primeiros, mas há muito mais neste módulo.

Listagem 4-2

`ContainerBase.java (Tomcat)`

```
public abstract class ContainerBase
  implements Container, Lifecycle, Pipeline,
  MBeanRegistration, Serializable {

  /**
   * The processor delay for this component.
   */
  protected int backgroundProcessorDelay = -1;


  /**
   * The lifecycle event support for this component.
   */
  protected LifecycleSupport lifecycle =
    new LifecycleSupport(this);


  /**
   * The container event listeners for this Container.
   */
  protected ArrayList listeners = new ArrayList();


  /**
   * The Loader implementation with which this Container is
   * associated.
   */
  protected Loader loader = null;


  /**
   * The Logger implementation with which this Container is
   * associated.
   */
  protected Log logger = null;


  /**
   * Associated logger name.
   */
  protected String logName = null;
```

Listagem 4-2 (continuação):
ContainerBase.java (Tomcat)

```
/**
 * The Manager implementation with which this Container is
 * associated.
 */
protected Manager manager = null;


/**
 * The cluster with which this Container is associated.
 */
protected Cluster cluster = null;


/**
 * The human-readable name of this Container.
 */
protected String name = null;


/**
 * The parent Container to which this Container is a child.
 */
protected Container parent = null;


/**
 * The parent class loader to be configured when we install a
 * Loader.
 */
protected ClassLoader parentClassLoader = null;


/**
 * The Pipeline object with which this Container is
 * associated.
 */
protected Pipeline pipeline = new StandardPipeline(this);


/**
 * The Realm with which this Container is associated.
 */
protected Realm realm = null;


/**
 * The resources DirContext object with which this Container
 * is associated.
 */
protected DirContext resources = null;
```

Comentários Enganadores

Às vezes, com todas as melhores das intenções, um programador faz uma afirmação não muito clara em seus comentários. Lembre-se também do redundante e enganador comentário que vimos na Listagem 4-1.

Como você descobriu que o comentário era enganador? O método não retornava quando `this.closed` virava `true`, mas só se `this.closed` já fosse `true`; caso contrário, ele esperava por um tempo limite e, então, lançava uma exceção se `this.closed` ainda não fosse `true`.

Essa pequena desinformação, expressada em um comentário mais difícil de ler do que o código em si, poderia fazer com que outro programador despreocupadamente chamasse essa função esperando-a que retornasse assim que `this.closed` se tornasse `true (verdadeiro)`. Esse pobre programador logo se veria efetuando uma depuração tentando descobrir o porquê da lentidão do código.

Comentários Imperativos

É basicamente tolo ter uma regra dizendo que toda função deva ter um Javadoc, ou toda variável um comentário. Estes podem se amontoar no código, disseminar mentiras e gerar confusão e desorganização.

Por exemplo, os javadocs exigidos para cada função levariam a abominações, como as da Listagem 4-3. Essa zona não acrescenta nada e só serve para ofuscar o código e abrir o caminho para mentiras e desinformações.

Listagem 4-3

```
/**
 *
 * @param title The title of the CD
 * @param author The author of the CD
 * @param tracks The number of tracks on the CD
 * @param durationInMinutes The duration of the CD in minute:
 */
public void addCD(String title, String author,
                   int tracks, int durationInMinutes) {
  CD cd = new CD();
  cd.title = title;
  cd.author = author;
  cd.tracks = tracks;
  cd.duration = duration;
  cdList.add(cd);
}
```

Comentários Longos

Às vezes, as pessoas, toda vez que editam um módulo, sempre adicionam um comentário no início. Após várias alterações, a quantidade de comentários acumulada parece mais uma redação ou um diário. Já vi módulos com dezenas de páginas assim.

```
* Changes (from 11-Oct-2001)
* --------------------------
* 11-Oct-2001 : Re-organised the class and moved it to new package
*               com.jrefinery.date (DG);
* 05-Nov-2001 : Added a getDescription() method, and eliminated NotableDate
*               class (DG);
* 12-Nov-2001 : IBD requires setDescription() method, now that NotableDate
*               class is gone (DG); Changed getPreviousDayOfWeek(),
*               getFollowingDayOfWeek() and getNearestDayOfWeek() to correct
*               bugs (DG);
* 05-Dec-2001 : Fixed bug in SpreadsheetDate class (DG);
* 29-May-2002 : Moved the month constants into a separate interface
*               (MonthConstants) (DG);
* 27-Aug-2002 : Fixed bug in addMonths() method, thanks to N???levka Petr (DG)
* 03-Oct-2002 : Fixed errors reported by Checkstyle (DG);
* 13-Mar-2003 : Implemented Serializable (DG);
* 29-May-2003 : Fixed bug in addMonths method (DG);
* 04-Sep-2003 : Implemented Comparable.  Updated the isInRange javadocs (DG);
* 05-Jan-2005 : Fixed bug in addYears() method (1096282) (DG);
```

Há muito tempo, havia um bom motivo para criar e preservar essas informações no início de cada módulo, pois não existiam ainda os sistemas de controle de código fonte para fazer isso por nós. Hoje em dia, entretanto, esses comentários extensos são apenas entulhos que confundem o código, devendo assim ser completamente removidos.

Comentários Ruidosos

Às vezes você vê comentários que nada são além de "chiados". Eles dizem o óbvio e não fornecem novas informações.

```
/**
  * Default constructor.
  */
protected AnnualDateRule() {
}
```

Ah, *sério?* Ou este:

```
/** Dia do mes. */
    private int dayOfMonth;
```

E há também o seguinte tipo de redundância:

```
/**
 * Returns the day of the month.
 *
 * @return the day of the month.
 */
public int getDayOfMonth() {
  return dayOfMonth;
}
```

Esses comentários são tão irrelevantes que aprendemos a ignorá-los. Ao lermos o código, nossos olhos passam direto por eles. No final, os comentários passam a "mentir" conforme o código muda.

O primeiro comentário na Listagem 4-4 parece adequado[2]. Ele explica por que o block `catch` é ignorado. Contudo, o segundo não passa de um chiado. Aparentemente, o programador estava tão frustrado por criar blocos `try/catch` na função que ele precisou desabafar.

Listagem 4-4
`startSending`

```
private void startSending()
{
  try
  {
    doSending();
  }
  catch(SocketException e)
  {
    // normal. someone stopped the request.
  }
  catch(Exception e)
  {
    try
    {
      response.add(ErrorResponder.makeExceptionString(e));
      response.closeAll();
    }
    catch(Exception e1)
    {
      //Give me a break!
    }
  }
}
```

Em vez de desabafar em comentários sem sentido e ruidosos, ele poderia ter pegado tal frustração e usado-a para melhorar a estrutura do código. Ele deveria ter redirecionado sua energia para colocar o último bloco try/catch em uma função separada, como mostra a Listagem 4-5.

Listagem 4-5
`startSending (refatorado)`

```
private void startSending()
{
  try
  {
    doSending();
  }
```

2. A tendência atual das IDEs de verificação da ortografia em comentários será um alívio para nós que lemos bastante códigos.

Listagem 4-5 (continuação)
startSending (refatorado)

```
    catch(SocketException e)
    {
      // normal. someone stopped the request.
    }
    catch(Exception e)
    {
      addExceptionAndCloseResponse(e);
    }
}

private void addExceptionAndCloseResponse(Exception e)
{
    try
    {
      response.add(ErrorResponder.makeExceptionString(e));
      response.closeAll();
    }
    catch(Exception e1)
    {
    }
}
```

Troque a tentação para criar ruídos pela determinação para limpar seu código. Você perceberá que isso lhe tornará um programador melhor e mais feliz.

Ruídos assustadores

Os javadocs também podem ser vistos como ruídos. Qual o objetivo dos Javadocs (de uma biblioteca de código livre bem conhecida) abaixo? Resposta: Nada. Eles são apenas comentários ruidosos redundantes, escritos a partir de um desejo injustificado de prover documentação.

```
/** Nome. */
private String name;

/** Versão. */
private String version;

/** licenseName. */
private String licenceName;

/** Versão. */
private String info;
```

Releia os comentários com mais atenção. Notou um erro de recortar-colar? Se os autores não prestarem atenção na hora de escrever os comentários (ou colá-los), por que os leitores deveriam esperar algo de importante deles?

Evite o comentário se é possível usar uma função ou uma variável

Considere o pedaço de código abaixo:

```
// o módulo da lista global <mod> depende do
// subsistema do qual fazemos parte?
if (smodule.getDependSubsystems().contains(subSysMod.getSubSystem()))
```

Poderia-se evitar o comentário e usar:

```
ArrayList moduleDependees = smodule.getDependSubsystems();
String ourSubSystem = subSysMod.getSubSystem();
if (moduleDependees.contains(ourSubSystem))
```

O autor do código original talvez tenha escrito primeiro o comentário (pouco provável) e, então, o código de modo a satisfazer o comentário. Entretanto, o autor deveria ter refatorado o código, como eu fiz, para que pudesse remover o comentário.

Marcadores de Posição

Algumas vezes os programadores gostam de marcar uma posição determinada no arquivo fonte. Por exemplo, recentemente encontrei o seguinte num programa:

```
// Ações //////////////////////////////////
```

É raro, mas há vezes que faz sentido juntar certas funções sob um indicador como esses. Mas, de modo geral, eles são aglomerações e devem-se excluí-los – especialmente as várias barras no final.

Pense assim: um indicador é chamativo e óbvio se você não os vê muito frequentemente. Portanto, use-os esporadicamente, e só quando gerarem benefícios significativos. Se usar indicadores excessivamente, eles cairão na categoria de ruídos e serão ignorados.

Comentários ao lado de chaves de fechamento

Às vezes, os programadores colocam comentários especiais ao lado de chaves de fechamento, como na Listagem 4-6. Embora isso possa fazer sentido em funções longas com estruturas muito aninhadas, só serve para amontoar o tipo de funções pequenas e encapsuladas que preferimos. Portanto, se perceber uma vontade de comentar ao lado de chaves de fechamento, tente primeiro reduzir suas funções.

Listagem 4-6
`wc.java`

```
public class wc {
  public static void main(String[] args) {
    BufferedReader in = new BufferedReader(new InputStreamReader(System.in));
    String line;
    int lineCount = 0;
    int charCount = 0;
    int wordCount = 0;
    try {
```

Listagem 4-6 (continuação)

wc.java

```
      while ((line = in.readLine()) != null) {
        lineCount++;
        charCount += line.length();
        String words[] = line.split("\\W");
        wordCount += words.length;
      } //while
      System.out.println("wordCount = " + wordCount);
      System.out.println("lineCount = " + lineCount);
      System.out.println("charCount = " + charCount);
    } // try

    catch (IOException e) {
      System.err.println("Error:" + e.getMessage());
    } //catch
  } //main
}
```

Créditos e autoria

```
/* Adicionado por Rick */
```

Os sistemas de controle de código fonte são muito bons para lembrar que adicionou o quê e quando. Não há necessidade de poluir o código com comentários de autoria. Talvez você ache que tais comentários sejam úteis para ajudar outras pessoas a saberem o que falar sobre o código. Mas a verdade é que eles permanecem por anos, ficando cada vez menos precisos e relevantes.

Novamente, o sistema de controle de código fonte é um local melhor para este tipo de informação.

Código como comentários

Poucas práticas são tão condenáveis quanto colocar o código como comentário. Não faça isso!

```
InputStreamResponse response = new InputStreamResponse();
response.setBody(formatter.getResultStream(),formatter.getByteCount());
// InputStream resultsStream = formatter.getResultStream();
// StreamReader reader = new StreamReader(resultsStream);
// response.setContent(reader.read(formatter.getByteCount()));
```

Outros que vissem esse código não teriam coragem de excluir os comentários. Eles achariam que estão lá por um motivo e são importantes demais para serem apagados. Portanto, códigos como comentários se acumulam como sujeira no fundo de uma garrafa de vinho ruim.

Observe o código do Commons do Apache:

```
this.bytePos = writeBytes(pngIdBytes, 0);
//hdrPos = bytePos;
writeHeader();
writeResolution();
//dataPos = bytePos;
if (writeImageData()) {
  writeEnd();
  this.pngBytes = resizeByteArray(this.pngBytes, this.maxPos);
}
```

```
    else {
      this.pngBytes = null;
    }
    return this.pngBytes;
```

Por que aquelas duas linhas de código estão comentadas? Elas são importantes? Foram deixados como lembretes para alguma alteração iminente? Ou são apenas aglomerados que alguém comentara anos atrás e simplesmente não se preocupou em limpar?

Houve uma época, na década de 1960, em que explicar o código em comentários poderia ser prático. Mas já faz um tempo que temos os sistemas de controle de código fonte, que lembrarão o código para nós. Não precisamos explicá-lo em comentários. Simplesmente exclua o código. Prometo que não o perderá.

Comentários HTML

Códigos HTML em comentários de código fonte são uma aberração, como pode ver no código abaixo. Eles dificultam a leitura dos comentários onde seriam fáceis de ler – no editor/IDE. Se forem extrair comentários com alguma ferramenta (como o Javadoc) para exibir numa página da Web, então deveria ser responsabilidade de tal ferramenta, e não do programador, adicionar os comentários com os códigos HTML adequados.

```
/**
 * Tarefa para executar os testes do Fit.
 * Essa tarefa efetua os testes do FitNesse e exibe os resultados.
 * <p/>
 * <pre>
 * Uso:
 * &lt;taskdef name=&quot;execute-fitnesse-tests&quot;
 * classname=&quot;fitnesse.ant.ExecuteFitnesseTestsTask&quot;
 * classpathref=&quot;classpath&quot; /&gt;
 * OU
 * &lt;taskdef classpathref=&quot;classpath&quot;
 *          resource=&quot;tasks.properties&quot; /&gt;
 * <p/>
 * &lt;execute-fitnesse-tests
 * suitepage=&quot;FitNesse.SuiteAcceptanceTests&quot;
 * fitnesseport=&quot;8082&quot;
 * resultsdir=&quot;${results.dir}&quot;
 * resultshtmlpage=&quot;fit-results.html&quot;
 * classpathref=&quot;classpath&quot; /&gt;
 * </pre>
*/
```

Informações não-locais

Se você precisar escrever um comentário, então, coloque-o perto do código que ele descreve. Não forneça informações gerais do sistema no contexto de um comentário local. Considere, por exemplo, o comentário do Javadoc abaixo. Além de ser terrivelmente redundante, ele também fala sobre a porta padrão. Ainda assim, a função nem sabe que porta é essa. O comentário não está descrevendo a função, mas alguma outra em uma parte distante do sistema. Certamente não há garantia de que esse comentário será atualizado quando o código que contém tal padrão for alterado.

```
/**
 * Porta na qual o FitNesse deveria rodar. Padrão para <b>8082</b>.
 *
 * @param fitnessePort
 */
public void setFitnessePort(int fitnessePort)
{
  this.fitnessePort = fitnessePort;
}
```

Informações excessivas

Não adicione discussões históricas interessantes ou descrições irrelevantes de detalhes em seus comentários. Abaixo está o comentário de um módulo projetado para testar se uma função poderia codificar e decodificar base64. Além do número RFC, a pessoa que ler este código não precisa das informações históricas contidas no comentário.

```
/*
  RFC 2045 - Multipurpose Internet Mail Extensions (MIME)
  Parte um: seção 6.8 do Formato dos Corpos de Mensagens da Internet.
  Codificação e Transferência de Conteúdo em Base64 O processo de
  codificação representa grupos de entrada de 24 bits como strings
  de saída de 4 caracteres codificados. Da esquerda para a direita,
  forma-se um grupo de entrada de 24 bits pela concatenação de 3 gru-
  pos de entrada de 8 bits.Esses 24 bits serão, então, tratados como
  4 grupos concatenados de 6 bits, cada um traduzido para um único
  digito do alfabeto da base64. Ao codificar um fluxo de bits através
  da codificação para base64, deve-se presumir que tal fluxo este-
  ja ordenado com o bit mais significante vindo primeiro.Ou seja, o
  primeiro bit no fluxo será o mais relevante no primeiro byte de 8
  bits, o oitavo será o bit menos relevante no mesmo primeiro byte de
  8 bits,e assim por diante.
*/
```

Conexões nada óbvias

A conexão entre um comentário e o código que ele descreve deve ser óbvia. Se for fazer um comentário, então você deseja, pelo menos, que o leitor seja capaz de ler o comentário e o código e, então, entender o que foi falado.

Considere, por exemplo, o comentário abaixo do Commons do Apache:

```
/*
 * começa com um array grande o bastante para conter todos os pixels
 * (mais os bytes de filtragem) e 200 bytes extras para informações no cabeçalho
*/
this.pngBytes = new byte[((this.width + 1) * this.height * 3) + 200];
```

O que é um byte de filtragem? Ele tem a ver com o +1? Ou com o *3? Com ambos? Um pixel é um byte? Por que 200? O objetivo de um comentário é explicar o que o código não consegue por si só. É uma lástima quando um comentário também precisa ser explicado.

Cabeçalhos de funções

Funções curtas não requerem muita explicação. Um nome bem selecionado para uma função pequena que faça apenas uma coisa costuma ser melhor do que um comentário no cabeçalho.

Javadocs em códigos não-públicos

Assim como os Javadocs são práticos para as APIs públicas, eles são uma maldição para o código não voltado para a distribuição ao público. Gerar páginas Javadoc para classes e funções dentro de um sistema geralmente não é prático, e a formalidade extra dos comentários javadocs unem um pouco mais de entulhos e distração.

Exemplo

Na Listagem 4-7, criei um módulo para o primeiro XP *Immersion* para servir de exemplo de má programação e estilo de comentário. Então, Kent Beck refatorou esse código para uma forma muito mais agradável na presença de algumas dezenas de estudantes empolgados. Mais tarde, adaptei o exemplo para meu livro *Agile Software Development, Principles, Patterns, and Practices* e o primeiro de meus artigos da coluna *Craftsman* publicados na revista *Software Development.*

Para mim, o fascinante desse módulo é que havia uma época quando muitos de nós o teríamos considerado “bem documentado”. Agora o vemos como uma pequena bagunça. Veja quantos problemas diferentes você consegue encontrar.

Listagem 4-7

`GeneratePrimes.java`

```
/**
 * This class Generates prime numbers up to a user specified
 * maximum. The algorithm used is the Sieve of Eratosthenes.
 * <p>
 * Eratosthenes of Cyrene, b. c. 276 BC, Cyrene, Libya --
 * d. c. 194, Alexandria. The first man to calculate the
 * circumference of the Earth. Also known for working on
 * calendars with leap years and ran the library at Alexandria.
 * <p>
 * The algorithm is quite simple. Given an array of integers
 * starting at 2. Cross out all multiples of 2. Find the next
 * uncrossed integer, and cross out all of its multiples.
 * Repeat untilyou have passed the square root of the maximum
 * value.
 *
 * @author Alphonse
 * @version 13 Feb 2002 atp
 */
import java.util.*;

public class GeneratePrimes
{
  /**
   * @param maxValue is the generation limit.
   */
  public static int[] generatePrimes(int maxValue)
  {
    if (maxValue >= 2) // the only valid case
    {
      // declarations
      int s = maxValue + 1; // size of array
      boolean[] f = new boolean[s];
      int i;
```

Listagem 4-7 (continuação)

`GeneratePrimes.java`

```
      // initialize array to true.
      for (i = 0; i < s; i++)
        f[i] = true;

      // get rid of known non-primes
      f[0] = f[1] = false;

      // sieve
      int j;
      for (i = 2; i < Math.sqrt(s) + 1; i++)
      {
        if (f[i]) // if i is uncrossed, cross its multiples.
        {
          for (j = 2 * i; j < s; j += i)
            f[j] = false; // multiple is not prime
        }
      }

      // how many primes are there?
      int count = 0;
      for (i = 0; i < s; i++)
      {
        if (f[i])
          count++; // bump count.
      }

      int[] primes = new int[count];

      // move the primes into the result
      for (i = 0, j = 0; i < s; i++)
      {
        if (f[i])             // if prime
          primes[j++] = i;
      }

      return primes;  // return the primes
    }
    else // maxValue < 2
      return new int[0]; // return null array if bad input.
  }
}
```

Na Listagem 4-8 pode-se ver uma versão refatorada do mesmo módulo. Note que o uso de comentários foi limitado de forma significativa – há apenas dois no módulo inteiro, ambos são auto explicativos.

Listagem 4.8:

`PrimeGenerator.java (refatorado)`

```
/**
 * This class Generates prime numbers up to a user specified
 * maximum. The algorithm used is the Sieve of Eratosthenes.
 * Given an array of integers starting at 2:
 * Find the first uncrossed integer, and cross out all its
```

Listagem 4-8 (continuação)
PrimeGenerator.java (refatorado)

```
 * multiples.  Repeat until there are no more multiples
 * in the array.
 */

public class PrimeGenerator
{
  private static boolean[] crossedOut;
  private static int[] result;

  public static int[] generatePrimes(int maxValue)
  {
    if (maxValue < 2)
      return new int[0];
    else
    {
      uncrossIntegersUpTo(maxValue);
      crossOutMultiples();
      putUncrossedIntegersIntoResult();
      return result;
    }
  }

  private static void uncrossIntegersUpTo(int maxValue)
  {
    crossedOut = new boolean[maxValue + 1];
    for (int i = 2; i < crossedOut.length; i++)
      crossedOut[i] = false;
  }

  private static void crossOutMultiples()
  {
    int limit = determineIterationLimit();
    for (int i = 2; i <= limit; i++)
      if (notCrossed(i))
        crossOutMultiplesOf(i);
  }

  private static int determineIterationLimit()
  {
    // Every multiple in the array has a prime factor that
    // is less than or equal to the root of the array size,
    // so we don't have to cross out multiples of numbers
    // larger than that root.
    double iterationLimit = Math.sqrt(crossedOut.length);
    return (int) iterationLimit;
  }

  private static void crossOutMultiplesOf(int i)
  {
    for (int multiple = 2*i;
         multiple < crossedOut.length;
         multiple += i)
      crossedOut[multiple] = true;
  }
```

Listagem 4-8 (continuação)
`PrimeGenerator.java (refatorado)`

```
    private static boolean notCrossed(int i)
    {
      return crossedOut[i] == false;
    }

    private static void putUncrossedIntegersIntoResult()
    {
      result = new int[numberOfUncrossedIntegers()];
      for (int j = 0, i = 2; i < crossedOut.length; i++)
        if (notCrossed(i))
          result[j++] = i;
    }

    private static int numberOfUncrossedIntegers()
    {
      int count = 0;
      for (int i = 2; i < crossedOut.length; i++)
        if (notCrossed(i))
          count++;

      return count;
    }
  }
```

Como o primeiro comentário é muito parecido com a função `generatePrimes`, fica fácil dizer que ele é redundante. Mesmo assim, acho que o comentário serve para facilitar a leitura do algoritmo, portanto prefiro mantê-lo.

Já o segundo se faz praticamente necessário. Ele explica a lógica por trás do uso da raiz quadrada como o limite da iteração. Não consegui encontrar um nome simples para a variável ou qualquer estrutura diferente de programação que esclarecesse esse ponto. Por outro lado, o uso da raiz quadrada poderia ser um conceito. Realmente estou economizando tanto tempo assim ao limitar a iteração à raiz quadrada? O cálculo desta demora mais do que o tempo que economizo?

Vale a pena ponderar. Usar a raiz quadrada como o limite da iteração satisfaz o hacker em mim que usa a antiga linguagem C e Assembly, mas não estou convencido de que compense o tempo e o esforço que todos gastariam para entendê-la.

Bibliografia

[KP78]: Kernighan and Plaugher, *The Elements of Programming Style*, 2d. ed., McGraw-Hill, 1978

5

Formatação

Quando as pessoas olham o código, desejamos que fiquem impressionadas com a polidez, a consistência e a atenção aos detalhes presentes. Queremos que reparem na organização. Desejamos que suas sobrancelhas se levantem ao percorrerem os módulos; que percebam que foram profissionais que estiveram ali. Se, em vez disso, virem um emaranhado de código como se tivesse sido escrito por um bando de marinheiros bêbados, então provavelmente concluirão que essa mesma falta de atenção foi perpetuada por todo o projeto.

Você deve tomar conta para que seu código fique bem formatado, escolher uma série de regras simples que governem seu código e, então, aplicá-la de forma consistente. Se estiver trabalhando em equipe, então, todos devem concordar com uma única série de regras de formatação. Seria bom ter uma ferramenta automatizada que possa aplicar essas regras para você.

O objetivo da formatação

Primeiro de tudo, sejamos claros. A formatação do código é *importante*. Importante demais para se ignorar e importante demais para ser tratada religiosamente. Ela serve como uma comunicação, e essa é a primeira regra nos negócios de um desenvolvedor profissional.

Talvez você pensasse que "fazer funcionar" fosse a primeira regra. Espero, contudo, que, a esta altura, este livro já tenha tirado esse conceito de sua mente. A funcionalidade que você cria hoje tem grandes chances de ser modificada na próxima distribuição, mas a legibilidade de seu código terá um grande efeito em todas as mudanças que serão feitas. A formatação do código e a legibilidade anteriores que continuam a afetar a capacidade de herança e de manutenção tempos após o código original foram alteradas além de reconhecimento. Seu estilo e disciplina sobrevivem, mesmo que seu código não.

Então quais as questões sobre formatação que nos ajuda a comunicar melhor?

Formatação vertical

Comecemos com o tamanho vertical. O seu código-fonte deve ser de que tamanho? Em Java, o tamanho do arquivo está intimamente relacionado ao da classe. Discutiremos sobre o tamanho das classes quando falarmos sobre classes. Mas, por agora, consideremos apenas o tamanho do arquivo.

Qual o tamanho da maioria dos códigos-fonte em Java? Há uma grande diversidade de tamanhos e algumas diferenças notáveis em estilo (veja a Figura 5.1).

Há sete projetos diferentes na figura: Junit, FitNesse, testNG, Time and Money, JDepend, Ant e Tomcat. As linhas verticais mostram os comprimentos mínimo e máximo em cada projeto. A caixa exibe aproximadamente um terço (um desvio padrão[1]) dos arquivos. O meio da caixa é a média. Portanto, o tamanho médio do código no projeto FitNesse é de cerca de 65 linhas, e cerca de um terço dos arquivos estão entre 40 e 100+ linhas. O maior arquivo no FitNesse tem aproximadamente 400 linhas, e o menor 6. Note que essa é uma escala logarítmica; portanto, a pequena diferença na posição vertical indica uma diferença muito grande para o tamanho absoluto.

1. A caixa mostra sigma/2 acima e abaixo da média. Sim, sei que a distribuição do comprimento do arquivo não é normal, e, portanto, o desvio padrão não é matematicamente preciso. Mas não estamos buscando precisão aqui, apenas dando um exemplo.

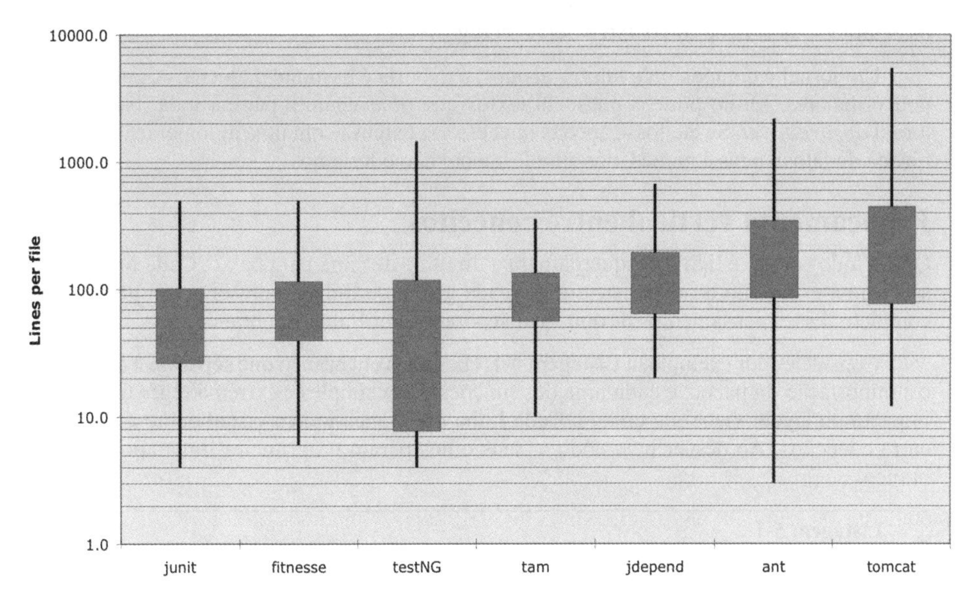

Figura 5.1:
Escala logarítmica de distribuição de tamanho
de arquivos (altura da caixa = sigma)

Junit, FitNesse e Time and Money são compostos de arquivos relativamente pequenos. Nenhum ultrapassa 500 linhas e a maioria dos arquivos tem menos de 200 linhas. Tomcat e Ant, por outro lado, têm alguns arquivos com milhares de linhas e outros, próximos à metade, ultrapassam 200 linhas.

O que isso nos diz? Parece ser possível construir sistemas significativos (o FitNesse tem quase 50.000 linhas) a partir de códigos simples de 200 linhas, com um limite máximo de 500. Embora essa não deva ser uma regra fixa, deve-se considerá-la bastante, pois arquivos pequenos costumam ser mais fáceis de se entender do que os grandes.

A metáfora do jornal

Pense num artigo de jornal bem redigido. Você o lê verticalmente. No topo você espera ver uma manchete que lhe diz do que se trata a estória e lhe permite decidir se deseja ou não ler. O primeiro parágrafo apresenta uma sinopse da estória toda, omitindo todos os detalhes, falando de uma maneira mais geral. Ao prosseguir a leitura, verticalmente, vão surgindo mais detalhes até que datas, nomes, citações, alegações e outras minúcias sejam apresentadas.

Desejamos que um código fonte seja como um artigo de jornal. O nome deve ser simples mas descritivo. O nome em si deve ser o suficiente para nos dizer se estamos no módulo certo ou não. As partes mais superiores do código-fonte devem oferecer os conceitos e algoritmos de alto nível. Os detalhes devem ir surgindo conforme se move para baixo, até encontrarmos os detalhes e as funções de baixo nível no código-fonte.

Um jornal é composto de muitos artigos; a maioria é bastante pequena. Alguns são um pouco maiores. Muito poucos possuem textos que preencham a página toda. Isso torna o jornal *aproveitável*. Se ele fosse apenas uma estória extensa com uma aglomeração desorganizada de fatos, datas e nomes, nós simplesmente não o leríamos.

Espaçamento vertical entre conceitos

Quase todo código é lido da esquerda para a direita e de cima para baixo. Cada linha representa uma expressão ou uma estrutura, e cada grupo de linhas representa um pensamento completo. Esses pensamentos devem ficar separados por linhas em branco.

Considere, por exemplo, a Listagem 5-1. Há linhas em branco que separam a declaração e a importação do pacote e cada uma das funções. Essa simples e extrema regra tem grande impacto no layout visual do código. Cada linha em branco indica visualmente a separação entre conceitos. Ao descer pelo código, seus olhos param na primeira linha após uma em branco.

Listagem 5-1
`BoldWidget.java`

```
package fitnesse.wikitext.widgets;

import java.util.regex.*;

public class BoldWidget extends ParentWidget {
  public static final String REGEXP = "'''.+?'''";
  private static final Pattern pattern = Pattern.compile("'''(.+?)'''",
    Pattern.MULTILINE + Pattern.DOTALL
  );

  public BoldWidget(ParentWidget parent, String text) throws Exception {
    super(parent);
    Matcher match = pattern.matcher(text);
    match.find();
    addChildWidgets(match.group(1));
  }

  public String render() throws Exception {
    StringBuffer html = new StringBuffer("<b>");
    html.append(childHtml()).append("</b>");
    return html.toString();
  }
}
```

Retirar essas linhas em branco, como na Listagem 5-2, gera um efeito notavelmente obscuro na legibilidade do código.

Listagem 5-2
BoldWidget.java

```
package fitnesse.wikitext.widgets;
import java.util.regex.*;
public class BoldWidget extends ParentWidget {
  public static final String REGEXP = "'''.+?'''";
  private static final Pattern pattern = Pattern.compile("'''(.+?)'''",
    Pattern.MULTILINE + Pattern.DOTALL);
  public BoldWidget(ParentWidget parent, String text) throws Exception {
    super(parent);
    Matcher match = pattern.matcher(text);
    match.find();
    addChildWidgets(match.group(1));}
  public String render() throws Exception {
    StringBuffer html = new StringBuffer("<b>");
    html.append(childHtml()).append("</b>");
    return html.toString();
  }
}
```

Esse efeito é ainda mais realçado quando você desvia seus olhos do código. No primeiro exemplo, os diferentes agrupamentos de linhas saltam aos olhos, enquanto no segundo tudo fica meio confuso. A diferença entre essas duas listagens é um pouco de espaçamento vertical.

Continuidade vertical

Se o espaçamento separa conceitos, então a continuidade vertical indica uma associação íntima. Assim, linhas de código que estão intimamente relacionadas devem aparecer verticalmente unidas. Note como os comentários inúteis na Listagem 5-3 quebram essa intimidade entre a instância de duas variáveis.

Listagem 5-3

```
public class ReporterConfig {

  /**
   * The class name of the reporter listener
   */
  private String m_className;

  /**
   * The properties of the reporter listener
   */
  private List<Property> m_properties = new ArrayList<Property>();

  public void addProperty(Property property) {
    m_properties.add(property);
  }
```

A Listagem 5-4 está muito mais fácil de se ler. Ela cabe numa única visão, pelo menos para mim. Posso olhá-la e ver que é uma classe com duas variáveis e um método, sem ter de mover muito minha cabeça ou meus olhos. A listagem anterior me faz usar mais o movimento dos olhos e da cabeça para obter o mesmo nível de entendimento.

Listagem 5-4

```
public class ReporterConfig {
  private String m_className;
  private List<Property> m_properties = new ArrayList<Property>();

  public void addProperty(Property property) {
    m_properties.add(property);
  }
```

Distância vertical

Já ficou tentando se encontrar numa classe, passando de uma função para a próxima, subindo e descendo pelo código fonte, tentando adivinhar como as funções se relacionam e operam, só para se perder nesse labirinto de confusão? Já subiu pela estrutura de herança buscando a definição de uma variável ou função? Isso é frustrante, pois você está tentando entender *o que* o sistema faz, enquanto gasta tempo e energia mental numa tentativa de localizar e lembra *onde* estão as peças.

Os conceitos intimamente relacionados devem ficar juntos verticalmente [G10]. Obviamente essa regra não funciona para conceitos em arquivos separados. Mas, então, não se devem separar em arquivos distintos conceitos intimamente relacionados, a menos que tenha uma razão muito boa. Na verdade, esse é um dos motivos por que se devem evitar variáveis protegidas.

Para os conceitos que são tão intimamente relacionados e que estão no mesmo arquivo-fonte, a separação vertical deles deve ser uma medida do quão importante eles são para a inteligibilidade um do outro. Queremos evitar que nossos leitores tenham de ficar visualizando vários dos nossos arquivos-fonte e classes.

Declaração de variáveis. Devem-se declarar as variáveis o mais próximo possível de onde serão usadas. Como nossas funções são muito pequenas, as variáveis locais devem ficar no topo de cada função, como mostra a função razoavelmente longa abaixo do Junit4.3.1.

```
private static void readPreferences() {
  InputStream is= null;
  try {
    is= new FileInputStream(getPreferencesFile());
    setPreferences(new Properties(getPreferences()));
    getPreferences().load(is);
  } catch (IOException e) {
    try {
      if (is != null)
        is.close();
    } catch (IOException e1) {
    }
  }
}
```

Geralmente, devem-se declarar as variáveis de controle para loops dentro da estrutura de iteração, como mostra essa pequenina função da mesma fonte acima.

```
public int countTestCases() {
  int count= 0;
  for (Test each : tests)
    count += each.countTestCases();
  return count;
}
```

Em raros casos pode-se declarar uma variável no início de um bloco ou logo depois de um loop em uma função razoavelmente longa. Veja um exemplo no pedacinho abaixo de uma função muito extensa do `TestNG`.

```
...
for (XmlTest test : m_suite.getTests()) {
    TestRunner tr = m_runnerFactory.newTestRunner(this, test);
    tr.addListener(m_textReporter);
    m_testRunners.add(tr);

    invoker = tr.getInvoker();

    for (ITestNGMethod m : tr.getBeforeSuiteMethods()) {
    beforeSuiteMethods.put(m.getMethod(), m);
    }

    for (ITestNGMethod m : tr.getAfterSuiteMethods()) {
      afterSuiteMethods.put(m.getMethod(), m);
    }
  }
...
```

Variáveis de Instância. Por outro lado, devem-se declarar as variáveis de instância no início da classe. Isso não deve aumentar a distância vertical entre tais variáveis, pois, numa classe bem projetada, elas são usadas por muitos, senão todos, os métodos da classe.

Muito já se discutiu sobre onde devem ficar as variáveis de instância. Em C++ é comum a *regra da tesoura*, na qual colocamos todas as variáveis de instância no final. Em java, contudo, a convenção é colocá-las no início da classe. Não vejo motivo para seguir nenhuma outra convenção. O importante é que as variáveis de instância sejam declaradas em um local bem conhecido. Todos devem saber onde buscar as declarações.

Considere, por exemplo, o estranho caso da classe `TestSuite` no JUnit 4.3.1. Resumi bastante essa classe para mostrar a questão. Se você ler até cerca de metade do código, verá duas variáveis de instância declaradas. Seria difícil ocultá-las num lugar melhor. Quem ler este código se depararia por acaso com as declarações (como ocorreu comigo).

```
public class TestSuite implements Test {
  static public Test createTest(Class<? extends TestCase> theClass,
                                                     String name) {
    ...
  }
```

```
public static Constructor<? extends TestCase>
getTestConstructor(Class<? extends TestCase> theClass)
throws NoSuchMethodException {
   ...
}
public static Test warning(final String message) {
   ...
}
private static String exceptionToString(Throwable t) {
   ...
}
private String fName;
private Vector<Test> fTests= new Vector<Test>(10);
public TestSuite() {
}
   public TestSuite(final Class<? extends TestCase> theClass) {
   ...
}
public TestSuite(Class<? extends TestCase> theClass, String name) {
   ...
}
... ... ... ... ...
}
```

Funções dependentes. Se uma função chama outra, elas devem ficar verticalmente próximas, e a que chamar deve ficar acima da que for chamada, se possível. Isso dá um fluxo natural ao programa. Se essa convenção for seguida a fim de legibilidade, os leitores poderão confiar que as declarações daquelas funções virão logo em seguida após seu uso. Considere, por exemplo, o fragmento do FitNesse na Listagem 5-5. Note como a função mais superior chama as outras abaixo dela e como elas, por sua vez, chama aquelas abaixo delas também. Isso facilita encontrar as funções chamadas e aumenta consideravelmente a legibilidade de todo o módulo.

Listagem 5-5
`WikiPageResponder.java`

```
public class WikiPageResponder implements SecureResponder {
  protected WikiPage page;
  protected PageData pageData;
  protected String pageTitle;
  protected Request request;
  protected PageCrawler crawler;

  public Response makeResponse(FitNesseContext context, Request request)
    throws Exception {
    String pageName = getPageNameOrDefault(request, "FrontPage");
```

Listagem 5-5 (Continuação)
WikiPageResponder.java

```
    loadPage(pageName, context);
    if (page == null)
      return notFoundResponse(context, request);
    else
      return makePageResponse(context);
  }

  private String getPageNameOrDefault(Request request, String defaultPageName)
  {
    String pageName = request.getResource();
    if (StringUtil.isBlank(pageName))
      pageName = defaultPageName;

    return pageName;
  }

  protected void loadPage(String resource, FitNesseContext context)
    throws Exception {
    WikiPagePath path = PathParser.parse(resource);
    crawler = context.root.getPageCrawler();
    crawler.setDeadEndStrategy(new VirtualEnabledPageCrawler());
    page = crawler.getPage(context.root, path);
    if (page != null)
      pageData = page.getData();
  }

  private Response notFoundResponse(FitNesseContext context, Request request)
    throws Exception {
    return new NotFoundResponder().makeResponse(context, request);
  }

  private SimpleResponse makePageResponse(FitNesseContext context)
    throws Exception {
    pageTitle = PathParser.render(crawler.getFullPath(page));
    String html = makeHtml(context);

    SimpleResponse response = new SimpleResponse();
    response.setMaxAge(0);
    response.setContent(html);
    return response;
  }
...
```

Além disso, esse fragmento apresenta um bom exemplo de como manter as constantes no nível apropriado [G35]. A constante "`FrontPage`" poderia ter sido colocada na função `getPageNameOrDefault`, mas isso teria ocultado uma constante bem conhecida e esperada em uma função de baixo nível. Foi melhor passar tal constante a partir do local no qual ela faz sentido para um onde ela realmente é usada.

Afinidade conceitual. Determinados bits de código querem ficar perto de outros bits. Eles possuem uma certa afinidade conceitual. Quanto maior essa afinidade, menor deve ser a distância vertical entre eles.

Como vimos, essa afinidade deve basear-se numa dependência direta, como uma função chamando outra ou uma função usando uma variável. Mas há outras causas possíveis de afinidade, que pode ser causada por um grupo de funções que efetuam uma operação parecida. Considere o pedaço de código abaixo do JUnit 4.3.1:

```
public class Assert {
  static public void assertTrue(String
message, boolean condition) {
    if (!condition)
      fail(message);
  }
  static public void assertTrue(boolean condition) {
    assertTrue(null, condition);
  }
  static public void assertFalse(String message, boolean condition) {
    assertTrue(message, !condition);
  }
  static public void assertFalse(boolean condition) {
    assertFalse(null, condition);
  }
...
```

Essas funções possuem uma afinidade conceitual forte, pois compartilham de uma mesma convenção de nomes e efetuam variações de uma mesma tarefa básica. O fato de uma chamar a outra é secundário. Mesmo se não o fizessem, ainda iriam querer ficar próximas.

Ordenação vertical

De modo geral, desejamos que as chamadas das dependências da função apontem para baixo. Isto é, a função chamada deve ficar embaixo da que a chama[2]. Isso cria um fluxo natural para baixo no módulo do código-fonte, de um nível maior para um menor.

Assim como nos artigos de jornais, esperamos que a maioria dos conceitos venha primeiro, e também que seja expressada com uma quantidade mínima de detalhes. Esperamos que os detalhes de baixo nível venham por último. Isso nos permite passar os olhos nos arquivos-fonte e obter uma idéia de algumas das primeiras funções, sem ter de mergulhar nos detalhes. A Listagem 5-5 está organizada dessa forma. Talvez os exemplos da Listagem 15-5 (p. 263) e 3-7 (p. 50) estejam ainda melhores.

2. Isso é exatamente o oposto de linguagens, como Pascal, C e C++, que exigem a definição das funções, ou pelo menos a declaração, antes de serem usadas.

Formatação horizontal

Qual deve ser o tamanho de uma linha? Para responder isso, vejamos como ocorre em programas comuns. Novamente, examinemos sete projetos diferentes. A Figura 5.2 mostra a distribuição do comprimento das linhas em todos os sete projetos. A regularidade é impressionante, cada linha fica com cerca de 45 caracteres. De fato, todo comprimento de 20 a 60 representa cerca de 1 por cento do número total de linhas. Isso são 40%! Talvez outros 30 por cento possuam menos do que 10 caracteres. Lembre-se de que é uma escala logarítmica, portanto a aparência linear do declínio gradual acima de 80 caracteres é realmente muito significante. Os programadores claramente preferem linhas curtas.

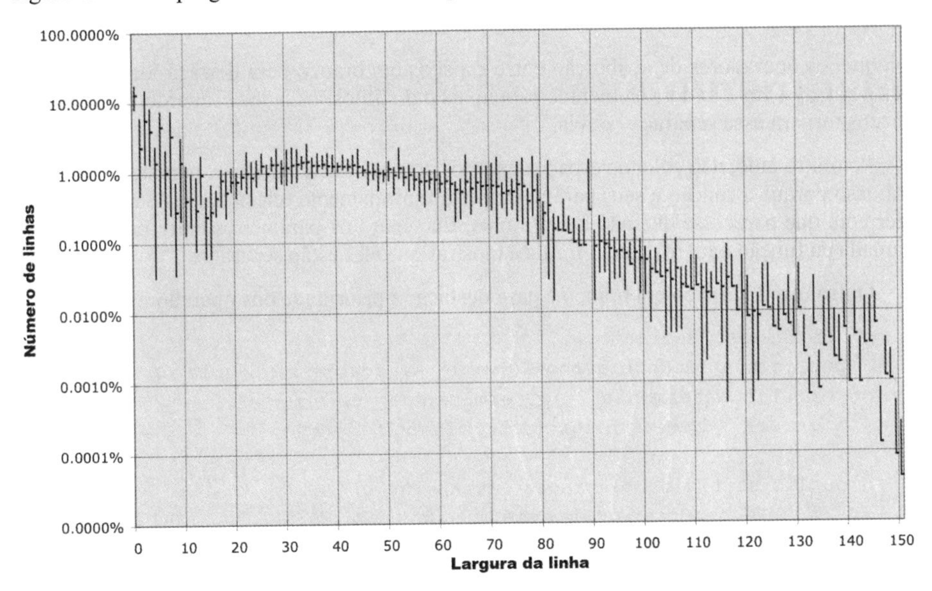

Figura 5.2:
Distribuição da largura da linha em Java

Isso sugere que devemos nos esforçar para manter nossas linhas curtas. O antigo limite de 80 de Hollerith é um pouco arbitrário, e não sou contra linhas com 100 ou mesmo 120 caracteres. Mas ultrapassar isso provavelmente é apenas falta de cuidado.

Eu costumava seguir a regra na qual jamais se deve ter de rolar a tela para a direita. Mas, hoje em dia, os monitores estão muito largos para isso, e programadores mais jovens também podem diminuir a fonte de modo que 200 caracteres caibam na tela. Não faça isso. Eu, pessoalmente, determinei 120 como meu limite.

Espaçamento e continuidade horizontal

Usamos o espaço em branco horizontal para associar coisas que estão intimamente relacionadas e para desassociar outras fracamente relacionadas. Considere a função seguinte:

```
private void measureLine(String line) {
   lineCount++;
   int lineSize = line.length();
   totalChars += lineSize;
   lineWidthHistogram.addLine(lineSize, lineCount);
   recordWidestLine(lineSize);
}
```

Coloquei os operadores de atribuição entre espaços em branco para destacá-los. As instruções de atribuição tem dois elementos principais e distintos: os lados esquerdo e direito. Os espaços tornam essa separação óbvia.

Por outro lado, não coloque espaços entre os nomes das funções e os parênteses de abertura. Isso porque a função e seus parâmetros estão intimamente relacionados. Separá-los iria fazer com que parecesse que não estão juntos. Eu separo os parâmetros entre parênteses na chamada da função para realçar a vírgula e mostrar que eles estão separados.

Outro uso do espaço em branco é para destacar a prioridade dos operadores.

```
public class Quadratic {
   public static double root1(double a, double b, double c) {
      double determinant = determinant(a, b, c);
      return (-b + Math.sqrt(determinant)) / (2*a);
   }
   public static double root2(int a, int b, int c) {
      double determinant = determinant(a, b, c);
      return (-b - Math.sqrt(determinant)) / (2*a);
   }
   private static double determinant(double a, double b, double c) {
      return b*b - 4*a*c;
   }
}
```

Note como é fácil ler as equações. Os fatores não possuem espaços em branco entre eles porque eles tem maior prioridade. Os termos são separados por espaços em branco porque a adição e a subtração têm menor prioridade.

Infelizmente, a maioria das ferramentas para reformatação de código não faz essa distinção entre operadores e usam o mesmo espaçamento para todos. Portanto, costuma-se perder espaçamentos sutis como os acima na hora da reformatação do código.

Alinhamento horizontal

Quando eu era programador em assembly[3], eu usava o alinhamento horizontal para realçar certas estruturas. Quando comecei a programar em C, C++ e, depois, em Java, continuei a tentar alinhar todos os nomes das variáveis numa série de declarações, ou todos os valores numa série de instruções de atribuição. Meu código ficava assim:

```
public class FitNesseExpediter implements ResponseSender
{
  private         Socket          socket;
  private         InputStream           input;
  private         OutputStream          output;
  private         Request               request;
  private         Response              response;
  private         FitNesseContext       context;
  protected       long                  requestParsingTimeLimit;
  private         long                  requestProgress;
  private         long                  requestParsingDeadline;
  private         boolean               hasError;

  public FitNesseExpediter(Socket       s,
                          FitNesseContext    context)     throws
                        Exception
  {
    this.context =          context;
    socket =                s;
    input =                 s.getInputStream();
    output =                s.getOutputStream();
    requestParsingTimeLimit = 10000;
  }
```

Entretanto, descobri que esse tipo de alinhamento não é prático. Ele parece enfatizar as coisas erradas e afasta meus olhos do propósito real. Por exemplo, na lista de declarações acima, você fica tentado a ler todos os nomes das variáveis sem se preocupar com seus tipos. Da mesma forma, na lista de atribuições, você se sente tentado a ler toda a lista de valores, sem se preocupar em ver o operador de atribuição. Para piorar as coisas, as ferramentas de reformatação automática geralmente eliminam esse tipo de alinhamento.

Portanto, acabei não fazendo mais esse tipo de coisa. Atualmente, prefiro declarações e atribuições não alinhadas, como mostrado abaixo, pois eles destacam uma deficiência importante. Se eu tiver listas longas que precisem ser alinhadas, *o problema está no tamanho das listas*, e não na falta de alinhamento. O comprimento da lista de declarações na `FitNesseExpediter` abaixo sugere que essa classe deva ser dividida.

```
public class FitNesseExpediter implements ResponseSender
{
  private Socket socket;
  private InputStream input;
  private OutputStream output;
  private Request request;
```

3. Quem estou tentanto enganar? Ainda sou um programador em assembly. Pode-se afastar o programador da linguagem, mas não se pode afastar a linguagem do programador!

```
    private Response response;
    private FitNesseContext context;
    protected long requestParsingTimeLimit;
    private long requestProgress;
    private long requestParsingDeadline;
    private boolean hasError;

    public FitNesseExpediter(Socket s, FitNesseContext context) throws Exception
    {
      this.context = context;
      socket = s;
      input = s.getInputStream();
      output = s.getOutputStream();
      requestParsingTimeLimit = 10000;
    }
```

Indentação

Um arquivo-fonte é mais como uma hierarquia do que algo esquematizado. Há informações pertinentes ao arquivo como um todo, às classes individuais dentro do arquivo, aos métodos dentro das classes, aos blocos dentro dos métodos e, recursivamente, aos blocos dentro de blocos. Cada nível dessa hierarquia é um escopo no qual se podem declarar nomes e no qual são interpretadas declarações e instruções executáveis.

A fim de tornar visível a hierarquia desses escopos, indentamos as linhas do código-fonte de acordo com sua posição na hierarquia. Instruções no nível do arquivo, como a maioria das declarações de classes, não são indentadas. Métodos dentro de uma classe são indentados um nível à direita dela. Implementações do método são implementadas um nível à direita da declaração do método. Implementações de blocos são implementadas um nível à direita do bloco que as contém, e assim por diante.

Os programadores dependem bastante desse esquema de indentação. Eles alinham visualmente na esquerda as linhas para ver em qual escopo elas estão. Isso lhes permite pular escopos, como de implementações de estruturas `if` e `while`, que não são relevantes no momento. Eles procuram na esquerda por novas declarações de métodos, novas variáveis e até novas classes. Sem a indentação, os programas seriam praticamente ininteligíveis para humanos.

Considere os programas seguintes sintática e semanticamente idênticos:

```
public class FitNesseServer implements SocketServer { private FitNesseContext
context; public FitNesseServer(FitNesseContext context) { this.context =
context; } public void serve(Socket s) { serve(s, 10000); } public void
serve(Socket s, long requestTimeout) { try { FitNesseExpediter sender = new
FitNesseExpediter(s, context);
sender.setRequestParsingTimeLimit(requestTimeout); sender.start(); }
catch(Exception e) { e.printStackTrace(); } } }
-----

public class FitNesseServer implements SocketServer {
  private FitNesseContext context;
```

```
   public FitNesseServer(FitNesseContext context) {
     this.context = context;
   }

   public void serve(Socket s) {
     serve(s, 10000);
   }

   public void serve(Socket s, long requestTimeout) {
     try {
       FitNesseExpediter sender = new FitNesseExpediter(s, context);
       sender.setRequestParsingTimeLimit(requestTimeout);
       sender.start();
     }
     catch (Exception e) {
       e.printStackTrace();
     }
   }
}
```

Seus olhos conseguem discernir rapidamente a estrutura do arquivo indentado. Quase instantaneamente você localiza as variáveis, os construtores, os métodos acessores (leitura e escrita, ou setter and getter) e os métodos. Bastam alguns segundos para perceber que se trata de um tipo simples de interface pra um socket, com um tempo limite. A versão sem indentação, contudo, é praticamente incompreensível sem um estudo mais profundo.

Ignorando a Indentação. Às vezes, ficamos tentados a não usar a indentação em estruturas `if` curtas, loops `while` pequenos ou funções pequenas. Sempre que não resisto a essa tentação, quase sempre acabo voltando e endentando tais partes. Portanto, evito alinhar uniformemente escopos assim:

```
public class CommentWidget extends TextWidget
{
  public static final String REGEXP = "^#[^\r\n]*(?:(?:\r\n)|\n|\r)?";
  public CommentWidget(ParentWidget parent, String text){super(parent, text);}
  public String render() throws Exception {return ""; }
}
```

Prefiro expandir e indentar os escopos, assim:

```
public class CommentWidget extends TextWidget {
  public static final String REGEXP = "^#[^\r\n]*(?:(?:\r\n)|\n|\r)?";

  public CommentWidget(ParentWidget parent, String text) {
    super(parent, text);
  }

  public String render() throws Exception {
    return "";
  }
}
```

Escopos minúsculos

De vez em quando, o corpo de uma estrutura while ou for é minúscula, como mostra abaixo. Como não gosto disso, procuro evitá-las. Quando isso não for possível, verifico se o corpo da estrutura está endentado adequadamente e entre parênteses. Inúmeras vezes já me enganei com um ponto e vírgula quietinho lá no final de um loop while na mesma linha. A menos que você torne esse ponto e vírgula visível endentando-o em sua própria linha, fica difícil visualizá-lo.

```
while (dis.read(buf, 0, readBufferSize) != -1)
;
```

Regra de equipes

O título desse tópico faz um jogo com as palavras. Todo programador tem suas regras de formatação prediletas, mas se ele for trabalhar em equipe, as regras são dela.

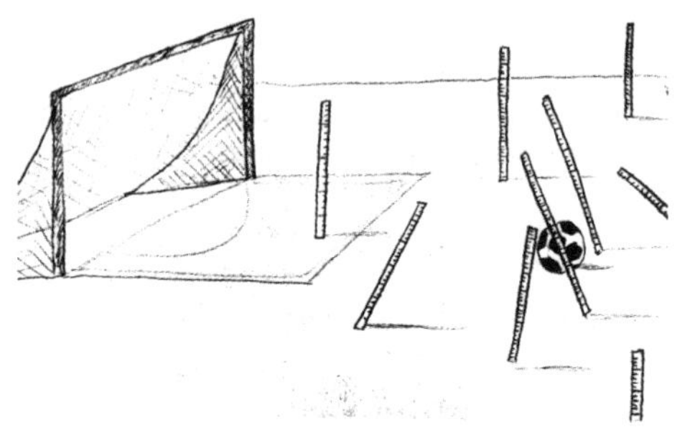

Uma equipe de desenvolvedores deve escolher um único estilo de formatação, e, então, todos os membros devem usá-lo. Desejamos que o software tenha um estilo consistente. Não queremos que pensem que o código foi escrito por um bando de pessoas em desacordo.

Quando entrei no projeto FitNesse em 2002, sentei com a equipe para escolher um estilo de programação. Isso levou 10 minutos. Decidimos onde colocaríamos nossas chaves, o tamanho da indentação, como nomearíamos as classes, variáveis e métodos, e assim por diante. Então, codificamos essas regras no formatador de código de nossa IDE e ficamos com ela desde então. Não eram as regras que eu preferia, mas as que foram decididas pela equipe. E como membro, tive seguí-las na hora de programar no projeto FitNesse.

Lembre-se: um bom sistema de software é composto de uma série de documentos de fácil leitura. Eles precisam ter um estilo consistente e sutil. O leitor precisa poder confiar que as formatações que ele vir em um arquivo-fonte terão o mesmo significado nos outros. A última coisa que queremos é adicionar mais complexidade ao código fonte programando-o com um monte de estilos diferentes.

Regras de formatação do Tio Bob

As regras que uso são muito simples e estão ilustradas no código da Listagem 5-6. Considere isso um exemplo de como o código é o melhor documento padrão em programação.

Listagem 5-6
CodeAnalyzer.java

```
public class CodeAnalyzer implements JavaFileAnalysis {
  private int lineCount;
  private int maxLineWidth;
  private int widestLineNumber;
  private LineWidthHistogram lineWidthHistogram;
  private int totalChars;

  public CodeAnalyzer() {
    lineWidthHistogram = new LineWidthHistogram();
  }

  public static List<File> findJavaFiles(File parentDirectory) {
    List<File> files = new ArrayList<File>();
    findJavaFiles(parentDirectory, files);
    return files;
  }

  private static void findJavaFiles(File parentDirectory, List<File> files) {
    for (File file : parentDirectory.listFiles()) {
      if (file.getName().endsWith(".java"))
        files.add(file);
      else if (file.isDirectory())
        findJavaFiles(file, files);
    }
  }

  public void analyzeFile(File javaFile) throws Exception {
    BufferedReader br = new BufferedReader(new FileReader(javaFile));
    String line;
    while ((line = br.readLine()) != null)
      measureLine(line);
  }

  private void measureLine(String line) {
    lineCount++;
    int lineSize = line.length();
    totalChars += lineSize;
    lineWidthHistogram.addLine(lineSize, lineCount);
    recordWidestLine(lineSize);
  }

  private void recordWidestLine(int lineSize) {
    if (lineSize > maxLineWidth) {
      maxLineWidth = lineSize;
      widestLineNumber = lineCount;
    }
  }

  public int getLineCount() {
    return lineCount;
  }

  public int getMaxLineWidth() {
    return maxLineWidth;
  }
```

Listagem 5-6 (continuação)
`CodeAnalyzer.java`

```
  public int getWidestLineNumber() {
    return widestLineNumber;
  }

  public LineWidthHistogram getLineWidthHistogram() {
    return lineWidthHistogram;
  }

  public double getMeanLineWidth() {
    return (double)totalChars/lineCount;
  }

  public int getMedianLineWidth() {
    Integer[] sortedWidths = getSortedWidths();
    int cumulativeLineCount = 0;
    for (int width : sortedWidths) {
      cumulativeLineCount += lineCountForWidth(width);
      if (cumulativeLineCount > lineCount/2)
        return width;
    }
    throw new Error("Cannot get here");
  }

  private int lineCountForWidth(int width) {
    return lineWidthHistogram.getLinesforWidth(width).size();
  }

  private Integer[] getSortedWidths() {
    Set<Integer> widths = lineWidthHistogram.getWidths();
    Integer[] sortedWidths = (widths.toArray(new Integer[0]));
    Arrays.sort(sortedWidths);
    return sortedWidths;
  }
}
```

6

Objetos e Estruturas de Dados

Há um motivo para declararmos nossas variáveis como privadas. Não queremos que ninguém dependa delas. Desejamos ter a liberdade para alterar o tipo ou a implementação, seja por capricho ou impulso. Por que, então, tantos programadores adicionam automaticamente métodos de acesso (escrita, ou *setters,* e leitura, ou *getters*) em seus objetos, expondo suas variáveis privadas como se fossem públicas?

Abstração de dados

Considere a diferença entre as listagens 6-1 e 6-2. Ambas representam os dados de um ponto no plano cartesiano. Um expõe sua implementação e o outro a esconde completamente.

Listagem 6-1
Caso concreto

```
public class Point {
  public double x;
  public double y;
}
```

Listagem 6-2
Caso abstrato

```
public interface Point {
  double getX();
  double getY();
  void setCartesian(double x, double y);
  double getR();
  double getTheta();
  void setPolar(double r, double theta);
}
```

O belo da Listagem 6-2 é que não há como dizer se a implementação possui coordenadas retangulares ou polares. Pode não ser nenhuma! E ainda assim a interface representa de modo claro uma estrutura de dados.

Mas ela faz mais do que isso. Os métodos exigem uma regra de acesso. Você pode ler as coordenadas individuais independentemente, mas deve configurá-las juntas como uma operação atômica.

A Listagem 6-1, por outro lado, claramente está implementada em coordenadas retangulares, e nos obriga a manipulá-las independentemente. Isso expõe a implementação. De fato, ela seria exposta mesmo se as variáveis fossem privadas e estivéssemos usando métodos únicos de escrita e leitura de variáveis.

Ocultar a implementação não é só uma questão de colocar uma camada de funções entre as variáveis. É uma questão de abstração! Uma classe não passa suas variáveis simplesmente por meio de métodos de escrita e leitura. Em vez disso, ela expõe interfaces abstratas que permite aos usuários manipular a *essência* dos dados, sem precisar conhecer a implementação.

Considere as listagens 6-3 e 6-4. A primeira usa termos concretos para comunicar o nível de combustível de um veículo, enquanto a segunda faz o mesmo, só que usando uma abstração em percentual. No caso concreto, você tem certeza de que ali estão apenas métodos acessores (escrita e leitura, ou *getter* e *setter*) de variáveis. No caso abstrato, não há como saber o tipo dos dados.

Listagem 6-3
Veículo concreto

```
public interface Vehicle {
  double getFuelTankCapacityInGallons();
  double getGallonsOfGasoline();
}
```

Listagem 6-4
Veículo abstrato

```
public interface Vehicle {
  double getPercentFuelRemaining();
}
```

Em ambos os casos acima, o segundo é preferível. Não queremos expor os detalhes de nossos dados. Queremos expressar nossos dados de forma abstrata. Isso não se consegue meramente através de interfaces e/ou métodos de escrita e leitura. É preciso pensar bastante na melhor maneira de representar os dados que um objeto contenha. A pior opção é adicionar levianamente métodos de escrita e leitura.

Antissimetria data/objeto

Esses dois exemplos mostram a diferença entre objetos e estruturas de dados. Os objetos usam abstrações para esconder seus dados, e expõem as funções que operam em tais dados. As estruturas de dados expõem seus dados e não possuem funções significativas. Leia este parágrafo novamente. Note a natureza complementar das duas definições. Elas são praticamente opostas. Essa diferença pode parecer trivial, mas possui grandes implicações.

Considere, por exemplo, a classe `shape` procedimental na Listagem 6-5. A classe `Geometry` opera em três classes `shape` que são simples estruturas de dados sem qualquer atividade. Todos os comportamentos estão na classe `Geometry`.

Listagem 6-5
Classe shape procedimental

```
public class Square {
  public Point topLeft;
  public double side;
}

public class Rectangle {
  public Point topLeft;
  public double height;
  public double width;
}

public class Circle {
  public Point center;
  public double radius;
}

public class Geometry {
  public final double PI = 3.141592653589793;

  public double area(Object shape) throws NoSuchShapeException
  {
    if (shape instanceof Square) {
      Square s = (Square)shape;
      return s.side * s.side;
    }
```

Listagem 6-5 (continuação)
Classe shape procedimental

```
    else if (shape instanceof Rectangle) {
      Rectangle r = (Rectangle)shape;
      return r.height * r.width;
    }
    else if (shape instanceof Circle) {
      Circle c = (Circle)shape;
      return PI * c.radius * c.radius;
    }
    throw new NoSuchShapeException();
  }
}
```

Programadores que usam orientação a objeto talvez torçam o nariz e reclamem que isso é procudural – e estão certos. Mas nem sempre. Imagine o que aconteceria se adicionássemos uma função `perimeter()` à `Geometry`. As classes `shape` não seriam afetadas! Assim como quaisquer outras classes que dependessem delas! Por outro lado, se adicionarmos uma nova classe shape, teremos de alterar todas as funções em `Geometry`. Leia essa frase novamente. Note que as duas situações são completamente opostas.

Agora, considere uma solução orientada a objeto na Listagem 6-6. O método `area()` é polimórfica. Não é necessária a classe `Geometry`. Portanto, se eu adicionar uma nova forma, nenhuma das funções existentes serão afetadas, mas se eu adicionar uma nova função, todas as classes *shapes* deverão ser alteradas![1]

Listagem 6-6
Classes shape polimórfica

```
public class Square implements Shape {
  private Point topLeft;
  private double side;

  public double area() {
    return side*side;
  }
}

public class Rectangle implements Shape {
  private Point topLeft;
  private double height;
  private double width;

  public double area() {
    return height * width;
  }
}
```

1. Desenvolvedores experientes que usam orientaçõ a objetos conhecem outras maneiras de se contornar isso. O padrão Visitor, ou dual-dispatch, por exemplo. Mas essas técnicas possuem um certo custo e geralmente retornam a estrutura para aquela do programa procedural.

Listagem 6-6 (continuação)
Classes shape polimórfica

```
public class Circle implements Shape {
  private Point center;
  private double radius;
  public final double PI = 3.141592653589793;

  public double area() {
    return PI * radius * radius;
  }
}
```

Novamente, vemos a natureza complementar dessas duas definições: elas são praticamente opostas! Isso expõe a dicotomia fundamental entre objetos e estruturas de dados:

O código procedural (usado em estruturas de dados) facilita a adição de novas funções sem precisar alterar as estruturas de dados existentes. O código orientado a objeto (OO), por outro lado, facilita a adição de novas classes sem precisar alterar as funções existentes.

O inverso também é verdade:

O código procedural dificulta a adição de novas estruturas de dados, pois todas as funções teriam de ser alteradas. O código OO dificulta a adição de novas funções, pois todas as classes teriam de ser alteradas.

Portanto, o que é difícil para a OO é fácil para o procedural, e o que é difícil para o procedural é fácil para a OO!

Em qualquer sistema complexo haverá vezes nas quais desejaremos adicionar novos tipos de dados em vez de novas funções. Para esses casos, objetos e OO são mais apropriados. Por ouro lado, também haverá vezes nas quais desejaremos adicionar novas funções em vez de tipos de dados. Neste caso, estruturas de dados e código procedural são mais adequados.

Programadores experientes sabem que a ideia de que tudo é um objeto *é um mito.* Às vezes, você realmente *deseja* estruturas de dados simples com procedimentos operando nelas.

A Lei de Demeter

Há uma heurística muito conhecida chamada *Lei de Demeter*[2]: um módulo não deve enxergar o interior dos objetos que ele manipula. Como vimos na seção anterior, os objetos escondem seus dados e expõem as operações. Isso significa que um objeto não deve expor sua estrutura interna por meio dos métodos acessores, pois isso seria expor, e não ocultar, sua estrutura interna.

Mais precisamente, a Lei de Demeter diz que um método *f* de uma classe C só deve chamar os métodos de:

- *C*
- Um objeto criado por *f*

2. http://en.wikipedia.org/wiki/Law_of_Demeter

- Um objeto passado como parâmetro para *f*
- Um objeto dentro de uma variável de instância *C*

O método *não* deve chamar os métodos em objetos retornados por qualquer outra das funções permitidas. Em outras palavras, fale apenas com conhecidos, não com estranhos.

O código[3] seguinte parece violar a Lei de Demeter (dentre outras coisas), pois ele chama a função `getScratchDir()` no valor retornado de `getOptions()` e, então, chama `getAbsolutePath()` no valor retornado de `getScratchDir()`.

```
final String outputDir = ctxt.getOptions().getScratchDir().getAbsolutePath();
```

Train Wrecks

Esse tipo de código costuma ser chamado de *train wreck* (acidente ferroviário), pois parece com um monte de carrinhos de trem acoplados. Cadeias de chamadas como essa geralmente são consideradas descuidadas e devem ser evitadas [G36]. Na maioria das vezes é melhor dividi-las assim:

```
Options opts = ctxt.getOptions();
File scratchDir = opts.getScratchDir();
final String outputDir = scratchDir.getAbsolutePath();
```

Esses dois pedaços de código violam a Lei de Demeter? Certamente os módulo que os contém sabe que o objeto `ctxt` possui opções (*options*), que contêm um diretório de rascunho (*scratchDir*), que tem um caminho absoluto (*AbsolutePath*). É muito conhecimento para uma função saber. A função de chamada sabe como navegar por muitos objetos diferentes.

Se isso é uma violação da Lei de Demeter depende se `ctxt`, `Options` e `ScracthDir` são ou não objetos ou estruturas de dados. Se forem objetos, então sua estrutura interna deveria estar oculta ao invés de exposta, portanto o conhecimento de seu interior é uma violação clara da lei. Por outro lado, se forem apenas estruturas de dados sem atividades, então eles naturalmente expõem suas estruturas internas, portanto aqui não se aplica a lei.

O uso de funções de acesso confunde essas questões. Se o código tiver sido escrito como abaixo, então provavelmente não estaríamos perguntando sobre cumprimento ou não da lei.

```
final String outputDir = ctxt.options.scratchDir.absolutePath;
```

Essa questão seria bem menos confusa se as estruturas de dados simplesmente tivessem variáveis públicas e nenhuma função, enquanto os objetos tivessem apenas variáveis privadas e funções públicas. Entretanto, há frameworks e padrões (*por exemplo, "beans"*) que exigem que mesmo estruturas de dados simples tenham métodos acessores e de alteração.

3. Está em algum lugar no framework do Apache.

Híbridos

De vez em quando, essa confusão leva a estruturas híbridas ruins que são metade objeto e metade estrutura de dados. Elas possuem funções que fazem algo significativo, e também variáveis ou métodos de acesso e de alteração públicos que, para todos os efeitos, tornam públicas as variáveis privadas, incitando outras funções externas a usarem tais variáveis da forma como um programa procedimental usaria uma estrutura de dados[4].

Esses híbridos dificultam tanto a adição de novas funções como de novas estruturas de dados. Eles são a pior coisa em ambas as condições. Evite criá-los. Eles indicam um modelo confuso cujos autores não tinham certeza – ou pior, não sabiam – se precisavam se proteger de funções ou tipos.

Estruturas ocultas

E se `ctxt`, `options` e `scratchDir` forem objetos com ações reais? Então, como os objetos devem ocultar suas estruturas internas, não deveríamos ser capazes de navegar por eles. Então, como conseguiríamos o caminho absoluto de `scratchDir` ('diretório de rascunho')?

```
ctxt.getAbsolutePathOfScratchDirectoryOption();
```

ou

```
ctx.getScratchDirectoryOption().getAbsolutePath()
```

A primeira opção poderia levar a uma abundância de métodos no objeto ctxt. A segunda presume que `getScratchDirectoryOption()` retorna uma estrutura de dados, e não um objeto. Nenhuma das opções parece boa.

Se `ctxt` for um objeto, devemos dizê-lo para fazer algo; não devemos perguntá-lo sobre sua estrutura interna. Por que queremos o caminho absoluto de scratchDir? O que faremos com ele? Considere o código, muitas linhas abaixo, do mesmo módulo:

```
String outFile = outputDir + "/" + className.replace('.', '/') + ".class";
FileOutputStream fout = new FileOutputStream(outFile);
BufferedOutputStream bos = new BufferedOutputStream(fout);
```

A mistura adicionada de diferentes níveis de detalhes [G34][G6] é um pouco confusa. Pontos, barras, extensão de arquivos e objetos `File` não devem ser misturados entre si e nem com o código que os circunda. Ignorando isso, entretanto, vimos que a intenção de obter o caminho absoluto do diretório de rascunho era para criar um arquivo de rascunho de um determinado nome.

4. Às vezes chama-se de Feature Envy em [Refatoração].

Então, e se disséssemos ao objeto `ctxt` para fazer isso?

```
BufferedOutputStream bos = ctxt.createScratchFileStream(classFileName);
```

Isso parece algo razoável para um objeto fazer! Isso permite ao `ctxt` esconder sua estrutura interna e evitar que a função atual viole a Lei de Demeter ao navegar por objetos os quais ela não deveria enxergar.

Objetos de transferência de dados

A forma perfeita de uma estrutura de dados é uma classe com variáveis públicas e nenhuma função. Às vezes, chama-se isso de objeto de transferência de dados, ou DTO (sigla em inglês). Os DTOs são estruturas muitos úteis, especialmente para se comunicar com bancos de dados ou analisar sintaticamente de mensagens provenientes de sockets e assim por diante. Eles costumam se tornar os primeiros numa série de estágios de tradução que convertem dados brutos num banco de dados em objetos no código do aplicativo.

De alguma forma mais comum é o formato de "bean" exibido na Listagem 6-7. Os beans têm variáveis privadas manipuladas por métodos de escrita e leitura. O aparente encapsulamento dos beans parece fazer alguns puristas da OO sentirem-se melhores, mas geralmente não oferece vantagem alguma.

Listagem 6-7
`address.java`

```
public class Address {
  private String street;
  private String streetExtra;
  private String city;
  private String state;
  private String zip;

  public Address(String street, String streetExtra,
                 String city, String state, String zip) {
    this.street = street;
    this.streetExtra = streetExtra;
    this.city = city;
    this.state = state;
    this.zip = zip;
  }

  public String getStreet() {
    return street;
  }

  public String getStreetExtra() {
    return streetExtra;
  }

  public String getCity() {
    return city;
  }
```

Listagem 6-7 (continuação)
address.java

```
    public String getState() {
      return state;
    }

    public String getZip() {
      return zip;
    }
  }
```

O Active Record

Os Active Records são formas especiais de DTOs. Eles são estruturas de dados com variáveis públicas (ou acessadas por beans); mas eles tipicamente possuem métodos de navegação, como `save` (salvar) e `find` (buscar). Esses Active Records são traduções diretas das tabelas de bancos de dados ou de outras fontes de dados.

Infelizmente, costumamos encontrar desenvolvedores tentando tratar essas estruturas de dados como se fossem objetos, colocando métodos de regras de negócios neles. Isso é complicado, pois cria um híbrido entre uma estrutura de dados e um objeto.

A solução, é claro, é tratar o Record Active como uma estrutura de dados e criar objetos separados que contenham as regras de negócio e que ocultem seus dados internos (que provavelmente são apenas instâncias do Active Record).

Conclusão

Os objetos expõem as ações e ocultam os dados. Isso facilita a adição de novos tipos de objetos sem precisar modificar as ações existentes e dificulta a inclusão de novas atividades em objetos existentes. As estruturas de dados expõem os dados e não possuem ações significativas. Isso facilita a adição de novas ações às estruturas de dados existentes e dificulta a inclusão de novas estruturas de dados em funções existentes.

Em um dado sistema, às vezes, desejaremos flexibilidade para adicionar novos tipos de dados, e, portanto, optaremos por objetos. Em outras ocasiões, desejaremos querer flexibilidade para adicionar novas ações, e, portanto, optaremos por tipos de dados e procedimentos. Bons desenvolvedores de software entendem essas questões sem preconceito e selecionam a abordagem que melhor se aplica no momento.

Bibliografia

[Refactoring] *Refactoring: Improving the Design of Existing Code,* Martin Fowler et al., Addison-Wesley, 1999.

7

Tratamento de Erro

por Michael Feathers

Pode parecer estranho ter uma seção sobre tratamento de erro num livro sobre código limpo, mas essa tarefa é uma das quais todos temos de fazer quando programamos. A entrada pode estar errada e os dispositivos podem falhar. Em suma, as coisas podem dar errado, e quando isso ocorre, nós, como programadores, somos responsáveis por certificar que nosso código faça o que seja preciso fazer.

A conexão com um código limpo, entretanto, deve ser clara. O tratamento de erro domina completamente muitos códigos fonte. Quando digo "domina", não quero dizer que eles só fazem tratamento de erro, mas que é quase impossível ver o que o código faz devido a tantos tratamentos de erros espalhados. Esse recurso é importante, *mas se obscurecer a lógica, está errado.*

Neste capítulo ressaltarei uma série de técnicas e considerações que você pode usar para criar um código que seja limpo e robusto, que trate de erros com elegância e estilo.

Use exceções em vez de retornar códigos

Num passado longínquo havia muitas linguagens que não suportavam exceções. Nelas, as técnicas para tratar e informar erros era limitada. Ou você criava uma flag de erro ou retornava um código de erro que o chamador pudesse verificar. O código na Listagem 7-1 ilustra essas abordagens.

Listagem 7-1
`DeviceController.java`

```
public class DeviceController {
  ...
  public void sendShutDown() {
    DeviceHandle handle = getHandle(DEV1);
    // Check the state of the device
    if (handle != DeviceHandle.INVALID) {
      // Save the device status to the record field
      retrieveDeviceRecord(handle);
      // If not suspended, shut down
      if (record.getStatus() != DEVICE_SUSPENDED) {
        pauseDevice(handle);
        clearDeviceWorkQueue(handle);
        closeDevice(handle);
      } else {
        logger.log("Device suspended.  Unable to shut down");
      }
    } else {
      logger.log("Invalid handle for: " + DEV1.toString());
    }
  }
  ...
}
```

O problema era que essas técnicas entupiam o chamador, que devia verificar erros imediatamente após a chamada. Infelizmente, facilmente se esqueciam de fazer isso. Por esse motivo, é melhor lançar uma exceção quando um erro for encontrado. O código de chamada fica mais limpo e sua lógica não fica ofuscada pelo tratamento de erro.

A Listagem 7-2 mostra o código depois de termos optado por lançar exceções em métodos que podem detectar erros.

Listagem 7-2
`DeviceController.java (com exceções)`

```
public class DeviceController {
  ...

  public void sendShutDown() {
    try {
      tryToShutDown();
    } catch (DeviceShutDownError e) {
      logger.log(e);
    }
  }
```

Listagem 7-2 (continuação):
DeviceController.java (com exceções)

```
  private void tryToShutDown() throws DeviceShutDownError {
    DeviceHandle handle = getHandle(DEV1);
    DeviceRecord record = retrieveDeviceRecord(handle);

    pauseDevice(handle);
    clearDeviceWorkQueue(handle);
    closeDevice(handle);
  }

  private DeviceHandle getHandle(DeviceID id) {
    ...
    throw new DeviceShutDownError("Invalid handle for: " + id.toString());
    ...
  }

  ...
}
```

Observe como fica muito mais claro. Isso não é apenas uma questão estética. O código fica melhor porque duas preocupações que estavam intrincadas, o algoritmo para o desligamento do dispositivo e o tratamento de erro, agora estão separadas. Você pode pegar cada uma delas e estudá-las independentemente.

Crie primeiro sua estrutura `try-catch-finally`

Uma das coisas mais interessantes sobre exceções é que elas definem um escopo dentro de seu programa. Ao executar o código na parte `try` da estrutura `try-catch-finally`, você declara que aquela execução pode ser cancelada a qualquer momento e, então, continuar no `catch`.

De certa forma, os blocos `try` são como transações. Seu `catch` tem de deixar seu programa num estado consistente, não importa o que aconteça no `try`. Por essa razão, uma boa prática é começar com uma estrutura `try-catch-finally` quando for escrever um código que talvez lance exceções. Isso lhe ajuda a definir o que o usuário do código deve esperar, independente do que ocorra de errado no código que é executado no `try`.

Vejamos um exemplo. Precisamos criar um código que acesse um arquivo e consulte alguns objetos em série.

Começamos com um teste de unidade que mostra como capturar uma exceção se o arquivo não existir:

```
@Test(expected = StorageException.class)
public void retrieveSectionShouldThrowOnInvalidFileName() {
  sectionStore.retrieveSection("invalid - file");
}
```

O teste nos leva a cria esse stub:

```
public List<RecordedGrip> retrieveSection(String sectionName) {
  // retorno fictício até que tenhamos uma implementação real
  return new ArrayList<RecordedGrip>();
}
```

Nosso teste falha porque ele não lança uma exceção. Em seguida, mudamos nossa implementação de modo a tentar acessar um arquivo inválido. Essa operação lança uma exceção:

```
public List<RecordedGrip> retrieveSection(String sectionName) {
  try {
    FileInputStream stream = new FileInputStream(sectionName)
  } catch (Exception e) {
    throw new StorageException("retrieval error", e);
  }
  return new ArrayList<RecordedGrip>();
}
```

Nosso teste funciona agora porque capturamos a exceção. Neste momento, podemos refatorar. Podemos reduzir o tipo de execução que capturamos para combinar com aquele que realmente é lançado pelo construtor `FileInputStream`: `FileNotFoundException`:

```
public List<RecordedGrip> retrieveSection(String sectionName) {
  try {
    FileInputStream stream = new FileInputStream(sectionName);
    stream.close();
  } catch (FileNotFoundException e) {
    throw new StorageException("retrieval error", e);
  }
  return new ArrayList<RecordedGrip>();
}
```

Agora que definimos o escopo com uma estrutura `try-catch`, podemos usar o TDD para construir o resto da lógica que precisamos, que será adicionada na criação do `FileInputStream` do `close` e poderá fingir que nada de errado aconteceu.

Experimente criar testes que forçam exceções e, então, adicione a ação ao seu manipulador para cumprir seus testes. Isso fará com que você crie primeiro o escopo de transação do bloco `try` e lhe ajudará a manter essa natureza de transação daquele escopo.

Use exceções não verificadas

A discussão acabou. Por anos, programadores Java têm discutido sobre as vantagens e desvantagens de exceções verificadas. Quando a exceções verificadas surgiram com a primeira versão do Java, parecia uma ótima ideia. A assinatura de todo método listaria todas as exceções que ele passaria ao seu chamador. Ademais, essas exceções eram parte do tipo do método. Seu código literalmente não seria compilado se a assinatura não fosse a mesma da que seu código podia fazer.

Naquela época, pensamos que exceções verificadas fosse uma ideia ótima; e era, elas tinham *algumas* vantagens. Entretanto, ficou claro agora que elas não são necessárias para a produção de um software robusto. O C# não verifica exceções, e, apesar das tentativas, nem o C++. Nem mesmo Python ou Ruby. Ainda assim é possível criar um software robusto em todas essas linguagens, porque, nesse caso, temos de decidir se realmente as exceções verificadas valem o preço que se paga.

Que preço? O de verificar exceções é a violação do Princípio de Aberto-Fechado[1]. Se você lançar uma exceção a ser verificada a partir de um método em seu código e o `catch` estiver três níveis acima, *será preciso declará-la na assinatura de cada método entre você e o* `catch`. Isso significa que uma modificação em um nível mais baixo do software pode forçar a alteração de assinaturas em muitos níveis mais altos. Os módulos alterados podem ser reconstruídos e redistribuídos, mesmo que nada inerente a eles tenha sido mudado.

Considere a hierarquia de chamadas de um sistema grande. As funções no topo chamam as abaixo delas, que chamam outras abaixo delas e *ad infinitum*. Agora digamos que uma das funções dos níveis mais baixos seja modificada de uma forma que ela deva lançar uma exceção. Se essa exceção for verificada, então a assinatura da função deverá adicionar uma instrução `throws`. Mas isso significa que cada função que chamar nossa função modificada também deverá ser alterada para capturar a nova exceção ou anexar a instrução `throws` apropriada a sua assinatura. *Ad infinitum*. O resultado aninhado é uma cascata de alterações que vão desde os níveis mais baixo do software até o mais alto! Quebra-se o encapsulamento, pois todas as funções no caminho de um lançamento (*`throw`*) devem enxergar os detalhes daquela exceção de nível mais baixo. Segundo o propósito de exceções de que elas lhe permitem tratar erros distantes, é uma pena que as exceções verificadas quebrem dessa forma o encapsulamento.

As exceções verificadas podem às vezes ser úteis se você estiver criando uma biblioteca crítica: é preciso capturá-las. Mas no desenvolvimento geral de aplicativo, os custos da dependência superam as vantagens.

Forneça exceções com contexto

Cada exceção lançada deve fornecer contexto o suficiente para determinar a fonte e a localização de um erro. Em Java, você pode capturar uma *stack trace* de qualquer exceção; entretanto, ele não consegue lhe dizer o objetivo da operação que falhou.

Crie mensagens de erro informativas e as passe juntamente com as exceções. Mencione a operação que falhou e o tipo da falha. Se estiver registrando as ações de seu aplicativo, passe informações suficientes para registrar o erro no seu `catch`.

Defina as classes de exceções segundo as necessidades do chamador

Há muitas formas de classificar erros. Pode ser pela origem: eles vieram desse componente ou daquele? Pelo tipo: são falhas de dispositivos, de redes ou erros de programação? Entretanto, quando definimos as classes de exceção num aplicativo, nossa maior preocupação deveria ser *como elas são capturadas*.

Vejamos um exemplo de uma classificação ruim de exceção. Aqui, há uma estrutura `try-catch-finally` para uma chamada a uma biblioteca de outro fabricante. Ela cobre todas as exceções que a chamada talvez lance:

---

1. [Martin].

```
ACMEPort port = new ACMEPort(12);
try {
  port.open();
} catch (DeviceResponseException e) {
  reportPortError(e);
  logger.log("Device response exception", e);
} catch (ATM1212UnlockedException e) {
  reportPortError(e);
  logger.log("Unlock exception", e);
} catch (GMXError e) {
  reportPortError(e);
  logger.log("Device response exception");
} finally {
…
}
```

A estrutura possui muita duplicação, e não deveríamos estar surpresos. Na maioria dos casos de tratamento de exceções, o que fazemos é relativamente padrão, independente da situação no momento. Temos de registrar um erro e nos certificar que podemos prosseguir.

Neste caso, como sabemos que a tarefa que estamos fazendo é basicamente a mesma independente da exceção, podemos simplificar nosso código consideravelmente. Para isso, pegamos a API que estamos chamando e garantimos que ela retorne um tipo comum de exceção.

```
LocalPort port = new LocalPort(12);
try {
  port.open();
} catch (PortDeviceFailure e) {
  reportError(e);
  logger.log(e.getMessage(), e);
} finally {
  …
}
```

Nossa classe `LocalPort` é um simples wrapper ("empacotador") que captura e traduz as exceções lançadas pela classe `ACMEPort`:

```
public class LocalPort {
  private ACMEPort innerPort;
  public LocalPort(int portNumber) {
    innerPort = new ACMEPort(portNumber);
  }
  public void open() {
    try {
      innerPort.open();
    } catch (DeviceResponseException e) {
      throw new PortDeviceFailure(e);
    } catch (ATM1212UnlockedException e) {
      throw new PortDeviceFailure(e);
    } catch (GMXError e) {
```

```
            throw new PortDeviceFailure(e);
        }
    }
    ...
}
```

Wrappers como o que definimos para a `ACMEPort` podem ser muito úteis. Na verdade, empacotar APIs de terceiros é a melhor prática que existe. Ao fazer isso, você minimiza as dependências nelas: você pode escolher migrar para uma biblioteca diferente no futuro sem muitos problemas. Empacotar também facilita a simulação de chamadas de terceiros quando for testar seu próprio código.

Uma última vantagem de empacotar (*wrapping*) é que você não fica preso às escolhas do modelo de API de um fornecedor em particular. Você pode definir a API que preferir. No exemplo anterior, definimos um único tipo de exceção para a falha do dispositivo `port` e descobrimos que poderíamos escrever um código muito mais limpo.

Geralmente, uma única classe de exceção está bom para uma parte específica do código. As informações enviadas com a exceção podem distinguir os erros. Use classes diferentes apenas se houver casos em que você queira capturar uma exceção e permitir que a outra passe normalmente.

Defina o fluxo normal

Se você seguir os conselhos das seções anteriores, acabará com uma boa quantidade de divisão entre sua lógica do negócio e seu tratamento de erro. A maioria de seu código começará a parecer um algoritmo limpo e sem apetrechos. Entretanto, esse processo eleva ao máximo a detecção de erro em seu programa. Você empacota suas APIs de modo que você possa lançar suas próprias exceções e definir um controlador acima de seu código para que você possa lidar com qualquer processamento abortado. Na maioria das vezes, essa é uma abordagem ótima, mas há situações nas quais você talvez não queira cancelar.

Vejamos um exemplo. Abaixo está um código confuso que soma as despesas em um aplicativo de finanças:

```
try {
  MealExpenses expenses = expenseReportDAO.getMeals(employee.getID());
  m_total += expenses.getTotal();
} catch(MealExpensesNotFound e) {
  m_total += getMealPerDiem();
}
```

Neste negócio, se as refeições (`meals`) forem um custo, elas se tornam parte do total. Caso contrário, o funcionário (`employee`) recebe uma quantia para ajuda de custos (`PerDiem`) pela refeição daquele dia. A exceção confunde a lógica. Não seria melhor se não tivéssemos de lidar com o caso especial? Dessa forma, nosso código seria muito mais simples. Ele ficaria assim:

```
MealExpenses expenses = expenseReportDAO.getMeals(employee.getID());
m_total += expenses.getTotal();
```

Podemos tornar o código mais simples? Parece que sim. Podemos alterar a `ExpenseReportDAO` de modo que ela sempre retorne um objeto `MealExpense`. Se não houver gastos com refeições, ela retorna um objeto `MealExpense` que retorna a ajuda de custos como seu total:

```
public class PerDiemMealExpenses implements MealExpenses {
  public int getTotal() {
    // retorna a ajuda de custos padrão
  }
}
```

Isso se chama o SPECIAL CASE PATTERN (Padrão do Caso Especial), de Fowler. Você cria uma classe ou configure um objeto de modo que ele trate de um caso especial para você. Ao fazer isso, o código do cliente não precisa lidar com o comportamento diferente. Este fica encapsulado num objeto de caso especial.

Não retorne null

Acho que qualquer discussão sobre tratamento de erro deveria incluir as coisas que fazemos que levam a erros. A primeira da lista seria retornar `null`. Já perdi a conta dos aplicativos que já vi que em quase toda linha verificava por `null`. Abaixo está um exemplo:

```
public void registerItem(Item item) {
  if (item != null) {
    ItemRegistry registry = peristentStore.getItemRegistry();
    if (registry != null) {
      Item existing = registry.getItem(item.getID());
      if (existing.getBillingPeriod().hasRetailOwner()) {
        existing.register(item);
      }
    }
  }
}
```

Se você trabalhar num código fonte como esse, ele pode não parecer tão ruim assim para você, mas ele é! Quando retornamos `null`, basicamente estamos criando mais trabalho para nós mesmos e jogando problemas em cima de nossos chamadores. Só basta esquecer uma verificação `null` para que o aplicativo fique fora de controle.

Percebeu que não havia uma verificação de `null` na segunda linha do `if` aninhado? O que teria acontecido em tempo de execução se `persistentStore` fosse `null`? Teríamos uma `NullPointerException` em tempo de execução, e ou alguém está capturando-a no nível mais alto ou não. Em ambos os casos isso é péssimo. O que você faria exatamente em resposta a um lançamento de `NullPointerException` das profundezas de seu aplicativo?

É fácil dizer que o problema com o código acima é a falta de uma verificação de `null`, mas, na verdade, o problema é que ele tem muitos. Se você ficar tentado a retornar `null` de um método, em vez disso, considere lançar uma exceção ou retornar um objeto Special Case. Se estiver chamando um método que retorne `null` a partir de uma API de terceiros, considere empacotá-lo com um método que lance uma exceção ou retorne um objeto de caso especial.

Em muitos casos, objetos de casos especiais são uma solução fácil. Imagine que seu código fosse assim:

```
List<Employee> employees = getEmployees();
if (employees != null) {
  for(Employee e : employees) {
    totalPay += e.getPay();
  }
}
```

Neste momento, `getEmployees` pode retornar `null`, mas ele precisa? Se alterássemos `getEmployee` de modo que ele retornasse uma lista vazia, poderíamos limpar o código:

```
List<Employee> employees = getEmployees();
for(Employee e : employees) {
  totalPay += e.getPay();
}
```

Felizmente, Java possui o `Collections.emptyList()`, e ele retorna uma lista predefinida e imutável que podemos usar para esse propósito:

```
public List<Employee> getEmployees() {
  if( .. there are no employees .. )
    return Collections.emptyList();
}
```

Se programar dessa forma, você minimizará a chance de `NullPointerExceptions` e seu código será mais limpo.

Não passe null

Retornar `null` dos métodos é ruim, mas passar `null` para eles é pior. A menos que esteja trabalhando com uma API que espere receber `null`, você deve evitar passá-lo em seu código sempre que possível.

Vejamos um exemplo do porquê. Abaixo está um método simples que calcula a distância entre dois pontos:

```
public class MetricsCalculator
{
  public double xProjection(Point p1, Point p2) {
    return (p2.x - p1.x) * 1.5;
  }
  ...
}
```

O que acontece quando alguém passa `null` como parâmetro?

```
calculator.xProjection(null, new Point(12, 13));
```

Receberemos uma `NullPointerException`, é claro.

Podemos consertar isso? Poderíamos criar um novo tipo de exceção e lançá-lo:

```
public class MetricsCalculator
{
  public double xProjection(Point p1, Point p2) {
    if (p1 == null || p2 == null) {
      throw InvalidArgumentException(
        "Invalid argument for MetricsCalculator.xProjection");
    }
    return (p2.x - p1.x) * 1.5;
  }
}
```

Ficou melhor? Pode ser um pouco melhor do que uma `null` pointer excepton, mas lembre-se de que temos de definir um tratador para `InvalidArgumentException`. O que ele deve fazer? Há algum procedimento bom?

Há uma alternativa. Poderíamos usar uma série de afirmações:

```
public class MetricsCalculator
{
  public double xProjection(Point p1, Point p2) {
    assert p1 != null : "p1 não pode ser nulo";
    assert p2 != null : "p2 não pode ser nulo";
    return (p2.x - p1.x) * 1.5;
  }
}
```

É uma boa informação, mas não resolve o problema. Se alguém passar `null`, ainda teremos um erro em tempo de execução.

Na maioria das linguagens de programação não há uma boa forma de lidar com um valor `null` passado acidentalmente para um chamador. Como aqui este é o caso, a abordagem lógica seria proibir, por padrão, a passagem de `null`. Ao fazer isso, você pode programar com o conhecimento de que um `null` numa lista de parâmetros é sinal de problema, e acabar com mais alguns erros por descuido.

Conclusão

Um código limpo é legível, mas também precisa ser robusto. Esses objetivos não são conflitantes. Podemos criar programas limpos e robustos se enxergarmos o tratamento de erro como uma preocupação à parte, algo que seja visível independentemente de nossa lógica principal. Na medida em que somos capazes de fazer isso, podemos pensar nisso de forma independente e dar um grande passo na capacidade de manutenção de nosso código.

Bibliografia

[Martin]: *Agile Software Development: Principles, Patterns, and Practices*, Robert C. Martin, Prentice Hall, 2002.

8

Limites

por James Grenning

Raramente controlamos todos os softwares em nossos sistemas. De vez em quando compramos pacotes de outros fabricantes ou usamos códigos livres, ou dependemos de equipes em nossa própria empresa para construir componentes ou subsistemas para nós. De algum modo, devemos integrar, de forma limpa, esse código externo ao nosso. Neste capítulo veremos as práticas e técnicas para manter limpos os limites de nosso software.

O uso de códigos de terceiros

Há uma tensão natural entre o fornecedor de uma interface e seu usuário. Os fornecedores de pacotes e frameworks de outros fabricantes visam a uma maior aplicabilidade de modo que possam trabalhar com diversos ambientes e atender a um público maior. Já os usuários desejam uma interface voltada para suas próprias necessidades. Essa tensão pode causar problemas nos limites de nossos sistemas.

Tomemos o `java.util.Map` como exemplo. Como pode ver na Figura 8.1, os `Maps` tem uma interface bastante ampla com diversas capacidades. Certamente esse poder e flexibilidade são úteis, mas também pode ser uma desvantagem. Por exemplo, nosso aplicativo pode construir um `Map` e passá-lo adiante. Nosso objetivo talvez seja que nenhum dos recipientes de nosso `Map` não exclua nada do `Map`. Mas logo no início da lista está o método `clear()`. Qualquer usuário do `Map` tem o poder de apagá-lo. Ou talvez, segundo a convenção que adotamos, o `Map` pode armazenar apenas certos tipos de objetos, mas não é certo que ele restrinja os tipos que são adicionados a ele. Qualquer usuário determinado pode adicionar itens de qualquer tipo a qualquer `Map`.

```
• clear() void - Map
• containsKey(Object key) boolean - Map
• containsValue(Object value) boolean - Map
• entrySet() Set - Map
• equals(Object o) boolean - Map
• get(Object key) Object - Map
• getClass() Class<? extends Object> - Object
• hashCode() int - Map
• isEmpty() boolean - Map
• keySet() Set - Map
• notify() void - Object
• notifyAll() void - Object
• put(Object key, Object value) Object - Map
• putAll(Map t) void - Map
• remove(Object key) Object - Map
• size() int - Map
• toString() String - Object
• values() Collection - Map
• wait() void - Object
• wait(long timeout) void - Object
• wait(long timeout, int nanos) void - Object
```

Figura 8.1:
Métodos do `Map`

Se nosso aplicativo precisar de um `Map` de `sensors`, você talvez encontre `sensors` assim:

```
Map sensors = new HashMap();
```

E, quando alguma outra parte do código precisa acessar o Sensor, você vê isso:

```
Sensor s = (Sensor)sensors.get(sensorId );
```

Não vemos isso apenas uma vez, mas várias ao longo do código. O cliente deste código fica com a responsabilidade de obter um `Object` do `Map` e atribuí-lo o tipo certo. Apesar de funcionar, não é um código limpo. Ademais, esse código não explica muito bem o que ele faz. Pode-se melhorar consideravelmente sua legibilidade com o uso de tipos genéricos, como mostra abaixo:

```
 Map<Sensor> sensors = new HashMap<Sensor>();
...
 Sensor s = sensors.get(sensorId );
```

Entretanto, isso não resolve o problema de que `Map<sensor>` oferece mais capacidade do que precisamos ou queremos.

Passar adiante pelo sistema uma instância de `Map<Sensor>` significa que haverá vários lugares para mexer se a interface para o `Map` mudar. Você talvez pense que uma mudança seja pouco provável, mas lembre-se de que houve uma quando o suporte a genéricos foi adicionado no Java 5. De fato, já vimos sistemas que impedem o uso de genéricos devido à magnitude das alterações necessárias para manter o uso abrangente dos `Map`s.

Abaixo está uma forma limpa de usar o `Map`. Nenhum usuário do `Sensors` se importaria se um pouco de genéricos for usado ou não. Essa escolha se tornou (e sempre deve ser) um detalhe da implementação.

```
public class Sensors {
  private Map sensors = new HashMap();

  public Sensor getById(String id) {
    return (Sensor) sensors.get(id);
  }
  //snip
}
```

A interface no limite (`Map`) está oculta. É possível alterá-la causando muito pouco impacto no resto do aplicativo. O uso de tipos genéricos não é mais uma questão tão problemática assim, pois o gerenciamento de declarações e de tipos é feito dentro da classe `Sensors`.

Essa interface também foi personalizada para satisfazer as necessidades do aplicativo. Seu resultado é um código mais fácil de se entender e mais difícil de ser utilizado incorretamente. A classe `Sensors` pode forçar regras de modelo e de negócios.

Não estamos sugerindo que cada uso do `Map` seja encapsulado dessa forma. Mas lhe aconselhando para não passar os `Map`s (ou qualquer outra interface num limite) por todo o sistema. Se usar uma interface, como a `Map`, no limite, a mantenha numa classe ou próxima a uma família de classes em que ela possa ser usada. Evite retorná-la ou aceitá-la como parâmetro em APIs públicas.

Explorando e aprendendo sobre limites

Códigos de terceiros nos ajudam a obter mais funcionalidade em menos tempo. Por onde começar quando desejamos utilizar pacotes de terceiros? Não é tarefa nossa testá-los, mas pode ser melhor para nós criar testes para os códigos externos que formos usar.

Suponha que não esteja claro como usar uma biblioteca de terceiros. Podemos gastar um dia ou dois (até mais) lendo a documentação e decidindo como vamos usá-la. Então, escreveríamos nosso código para usar o código externo e vemos se ele é ou não o que achávamos. Não ficaríamos surpresos de acabar em longas sessões de depuração tentando descobrir se os bugs que encontramos são do nosso código ou no deles.

Entender códigos de terceiros é difícil. Integrá-lo ao seu também é. Fazer ambos ao mesmo tempo dobra a dificuldade. E se adotássemos uma outra abordagem? Em vez de experimentar e tentar o novo código, poderíamos criar testes para explorar nosso conhecimento sobre ele. Jim Newkirk chama isso de *testes de aprendizagem*[1].

Nesses testes, chamamos a API do código externo como o faríamos ao usá-la em nosso aplicativo. Basicamente estaríamos controlando os experimentos que verificam nosso conhecimento daquela API. O teste se focaliza no que desejamos saber sobre a API.

Aprendendo sobre `log4j`

Digamos que queremos usar o pacote `log4j` da Apache em vez de nosso próprio registrador interno. Baixaríamos o pacote e então abriríamos a página de documentação inicial. Sem ler muito, criamos nosso primeiro caso de teste, esperando que seja impresso "hello" no console.

```
@Test
public void testLogCreate() {
   Logger logger = Logger.getLogger("MyLogger");
   logger.info("hello");
}
```

Quando o executamos, o registrador (`logger`) produz um erro o qual nos diz que precisamos de algo chamado `Appender`. Após ler um pouco mais, descobrimos que existe um `ConsoleAppender`. Então, criamos um `ConsoleAppender` e vemos se desvendamos os segredos de registro no console.

```
@Test
public void testLogAddAppender() {
   Logger logger = Logger.getLogger("MyLogger");
   ConsoleAppender appender = new ConsoleAppender();
   logger.addAppender(appender);
   logger.info("oi");
}
```

1. [BeckTDD], pp. 136–137.

Desta vez, descobrimos que o `Appender` não possui fluxo de saída. Estranho... Parecia lógico ter um. Depois de buscar ajuda no Google, tentamos o seguinte:

```
@Test
  public void testLogAddAppender() {
  Logger logger = Logger.getLogger("MyLogger");
  logger.removeAllAppenders();
  logger.addAppender(new ConsoleAppender(
    new PatternLayout("%p %t %m%n"),
    ConsoleAppender.SYSTEM_OUT));
  logger.info("hello");
}
```

Funcionou. Uma mensagem de registro com "hello" apareceu no console! Parece estranho ter de dizer ao `ConsoleAppender` o que ele precisa escrever no console.

Mais interessante ainda é quando removemos o parâmetro `ConsoleAppender.SystemOut` e ainda é exibido "hello" ("oi"). Mas quando retiramos o `PatternLayout`, mais uma vez há mensagem de falta de um fluxo de saída. Esse comportamento é muito estranho.

Lendo a documentação com um pouco mais de atenção, vimos que o construtor `ConsoleAppender` padrão vem "desconfigurado", o que não parece muito óbvio ou prático. Parece um bug, ou pelo menos uma inconsistência, no `log4j`.

Recorrendo novamente ao Google, lendo e testando, acabamos chegando à Listagem 8-1. Descobrimos bastante coisa sobre como funciona o `log4j`, e colocamos esse conhecimento numa série de testes unitários simples.

Listagem 8-1
`LogTest.java`

```
public class LogTest {
    private Logger logger;

    @Before
    public void initialize() {
        logger = Logger.getLogger("logger");
        logger.removeAllAppenders();
        Logger.getRootLogger().removeAllAppenders();
    }
    @Test
    public void basicLogger() {
        BasicConfigurator.configure();
        logger.info("basicLogger");
    }

    @Test
    public void addAppenderWithStream() {
     logger.addAppender(new ConsoleAppender(
          new PatternLayout("%p %t %m%n"),
          ConsoleAppender.SYSTEM_OUT));
        logger.info("addAppenderWithStream");
    }
```

Listagem 8-1 (continuação)
LogTest.java

```
    @Test
    public void addAppenderWithoutStream() {
     logger.addAppender(new ConsoleAppender(
          new PatternLayout("%p %t %m%n")));
        logger.info("addAppenderWithoutStream");
    }
}
```

Agora sabemos como obter um console simples e um registrador inicializado, e podemos encapsular esse conhecimento em nossas classes de registro de modo que o resto de nosso aplicativo fique isolado da interface limite do `log4j`.

Os testes de aprendizagem são melhores que de graça

Os testes de aprendizagem acabam não custando nada. Tivemos de aprender sobre a API mesmo, e escrever aqueles testes foi uma forma fácil e separada de obter o conhecimento que conseguimos. Os testes de aprendizagem são experimentos precisos que ajudam a aumentar nosso entendimento.

Esses testes não só saem de graça como geram um retorno positivo de nosso investimento. Quando houver nossas distribuições daquele pacote externo, podemos executar os testes para ver se há diferenças nas atividades.

Os testes de aprendizagem verificam se os pacotes de terceiros que estamos usando se comportam como desejamos. Uma vez integrados, não há garantias de que o código se manterá compatível com as nossas necessidades. Os autores originais sofrerão pressão para alterarem seus códigos para satisfazer suas próprias necessidades. Eles consertarão bugs e adicionarão novos recursos. Cada distribuição vem com um novo risco. Se o pacote for alterado de uma forma que fique incompatível com nossos testes, descobriremos de imediato.

Você precise ou não do conhecimento proporcionado pelos testes de aprendizagem, deve-se definir um limite claro por meio de uma série de testes externos que experimentem a interface da mesma forma que seu código faria. Sem esses testes limite para facilitar a migração, poderemos ficar tentados a manter por mais tempo do que deveríamos a versão antiga.

O uso de código que não existe ainda

Há outro tipo de limite; um que separa o conhecido do desconhecido. Geralmente há lugares no código onde nosso conhecimento parece sumir. Às vezes, o que está do outro lado nos é desconhecido (pelo menos agora). Às vezes, optamos não olhar além do limite.

Alguns anos atrás fiz parte do time do desenvolvimento de software para um sistema de comunicação de rádios. Havia um subsistema, o "Transmissor", que eu pouco sabia a respeito, e as pessoas responsáveis por ele não tinham ainda definido sua interface. Não *queríamos* ficar parados, então começamos a trabalhar longe daquela parte desconhecida do código.

Sabíamos muito bem onde nosso mundo terminava e onde começava o novo. Conforme trabalhávamos, às vezes chegávamos a esse limite entre os dois mundos. Embora névoas e nuvens de ignorância ofuscassem nossa visão para além do limite, nosso trabalho nos mostrou o que queríamos que fosse a interface limite. Desejávamos dizer ao transmissor algo assim:

Configure o transmissor na frequência fornecida e emita uma representação analógica dos dados provenientes desde fluxo.

Não tínhamos ideia de como isso seria feito, pois a API ainda não havia sido desenvolvida. Portanto, decidimos trabalhar nos detalhes depois.

Para não ficarmos parados, definimos nossa própria interface. Demos um nome fácil de lembrar, como `Transmitter` (Transmissor). Criamos um método chamado `transmit` (transmissão) que pegava uma frequência e um fluxo de dados. Essa era a interface que gostaríamos de ter.

O bom de criar a interface que desejamos é que podemos controlá-la. Isso ajuda a manter o código do lado do cliente mais legível e centralizado na função para a qual fora criado.

Na Figura 8.2 você pode ver que preenchemos as classes do `CommunicationsController` a partir da API do transmitter, a qual não controlávamos e havia sido definida. Ao usar nossa própria interface para o aplicativo, mantivemos limpo e expressivo nosso código do `CommunicationsController`. Uma vez definida a API do transmitter, criamos o `TransmitterAdapter` para fazer a conexão. O ADAPTER[2] encapsulou a interação com a API e forneceu um único local para ser modificado se a API for aperfeiçoada.

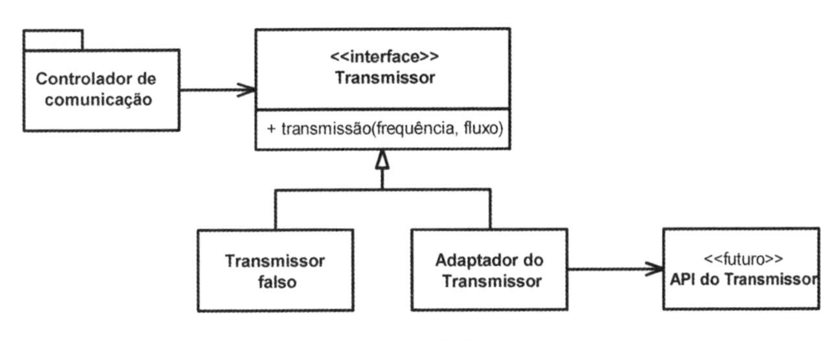

Figura 8.2:
Adivinhando deverá ser o transmissor

Esse modelo também nos dá um seam[3] bastante conveniente no código para testarmos. Ao usar um `FakeTransmitter` (transmissor falso) adequado, podemos testar as classes do `CommunicationsController`. Além de podermos criar testes limite uma vez que temos a `TransmitterAPI` para garantir que estamos usando corretamente a API.

2. Consulte o padrão Adapter no [GOF].

3. Consulte mais sobre seams no [WELC].

Limites limpos

Coisas interessantes ocorrem nos limites. A alteração é uma delas. Bons projetos de software acomodam modificações sem muito investimento ou trabalho. Quando usamos códigos que estão fora de controle, deve-se dar uma atenção especial ao nosso investimento e garantir que uma mudança futura não seja muito custosa.

O código nos limites precisa de uma divisão clara e testes que definem o que se deve esperar. Devemos evitar que grande parte de nosso código enxergue as particularidades dos de terceiros. É melhor depender de algo que *você* controle do que pegar algo que acabe controlando você.

Lidamos com os limites de códigos externos através de alguns poucos lugares em nosso código que fazem referência a eles. Podemos empacotá-los como fizemos com o `Map`, ou talvez usar um ADAPTER para converter nossa interface perfeita na que nos for fornecida. De qualquer forma, nosso código se comunica melhor conosco, provê uso consistente interno pelo limite e possui poucos pontos para serem mexidos quando o código externo sofrer alteração.

Bibliografia

[BeckTDD]: *Test Driven Development*, Kent Beck, Addison-Wesley, 2003.

[GOF]: *Design Patterns: Elements os Reusable Object Oriented Software*, Gamma et al., Addison-Wesley, 1996.

[WELC]: *Working Effectively with Legacy Code*, Addison-Wesley, 2004.

9

Testes de Unidade

Nossa profissão evoluiu bastante ao longo dos últimos dez anos. Em 1997 não se ouvia falar em Test Driven Development (TDD, sigla em inglês). Para a grande maioria de nós, os testes de unidade ou testes unitários eram um pequeno pedaço de código descartável que escrevíamos para nos certificar que nossos programas funcionavam. Meticulosamente criávamos nossas classes e métodos e, então, improvisávamos um código para testá-los. Tipicamente, isso envolvia um programa simples de controle que nos permitisse interagir manualmente com o programa que havíamos escrito.

Lembro-me de ter criado, em meados da década de 1990, um programa em C++ para um sistema integrado em tempo real. Era um simples contador com a seguinte assinatura:

```
void Timer::ScheduleCommand(Command* theCommand, int milliseconds)
```

A ideia era simples: o método `execute` de `Command` seria executado numa nova thread após um número específico de milésimos de segundos. O problema era como testá-lo.

Criei um simples programa de controle que esperava alguma ação no teclado. Sempre que um caractere era pressionado, ele agendaria um comando que escreveria o mesmo caractere cinco segundos depois. Então eu digitava uma melodia no teclado e esperava que ela fosse reproduzida na tela cinco segundos depois.

"I...want-a-girl...just..like-the-girl...who-marr...ied...dear...old...dad."

Realmente cantei essa melodia enquanto digitava o ponto "." e, então, a cantava novamente quando aparecia na tela.

Esse era meu teste! Depois que o vi funcionar e o mostrei aos meus colegas, joguei o código do teste fora.

Como eu disse, nossa profissão evoluiu. Atualmente eu criaria um teste que garantisse que cada canto do código funcionasse como eu esperava. Eu isolaria meu código do resto do sistema operacional em vez de apenas invocar as funções padrão de contagem; simularia aquelas funções de modo que eu tivesse controle absoluto sobre o tempo; agendaria comandos que configurassem flags booleanas; e, então, adiantaria o tempo, observando as flags e verificando se elas mudavam de falsas para verdadeiras quando eu colocasse o valor correto no tempo.

Quando pego uma coleção de testes para passar adiante, eu me certifico se eles são adequados para serem executados por qualquer pessoa que precise trabalhar com o código, e se eles e o código estavam juntos no mesmo pacote de origem.

Isso, progredimos bastante, mas ainda podemos ir mais longe. Os movimentos do Agile e do TDD têm incentivado muitos programadores a criarem testes de unidade automatizados, e muitos outros estão se unindo a cada dia. Mas nessa correria para adicionar testes ao nosso ofício, muitos programadores têm se esquecido de alguns dos pontos mais sutis e importantes de se escrever bons testes.

As três leis do TDD

Hoje em dia todos sabem que o TDD nos pede para criar primeiro os testes de unidade antes do código de produção. Mas essa regra é apenas o início. Considere as três leis[1] abaixo:

Primeira Lei Não se deve escrever o código de produção até criar um teste de unidade de falhas.

Segunda Lei Não se deve escrever mais de um teste de unidade do que o necessário para falhar, e não compilar é falhar.

Terceira Lei Não se deve escrever mais códigos de produção do que o necessário para aplicar o teste de falha atual.

1. Professionalism and Test-Driven Development, Robert C. Martin, Object Mentor, IEEE Software, maio/junho 2007 (Vol. 24, No. 3) pp. 32–36
http://doi.ieeecomputersociety.org/10.1109/MS.2007.85

Essas três leis lhe colocam numa rotina que talvez dure trinta segundos. Os testes e o código de produção são escritos juntos, com os testes apenas alguns segundos mais adiantados.

Se trabalharmos dessa forma, criaríamos dezenas de testes a cada dia, centenas a cada mês e milhares a cada ano; os testes cobririam praticamente todo o nosso código de produção. O tamanho completo desses testes, que pode competir com o tamanho do próprio código de produção, pode apresentar um problema de gerenciamento intimidador.

Como manter os testes limpos

Há alguns anos, pedi para orientar uma equipe que tinha decidido explicitamente que seus códigos de testes não deveriam ser preservados segundo os mesmos padrões de qualidade que seu código de produção. Eles se deram autorização para violar as leis em seus testes de unidade. "Rápida e porcamente" era o lema. As variáveis não precisavam de nomes bem selecionados, as funções de teste não tinham de ser curtas e descritivas. Os códigos de testes não precisavam ser bem desenvolvidos e divididos de modo pensado. Se que o resto dos códigos de testes funcionasse e que cobrisse o código de produção, já era o suficiente.

Alguns de vocês lendo isso talvez simpatizem com tal decisão. Talvez, lá no passado, você criou testes tipo aquele que fiz para aquela classe `Timer`. É um grande passo ir da criação daquele tipo de teste descartável para uma coleção de testes unitários automatizados. Portanto, assim como a equipe que eu orientara, você talvez decida que testes feitos "porcamente" sejam melhores do que nada.

O que aquela equipe não percebera era que ter testes daquele tipo é equivalente, se não pior, a não ter teste algum. O problema é que muitos testes devem ser alterados conforme o código de produção evolui. Quanto pior o teste, mais difícil será de mudá-lo. Quanto mais confuso for o código de teste, são maiores as chances de você levar mais tempo espremendo novos testes para dentro da coleção do que na criação do código de produção. Conforme você modifica o código de produção, os testes antigos começam a falhar e a bagunça no código de teste dificulta fazê-los funcionar novamente. Sendo assim, os testes começam a ser vistos como um problema em constante crescimento.

De distribuição em distribuição, o custo de manutenção da coleção de testes de minha equipe aumentou. Com o tempo, isso se tornou a maior das reclamações entre os desenvolvedores. Quando os gerentes perguntaram o motivo da estimativa de finalização estava ficando tão grande, os desenvolvedores culparam os testes. No final, foram forçados a descartar toda coleção de testes.

Mas, sem uma coleção de testes, eles perderam a capacidade de garantir que, após alterações no código-fonte, ele funcionasse como o esperado e que mudanças em uma parte do sistema não afetariam as outras partes. Então, a taxa de defeitos começou a crescer. Conforme aumentava o número de bugs indesejáveis, começaram a temer fazer alterações e pararam de limpar o código de produção porque temiam que isso poderia fazer mais mal do que bem. O código de produção começou a se degradar. No final das contas, ficaram sem testes, com um código de produção confuso e cheio de bugs, com consumidores frustrados e o sentimento de que o esforço para criação de testes não valeu de nada.

De certa forma estavam certos. Tal esforço tinha sido em vão. Mas fora decisão deles permitir que os testes ficassem uma bagunça e se tornasse a origem do fracasso. Se tivessem mantido os testes limpos, o esforço para a criação dos testes não teria os deixado na mão. Posso dizer isso com um pouco de certeza, pois participei de tudo, e já orientei muitas equipes que obtiveram sucesso com testes de unidade limpos.

A moral da história é simples: *Os códigos de testes são tão importantes quanto o código de produção.* Ele não é componente secundário. Ele requer raciocínio, planejamento e cuidado. É preciso mantê-lo tão limpo quanto o código de produção.

Os testes habilitam as "-idades"

Se não mantiver seus testes limpos, irá perdê-los. E, sem eles, você perde exatamente o que mantém o código em produção flexível. Isso mesmo, você leu certo. São *os testes de unidade* que mantêm seus códigos flexíveis, reutilizáveis e passíveis de manutenção. A razão é simples. Se você tiver testes, não terá medo de alterar o código! Sem os testes, cada modificação pode gerar um bug. Não importa o grau de flexibilidade de sua arquitetura ou de divisão de seu modelo, pois sem os testes você ficará relutante em fazer mudanças por temer gerar bugs não detectados.

Mas *com* os testes esse medo praticamente some. Quanto maior a cobertura de seus testes, menor o medo. Você pode fazer mudanças quase sem penalidade ao código que tenha uma arquitetura emaranhada e um modelo confuso e opaco. De fato, você pode *improvisar* essa arquitetura e esse modelo sem temer!

Portanto, ter uma coleção de testes de unidade automatizados que cubram o código de produção é o segredo para manter seu projeto e arquitetura os mais limpos possíveis. Os testes habilitam todas as "-idades", pois eles possibilitam as *alterações.*

Dessa forma, caso seus testes estejam ruins, então sua capacidade de modificar seu código fica comprometida e você começa a perder a capacidade de melhorar a estrutura dele. Quanto piores forem os testes, pior o código se torna. No final, você perde os testes e seu código se degrada.

Testes limpos

O que torna um teste limpo? Três coisas: legibilidade, legibilidade e legibilidade. Talvez isso seja até mais importante nos testes de unidade do que no código de produção. O que torna os testes legíveis? O mesmo que torna todos os códigos legíveis: clareza, simplicidade e consistência de expressão. Num teste você quer dizer muito com o mínimo de expressões possíveis.

Considere o código do FitNesse na Listagem 9-1. Esses três testes são difíceis de entender e certamente podem ser melhorados. Primeiro, há uma quantidade terrível de código duplicado [G5] nas chamadas repetidas a `addPage` e `assertSubString`. Mais importante ainda é que este código está carregado de detalhes que interferem na expressividade do teste.

Listagem 9-1
SerializedPageResponderTest.java

```
public void testGetPageHieratchyAsXml() throws Exception
{
  crawler.addPage(root, PathParser.parse("PageOne"));
  crawler.addPage(root, PathParser.parse("PageOne.ChildOne"));
  crawler.addPage(root, PathParser.parse("PageTwo"));

  request.setResource("root");
  request.addInput("type", "pages");
  Responder responder = new SerializedPageResponder();
  SimpleResponse response =
    (SimpleResponse) responder.makeResponse(
      new FitNesseContext(root), request);
  String xml = response.getContent();

  assertEquals("text/xml", response.getContentType());
  assertSubString("<name>PageOne</name>", xml);
  assertSubString("<name>PageTwo</name>", xml);
  assertSubString("<name>ChildOne</name>", xml);
}

public void testGetPageHieratchyAsXmlDoesntContainSymbolicLinks()
throws Exception
{
  WikiPage pageOne = crawler.addPage(root, PathParser.parse("PageOne"));
  crawler.addPage(root, PathParser.parse("PageOne.ChildOne"));
  crawler.addPage(root, PathParser.parse("PageTwo"));

  PageData data = pageOne.getData();
  WikiPageProperties properties = data.getProperties();
  WikiPageProperty symLinks = properties.set(SymbolicPage.PROPERTY_NAME);
  symLinks.set("SymPage", "PageTwo");
  pageOne.commit(data);

  request.setResource("root");
  request.addInput("type", "pages");
  Responder responder = new SerializedPageResponder();
  SimpleResponse response =
    (SimpleResponse) responder.makeResponse(
      new FitNesseContext(root), request);
  String xml = response.getContent();

  assertEquals("text/xml", response.getContentType());
  assertSubString("<name>PageOne</name>", xml);
  assertSubString("<name>PageTwo</name>", xml);
  assertSubString("<name>ChildOne</name>", xml);
  assertNotSubString("SymPage", xml);
}

public void testGetDataAsHtml() throws Exception
{
  crawler.addPage(root, PathParser.parse("TestPageOne"), "test page");

  request.setResource("TestPageOne");
  request.addInput("type", "data");
```

Listagem 9-1 (continuação)
SerializedPageResponderTest.java

```
    Responder responder = new SerializedPageResponder();
    SimpleResponse response =
      (SimpleResponse) responder.makeResponse(
        new FitNesseContext(root), request);
    String xml = response.getContent();

    assertEquals("text/xml", response.getContentType());
    assertSubString("test page", xml);
    assertSubString("<Test", xml);
  }
```

Por exemplo, veja as chamadas para `PathParser`. Elas transformam strings em instâncias `PagePath` pelos `crawler`. Essa transformação é completamente irrelevante na execução do teste e serve apenas para ofuscar o objetivo. Os detalhes em torno da criação do responder e a definição do tipo de `response` também são apenas aglomerados. E tem a inepta forma pela qual é construído URL requisitado a partir de um `resource` e um parâmetro. (Ajudei a escrever esse código, portanto me sinto completamente no direito de criticá-lo).

No final, esse código não foi feito para ser lido. O pobre leitor é inundado com um monte de detalhes que devem ser entendidos antes que os testes façam algum sentido.

Agora, considere os testes improvisados na Listagem 9-2. Eles fazem exatamente o mesmo, mas foram refatorados de uma forma muito mais clara e descritiva.

Listagem 9-2
SerializedPageResponderTest.java (refatorado)

```
public void testGetPageHierarchyAsXml() throws Exception {
  makePages("PageOne", "PageOne.ChildOne", "PageTwo");

  submitRequest("root", "type:pages");

  assertResponseIsXML();
  assertResponseContains(
    "<name>PageOne</name>", "<name>PageTwo</name>", "<name>ChildOne</name>"
  );
}

public void testSymbolicLinksAreNotInXmlPageHierarchy() throws Exception {
  WikiPage page = makePage("PageOne");
  makePages("PageOne.ChildOne", "PageTwo");

  addLinkTo(page, "PageTwo", "SymPage");

  submitRequest("root", "type:pages");

  assertResponseIsXML();
  assertResponseContains(
    "<name>PageOne</name>", "<name>PageTwo</name>", "<name>ChildOne</name>"
  );
  assertResponseDoesNotContain("SymPage");
}
```

Listagem 9-2 (continuação)
SerializedPageResponderTest.java (refatorado)

```
public void testGetDataAsXml() throws Exception {
  makePageWithContent("TestPageOne", "test page");

  submitRequest("TestPageOne", "type:data");

  assertResponseIsXML();
  assertResponseContains("test page", "<Test");
}
```

A estrutura desses testes tornou óbvio o padrão CONSTRUIR-OPERAR-VERIFICAR[2]. Cada um dos testes está claramente dividido em três partes. A primeira produz os dados do teste, a segunda opera neles e a terceira verifica se a operação gerou os resultados esperados.

Note que a grande maioria dos detalhes maçantes foi eliminada. Os testes vão direto ao ponto e usam apenas os tipos de dados e funções que realmente precisam. Quem ler esses testes deve ser capaz de descobrir rapidamente o que fazem, sem se deixar enganar ou ficar sobrepujado pelos detalhes.

Linguagem de testes específica ao domínio

Os testes na Listagem 9-2 mostram a técnica da construção de uma linguagem específica a um domínio para seus testes. Em vez de usar as APIs que os programadores utilizam para manipular o sistema, construímos uma série de funções e utilitários que usam tais APIs e que tornam os testes mais convenientes de se escrever e mais fáceis de ler. Esses funções e utilitários se tornaram uma API especializada usada pelos testes. Eles testam a linguagem que os programadores usam para auxiliá-los a escrever seus testes e para ajudar àqueles que precisem ler esses testes mais tarde.

Essa API de teste não foi desenvolvida de uma só vez; ela evoluiu de uma contínua refatoração de códigos de testes que ficaram demasiadamente ofuscados por detalhes confusos. Assim como você me viu refatorar a Listagem 9-1 para Listagem 9-2, desenvolvedores disciplinados também refatoram seus códigos de teste para formas mais sucintas e expressivas.

Um padrão duplo

De um certo modo, a equipe que mencionei no início deste capítulo estava certa. O código dentro da API de teste tem um conjunto diferente de padrões de engenharia em relação ao código de produção. Ele pode ser simples, sucinto e expressivo, mas não precisa ser mais eficiente do que o do código de produção. Apesar de tudo, ele roda num ambiente de teste, não em um de produção, e esses dois ambientes possuem requisitos diferentes.

2. http://fitnesse.org/FitNesse.AcceptanceTestPatterns

Considere o teste na Listagem 9-3 que escrevi como parte de um sistema de controle de ambiente que eu estava fazendo a prototipagem. Sem entrar em detalhes, posso lhe dizer que o teste verifica se o alarme de temperatura baixa, o aquecedor e o ventilador estão todos ligados quando a temperatura estiver "fria demais".

Listagem 9-3
`EnvironmentControllerTest.java`

```
@Test
  public void turnOnLoTempAlarmAtThreashold() throws Exception {
    hw.setTemp(WAY_TOO_COLD);
    controller.tic();
    assertTrue(hw.heaterState());
    assertTrue(hw.blowerState());
    assertFalse(hw.coolerState());
    assertFalse(hw.hiTempAlarm());
    assertTrue(hw.loTempAlarm());
  }
```

Há, é claro, muitos detalhes aqui. Por exemplo, o que faz a função `tic`? Na verdade, prefiro que você não se atenha a isso ao ler esse teste, mas que se preocupe apenas se você concorda ou não se o estado final do sistema é consistente com a temperatura sendo "fria demais".

Note que, ao ler o teste, seus olhos precisam ler e reler entre o nome do estado sendo verificado e a medida do estado sendo verificado. Você vê `heaterState` e, então, seus olhos deslizam para a direita, para `assertTrue`. Você vê `coolerState` e seus olhos devem se voltar para a esquerda, para `assertFalse`. Isso é entediante e falível, além de dificultar a leitura do teste.

Aperfeiçoei a legibilidade deste teste consideravelmente na Listagem 9-4.

Listagem 9-4
`EnvironmentControllerTest.java (refatorado)`

```
@Test
  public void turnOnLoTempAlarmAtThreshold() throws Exception {
    wayTooCold();
    assertEquals("HBchL", hw.getState());
  }
```

É claro que criei uma função `wayTooCold` para ocultar o detalhe da função `tic`. Mas o que se deve notar é a estranha string em `assertEquals`. As letras maiúsculas significam "ligado", as minúsculas "desligado", e elas sempre seguem a seguinte ordem: `{heater, blower, cooler, hi-temp-alarm, lo-temp-alarm}`.

Mesmo que esse código esteja perto de violar a regra do mapeamento mental[3], neste caso parece apropriado. Note que, uma vez conhecendo o significado, seus olhos deslizam sobre a string e você logo consegue interpretar os resultados. Torna-se quase uma satisfação ler o teste. Dê uma olhada na Listagem 9-5 e veja como é fácil entender esses testes.

3. Evite o mapeamento mental, p. 25.

Listagem 9-5
EnvironmentControllerTest.java (seleção maior)

```
@Test
  public void turnOnCoolerAndBlowerIfTooHot() throws Exception {
    tooHot();
    assertEquals("hBChl", hw.getState());
  }

  @Test
  public void turnOnHeaterAndBlowerIfTooCold() throws Exception {
    tooCold();
    assertEquals("HBchl", hw.getState());
  }

  @Test
  public void turnOnHiTempAlarmAtThreshold() throws Exception {
    wayTooHot();
    assertEquals("hBCHl", hw.getState());
  }

  @Test
  public void turnOnLoTempAlarmAtThreshold() throws Exception {
    wayTooCold();
    assertEquals("HBchL", hw.getState());
  }
```

A função `getState` está na Listagem 9-6. Note que esse código não é muito eficiente. Para isso, provavelmente eu deveria ter usado um `StringBuffer`.

Listagem 9-6
MockControlHardware.java

```
public String getState() {
    String state = "";
    state += heater ? "H" : "h";
    state += blower ? "B" : "b";
    state += cooler ? "C" : "c";
    state += hiTempAlarm ? "H" : "h";
    state += loTempAlarm ? "L" : "l";
    return state;
  }
```

As `StringBuffers` são um pouco feias. Mesmo no código de produção irei evitá-las se o custo for pequeno; e você poderia argumentar que o custo do código na Listagem 9-6 é bastante pequeno. Contudo, esse aplicativo está claramente em um sistema integrado em tempo real, e é mais provável que os recursos do computador e da memória sejam muito limitados. O ambiente de teste, entretanto, não costuma ter limitações alguma.

Essa é a natureza do padrão duplo. Há coisa que você talvez jamais faça num ambiente de produção que esteja perfeitamente bem em um ambiente de teste. Geralmente, isso envolve questões de eficiência de memória e da CPU. Mas nunca de clareza.

Uma afirmação por teste

Há uma escola de pensamento[4] que diz que cada função de teste em um teste JUnit deve ter um e apenas uma instrução de afirmação (assert). Essa regra pode parecer perversa, mas a vantagem pode ser vista na Listagem 9-5. Aqueles testes chegam a uma única conclusão que é fácil e rápida de entender.

Mas e a Listagem 9-2? Parece ilógico que poderíamos de alguma forma facilmente adicionar a afirmação se a saída está em XML e se ela contém certas substrings. Entretanto, podemos dividir o teste em dois, cada um com sua própria afirmação, como mostra a Listagem 9-7.

Listagem 9-7
`SerializedPageResponderTest.java (Afirmação Única)`

```
public void testGetPageHierarchyAsXml() throws Exception {
    givenPages("PageOne", "PageOne.ChildOne", "PageTwo");

    whenRequestIsIssued("root", "type:pages");

    thenResponseShouldBeXML();
  }

  public void testGetPageHierarchyHasRightTags() throws Exception {
    givenPages("PageOne", "PageOne.ChildOne", "PageTwo");

    whenRequestIsIssued("root", "type:pages");

    thenResponseShouldContain(
      "<name>PageOne</name>", "<name>PageTwo</name>", "<name>ChildOne</name>"
    );
  }
```

Note que mudei os nomes das funções para usar a convenção comum *given-when--then*[5] (dado-quando-então). Isso facilita ainda mais a leitura dos testes. Infelizmente, como pode ver, dividir os testes pode gerar muito código duplicado.

Podemos usar o padrão TEMPLATE METHOD[6] para eliminar a duplicação e colocar as partes *given/when* na classe base e as partes *then* em derivadas diferentes. Ou poderíamos criar uma classe de teste completamente separada e colocar as partes *given e when* na função @ `Before` e as partes *when* em cada função @`Test`. Mas isso parece muito trabalho para uma questão tão pequena. No final, prefiro as confirmações múltiplas na Listagem 9-2.

4. Vejam essa postagem no blog de Dave Astel: http://www.artima.com/weblogs/viewpost.jsp?thread=35578

5. [RSpec]

6. [GOF]

Acho que a regra da confirmação única é uma boa orientação[7]. Geralmente tento criar uma linguagem de teste para um domínio específico que a use, como na Listagem 9-5. Mas não tenho receio de colocar mais de uma confirmação em um teste. Acho que a melhor coisa que podemos dizer é que se deve minimizar o número de confirmações em um teste.

Um único conceito por teste

Talvez a melhor regra seja que desejamos um único conceito em cada função de teste. Não queremos funções longas que saiam testando várias coisas uma após a outra. A Listagem 9-8 é um exemplo disso. Esse teste deve ser dividido em três independentes, pois ele testa três coisas distintas. Juntá-los todos na mesma função obriga o leitor compreender o objetivo de cada função presente e o que ela testa.

Listagem 9-8

```
/**
 * Miscellaneous tests for the addMonths() method.
 */
public void testAddMonths() {
    SerialDate d1 = SerialDate.createInstance(31, 5, 2004);

    SerialDate d2 = SerialDate.addMonths(1, d1);
    assertEquals(30, d2.getDayOfMonth());
    assertEquals(6, d2.getMonth());
    assertEquals(2004, d2.getYYYY());

    SerialDate d3 = SerialDate.addMonths(2, d1);
    assertEquals(31, d3.getDayOfMonth());
    assertEquals(7, d3.getMonth());
    assertEquals(2004, d3.getYYYY());

    SerialDate d4 = SerialDate.addMonths(1, SerialDate.addMonths(1, d1));
    assertEquals(30, d4.getDayOfMonth());
    assertEquals(7, d4.getMonth());
    assertEquals(2004, d4.getYYYY());
}
```

As três funções de teste devem seguir provavelmente assim:

- *Dado* o último dia de um mês com 31 dias (como maio):
  1. Quando (when) você adicionar um mês cujo último dia seja o 30º (como junho), então (then) a data deverá ser o dia 30 daquele mês, e não 31.
  2. Quando (when) você adicionar dois meses àquela data cujo último dia seja o 31º, então (then) a data deverá ser o dia 31.

7. "Faça a manutenção do código!"

- *Dado* o último dia de um mês com 30 dias (como junho):

1. Quando (when) você adicionar um mês cujo último dia seja o 31º, então (then) a data deverá ser dia 30 e não 31.

Explicado dessa forma, você pode ver que há uma regra geral oculta nos testes diversos. Ao incrementar o mês, a data não pode ser maior do que o último dia daquele mês. Isso implica que incrementar o mês em 28 de fevereiro resultaria em 28 de março. Esse teste está faltando e seria útil criá-lo. Portanto, não são as confirmações múltiplas em cada seção da Listagem 9-8 que causa o problema.

É o fato de que há mais de um conceito sendo testado. Assim, provavelmente, a melhor regra seja minimizar o número de confirmações por conceito e testar apenas um conceito por função de teste.

F.I.R.S.T.[8]

Testes limpos seguem outras cinco regras que formam o acrônimo em inglês acima *(Fast, Independent, Repeatable, Self-validating, Timely)*:

Rapidez (Fast) os testes devem ser rápidos. Devem executar com rapidez. Quando os testes rodam devagar, você não desejará executá-los com frequência. E, consequentemente, não encontrará problemas cedo o bastante para consertá-los facilmente. E você não se sentirá livre para limpar o código, que acabará se degradando.

Independência (Independent) os testes não devem depender uns dos outros. Um teste não deve configurar as condições para o próximo. Você deve ser capaz de executar cada teste de forma independente e na ordem que desejar. Quando eles dependem uns dos outros, se o primeiro falhar causará um efeito dominó de falhas, dificultando o diagnóstico e ocultando os defeitos abaixo dele.

Repetitividade (Repeatable) deve-se poder repetir os testes em qualquer ambiente. Você deve ser capaz de efetuar testes no ambiente de produção, no de garantia de qualidade e no seu notebook enquanto volta para casa de trem sem uma rede disponível. Caso seus testes não possam ser repetidos em qualquer ambiente, então você sempre terá uma desculpa para o motivo das falhas. E também perceberá que não consegue rodar os testes fora o ambiente adequado.

Autovalidação (Self-Validating) os testes devem ter uma saída booleana. Obtenham ou não êxito, você não deve ler um arquivo de registro para saber o resultado. Você não deve ter de comparar manualmente dois arquivos texto para ver se os testes foram bem sucedidos. Se os testes não possuírem autovalidação, então uma falha pode se tornar subjetiva, e executar os testes pode exigir uma longa validação manual.

Pontualidade (Timely) os testes precisam ser escritos em tempo hábil. Devem-se criar os testes de unidade imediatamente antes do código de produção no qual serão aplicados. Se criá-los depois, o teste do código de produção poderá ficar mais difícil. Ou talvez você ache que um pouco do código de produção seja complexo demais para testar. Ou talvez você não crie o código de produção de maneira que possa ser testado.

---

8. Materiais de Treinamento da Object Mentor.

Conclusão

Aqui abordamos apenas o início deste tópico. De fato, acho que deveria ter um livro inteiro sobre Testes limpos. Os testes são tão importantes para a saúde de um projeto quanto o código de produção. Talvez até mais, pois eles preservam e aumentam a flexibilidade, capacidade de manutenção e reutilização do código de produção. Portanto, mantenha seus testes sempre limpos. Trabalhe para torná-los sucintos e expressivos. Invente APIS de teste que funcionem como uma linguagem específica a um domínio que lhe ajude a criar seus testes.

Se deixar os testes de degradarem, seu código também irá. Mantenha limpos os seus testes.

Bibliografia

[RSpec]: *RSpec: Behavior Driven Development for Ruby Programmers*, Aslak Hellesøy, David Chelimsky, Pragmatic Bookshelf, 2008.

[GOF]: *Design Patterns: Elements of Reusable Object Oriented Software*, Gamma et al., Addison-Wesley, 1996.

10

Classes

com Jeff Langr

Até agora, este livro se focou em como escrever bem linhas e blocos de código. Mergulhamos na composição apropriada para funções e como elas se interrelacionam. Mas apesar de termos falado bastante sobre a expressividade das instruções do código e as funções que o compõem, ainda não teremos um código limpo até discutirmos sobre os níveis mais altos da organização do código. Vamos falar agora sobre classes limpas.

Organização das classes

Seguindo uma convenção padrão Java, uma classe deve começar com uma lista de variáveis. As públicas (*public*), estáticas (*static*) e constantes (*constants*), se existirem, devem vir primeiro. Depois vem as variáveis estáticas privadas (*private static*), seguidas pelas instâncias privadas. Raramente há uma boa razão para se ter uma variável pública (*public*).

As funções públicas devem vir após a lista de variáveis. Gostamos de colocar as tarefas privadas chamadas por uma função pública logo depois desta. Isso segue a regra de cima para baixo e ajuda o programa a ser lido como um artigo de jornal.

Encapsulamento

Gostaríamos que nossas variáveis e funções fossem privadas, mas não somos radicais. Às vezes, precisamos tornar uma variável ou função protegida (*protected*) de modo que possa ser acessada para testes. Para nós, o teste tem prioridade. Se um teste no mesmo pacote precisa chamar uma função ou acessar uma variável, a tornaremos protegida ou apenas no escopo do pacote. Entretanto, primeiro buscaremos uma forma de manter a privacidade. Perder o encapsulamento sempre é o último recurso.

As classes devem ser pequenas!

A primeira regra para classes é que devem ser pequenas. A segunda é que devem ser menores ainda. Não, não iremos repetir o mesmo texto do capítulo sobre Funções. Mas assim como com as funções, ser pequena também é a regra principal quando o assunto for criar classes. Assim como com as funções, nossa questão imediata é "O quão pequena?".

Com as funções medimos o tamanho contando as linhas físicas. Com as classes usamos uma medida diferente. Contamos as responsabilidades[1].

A Listagem 10-1 realça uma classe, a `SuperDashboard`, que expõe cerca de 70 métodos públicos. A maioria dos desenvolvedores concordaria que ela é um grande demais em tamanho. Outros desenvolvedores diriam que a `SuperDashboard` é uma "classe Deus".

Listagem 10-1
Responsabilidades em excesso

```
public class SuperDashboard extends JFrame implements MetaDataUser
   public String getCustomizerLanguagePath()
   public void setSystemConfigPath(String systemConfigPath)
   public String getSystemConfigDocument()
   public void setSystemConfigDocument(String systemConfigDocument)
   public boolean getGuruState()
   public boolean getNoviceState()
   public boolean getOpenSourceState()
   public void showObject(MetaObject object)
   public void showProgress(String s)
```

1. [RDD].

Listagem 10-1 (continuação)

Responsabilidades em excesso

```
public boolean isMetadataDirty()
public void setIsMetadataDirty(boolean isMetadataDirty)
public Component getLastFocusedComponent()
public void setLastFocused(Component lastFocused)
public void setMouseSelectState(boolean isMouseSelected)
public boolean isMouseSelected()
public LanguageManager getLanguageManager()
public Project getProject()
public Project getFirstProject()
public Project getLastProject()
public String getNewProjectName()
public void setComponentSizes(Dimension dim)
public String getCurrentDir()
public void setCurrentDir(String newDir)
public void updateStatus(int dotPos, int markPos)
public Class[] getDataBaseClasses()
public MetadataFeeder getMetadataFeeder()
public void addProject(Project project)
public boolean setCurrentProject(Project project)
public boolean removeProject(Project project)
public MetaProjectHeader getProgramMetadata()
public void resetDashboard()
public Project loadProject(String fileName, String projectName)
public void setCanSaveMetadata(boolean canSave)
public MetaObject getSelectedObject()
public void deselectObjects()
public void setProject(Project project)
public void editorAction(String actionName, ActionEvent event)
public void setMode(int mode)
public FileManager getFileManager()
public void setFileManager(FileManager fileManager)
public ConfigManager getConfigManager()
public void setConfigManager(ConfigManager configManager)
public ClassLoader getClassLoader()
public void setClassLoader(ClassLoader classLoader)
public Properties getProps()
public String getUserHome()
public String getBaseDir()
public int getMajorVersionNumber()
public int getMinorVersionNumber()
public int getBuildNumber()
public MetaObject pasting(
   MetaObject target, MetaObject pasted, MetaProject project)
public void processMenuItems(MetaObject metaObject)
public void processMenuSeparators(MetaObject metaObject)
public void processTabPages(MetaObject metaObject)
public void processPlacement(MetaObject object)
public void processCreateLayout(MetaObject object)
public void updateDisplayLayer(MetaObject object, int layerIndex)
public void propertyEditedRepaint(MetaObject object)
public void processDeleteObject(MetaObject object)
public boolean getAttachedToDesigner()
public void processProjectChangedState(boolean hasProjectChanged)
public void processObjectNameChanged(MetaObject object)
public void runProject()
```

Listagem 10-1 (continuação)
Responsabilidades em excesso

```
    public void setAçowDragging(boolean allowDragging)
    public boolean allowDragging()
    public boolean isCustomizing()
    public void setTitle(String title)
    public IdeMenuBar getIdeMenuBar()
    public void showHelper(MetaObject metaObject, String propertyName)
    // ... many non-public methods follow ...
}
```

Mas e se `SuperDashboard` possuísse apenas os métodos da Listagem 10-2?

Listagem 10-2
Pequena o suficiente?

```
public class SuperDashboard extends JFrame implements MetaDataUser
    public Component getLastFocusedComponent()
    public void setLastFocused(Component lastFocused)
    public int getMajorVersionNumber()
    public int getMinorVersionNumber()
    public int getBuildNumber()
}
```

Cinco metodos não é muito, é? Neste caso é, pois apesar da pequena quantidade de métodos, a `SuperDashboard` possui muitas responsabilidades.

O nome de uma classe deve descrever quais responsabilidades ela faz. Na verdade, selecionar um nome é a primeira forma de ajudar a determinar o tamanho da classe. Se não derivarmos um nome conciso para ela, então provavelmente ela ficará grande. Quanto mais ambíguo for o nome da classe, maiores as chances de ela ficar com muitas responsabilidades. Por exemplo, nomes de classes que possuam palavras de vários sentidos, como `Processor` ou `Manager` ou `Super`, geralmente indicam um acúmulo lastimável de responsabilidades.

Devemos também poder escrever com cerca de 25 palavras uma breve descrição da classe, sem usar as palavras "se", "e", "ou" ou "mas". Como descreveríamos a `SuperDashboard`? "A `SuperDashboard` oferece acesso ao componente que foi o último utilizado e também nos permite acompanhar os números da versão e da compilação". O primeiro "e" é uma dica de que a classe possui responsabilidades em excesso.

O Princípio da Responsabilidade Única

O Principio da Responsabilidade Única (SRP, sigla em inglês para *Single Responsibility Principle*)[2] afirma que uma classe ou módulo deve ter um, e apenas um, motivo para mudar. Este princípio nos dá uma definição de responsabilidade e uma orientação para o tamanho da classe. Estas devem ter apenas uma responsabilidade e um motivo para mudar.

Uma classe pequena como essa, a `SuperDashboard`, na Listagem 10-2, possui duas razões para ser alterada. Primeiro, ela acompanha a informação sobre a versão,

2. Pode-se ler muito mais sobre este principio em [PPP].

que precisa ser atualizada sempre que surgir uma nova distribuição do software. Segundo, ela gerencia os componentes Swing do Java (é um derivado do `JFrame`, a representação do Swing de uma janela GUI de alto nível). Sem dúvida iremos querer atualizar o número da versão se alterarmos qualquer código do Swing, mas o oposto não é necessariamente verdadeiro: podemos mudar as informações da versão baseando-nos nas modificações em outros códigos no sistema.

Tentar identificar as responsabilidades (motivos para alteração) costuma nos ajudar a reconhecer e criar abstrações melhores em nosso código. Podemos facilmente extrair todos os três métodos `SuperDashboard` que lidam com as informações de versão em uma classe separada chamada `Version`. (Veja a Listagem 10-3). A classe `Version` é um construtor que possui um alto potencial para reutilização em outros aplicativos!

Listagem 10-3
Classe com responsabilidade única

```
public class Version {
    public int getMajorVersionNumber()
    public int getMinorVersionNumber()
    public int getBuildNumber()
}
```

O SRP é um dos conceitos mais importantes no desenvolvimento OO. É também um dos mais simples para se entender e aprender. Mesmo assim, estranhamente, o SRP geralmente é o princípio mais ignorado na criação de classes. Frequentemente, encontramos classes que faz muitas coisas. Por quê?

Fazer um software funcionar e torná-lo limpo são duas coisas bem diferentes. A maioria de nós tem uma mente limitada, por isso, nós tentamos fazer com que nosso código possua mais do que organização e clareza. Isso é totalmente apropriado. Manter responsabilidades é tão importante em nossas atividades de programação como em nossos programas.

O problema é que muitos de nós achamos que já terminamos se o programa funciona. Esquecemo-nos da outra questão de organização e de clareza. Seguimos para o próximo problema em vez de voltar e dividir as classes muito cheias em outras com responsabilidades únicas.

Ao mesmo tempo, muitos desenvolvedores temem que um grande número de classes pequenas e de propósito único dificulte mais o entendimento geral do código. Eles ficam apreensivos em ter de navegar de classe em classe para descobrir como é realizada uma parte maior da tarefa.

Entretanto, um sistema com muitas classes pequenas não possui tantas partes separadas a mais como um com classes grandes. Há também bastante a se aprender num sistema com poucas classes grandes. Portanto, a questão é: você quer suas ferramentas organizadas em caixas de ferramentas com muitas gavetas pequenas, cada um com objetos bem classificados e rotulados? Ou poucas gavetas nas quais você coloca tudo?

Todo sistema expansível poderá conter uma grande quantidade de lógica e complexidade. O objetivo principal no gerenciamento de tal complexidade é organizá-la de modo que o desenvolvedor saiba onde buscar o que ele deseja e que precise entender apenas a complexidade que afeta diretamente um dado momento. Em contrapartida, um sistema com classes maiores de vários propósitos sempre nos atrasa insistindo que percorramos por diversas coisas que não precisamos saber no momento.

Reafirmando os pontos anteriores: desejamos que nossos sistemas sejam compostos por muitas classes pequenas, e não poucas classes grandes. Cada classe pequena encapsula uma única responsabilidade, possui um único motivo para ser alterada e contribui com poucas outras para obter os comportamentos desejados no sistema.

Coesão

As classes devem ter um pequeno número de variáveis de instâncias. Cada método de uma classe deve manipular uma ou mais dessas variáveis. De modo geral, quanto mais variáveis um método manipular, mais coeso o método é para sua classe. Uma classe na qual cada variável é utilizada por um método é totalmente coesa.

De modo geral, não é aconselhável e nem possível criar tais classes totalmente coesas; por outro lado, gostaríamos de obter uma alta coesão. Quando conseguimos, os métodos e as variáveis da classe são codependentes e ficam juntas como um todo lógico.

Considere a implementação de uma `Stack` (pilha) na Listagem 10-4. A classe é bastante coesa. Dos três métodos, apenas `size()` não usa ambas as variáveis.

Listagem 10-4
`Stack.java` - uma classe coesa.

```
public class Stack {
  private int topOfStack = 0;
  List<Integer> elements = new LinkedList<Integer>();

  public int size() {
    return topOfStack;
  }

  public void push(int element) {
    topOfStack++;
    elements.add(element);
  }

  public int pop() throws PoppedWhenEmpty {
    if (topOfStack == 0)
      throw new PoppedWhenEmpty();
    int element = elements.get(--topOfStack);
    elements.remove(topOfStack);
    return element;
  }
}
```

A estratégia para manter funções pequenas e listas de parâmetros curtas às vezes pode levar à proliferação de variáveis de instâncias que são usadas por uma sequência de métodos. Quando isso ocorre, quase sempre significa que há pelo menos uma outra classe tentando sair da classe maior na qual ela está. Você sempre deve tentar separar as variáveis e os métodos em duas ou mais classes de modo que as novas classes sejam mais coesas.

Manutenção de resultados coesos em muitas classes pequenas

Só o ato de dividir funções grandes em menores causa a proliferação de classes. Imagine uma função grande com muitas variáveis declaradas. Digamos que você deseje extrair uma pequena parte dela para uma outra função. Entretanto, o código a ser extraído usa quatro das variáveis declaradas na função. Você deve passar todas as quatro para a nova função como parâmetros?

Absolutamente não! Se convertêssemos aquelas quatro variáveis em variáveis de instâncias da classe, então poderíamos extrair o código sem passar qualquer variável. Seria fácil dividir a função em partes menores.

Infelizmente, isso também significa que nossas classes perderiam coesão, pois acumulariam mais e mais variáveis de instâncias que existiriam somente para permitir que as poucas funções as compartilhassem. Mas, espere! Se há poucas funções que desejam compartilhar certas variáveis, isso não as torna uma classe? Claro que sim. Quando as classes perdem coesão, divida-as!

Portanto, separar uma função grande em muitas pequenas geralmente nos permite dividir várias classes também. Isso dá ao nosso programa uma melhor organização e uma estrutura mais transparente.

Como exemplo do que quero dizer, usemos um exemplo respeitado há anos, extraído do maravilhoso livro *Literate Programming*[3], de Knuth. A Listagem 10-5 mostra uma tradução em Java do programa `PrintPrimes` de Knuth. Para ser justo com Knuth, este não é o programa que ele escreveu, mas o que foi produzido pela sua ferramenta WEB. Uso-o por ser um grande ponto de partida para dividir uma função grande em muitas funções e classes menores.

Listagem 10-5
`PrintPrimes.java`

```
package literatePrimes;

public class PrintPrimes {
  public static void main(String[] args) {
    final int M = 1000;
    final int RR = 50;
    final int CC = 4;
    final int WW = 10;
    final int ORDMAX = 30;
    int P[] = new int[M + 1];
    int PAGENUMBER;
    int PAGEOFFSET;
    int ROWOFFSET;
    int C;
```

3. [Knuth92]

Listagem 10-5 (continuação)
PrintPrimes.java

```
    int J;
    int K;
    boolean JPRIME;
    int ORD;
    int SQUARE;
    int N;
    int MULT[] = new int[ORDMAX + 1];

    J = 1;
    K = 1;
    P[1] = 2;
    ORD = 2;
    SQUARE = 9;

    while (K < M) {
      do {
        J = J + 2;
        if (J == SQUARE) {
          ORD = ORD + 1;
          SQUARE = P[ORD] * P[ORD];
          MULT[ORD - 1] = J;
        }
        N = 2;
        JPRIME = true;
        while (N < ORD && JPRIME) {
          while (MULT[N] < J)
            MULT[N] = MULT[N] + P[N] + P[N];
          if (MULT[N] == J)
            JPRIME = false;
          N = N + 1;
        }
      } while (!JPRIME);
      K = K + 1;
      P[K] = J;
    }
    {
      PAGENUMBER = 1;
      PAGEOFFSET = 1;
      while (PAGEOFFSET <= M) {
        System.out.println("The First " + M +
                           " Prime Numbers --- Page " + PAGENUMBER);
        System.out.println("");
        for (ROWOFFSET = PAGEOFFSET; ROWOFFSET < PAGEOFFSET + RR; ROWOFFSET++){
          for (C = 0; C < CC;C++)
            if (ROWOFFSET + C * RR <= M)
              System.out.format("%10d", P[ROWOFFSET + C * RR]);
          System.out.println("");
        }
        System.out.println("\f");
        PAGENUMBER = PAGENUMBER + 1;
        PAGEOFFSET = PAGEOFFSET + RR * CC;
      }
    }
  }
}
```

Este programa, escrito como uma única função, é uma bagunça; possui uma estrutura com muitas indentações, uma abundância de variáveis estranhas e uma estrutura fortemente acoplada. No mínimo essa grande função deve ser dividida em algumas menores.

Da Listagem 10-6 a 10-8 mostra o resultado da divisão do código na Listagem 10-5 em classes e funções menores, e seleciona nomes significativos para as classes, funções e variáveis.

Listagem 10-6
PrimePrinter.java (refatorado)

```
package literatePrimes;

public class PrimePrinter {
  public static void main(String[] args) {
    final int NUMBER_OF_PRIMES = 1000;
    int[] primes = PrimeGenerator.generate(NUMBER_OF_PRIMES);

    final int ROWS_PER_PAGE = 50;
    final int COLUMNS_PER_PAGE = 4;
    RowColumnPagePrinter tablePrinter =
      new RowColumnPagePrinter(ROWS_PER_PAGE,
                               COLUMNS_PER_PAGE,
                               "The First " + NUMBER_OF_PRIMES +
                                 " Prime Numbers");

    tablePrinter.print(primes);
  }

}
```

Listagem 10-7
RowColumnPagePrinter.java

```
package literatePrimes;

import java.io.PrintStream;

public class RowColumnPagePrinter {
  private int rowsPerPage;
  private int columnsPerPage;
  private int numbersPerPage;
  private String pageHeader;
  private PrintStream printStream;

  public RowColumnPagePrinter(int rowsPerPage,
                              int columnsPerPage,
                              String pageHeader) {
    this.rowsPerPage = rowsPerPage;
    this.columnsPerPage = columnsPerPage;
    this.pageHeader = pageHeader;
    numbersPerPage = rowsPerPage * columnsPerPage;
    printStream = System.out;
  }
```

Listagem 10-7 (continuação)

RowColumnPagePrinter.java

```
  public void print(int data[]) {
    int pageNumber = 1;
    for (int firstIndexOnPage = 0;
         firstIndexOnPage < data.length;
         firstIndexOnPage += numbersPerPage) {
      int lastIndexOnPage =
        Math.min(firstIndexOnPage + numbersPerPage - 1,
                 data.length - 1);
      printPageHeader(pageHeader, pageNumber);
      printPage(firstIndexOnPage, lastIndexOnPage, data);
      printStream.println("\f");
      pageNumber++;
    }
  }

  private void printPage(int firstIndexOnPage,
                         int lastIndexOnPage,
                         int[] data) {
    int firstIndexOfLastRowOnPage =
      firstIndexOnPage + rowsPerPage - 1;
    for (int firstIndexInRow = firstIndexOnPage;
         firstIndexInRow <= firstIndexOfLastRowOnPage;
         firstIndexInRow++) {
      printRow(firstIndexInRow, lastIndexOnPage, data);
      printStream.println("");
    }
  }

  private void printRow(int firstIndexInRow,
                        int lastIndexOnPage,
                        int[] data) {
    for (int column = 0; column < columnsPerPage; column++) {
      int index = firstIndexInRow + column * rowsPerPage;
      if (index <= lastIndexOnPage)
        printStream.format("%10d", data[index]);
    }
  }

  private void printPageHeader(String pageHeader,
                               int pageNumber) {
    printStream.println(pageHeader + " --- Page " + pageNumber);
    printStream.println("");
  }

  public void setOutput(PrintStream printStream) {
    this.printStream = printStream;
  }
}
```

Listagem 10-8
PrimeGenerator.java

```
package literatePrimes;

import java.util.ArrayList;

public class PrimeGenerator {
  private static int[] primes;
  private static ArrayList<Integer> multiplesOfPrimeFactors;

  protected static int[] generate(int n) {
    primes = new int[n];
    multiplesOfPrimeFactors = new ArrayList<Integer>();
    set2AsFirstPrime();
    checkOddNumbersForSubsequentPrimes();
    return primes;
  }

  private static void set2AsFirstPrime() {
    primes[0] = 2;
    multiplesOfPrimeFactors.add(2);
  }

  private static void checkOddNumbersForSubsequentPrimes() {
    int primeIndex = 1;
    for (int candidate = 3;
         primeIndex < primes.length;
         candidate += 2) {
      if (isPrime(candidate))
        primes[primeIndex++] = candidate;
    }
  }

  private static boolean isPrime(int candidate) {
    if (isLeastRelevantMultipleOfNextLargerPrimeFactor(candidate)) {
      multiplesOfPrimeFactors.add(candidate);
      return false;
    }
    return isNotMultipleOfAnyPreviousPrimeFactor(candidate);
  }

  private static boolean
  isLeastRelevantMultipleOfNextLargerPrimeFactor(int candidate) {
    int nextLargerPrimeFactor = primes[multiplesOfPrimeFactors.size()];
    int leastRelevantMultiple = nextLargerPrimeFactor * nextLargerPrimeFactor;
    return candidate == leastRelevantMultiple;
  }

  private static boolean
  isNotMultipleOfAnyPreviousPrimeFactor(int candidate) {
    for (int n = 1; n < multiplesOfPrimeFactors.size(); n++) {
      if (isMultipleOfNthPrimeFactor(candidate, n))
        return false;
    }
```

Listagem 10-8 (continuação)
PrimeGenerator.java

```
      return true;
    }

    private static boolean
    isMultipleOfNthPrimeFactor(int candidate, int n) {
      return
        candidate == smallestOddNthMultipleNotLessThanCandidate(candidate, n);
    }

    private static int
    smallestOddNthMultipleNotLessThanCandidate(int candidate, int n) {
      int multiple = multiplesOfPrimeFactors.get(n);
      while (multiple < candidate)
        multiple += 2 * primes[n];
      multiplesOfPrimeFactors.set(n, multiple);
      return multiple;
    }
  }
```

A primeira coisa que você deve perceber é que o programa ficou bem maior, indo de uma página para quase três. Há diversas razões para esse aumento. Primeiro, o programa refatorado usa nomes de variáveis mais longos e descritivos. Segundo, ele usa declarações de funções e classes como uma forma de adicionar comentários ao código. Terceiro, usamos espaços em branco e técnicas de formatação para manter a legibilidade.

Note como o programa foi dividido em três responsabilidades principais. O programa principal está sozinho na classe `PrimePrinter` cuja responsabilidade é lidar com o ambiente de execução. Ela será modificada se o método de chamada também for. Por exemplo, se esse programa fosse convertido para um serviço SOAP, esta seria a classe afetada.

O `RowColumnPagePrinter` sabe tudo sobre como formatar uma lista de números em páginas com uma certa quantidade de linhas e colunas. Se for preciso modificar a formatação da saída, então essa seria a classe afetada.

A classe `PrimeGenerator` sabe como gerar uma lista de números primos. Note que ela não foi feita para ser instanciada como um objeto. A classe é apenas um escopo prático no qual suas variáveis podem ser declaradas e mantidas ocultas. Se o algoritmo para o cálculo de números primos mudar, essa classe também irá.

Não a reescrevemos! Não começamos do zero e escrevemos o programa novamente. De fato, se olhar os dois programas diferentes de perto, verá que usam o mesmo algoritmo e lógica para efetuar as tarefas.

A alteração foi feita criando-se uma coleção de testes que verificou o comportamento preciso do primeiro programa. Então, uma miríade de pequenas mudanças foram feitas, uma de cada vez. Após cada alteração, executava-se o programa para garantir que o comportamento não havia mudado. Um pequeno passo após o outro e o primeiro programa foi limpo e transformado no segundo.

Como organizar para alterar

Para a maioria dos sistemas, a mudança é constante. A cada uma, corremos o risco de o sistema não funcionar mais como o esperado. Em um sistema limpo, organizamos nossas classes de modo a reduzir os riscos nas alterações.

A classe `Sql` na Listagem 10-9 gera strings no formato SQL adequado dado um metadados apropriado. É um trabalho contínuo e, como tal, ainda não suporta funcionalidade SQL, como as instruções `update`. Quando chegar a hora da classe `SQL` suportar uma instrução update, teremos de "abrir" essa classe e fazer as alterações. Qualquer modificação na classe tem a possibilidade de estragar outro código na classe. É preciso testar tudo novamente.

Listagem 10-9
Classe que precisa ser aberta para alteração

```
public class Sql {
   public Sql(String table, Column[] columns)
   public String create()
   public String insert(Object[] fields)
   public String selectAll()
   public String findByKey(String keyColumn, String keyValue)
   public String select(Column column, String pattern)
   public String select(Criteria criteria)
   public String preparedInsert()
   private String columnList(Column[] columns)
   private String valuesList(Object[] fields, final Column[] columns)
   private String selectWithCriteria(String criteria)
   private String placeholderList(Column[] columns)
}
```

A classe `Sql` deve ser alterada quando adicionamos um novo tipo de instrução ou quando mudarmos os detalhes de um único tipo de instrução – por exemplo, se precisarmos modificar a funcionalidade do `select` para suportar "sub-selects". Esses dois motivos para alteração significam que a classe `Sql` viola o SRP.

Podemos ver essa quebra da regra num simples ponto horizontal. O método realçado da `Sql` mostra que há métodos privados, como o `selectWithCriteria`, que parecem se relacionar apenas às instruções `select`.

O comportamento do método privado aplicado apenas a um pequeno subconjunto de uma classe por ser uma heurística útil para visualizar possíveis áreas para aperfeiçoamento. Entretanto, o indício principal para se tomar uma ação deve ser a alteração do sistema em si. Se a classe `Sql` for considerada logicamente completa, então não temos de nos preocupar em separar as responsabilidades. Se não precisamos da funcionalidade `update` num futuro próximo, então devemos deixar a `Sql` em paz. Mas assim que tivermos de "abrir" uma classe, devemos considerar consertar nosso projeto.

E se considerássemos uma solução como a da Listagem 10-10? Cada método de interface pública definido na `Sql` anterior na Listagem 10-9 foi refatorado para sua própria classe derivada `Sql`. Note que os métodos privados, como `valuesList`, vão diretamente para onde são necessários. O comportamento privado comum foi isolado para um par de classes utilitárias, `Where` e `ColumnList`.

Listagem 10-10
Várias classes fechadas

```
abstract public class Sql {
   public Sql(String table, Column[] columns)
   abstract public String generate();
}

public class CreateSql extends Sql {
   public CreateSql(String table, Column[] columns)
   @Override public String generate()
}

public class SelectSql extends Sql {
   public SelectSql(String table, Column[] columns)
   @Override public String generate()
}

public class InsertSql extends Sql {
   public InsertSql(String table, Column[] columns, Object[] fields)
   @Override public String generate()
   private String valuesList(Object[] fields, final Column[] columns)
}

public class SelectWithCriteriaSql extends Sql {
   public SelectWithCriteriaSql(
      String table, Column[] columns, Criteria criteria)
   @Override public String generate()
}

public class SelectWithMatchSql extends Sql {
   public SelectWithMatchSql(
      String table, Column[] columns, Column column, String pattern)
   @Override public String generate()
}

public class FindByKeySql extends Sql
   public FindByKeySql(
      String table, Column[] columns, String keyColumn, String keyValue)
   @Override public String generate()
}

public class PreparedInsertSql extends Sql {
   public PreparedInsertSql(String table, Column[] columns)
   @Override public String generate() {
   private String placeholderList(Column[] columns)
}

public class Where {
   public Where(String criteria)
   public String generate()
}
```

Listagem 10-10 (continuação)
Várias classes fechadas

```
public class ColumnList {
   public ColumnList(Column[] columns)
   public String generate()
}
```

O código em cada classe se torna absurdamente simples. O tempo necessário para entendermos qualquer classe caiu para quase nenhum. O risco de que uma função possa prejudicar outra se torna ínfima. Do ponto de vista de testes, virou uma tarefa mais fácil testar todos os pontos lógicos nesta solução, já que as classes estão isoladas umas das outras.

Tão importante quanto é quando chega a hora de adicionarmos as instruções `update`, nenhuma das classes existentes precisam ser alteradas! Programamos a lógica para construir instruções `update` numa nova subclasse de `Sql` chamada `UpdateSql`. Nenhum outro código no sistema sofrerá com essa mudança.

Nossa lógica reestruturada da `Sql` representa o melhor possível. Ela suporta o SRP e outro princípio-chave de projeto de classe OO, conhecido como Princípio de Aberto-Fechado OCP[4] (sigla em inglês para Open-Closed Principle). As classes devem ser abertas para expansão, mas fechadas para alteração. Nossa classe `Sql` reestruturada está aberta para permitir novas funcionalidades através da criação de subclasses, mas podemos fazer essa modificação ao mesmo tempo em que mantemos as outras classes fechadas. Simplesmente colocamos nossa classe `UpdateSql` em seu devido lugar.

Desejamos estruturar nossos sistemas de modo que baguncemos o mínimo possível quando os atualizarmos. Num sistema ideal, incorporaríamos novos recursos através da expansão do sistema, e não alterando o código existente.

Como isolar das alterações

As necessidades mudarão, portanto o código também. Aprendemos na introdução à OO que há classes concretas, que contêm detalhes de implementação (código), e classes abstratas, que representam apenas conceitos. Uma classe do cliente dependente de detalhes concretos corre perigo quando tais detalhes são modificados. Podemos oferecer interfaces e classes abstratas para ajudar a isolar o impacto desses detalhes.

Dependências sobre detalhes concretos gera desafios para nosso sistema de teste. Se estivermos construindo uma classe `Portfolio` e ela depender de uma API `TokyoStockExchange` externa para derivar o valor do portfolio, nossos casos de testes são afetados pela volatilidade dessa consulta. É difícil criar um teste quando obtemos uma resposta diferente a cada cinco minutos!

Em vez de criar a `Portfolio` de modo que ela dependa diretamente de `TokyoStockExchange`, podemos criar uma interface `StockExchange` que declare um único método:

```
public interface StockExchange {
  Money currentPrice (String symbol);
}
```

4. [PPP]

Desenvolvemos `TokyoStockExchange` para implementar essa interface. Também nos certificamos se o construtor de `Portfolio` recebe uma referência a `StockExchange` como parâmetro:

```
public Portfolio {
  private StockExchange exchange;
  public Portfolio(StockExchange exchange) {
    this.exchange = exchange;
  }
  // ...
}
```

Agora nosso teste pode criar uma implementação para testes da interface `StockExchange` que simula a `TokyoStockExchange`. Essa implementação fixará o valor para qualquer símbolo que testarmos. Se nosso teste demonstrar a compra de cinco ações da Microsoft para nosso portfolio, programamos a implementação do teste para sempre retornar U$ 100 dólares por ação. Nossa implementação de teste da interface `StockExchange` se reduz a uma simples tabela de consulta. Podemos, então, criar um teste que espere U$ 500 dólares como o valor total do portfolio.

```
public class PortfolioTest {
  private FixedStockExchangeStub exchange;
  private Portfolio portfolio;

  @Before
  protected void setUp() throws Exception {
    exchange = new FixedStockExchangeStub();
    exchange.fix("MSFT", 100);
    portfolio = new Portfolio(exchange);
}

  @Test
  public void GivenFiveMSFTTotalShouldBe500() throws Exception {
    portfolio.add(5, "MSFT");
    Assert.assertEquals(500, portfolio.value());
  }
}
```

Se o um sistema estiver desacoplado o bastante para ser testado dessa forma, ele também será mais flexível e terá maior capacidade de reutilização. O baixo acoplamento significa que os elementos de nosso sistema ficam melhores quando isolados uns dos outros e das alterações, facilitando o entendimento de cada elemento do sistema.

Ao minimizar o acoplamento dessa forma, nossas classes aderem a outro princípio de projeto de classes conhecido como Princípio da Injeção da Dependência, (DIP sigla em inglês)[5]. Basicamente, o DIP diz que nossas classes devem depender de abstrações, não de detalhes concretos.

Em vez de depender da implementação de detalhes da classe `TokyoStockExchange`, nossa classe `Portfolio` agora é dependente da interface `StockExchange`, que representa o conceito abstrato de pedir o preço atual de um símbolo. Essa abstração isola todos os detalhes específicos sobre a obtenção de tal preço, incluindo sua origem.

---

5. [PPP].

Bibliografia

[RDD]: *Object Design: Roles, Responsibilities, and Collaborations*, Rebecca WirfsBrock et al., Addison-Wesley, 2002.

[PPP]: *Agile Software Development: Principles, Patterns, and Practices*, Robert C. Martin, Prentice Hall, 2002.

[Knuth92]: *Literate Programming*, Donald E. Knuth, Center for the Study of language and Information, Leland Stanford Junior University, 1992.

11

Sistemas

por Dr. Kevin Dean Wampler

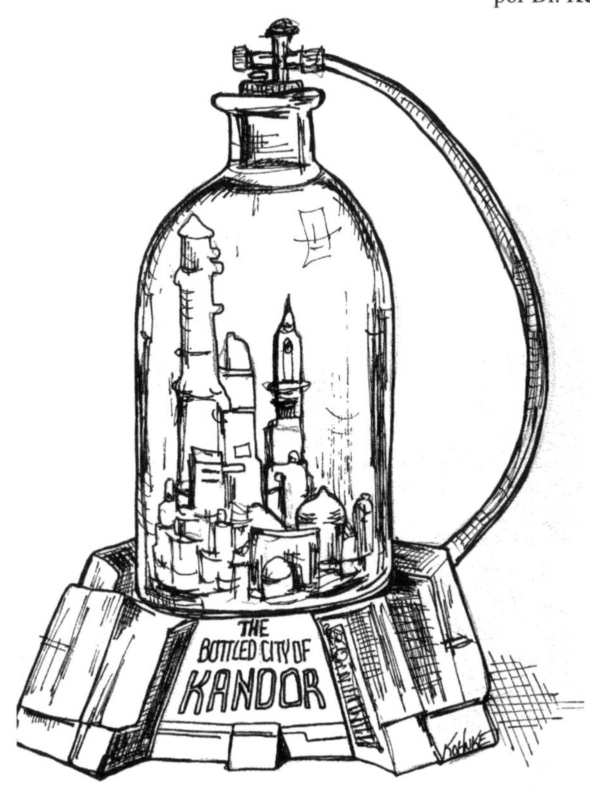

"Complexidade mata. Ela suga a vida dos desenvolvedores, dificulta o planejamento, a construção e o teste dos produtos".
—Ray Ozzie, CTO, Microsoft Corporation

Como você construiria uma cidade?

Conseguiria tratar de todos os detalhes sozinho? Provavelmente não. Até mesmo o gerenciamento de uma cidade é muito para uma pessoa só. Mesmo assim, as cidades funcionam (na maioria das vezes). Isso porque possuem equipes de pessoas que gerenciam partes específicas da cidade, o sistema de abastecimento de água, de energia, de trânsito, a segurança pública, as normas de construção, e assim por diante. Algumas dessas pessoas são responsáveis pela visão geral, enquanto outros se focam nos detalhes.

As cidades também funcionam porque progrediram em níveis apropriados de abstração e modularidade os quais possibilitaram que indivíduos e os "componentes" pudessem trabalhar de forma eficiente, mesmo sem ter noção da coisa como um todo.

Embora equipes de software geralmente sejam organizadas dessa forma também, os sistemas nos quais trabalham não costuma ter a mesma divisão de preocupações e níveis de abstração. Um código limpo nos ajuda a alcançar esses níveis mais baixos de abstração. Neste capítulo, consideremos como manter o código limpo nos níveis de abstração mais altos, o nível do sistema.

Separe a construção e o uso de um sistema

Primeiramente, considere que construção é um processo diferente de *utilização*. Na época em que escrevo este livro, há um novo hotel sendo construído que posso ver através da minha janela em Chicago. Hoje só há pilares de concreto com uma grua e um elevador preso do lado de fora. Todas as pessoas ocupadas lá usavam capacetes de proteção e roupas de trabalho. Em mais ou menos um ano, o hotel ficará pronto. A grua e o elevador terão indo embora. O edifício estará limpo, envolto em paredes com janelas de vidro e um tingimento atraente. As pessoas que trabalharão e ficarão ali também serão diferentes.

> *Os sistemas de software devem separar o processo de inicialização – a criação dos objetos do aplicativo e a "conexão" entre as dependências – da lógica em tempo de execução que vem após a inicialização.*

O processo inicial é uma preocupação da qual qualquer aplicativo deva tratar. E será a primeira analisada neste capítulo. A separação de preocupações é uma das técnicas de projeto mais antigas e importantes em nossa profissão.

Infelizmente, a maioria dos aplicativos não faz essa separação. O código do processo de inicialização é específico e misturado na lógica em tempo de execução. Abaixo está um exemplo típico:

```
public Service getService() {
  if (service == null)
    service = new MyServiceImpl(...); // Padrão bom o suficiente para a
                                       //maioria dos casos?
  return service;
}
```

Essa é a expressão INICIALIZAÇÃO/AVALIAÇÃO TARDIA, digna de vários méritos. Não visualizamos a operação geral da construção a menos que realmente usemos o objeto, e, como resultado, nosso tempo de inicialização pode ser mais rápido. Também garantimos que nunca seja retornado `null`.

Entretanto, agora temos uma dependência codificada permanentemente em `MyServiceImpl` e tudo o que seu construtor exige (o que omiti). Não podemos compilar sem resolver essas dependências, mesmo se nunca usarmos um objeto desse tipo tempo de execução.

Efetuar testes pode ser um problema. Se `MyServiceImpl` for um objeto grande, precisamos garantir que um TEST DOUBLE[1] ou MOCK OBJECT seja atribuído à área de operação antes deste método ser chamado no teste de unidade. Como temos lógica da construção misturada ao processamento normal em tempo de execução, devemos testar todos os caminhos da execução (por exemplo, o teste `null` e seu bloco). Ter essas duas responsabilidades significa que o método faz mais de uma coisa, portanto estamos violando, de certa forma, o *Princípio da* Responsabilidade Única.

Talvez o pior de tudo é que não sabemos se `MyServiceImpl` é o objeto correto em todas as classes, e foi isso que indiquei no comentário. Por que a classe que possui este método precisa enxergar o contexto global? Realmente jamais poderemos saber qual o objeto certo usar aqui? É possível que um tipo seja o certo para todos contextos?

É claro que uma ocorrência de INICIALIZAÇÃO-TARDIA não é um problema sério. Entretanto, costuma-se ter muitas instâncias de pequenas expressões como essa nos aplicativos. Devido a isso, a estratégia de configuração global (se houver uma) fica espalhada pelo aplicativo, com pouca modularidade e, geralmente, duplicação considerável.

Se formos cuidadosos ao construir sistemas bem estruturados e robustos, jamais devemos deixar que expressões convenientes prejudiquem a modularidade. O processo de inicialização da construção e atribuição de um objeto não são exceções. Devemos modularizar esse processo de separadamente da lógica normal em tempo de execução, e nos certificar que tenhamos uma estratégia global e consistente para resolver nossas dependências principais.

Separação do Main

Uma maneira de separar a construção do uso é simplesmente colocar todos os aspectos dela no `main` ou em módulos chamados por ele, e modelar o resto do sistema assumindo que todos os objetos foram construídos e atribuídos adequadamente (veja a Figura 11-1).

É fácil acompanhar o fluxo de controle. A função `main` constrói os objetos necessários para o sistema e, então, os passa ao aplicativo, que simplesmente os usa. Note a direção das setas de dependência cruzando a barreira entre o `main` e o aplicativo. Todas apontam para a mesma direção, para longe do `main`. Isso significa que o aplicativo não enxerga o `main` ou o processo de construção, mas apenas espera que tudo seja devidamente construído.

Factories

É claro que de vez em quando precisamos passar o controle para o aplicativo quando um objeto for criado. Por exemplo, em um sistema de processamento de pedidos, o aplicativo deve criar instâncias de `LineItem` e adicionar a um `Order`. Neste caso, podemos usar o padrão ABSTRACT

1. [Mezzaros07].

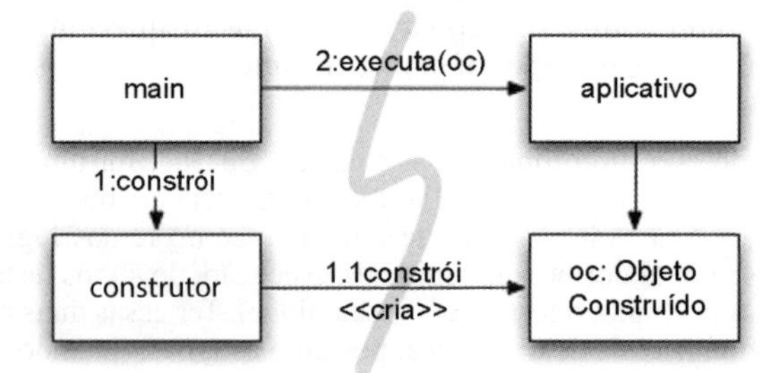

Figura 11.1:
Separando da construção de objetos no `main ()`

FACTORY[2] para passar o controle ao aplicativo quando for preciso criar os objetos `LineItem`, mas mantenha os detalhes dessa construção separada do código do aplicativo (veja a Figura 11.2).

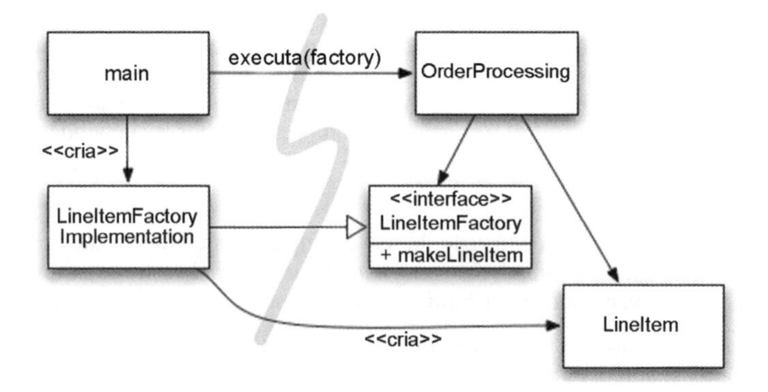

Figura 11.2:
Separação da construção com uma factory

Novamente, observe que todas as dependências apontam de `main` para o aplicativo `OrderProcessing`. Isso significa que ele está desacoplado dos detalhes de como criar um `LineItem`. Essa capacidade é mantida em `LineItemFactoryImplementation`, que está no mesmo lado da linha que o `main`. E mesmo assim o aplicativo possui controle total quando na criação de instâncias de `LineItem` e pode até oferecer parâmetros do construtor específicos ao aplicativo.

2. [GOF].

Injeção de dependência

Um mecanismo poderoso para separar a construção do uso é a *Injeção de Dependência* (DI, sigla em inglês), a aplicação da *Inversão de Controle* (IoC, sigla em inglês) ao gerenciamento de dependência[3]. A IoC move as responsabilidades secundárias de um objeto para outros dedicados ao propósito que se deseja, dessa forma suportando o Princípio da Responsabilidade Única. Em vez disso, ela deve passar essa responsabilidade para outro mecanismo "dominante", com isso invertendo o controle. Como essa configuração é uma preocupação global, esse mecanismo dominante geralmente será ou a rotina "principal" ou um contêiner de tarefa específica.

As consultas ao JNDI são implementações "parciais" da DI, na qual um objeto pede a um servidor de diretórios um "serviço" com um nome específico.

```
MyService myService = (MyService)(jndiContext.lookup("NameOfMyService"));
```

O objeto chamador não controla qual tipo será realmente retornado (contanto que ele implemente a interface apropriada, é claro), mas ele ainda determina ativamente a dependência.

A Injeção de Dependência Verdadeira vai mais além. A classe não determina diretamente suas dependências; ela fica completamente passiva e oferece métodos de escrita (*setters*) ou parâmetros de construtores (ou ambos) que serão usados para injetar as dependências. Durante o processo de construção, o contêiner de DI instancia os objetos necessários (geralmente sob demanda) e usa os parâmetros do construtor ou os métodos de escrita fornecidos para conectar as dependências. Quais objetos dependentes são usados realmente são especificados por um arquivo de configuração ou diretamente programando-se no módulo de construção de tarefa específica.

O framework Spring oferece o melhor e mais conhecido contêiner de DI para Java[4]. Você define quais objetos conectar um ao outro em um arquivo de configuração, e depois solicita objetos específicos pelo nome no código Java. Logo veremos um exemplo.

Mas e sobre as virtudes da INICIALIZAÇÃO-TARDIA? Essa expressão, de vez em quando, ainda é útil com a DI. Primeiro, a maioria dos contêineres de DI não criará objetos até que sejam necessários. Segundo, muitos desses contêineres oferecem mecanismos para invocar factories ou construir proxies, que poderiam ser usados para sanar a AVALIAÇÃO-TARDIA e *otimizações*[5] semelhantes.

Desenvolvimento gradual

Vilarejos viram pequenas cidades, que viram cidades grandes. No início as ruas são estreitas e quase não existem e, com tempo, elas são pavimentadas e, então, alargadas. Pequenos edifícios e terrenos vazios são substituídos por edificações maiores, algumas das quais acabarão virando arranha-céus.

3. Veja, [Fowler], por exemplo.

4. Veja o [Spring]. Também há uma framework Spring.NET.

5. Não se esqueça de que a instanciação/avaliação tardia é apenas uma otimização e, talvez, prematura!

No começo, não há serviços, como abastecimento de energia, água, esgoto e Internet (opa!). E só serão adicionados quando aumentar a densidade da população e de edificações.

Mas esse desenvolvimento não está livre de problemas. Quantas vezes, devido a um projeto de "melhoria" das avenidas você dirigiu por engarrafamentos e se perguntou "Por que não construíram as ruas largas o bastante desde o início?".

Mas não podia ter sido de outra forma. Como justificar o custo de construção de uma via expressa de seis faixas passando no meio de uma cidade pequena já antecipando seu desenvolvimento? Quem desejaria tal avenida passando por sua cidade?

É mito dizer que podemos conseguir um sistema "correto de primeira". Em vez disso, devemos implementar apenas os fatos de hoje e, então, refatorar e expandir o sistema, implementando novos fatos amanhã. Essa é a essência das agilidades iterativa e incremental. O desenvolvimento dirigido a testes, a refatoração e o código limpo que produzem fazem com que isso tudo funcione em nível de código.

Mas e em nível de sistema? A estrutura do sistema não requer um pré-planejamento? Claro que sim, *ele* não pode crescer gradualmente do simples para o complexo, pode?

> *Se comparados aos sistemas físicos, os de software são únicos, e suas arquiteturas podem crescer gradualmente* **se** *mantivermos uma separação devida de preocupações.*

Como veremos, é a natureza efêmera dos sistemas de software que possibilitam isso. Consideremos primeiro um contra-exemplo de uma arquitetura que não separa as preocupações de forma adequada.

As arquiteturas EJB1 e EJB2 originais são um bom exemplo e, devido a isso, geram obstáculos desnecessários para o crescimento orgânico. Considere uma *Entity Bean* para uma classe `Bank` frequente. Uma entity bean é uma representação, na memória, dos dados relacionais, ou seja, a linha de uma tabela.

Primeiro, você define uma interface local (no processo) ou remota (separada da JVM), que os clientes usariam. A Listagem 11-1 mostra uma possível interface local:

Listagem 11-1
Interface EJB2 local para um EJB da classe Bank

```
package com.example.banking;
import java.util.Collections;
import javax.ejb.*;

public interface BankLocal extends java.ejb.EJBLocalObject {
  String getStreetAddr1() throws EJBException;
  String getStreetAddr2() throws EJBException;
  String getCity() throws EJBException;
  String getState() throws EJBException;
  String getZipCode() throws EJBException;
  void setStreetAddr1(String street1) throws EJBException;
  void setStreetAddr2(String street2) throws EJBException;
  void setCity(String city) throws EJBException;
  void setState(String state) throws EJBException;
```

Listagem 11-1 (continuação)
Interface EJB2 local para um EJB da classe Bank

```
  void setZipCode(String zip) throws EJBException;
  Collection getAccounts() throws EJBException;
  void setAccounts(Collection accounts) throws EJBException;
  void addAccount(AccountDTO accountDTO) throws EJBException;
}
```

Exibi diversos atributos para o endereço do `Bank` e uma coleção de contas (*account*) que há no banco (*bank*), cada uma com seus dados manipulados por um EJB de Account separado. A Listagem 11-2 mostra a classe de implementação correspondente para o bean de `Bank`.

Listagem 11-2
Implementação da Entity Bean do EJB2 correspondente

```
package com.example.banking;
import java.util.Collections;
import javax.ejb.*;

public abstract class Bank implements javax.ejb.EntityBean {
  // Business logic...
  public abstract String getStreetAddr1();
  public abstract String getStreetAddr2();
  public abstract String getCity();
  public abstract String getState();
  public abstract String getZipCode();
  public abstract void setStreetAddr1(String street1);
  public abstract void setStreetAddr2(String street2);
  public abstract void setCity(String city);
  public abstract void setState(String state);
  public abstract void setZipCode(String zip);
  public abstract Collection getAccounts();
  public abstract void setAccounts(Collection accounts);
  public void addAccount(AccountDTO accountDTO) {
    InitialContext context = new InitialContext();
    AccountHomeLocal accountHome = context.lookup("AccountHomeLocal");
    AccountLocal account = accountHome.create(accountDTO);
    Collection accounts = getAccounts();
    accounts.add(account);
  }
  // EJB container logic
  public abstract void setId(Integer id);
  public abstract Integer getId();
  public Integer ejbCreate(Integer id) { ... }
  public void ejbPostCreate(Integer id) { ... }
  // The rest had to be implemented but were usually empty:
  public void setEntityContext(EntityContext ctx) {}
  public void unsetEntityContext() {}
  public void ejbActivate() {}
  public void ejbPassivate() {}
  public void ejbLoad() {}
  public void ejbStore() {}
  public void ejbRemove() {}
}
```

Não mostrei a interface ***LocalHome*** correspondente – basicamente uma factory usada para criar objetos – e nem um dos possíveis métodos de localização `bank` (consulta, ou *queries*) que você pode adicionar.

Por fim, você teve de criar um ou mais descritores de implementação que especifiquem os detalhes do mapeamento de objetos relacionais para um armazenamento permanente de dados, para a ação de transação desejada, para os limites de segurança, etc.

A lógica de negócio está fortemente acoplada ao "container" do aplicativo EJB2. Você precisa criar subclasses dos tipos do container e fornecer muitos métodos do tipo lifecycle exigidos pelo container.

Esse acoplamento ao container pesado dificulta o teste de unidade isolado. É necessário fazer uma simulação do container, o que é difícil, ou gastar muito tempo implementando EJBs e testes em um servidor real. Reutilizar externamente e de modo eficiente a arquitetura EJB2 é impossível devido ao forte acoplamento.

Por fim, mesmo a programação orientada a objeto foi prejudicada. Um bean não pode herdar de outro. Note a lógica para adicionar uma nova conta. É comum nos beans do EJB2 definir os "objetos de transferência de dados" (DTOs, sigla em inglês) que são basicamente "*structs*" (estruturas) sem comportamento nenhum. Isso costuma levar a tipos redundantes que possuem praticamente os mesmos dados, e requer códigos padronizados para copiar dados de um objeto para outro.

Preocupações transversais

A arquitetura EJB2 chega perto de uma divisão real de preocupações em algumas áreas. Por exemplo, a segurança, a comunicação desejada e alguns dos comportamentos de persistência são declarados dos descritores de implantação, independentemente do código-fonte.

Note que preocupações como persistência tendem a atravessar os limites naturais dos objetos de um domínio. Você deseja manter todos os seus objetos através da mesma estratégia, por exemplo, usando um SGBD[6] versus bancos de dados não-relacionais, seguindo certas convenções de nomenclatura para tabelas e colunas, usando semânticas transacionais consistentes, etc.

Em princípio, você pode pensar em sua estratégia de persistência de uma forma modular e encapsulada. Mesmo assim, na prática, é preciso basicamente espalhar por vários objetos o mesmo código que implementa tal estratégia. Usamos o termo preocupações transversais para preocupações como essa. Novamente, o framework de persistência e a lógica de domínio (isolada) podem ser modulares. O problema é a minuciosa interseção desses domínios.

De fato, o modo como a arquitetura EJB trata da persistência, da segurança e das transações "antecipa" a Programação Orientada a Aspecto (AOP, sigla em inglês)[7] – uma abordagem de propósito geral para restaurar a modularidade para preocupações transversais.

Na AOP, construções modulares chamadas *aspectos* especificam quais pontos no sistema devem ter seus comportamentos alterados de uma forma consistente para suportar uma determinada preocupação. Essa especificação é feita através de um mecanismo sucinto declarativo ou programático.

---

6. Sistemas de Gerenciamento de Banco de Dados.

7. Consulte [AOSD] para informações gerais sobre aspectos e [AspectJ]] e [Colyer] para informações especificas.

Usando a persistência como exemplo, você declararia quais objetos e atributos (ou *padrões* do tipo) devem ser mantidos e, então, delegar as tarefas de persistência ao seu framework de persistência. O framework da AOP efetua as alterações de comportamento de modo não-invasivo[8] no código a ser alterado. Vejamos três aspectos ou mecanismos voltados a aspectos em Java.

Proxies para Java

Os proxies para Java são adequados para situações simples, como empacotar chamadas de métodos em objetos ou classes individuais. Entretanto, os proxies dinâmicos oferecidos no JDK só funcionam com interfaces. Para usar proxies em classe, é preciso usar uma biblioteca de manipulação de Bytecode, como CGLIB, ASM ou Javassist[9].

A Listagem 11-3 mostra o esqueleto para um Proxy do JDK que ofereça suporte à persistência para nosso aplicativo `Bank`, cobrindo apenas os métodos para obter e alterar a lista de contas.

Listagem 11-3
Exemplo de proxy do JDK

```
// Bank.java (suppressing package names...)
import java.utils.*;

// The abstraction of a bank.
public interface Bank {
  Collection<Account> getAccounts();
  void setAccounts(Collection<Account> accounts);
}

// BankImpl.java
import java.utils.*;

// The "Plain Old Java Object" (POJO) implementing the abstraction.
public class BankImpl implements Bank {
  private List<Account> accounts;

  public Collection<Account> getAccounts() {
    return accounts;
  }
  public void setAccounts(Collection<Account> accounts) {
    this.accounts = new ArrayList<Account>();
    for (Account account: accounts) {
      this.accounts.add(account);
    }
  }
}

// BankProxyHandler.java
import java.lang.reflect.*;
import java.util.*;
```

8. Isso significa que não é necessária edição manual no código-fonte a ser alterado.

9. Consulte [CGLIB], [ASM] e [Javassist].

Listagem 11-3 (continuação)
Exemplo de proxy do JDK

```
// "InvocationHandler" required by the proxy API.
public class BankProxyHandler implements InvocationHandler {
  private Bank bank;

  public BankHandler (Bank bank) {
    this.bank = bank;
  }

  // Method defined in InvocationHandler
  public Object invoke(Object proxy, Method method, Object[] args)
      throws Throwable {
    String methodName = method.getName();
    if (methodName.equals("getAccounts")) {
      bank.setAccounts(getAccountsFromDatabase());
      return bank.getAccounts();
    } else if (methodName.equals("setAccounts")) {
      bank.setAccounts((Collection<Account>) args[0]);
      setAccountsToDatabase(bank.getAccounts());
      return null;
    } else {
      ...
    }
  }

  // Lots of details here:
  protected Collection<Account> getAccountsFromDatabase() { ... }
  protected void setAccountsToDatabase(Collection<Account> accounts) { ... }
}

// Somewhere else...

Bank bank = (Bank) Proxy.newProxyInstance(
  Bank.class.getClassLoader(),
  new Class[] { Bank.class },
  new BankProxyHandler(new BankImpl()));
```

Definimos uma interface `Bank`, que será empacotada pelo proxy, e um *Plain-Old Java Object* (POJO), chamado `BankImpl`, que implementa a lógica de negócio. (Falaremos depois sobre POJOs).

A API do Proxy requer um objeto `InvocationHandler` ao qual ela chama para implementar quaisquer chamadas ao método `Bank` feita pelo proxy. Nosso `BankProxyHandler` usa a API de Reflexão do Java para mapear as chamadas aos métodos genéricos correspondentes em `BankImpl`, e assim por diante.

Há bastante código aqui que é relativamente complicado, mesmo para esse caso simples[10]. Usar uma das bibliotecas de manipulação de bytes é igualmente desafiador. Este "volume"

10. Para exemplos mais detalhados do API do Proxy e de seu uso, consulte, por exemplo, [Goetz].

de código e sua complexidade são duas das desvantagens de usar proxies. Eles dificultam a criação de um código limpo! Ademais, os proxies não oferecem um mecanismo para a especificação de certas "partes" para execução através de todo o sistema – necessário para uma solução de AOP real[11].

Frameworks AOP puramente Java Puro

Felizmente, há ferramentas que podem tratar automaticamente da maioria dos proxies padronizados. Estes são usados internamente em diversos frameworks como, por exemplo, AOP com Spring e com JBoss, para implementar aspectos puramente em Java[12]. No Spring, você escreve sua lógica de negócio como *Plain-Old Java Object*. Os POJOs estão simplesmente centrados em seus domínios. Eles não possuem dependências nas estruturas empresariais (ou qualquer outro domínio). Dessa forma, em tese, eles são mais simples e fáceis de testar. A simplicidade relativa facilita a garantia de que você esteja implementado as *user stories* correspondentes de modo correto e a manutenção e o desenvolvimento do código em *user stories* futuras.

Você incorpora a infraestrutura necessária do aplicativo, incluindo as preocupações transversais, como persistência, transações, segurança, fazer cache, transferência automática por falha (*failover*), etc., usando arquivos de configuração com declarações ou APIs. Em muitos casos, você realmente especifica os aspectos da biblioteca Spring ou JBoss, onde o framework trata dos mecanismos do uso dos proxies em Java ou de bibliotecas de Bytecode transparentes ao usuário. Essas declarações controlam o contêiner de Injeção de Dependência (DI, sigla em inglês), que instancia os objetos principais e os conecta sob demanda.

A Listagem 11-4 mostra um fragmento típico de um arquivo de configuração do Spring V2.5, o app.xml[13]:

Listagem 11-4
Arquivo de configuração do Spring 2.X

```
<beans>
  ...
  <bean id="appDataSource"
  class="org.apache.commons.dbcp.BasicDataSource"
  destroy-method="close"
  p:driverClassName="com.mysql.jdbc.Driver"
  p:url="jdbc:mysql://localhost:3306/mydb"
  p:username="me"/>

  <bean id="bankDataAccessObject"
  class="com.example.banking.persistence.BankDataAccessObjec
  p:dataSource-ref="appDataSource"/>

  <bean id="bank"
```

11. Às vezes confundem-se a POA com as técnicas usadas para implementá-la, como uma intercepção e "empacotamento" de métodos através de proxies. O verdadeiro valor de um sistema de POA é a capacidade de especificar comportamentos sistemáticos de uma forma concisa e modular.

12. Consulte [Spring] e [JBoss]. "Puramente Java" significa não usar o AspectJ.

13. Adaptado de http://www.theserverside.com/tt/articles/article.tss?l=IntrotoSpring25

Listagem 11-4 (continuação)
Arquivo de configuração do Spring 2.X

```
    class="com.example.banking.model.Bank"
    p:dataAccessObject-ref="bankDataAccessObject"/>
    ...
</beans>
```

Cada "bean" é como uma parte de uma "Boneca Russa", com um objeto `domain` para um `Bank` configurado com um proxy (empacotado) por um objeto de acesso a dados (DAO, sigla em inglês), que foi configurado com um proxy pela fonte de dados do driver JDBC. (Veja a Figura 11.3).

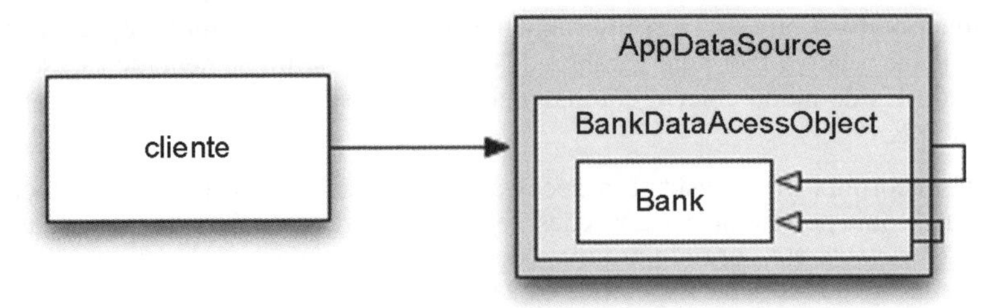

Figura 11-3:
A "Boneca Russa" do decorators

O cliente acha que está chamando `getAccounts()` em um objeto `Bank`, mas na verdade está se comunicando com a parte mais externa de um conjunto de objetos DECORATOR[14] aninhados que estendem o comportamento básico do POJO `Bank`. Poderíamos adicionar outros decorators para transações, cache, etc.

No aplicativo, são necessárias algumas linhas para solicitar o contêiner da DI para os objetos no nível mais superior do sistema, como especificado no arquivo XML.

```
XmlBeanFactory bf =
  new XmlBeanFactory(new ClassPathResource("app.xml", getClass()));
Bank bank = (Bank) bf.getBean("bank");
```

Devido à necessidade de tão poucas linhas do código Java específico para o Spring, o aplicativo está quase completamente desacoplado do Spring, eliminando todos os problemas de acoplamento de sistemas como o EJB2.

Embora o XML possa ser detalhado e difícil de ler[15], a "política" especificada nesses arquivos de configuração é mais simples do que o proxy complicado e a lógica do aspecto que fica oculta e é criada automaticamente. Esse tipo de arquitetura é tão urgente que levou frameworks como o Spring a efetuarem uma reformulação completa do padrão EJB para a

14. [GOF].

15. Pode-se simplificar o exemplo através de mecanismos que explorem a convenção acima da configuração e as anotações do Java 5 de modo a reduzir a quantidade da lógica de "conexão" explícita exigida.

versão 3. O EJB3 majoritariamente segue o modelo do Spring de suporte a declarações a preocupações transversais usando os arquivos de configuração XML e/ou as anotações do Java 5.

A Listagem 11-5 mostra o EJB3[16] com nosso objeto Bank reescrito.

Listagem 11-5

Um EJB do Bank no EBJ3

```
package com.example.banking.model;
import javax.persistence.*;
import java.util.ArrayList;
import java.util.Collection;

@Entity
@Table(name = "BANKS")
public class Bank implements java.io.Serializable {
   @Id @GeneratedValue(strategy=GenerationType.AUTO)
   private int id;

   @Embeddable // An object "inlined" in Bank's DB row
   public class Address {
      protected String streetAddr1;
      protected String streetAddr2;
      protected String city;
      protected String state;
      protected String zipCode;
   }

   @Embedded
   private Address address;

   @OneToMany(cascade = CascadeType.ALL, fetch = FetchType.EAGER,
              mappedBy="bank")
   private Collection<Account> accounts = new ArrayList<Account>();

   public int getId() {
      return id;
   }

   public void setId(int id) {
      this.id = id;
   }

   public void addAccount(Account account) {
      account.setBank(this);
      accounts.add(account);
   }

   public Collection<Account> getAccounts() {
      return accounts;
   }
```

16. Adaptado de http://www.onjava.com/pub/a/onjava/2006/05/17/standardizing-with-ejb3-java-persistence-api.html

Listagem 11-5 (continuação)
Um EJB do Bank no EBJ3

```
    public void setAccounts(Collection<Account> accounts) {
        this.accounts = accounts;
    }
}
```

O código está muito mais limpo do que o do EJB2 original. Alguns dos detalhes da entidade ainda estão lá, contidos nas anotações. Entretanto, como nenhuma daquelas informações está fora das anotações, o código fica limpo, claro e, portanto, fácil de testar, fazer a manutenção, etc.

Se desejar, você pode mover algumas ou todas as informações nas anotações sobre a persistência para os descritores de implantação XML, deixando um POJO puro. Se os detalhes de mapeamento da persistência não mudarem frequentemente, muitas equipes podem optar por manter as anotações, entretanto com muito menos efeitos prejudiciais se comparado ao modo invasivo do EJB2.

Aspectos do AspectJ

Finalmente, a ferramenta mais famosa para a separação de preocupações através de aspectos é a linguagem AspectJ[17], uma extensão do Java que oferece suporte de "primeira-classe" a aspectos como construtores de modularidade. A abordagem puramente Java oferecida pela POA em Spring e em JBoss são o suficiente para 80-90% dos casos nos quais os aspectos são mais úteis. Entretanto, o AspectJ proporciona uma série de ferramentas rica e poderosa para separar preocupações. Sua desvantagem é ter de usar várias ferramentas novas e aprender a estrutura e o uso das expressões de uma nova linguagem.

Uma "forma de anotação" do AspectJ recentemente lançada, na qual usam-se anotações do Java 5 para definir aspectos usando um código puramente Java, Ameniza parcialmente essa questão do uso de novas ferramentas. Ademais, o Framework Spring possui uma série de recursos que facilita ainda mais, para uma equipe com experiência limitada em AspectJ, a inclusão de aspectos baseados em anotações.

Uma discussão completa sobre o AspectJ foge do escopo deste livro. Para isso, consulte [AspectJ], [Colyer] e [Spring].

Testes na arquitetura do sistema

A capacidade de separar preocupações através de abordagens voltadas a aspectos não pode ser exagerada. Se puder escrever a lógica de domínio de seu aplicativo usando POJOs, desacoplados de qualquer preocupações acerca da arquitetura em nível de código, então é possível testar sua arquitetura. Você pode desenvolvê-la do simples ao sofisticado, se for preciso, através da adoção de novas tecnologias sob demanda. Não é necessário fazer um BDUF (*Big*

17. Consulte [AspectJ] e [Colyer].

Design Up Front)[18]. De fato, um BDUF é até mesmo prejudicial por inibir a adaptação a mudanças devido à resistência psicológica de descartar os esforços anteriores e devido à forma pela qual a escolha da arquitetura influencia as ideias seguintes sobre o design.

Arquitetos de construções têm de fazer um BDUF porque não é prático fazer alterações radicais na arquitetura para uma estrutura física grande após o início da construção[19]. Embora o software tenha sua própria mecânica[20], é economicamente prático fazer alterações radicais se a estrutura separa de forma eficiente suas preocupações.

Isso significa que podemos iniciar um projeto de Software com uma arquitetura simples, porém bem desacoplada, fornecendo rapidamente *user stories* que funcionem e, então, adicionando mais infra-estrutura conforme o desenvolvemos. Alguns dos maiores sites da Web alcançaram um grau de disponibilidade e performance muito altos através do uso de cache sofisticado de dados, segurança, virtualização, e assim por diante, tudo feito de forma eficiente e flexível porque os projetos com acoplamento mínimo são apropriadamente simples em cada nível de abstração e de escopo.

É claro que isso não quer dizer que iniciamos um projeto sem algum planejamento. Temos certas expectativas a respeito do escopo, objetivos e programação gerais para o projeto, assim como para a estrutura geral do sistema final. Todavia, devemos manter a capacidade de alterações durante o desenvolvimento no caso de aperfeiçoamentos.

A arquitetura EJB anterior é uma das muitas APIs bem conhecidas que foram desenvolvidas de modo exagerado e que comprometeram a separação de preocupações. Mesmo tais APIs podem ser destrutivas se realmente não forem necessárias. Uma boa API deve ficar *oculta* na maioria das vezes, portanto a equipe expande a maioria de seus esforços criativos centralizados nas *user stories* sendo implementadas. Caso contrário, os limites da arquitetura inibirão a entrega eficiente do melhor serviço ao consumidor.

Para recapitular:

> *Uma arquitetura de sistema adequada consiste em domínios modularizados de preocupações, cada um implementado com POJOs – Objetos Java Antigos e Simples, ou outros. Os diferentes domínios são integrados uns aos outros com ferramentas de Aspectos ou voltadas para eles pouco invasivas. Pode-se testar essa arquitetura da mesma forma que se faz com o código.*

Otimize a tomada de decisões

Modularidade e separação de preocupações descentralizam o gerenciamento e possibilitam a tomada de decisões. Em um sistema consideravelmente grande, seja uma cidade ou um projeto de software, ninguém pode tomar todas as decisões.

---

18. Não confundir com a prática do design com antecedência, BDUF é a prática de realizar todo o design antecipamente até mesmo a implementação do software

19. Ainda há uma quantidade significativa de pesquisa repetitiva e de discussão de detalhes, mesmo após o início da construção.

20. O termo mecânica de software foi usado primeiramente por [Kolence].

Todos sabemos que o melhor é designar responsabilidades às pessoas mais qualificadas. Geralmente nos esquecemos que também é melhor adiar as decisões até o último momento. Isso não é ser preguiçoso ou irresponsável, mas permitir-nos tomar decisões quando tivermos as melhores informações possíveis. Uma decisão prematura é tomada sem muitas informações adequadas. Teremos muito menos retorno do consumidor, reflexão sobre o projeto e experiência com nossas escolhas de implementação se decidirmos muito cedo.

A agilidade oferecida por um sistema POJO com preocupações modularizadas nos permite uma otimização – decisões na hora certa – baseando-se nas informações mais recentes. Além de também reduzir complexidade dessas decisões.

Use padrões sabiamente quando eles adicionarem um valor demonstrativo

É uma coisa maravilhosa assistir à construção de uma infra-estrutura devido ao ritmo com que as novas estruturas são construídas (mesmo num inverno rigoroso) e aos projetos extraordinários possíveis com a tecnologia atual. Uma construção é um mercado maduro com partes altamente otimizadas, métodos e padrões que evoluíram sob pressão por séculos.

Muitas equipes usavam a arquitetura EJB2 porque ela era padrão, mesmo com o advento de padrões mais diretos e leves. Já vi equipes ficarem obcecadas com diversos padrões muito populares e perderem o foco no quesito de implementação voltado para seus consumidores.

Os padrões facilitam a reutilização de ideias e componentes, recrutam pessoas com experiência considerável, encapsulam boas ideias e conectam os componentes. Entretanto, o processo de criação de padrões pode, às vezes, ser muito longo para que o mercado fique à espera deles, e alguns padrões acabam se desviando das necessidades reais das pessoas a quem eles pretendem servir.

Sistemas precisam de linguagens específicas a um domínio

A construção de infra-estruturas, assim como a maioria dos domínios, desenvolveu uma linguagem rica com vocabulário, expressões e padrões[21] que expressam informações essenciais de maneira clara e concisa. Houve recentemente na área de softwares uma retomada do interesse pela criação de Linguagens Específicas de Domínio (DSLs, sigla em inglês)[22], que são linguagens separadas, pequenos scripts ou APIs em linguagens padrão que permitem a escrita do código num formato que possa ser lido como uma prosa redigida por um especialista em domínio.

Uma boa DSL minimiza a "distância de comunicação" entre o conceito de um domínio e o código que o implementa, assim como as práticas flexíveis otimizam a comunicação entre os membros de uma equipe e a desta com suas partes interessadas. Se estiver implementando a lógica de um domínio na mesma linguagem usada pelo especialista em domínios, haverá menos risco de erro na tradução do domínio para a implementação.

---

21. O trabalho de [Alexander] exerceu influência especialmente na comunidade de softwares.

22. Veja, [DSL], por exemplo. [JMock] é um bom exemplo de uma API JAVA que cria uma DSL.

As DSLs, quando usadas efetivamente, elevam o nível de abstração acima de expressões de código e padrões. Eles permitem ao desenvolvedor revelar o objetivo do código no nível apropriado de abstração.

> *Linguagens Específicas de Domínio permitem todos os níveis de abstração e todos os domínos na aplicação serem expressas como POJOs, de um nível mais alto de regra a detalhes de um nível mais baixo.*

Conclusão

Os sistemas também devem ser limpos. Uma arquitetura invasiva afeta a agilidade e sobrepõe a lógica do domínio que, quando ofuscada, perde-se qualidade porque os bugs se escondem mais facilmente e dificulta a implementação. Se a agilidade for comprometida, a produtividade também será e se perderão as vantagens do TDD.

Em todos os níveis de abstração, o objetivo deve estar claro. Isso só acontecerá se você criar POJOs e usar mecanismos voltados a aspectos para incorporar de modo não invasivo outras preocupações de implementação.

Esteja você desenvolvendo sistemas ou módulos individuais, jamais se esqueça de usar a coisa mais simples que funcione.

Bibliografia

[Alexander]: Christopher Alexander, *A Timeless Way of Building*, Oxford University Press, New York, 1979.

[AOSD]: Aspect-Oriented Software Development port, http://aosd.net

[ASM]: Página do ASM, http://asm.objectweb.org/

[AspectJ]: http://eclipse.org/aspectj

[CGLIB]: Code Generation Library, http://cglib.sourceforge.net/

[Colyer]: Adrian Colyer, Andy Clement, George Hurley, Mathew Webster, *Eclipse AspectJ*, Person Education, Inc., Upper Saddle River, NJ, 2005.

[DSL]: Domain-specific programming language, http://en.wikipedia.org/wiki/Domainspecific_programming_language

[Fowler]: Inversion of Control Containers and the Dependency Injection pattern, http://martinfowler.com/articles/injection.html

[Goetz]: Brian Goetz, Java Theory and Practice: Decorating with Dynamic Proxies, http://www.ibm.com/developerworks/java/library/j-jtp08305.html

[Javassist]: Página do Javassist, http://www.csg.is.titech.ac.jp/~chiba/javassist/

[JBoss]: Página do JBoss, http://jboss.org

[JMock]: JMock – A Lightweight Mock Object Library for Java, http://jmock.org

[Kolence]: Kenneth W. Kolence, Software physics and computer performance measurements, *Proceedings of the ACM annual conference—Volume 2*, Boston, Massachusetts, pp. 1024–1040, 1972.

[Spring]: *The Spring Framework*, http://www.springframework.org

[Mezzaros07]: *XUnit Patterns*, Gerard Mezzaros, Addison-Wesley, 2007.

[GOF]: *Design Patterns: Elements of Reusable Object Oriented Software*, Gamma et al., Addison-Wesley, 1996

12

Emergência

por Jeff Langr

Obtendo clareza através de um processo de emergência

E se houvesse quatro regras simples que você pudesse usar para lhe ajudar na criação de bons projetos enquanto trabalhasse? E se ao seguir essas regras você obtivesse conhecimentos sobre a estrutura e o design de seu código, facilitando a aplicação de princípios, como o SRP e o DIP? E se essas quatro regras facilitassem a emergência de bons projetos?

Muitos de nós achamos que as quatro regras do Projeto Simples[1] de Kent Beck sejam de ajuda considerável na criação de um software bem projetado.

1. [XPE].

De acordo com Kent, um projeto é "simples" se seguir as seguintes regras:

- Efetuar todos os testes
- Sem duplicação de código
- Expressar o propósito do programador
- Minimizar o número de classes e métodos

Essas regras estão em ordem de relevância.

Regra 1 de Projeto Simples: Efetue todos os testes

Primeiro e acima de tudo, um projeto deve gerar um sistema que funcione como o esperado. Um sistema pode ter um projeto perfeito no papel, mas se não há uma maneira simples de verificar se ele realmente funciona como o planejado, então o que está escrito é dubitável.

Um sistema que é testado detalhadamente e que passa em todos os testes é um sistema passível de testes. Isso pode parecer óbvio, mas é importante. Os sistemas que não podem ser testados não podem ser verificados. Logo, pode-ser dizer que um sistema que não pode ser verificado, jamais deveria ser implementado.

Felizmente, tornar nossos sistemas passíveis de teste nos direciona a um projeto no qual nossas classes sejam pequenas e de propósito único. Simplesmente é mais fácil testar classes que sigam o SRP. Quanto mais testes criarmos, mais seremos direcionados a coisas mais simples de serem testadas. Portanto, garantir que nosso sistema seja completamente passível de teste nos ajuda a cria projetos melhores.

O alto acoplamento dificulta a criação de testes. Portanto, similarmente, quanto mais testes criarmos, usaremos mais princípios como o DIP e ferramentas como a injeção de dependência, interfaces e abstração de modo a minimizar o acoplamento. Assim, nossos projetos se tornam ainda melhores.

O interessante é que ao seguir uma regra simples e óbvia a qual afirma que precisamos ter testes e executá-los, afeta constantemente a integração de nosso sistema aos objetivos principais da OO de acoplamento fraco e coesão alta. Criar testes leva a projetos melhores.

Regras de 2 a 4 de Projeto Simples: Refatoração

Agora que temos testes, podemos manter nosso código e nossas classes limpas. Para isso, refatoramos gradualmente o código. Para cada linha nova que adicionarmos, paramos e refletimos sobre o novo projeto. Acabamos de prejudicá-lo? Caso positivo, nós o limpamos e rodamos nossos restes para nos certificar de que não danificamos nada. O fato de termos esses testes elimina o receio de que, ao limparmos o código, podemos danificá-lo.

Durante a fase de refatoração, podemos aplicar qualquer conceito sobre um bom projeto de software. Podemos aumentar a coesão, diminuir o acoplamento, separar preocupações, modularizar as preocupações do sistema, reduzir nossas classes e funções, escolher nomes melhores, e por aí vai. Ademais, também podemos aplicar as três regras finais do projeto simples: eliminar a duplicação, garantir a expressividade e minimizar o número de classes e métodos.

Sem repetição de código

A repetição de código é o inimigo principal para um sistema bem desenvolvido. Ela representa trabalho, risco e complexidade desnecessária extras. A duplicação se apresenta de várias formas. Linhas de código que parecem idênticas são, é claro, duplicações. Linhas de código semelhantes geralmente podem ser modificadas de modo que fiquem mais parecidas ainda para serem refatoradas mais facilmente. Há outros tipos de duplicação também, como a de implementação. Por exemplo, podemos ter dois métodos na classe collection:

```
int size() {}
boolean isEmpty() {}
```

Poderíamos ter implementações separadas para cada método. O `isEmpty` poderia usar um booleano, enquanto `size` poderia usar um contador. Ou poderíamos eliminar essa duplicação colocando `isEmpty` na declaração de `size`:

```
boolean isEmpty() {
  return 0 == size();
}
```

Criar um sistema limpo requer a eliminação de código repetido, mesmo que sejam algumas linhas. Por exemplo, considere o código abaixo:

```
public void scaleToOneDimension(
    float desiredDimension, float imageDimension) {
  if (Math.abs(desiredDimension - imageDimension) < errorThreshold)
    return;
  float scalingFactor = desiredDimension / imageDimension;
  scalingFactor = (float)(Math.floor(scalingFactor * 100) * 0.01f);

  RenderedOp newImage = ImageUtilities.getScaledImage(
    image, scalingFactor, scalingFactor);
  image.dispose();
  System.gc();
  image = newImage;
}
public synchronized void rotate(int degrees) {
  RenderedOp newImage = ImageUtilities.getRotatedImage(
    image, degrees);
  image.dispose();
  System.gc();
  image = newImage;
}
```

A fim de manter esse código limpo, devemos eliminar a pequena quantidade de duplicação entre os métodos `scaleToOneDimension` e `rotate`:

```
public void scaleToOneDimension(
    float desiredDimension, float imageDimension) {
  if (Math.abs(desiredDimension - imageDimension)< errorThreshold)
    return;
  float scalingFactor = desiredDimension / imageDimension;
  scalingFactor = (float)(Math.floor(scalingFactor * 100) * 0.01f);
```

```
      replaceImage(ImageUtilities.getScaledImage(
         image, scalingFactor, scalingFactor));
   }
   public synchronized void rotate(int degrees) {
      replaceImage(ImageUtilities.getRotatedImage(image, degrees));
   }
   private void replaceImage(RenderedOp newImage) {
      image.dispose();
      System.gc();
      image = newImage;
   }
```

Ao extrairmos a semelhança neste nível baixíssimo, começamos a notar as violações ao SRP. Dessa forma, podemos mover um método recém-extraído para outra classe, o que aumentaria sua visibilidade. Outra pessoa na equipe talvez perceba a oportunidade para abstrair mais a frente o novo método e usá-lo em um contexto diferente. Essa "pequena reutilização" pode reduzir consideravelmente a complexidade do sistema. Entender como reutilizar uma pequena parte do código é fundamental para fazer uso da utilização num escopo maior.

O padrão TEMPLATE METHOD[2] é uma técnica comum para a remoção de duplicação. Por exemplo:

```
public class VacationPolicy {
   public void accrueUSDivisionVacation() {
      // código para calcular as férias baseando-se nas horas trabalhadas ate a data
      // ...
      // código para garantir que as férias cumpram o tempo minimo nos EUA
      // ...
      // código para aplicar férias ao registro de folha de pagamento
      // ...
   }

   public void accrueEUDivisionVacation() {
      // código para calcular as férias baseando-se nas horas trabalhadas ate a data
      // ...
      // código para garantir que as férias cumpram o tempo minimo nos EUA
      // ...
      // código para aplicar férias ao registro de folha de pagamento
      // ...
   }
}
```

O código ao longo de `accrueUSDivisionVacation` e `accrueEuropeanDivisionVacation` é praticamente o mesmo, com exceção do cálculo do tempo mínimo legal. Aquele pequeno algoritmo é alterado baseando-se no cargo do funcionário.

Podemos eliminar essa duplicação óbvia aplicando o padrão TEMPLATE METHOD.

```
abstract public class VacationPolicy {
   public void accrueVacation() {
      calculateBaseVacationHours();
```

2. [GOF].

```
        alterForLegalMinimums();
        applyToPayroll();
    }
    private void calculateBaseVacationHours() { /* ... */ };
    abstract protected void alterForLegalMinimums();
    private void applyToPayroll() { /* ... */ };
}

public class USVacationPolicy extends VacationPolicy {
    @Override protected void alterForLegalMinimums() {
        // Lógica usada nos EUA
    }
}

public class EUVacationPolicy extends VacationPolicy {
    @Override protected void alterForLegalMinimums() {
        // Lógica usada na União Europeia
    }
}
```

As subclasses preenchem o "buraco" no algoritmo `accrueVacation`, fornecendo os únicos bits de informações que não são repetidos.

Expressividade

A maioria de nós já teve de trabalhar num código intrincado. Muitos de nós mesmos já produzimos alguns códigos confusos. Escrever códigos que nós entendamos é fácil, pois quando o fazemos, possuímos um conhecimento profundo do problema que desejamos resolver. Mas outras pessoas que pegarem esse mesmo código não terão esse mesmo grau de conhecimento.

A maioria dos custos de um projeto de software está na manutenção em longo prazo. A fim de minimizar os possíveis danos conforme fazemos alterações, é crucial que sejamos capazes de entender o que o sistema faz. Conforme os sistemas se tornam mais complexos, um desenvolvedor leva cada vez mais tempo para compreendê-lo, e sempre há uma chance ainda maior de mal entendidos. Portanto, o código deve expressar claramente o propósito de seu autor. Quando mais claro o autor tornar seu código, menos tempo outras pessoas terão de gastar para compreendê-lo. Isso reduz os defeitos e o custo de manutenção.

Você pode se expressar através da escolha de bons nomes. Queremos ser capazes de ler o nome de uma classe ou função e não ficarmos surpresos quando descobrirmos o que ela faz.

Você também pode se expressar mantendo pequenas suas classes e funções, que costumam ser fáceis de nomear, criar e entender.

Você também pode se expressar se usar uma nomenclatura padrão. Os Padrões de Projeto, por exemplo, são amplamente modos de comunicação e expressividade. Ao usar os nomes de padrões, como COMMAND ou VISITOR, no nome de classes que implementem tais padrões, você pode descrever de forma sucinta o seu projeto para outros desenvolvedores.

Testes de unidade bem escritos também são expressivos. Por exemplo, um objetivo principal dos testes é funcionar como um meio de documentação. Uma pessoa que leia nossos testes deverá ser capaz de obter um rápido entendimento do que se trata uma classe.

Mas a forma mais importante de ser expressivo é tentar. Muito freqüentemente, fazemos nosso código funcionar e, então, partimos para o problema seguinte, sem considerar o bastante em facilitar a leitura daquele código para outras pessoas. Lembre-se de que é muito mais provável que essa outra pessoa seja você.

Portanto, tenha um pouco de orgulho em seu trabalho. Gaste um tempo em cada uma das suas funções e classes. Escolha nomes melhores, divida funções grandes em menores e, de forma geral, cuide do que você mesmo criou. Cuidar é um recurso precioso.

Poucas classes e métodos

Podem-se exagerar mesmo nos conceitos mais fundamentais, como a eliminação de duplicação, expressividade do código e o SRP. Numa tentativa de tornar nossas classes e métodos pequenos, podemos vir a criar estruturas minúsculas. Portanto, essa regra sugere que também devamos manter a mínima quantidade de funções e classes.

Muitas classes e métodos, às vezes, são o resultado de um dogmatismo exagerado. Considere, por exemplo, um padrão de programação que insiste em criar uma interface para cada classe. Ou desenvolvedores que teimam em sempre separar campos e comportamentos em classes de dados e classes de comportamentos. Deve-se evitar tal dogmatismo e adotar uma abordagem mais pragmática.

Nosso objetivo é manter nosso sistema geral pequeno ao mesmo tempo em que também mantemos nossas classes e funções pequenas. Lembre-se, contudo, de que essa regra é a de menor prioridade das quatro de Projeto Simples. Portanto, embora seja importante manter baixa a quantidade de classes e funções, é mais importante ter testes, eliminar a duplicação e se expressar.

Conclusão

Há uma série de práticas simples que possam substituir a experiência? Obviamente que não. Por outro lado, as práticas descritas neste capítulo e neste livro são uma forma consolidada de muitas décadas de experiência adquiridas pelos autores. Seguir as regras de projeto simples pode e realmente incentiva e possibilita desenvolvedores a aderirem a bons princípios e padrões que, de outra forma, levariam anos para aprender.

Bibliografia

[XPE]: *Extreme Programming Explained: Embrace Change*, Kent Beck, Addison-Wesley, 1999.

[GOF]: *Design Patterns: Elements of Reusable Object Oriented Software*, Gamma et al., Addison-Wesley, 1996

13

Concorrência

por Brett L. Schuchert

"Objetos são abstrações de procedimento. Threads são abstrações de agendamento."
– James O. Coplien[1]

1. Correspondência Particular

Escrever programas concorrentes limpos é difícil, muito. É muito mais fácil criar um código que execute uma única thread, assim como um código multithread que pareça bom superficialmente, mas que esteja defeituoso em um nível mais baixo. Esse código funciona bem até que se use o sistema excessivamente.

Neste capítulo, discutiremos a necessidade da programação concorrente e das dificuldades que ela representa. Depois, daremos várias sugestões para lidar com tais dificuldades e escrever um código concorrente limpo. E, então, fechamos com as questões relacionadas aos códigos concorrentes de teste.

Concorrência limpa é um assunto complexo, válido um livro só para ele. Nossa estratégia aqui é apresentar uma visão geral e oferecer um tutorial mais detalhado em "Concorrência II" na página 317. Se você estiver apenas curioso sobre concorrência, este capítulo será o suficiente por enquanto. Se precisar de um conhecimento mais profundo, então leia também o tutorial.

Por que concorrência?

Concorrência é uma estratégia de desacoplamento. Ela nos ajuda a desacoplar o que é executado de quando é executado. Em aplicativos com apenas uma thread, o que e quando ficam tão fortemente acoplados que geralmente pode-se determinar o estado do aplicativo inteiro apenas ao olhar o rastreamento de retorno na pilha. Um programador que depure o sistema pode criar pontos de parada, ou uma sequência de ponto, e descobrir o estado do sistema que atinge os pontos.

Desacoplar o que de quando pode melhorar consideravelmente tanto as estruturas quanto a taxa de transferência dos dados de um aplicativo. De uma perspectiva estruturada, o aplicativo seria mais como muitos minicomputadores trabalhando juntos do que um único e grande main ciclo. Isso pode facilitar a compreensão do sistema e oferecer recursos melhores para separar preocupações.

Considere, por exemplo, o modelo "Servlet" padrão das aplicações Web. Esses sistemas rodam sob a guarda de um contêiner Web ou EJB que gerencia parcialmente a concorrência para você. Os servlets são executados de forma assíncrona sempre que chega um pedido da Web. O programador do servlet não tem de gerenciar todos os pedidos que chegam. Em princípio, cada execução de servlet ocorre em seu próprio mundinho e fica desacoplado de todas as execuções de outros servlets.

É claro que se fosse fácil assim, este capítulo não seria necessário. De fato, o desacoplamento oferecido pelos contêineres Web está longe de serem perfeitos. Os programadores de servlets têm se estar bem atentos de modo a garantir que seus programas concorrentes estejam corretos. Mesmo assim, as vantagens do modelo servlet são significantes.

Mas a estrutura não é o único motivo para se adotar a concorrência. Alguns sistemas possuem limites de tempo de resposta e de taxa de transferência de dados que requerem soluções concorrentes programadas manualmente. Por exemplo, considere um agregador de informações com uma única thread que obtém os dados de diferentes sites da Web e os agrupa em um resumo diário. Como esse sistema só possui uma thread, ele consulta um site de cada vez, sempre terminando em um e seguindo para o próximo. A execução diária precisa ser feita em menos de 24 horas. Entretanto, conforme mais websites são adicionados, o tempo também aumenta, até que sejam necessárias mais do que 24 horas para obter todos os dados. Ter uma única thread implica em muito tempo de espera nos sockets da Web para que a E/S termine. Poderíamos melhorar o desempenho usando um algoritmo multithread que consulte mais de um website por vez.

Ou pense num sistema que trate de um usuário de cada vez e exija apenas um segundo de tempo por usuário. Esse sistema é o suficiente para poucos usuários, mas conforme o número aumentar, também crescerá o tempo de resposta. Nenhum usuário quer entrar numa fila atrás de outros 150! Poderíamos melhorar o tempo de resposta tratando de vários usuários concorrentemente.

Ou, então, imagine um sistema que interprete extensas séries de dados, mas que só ofereça uma solução completa após processá-las todas. Talvez poderiam processar cada série em um computador diferente, de modo que muitas séries de dados fossem processadas paralelamente.

Mitos e conceitos equivocados

E também há motivos irrefutáveis para se adotar a concorrência. Entretanto, como dissemos anteriormente, usar a concorrência é difícil. Se não você não for muito cauteloso, poderá criar situações muito prejudiciais. Considere os mitos e conceitos equivocados comuns abaixo:

- *A concorrência sempre melhora o desempenho.*
  Isso pode ocorrer às vezes, mas só quando houver um tempo de espera muito grande que possa ser dividido entre múltiplas threads ou processadores. Nenhuma situação é trivial.

- *O projeto não muda ao criar programas concorrentes.*
  De fato, o projeto de um algoritmo concorrente pode ser consideravelmente diferente do projeto de um sistema de apenas uma thread. O desacoplamento entre o que e quando costuma ter grande impacto na estrutura do sistema.

- *Entender as questões de concorrência não é importante quando se trabalha com um contêiner como um da Web ou um EJB.*
  Na verdade, é melhor saber apenas o que o seu contêiner está fazendo e como protegê-lo das questões de atualização da concorrência e do deadlock (impasse) descrito mais adiante.

A seguir estão outras frases mais corretas em relação à criação de softwares concorrentes:

- *A concorrência gera um certo aumento,* tanto no desempenho como na criação de código adicional.

- *Uma concorrência correta é complexa,* mesmo para problemas simples.

- Os bugs de concorrência geralmente não se repetem, portanto são frequentemente ignorados como casos únicos[2] em vez dos defeitos que realmente são.
- A concorrência geralmente requer uma mudança essencial na estratégia do projeto.

Desafios

O que torna a programação concorrente tão difícil? Considere a simples classe a seguir:

```
public class X {
   private int lastIdUsed;

public int getNextId() {
   return ++lastIdUsed;
   }
}
```

Digamos que criemos uma instância de `x`, atribuímos 42 ao campo `lastIdUsed` e, então a compartilhemos entre duas threads. Agora, suponha que ambas as threads chamem o método `getNextId()`. Haverá três resultados possíveis:

- Thread um recebe o valor 43, thread um recebe 44 e `lastIdUsed` é 44.
- Thread um recebe o valor 44, thread um recebe 43 e `lastIdUsed` é 44.
- Thread um recebe o valor 43, thread um recebe 43 e `lastIdUsed` é 43.

O surpreendente terceiro resultado[3] ocorre quando ambas as threads se cruzam. Isso acontece porque há muitos caminhos que elas podem seguir naquela linha de código Java, e alguns dos caminhos geram resultados incorretos. Há quantos caminhos diferentes? Para poder responder a essa questão, precisamos entender o que o Just-In-Time Compiler faz com o byte-code gerado e o que o modelo de memória do Java considera atômico.

Uma resposta rápida, usando o byte-code gerado, é que há 12.870 caminhos possíveis de execução[4] para aquelas duas threads executadas dentro do método `getNextId()`. Se o tipo de `lastIdUsed` mudar de `int` para `long`, o número de caminhos possíveis cresce para 2.704.156. É claro que a maioria desses caminhos gera resultados válidos. O problema é que *alguns não*.

Princípios para proteção da concorrência

A seguir está uma série de princípios e técnicas para proteger seus sistemas dos problemas de códigos concorrentes.

2. Raios cósmicos, picos etc.

3. Veja "Indo mais fundo" na página 323.

4. Veja "Caminhos possíveis de execução" na página 321.

Princípio da Responsabilidade Única

O SRP[5] declara que um dado método/classe/componente deve ter apenas um motivo para ser alterado. O modelo de concorrência é complexo o suficiente para ser uma razão e ter seu próprio direito de mudança e, portanto, merece ser separado do resto do código. Infelizmente, é muito comum que se incluam diretamente os detalhes de implementação de concorrência em outro código de produção. Abaixo estão alguns pontos a se levar em consideração:

- *O código voltado para a concorrência possui seu próprio ciclo de desenvolvimento,* alteração e otimização.
- *O código voltado para a concorrência possui seus próprios desafios*, que são diferentes e mais difíceis do que o código não voltado para concorrência.
- O número de maneiras pelas quais um código voltado para concorrência pode ser escrito de forma errada é desafiador o bastante sem o peso extra do código de aplicação que o cerca.

Recomendação: *Mantenha seu código voltado para a concorrência separado do resto do código*[6].

Solução: Limite o escopo dos dados

Como vimos, duas threads que modificam o mesmo campo de um objeto compartilhado podem interferir uma na outra, causando um comportamento inesperado. Uma solução é usar a palavra -chave reservada `synchronized` para proteger uma parte crítica do código que use aquele objeto compartilhado. É importante restringir a quantidade dessas partes. Em quantos mais lugares os dados compartilhados podem vir a ser alterados, maiores serão as chances de:

- Você se esquecer de proteger um ou mais daqueles lugares – danificando todos os códigos que modifiquem aqueles dados compartilhados
- Haver duplicação de esforços para garantir que tudo esteja protegido de forma eficiente (violação do Principio do Não Se Repita[7], DRY na sigla em inglês);
- Dificultar mais a determinação da origem das falhas, que já são difíceis de encontrar.

Recomendação: *Leve a sério o encapsulamento de dados; limite severamente o acesso a quaisquer dados que possam ser compartilhados.*

Solução: Use cópias dos dados

Essa é uma boa maneira de evitar que dados compartilhados compartilhem seu conteúdo inicialmente. Em alguns casos podem-se fazer cópias dos objetos e tratá-los como somente-leitura. Em outros casos podem-se fazer cópias dos objetos, colocar os resultados de múltiplas threads naquelas cópias e, então, unir os resultados numa única thread.

---

5. [PPP].

6. Veja "Exemplo de cliente/servidor" na página 317.

7. [PRAG].

Se houver uma maneira fácil de evitar o compartilhamento de objetos, será muito pouco provável que o código resultante cause problemas. Talvez você esteja preocupado com o custo de toda essa criação de objetos adicionais. Vale a pena experimentar para descobrir se isso é de fato um problema. Entretanto, se usar cópias dos objetos permitir ao código evitar a sincronização, o que se ganha provavelmente compensará pelas criações adicionais e o aumento da coleta de lixo.

Solução: as threads devem ser as mais independentes possíveis

Considere escrever seu código com threads de tal modo que cada thread exista em seu próprio mundo, sem compartilhamento de dados com qualquer outra thread. Cada uma processa um pedido do cliente, com todos os seus dados necessários provenientes de uma fonte não compartilhada e armazenada como variáveis locais. Isso faz com que cada uma das threads se comporte como se fossem a única thread no mundo, sem a necessidade de sincronização.

Por exemplo, as classes que criam subclasses a partir de `HttpServlet` recebem todas as suas informações passadas por parâmetros nos métodos `doGet` e `doPost`. Isso faz cada `Servlet` se agir como se tivesse sua própria máquina. Contanto que o código no `Servlet` use apenas variáveis locais, não há como causar problemas de sincronização. É claro que a maioria dos aplicativos usando `Servlets` acabará adotando recursos compartilhados, como conexões de bancos de dados.

Recomendação: *Tente dividir os dados em subsistemas independentes que possam ser manipulados por threads independentes, possivelmente em processadores diferentes.*

Conheça sua biblioteca

O Java 5 oferece muitas melhorias para o desenvolvimento concorrente em relação às versões anteriores. Há várias coisas a se considerar ao criar código com threads em Java 5:

- Use as coleções seguras para threads fornecidas.
- Use o framework Executor para executar tarefas não relacionadas.
- Use soluções non-blocking sempre que possível.
- Classes de bibliotecas que não sejam seguras para threads.

Coleções seguras para threads

Quando o Java estava no início, Doug Lea escreveu o livro precursor[8] Concurrent Programming, com o qual juntamente ele desenvolveu várias coleções seguras para threads, que mais tarde se tornou parte do JDK no pacote `java.util.concurrent`. As coleções neste pacote são seguras para situações multithread e funcionam bem. Na verdade, a implementação de `ConcurrentHashMap` roda melhor do que a HashMap em quase todos os casos. Além de permitir leitura e escrita concorrente simultânea e possuir métodos que suportam operações compostas comuns que, caso contrário, não seriam seguras para thread. Se o Java 5 for o ambiente de implementação, comece com a `ConcurrentHashMap`.

8. [Lea99].

Há diversos outros tipos de classes adicionados para suportar o modelo de concorrência avançado. Aqui estão alguns exemplos:

`ReentrantLock`	Um bloqueio que pode ser colocado em um método e liberado em outro.
`Semaphore`	Uma implementação do semáforo clássico, um bloqueio com um contador.
`CountDownLatch`	Um bloqueio que espera por um número de eventos antes de liberar todas as threads em espera. Isso permite que todas as threads tenham a mesma chance de iniciar quase ao mesmo tempo.

Recomendação: *Revise as classes disponíveis para você. No caso do Java, familiarize-se com as classes java.util.concurrent, java.util.concurrent.atomic, java.util.concurrent.locks.*

Conheça seus métodos de execução

Há diversas maneiras de dividir o comportamento em um aplicativo concorrente. Para falarmos sobre eles, precisamos entender algumas definições básicas.

Recursos limitados (Bound Resources)	Recursos de um tamanho ou número fixo usado em um ambiente concorrente. Conexões de banco de dados e buffers de leitura/escrita de tamanho fixo são alguns exemplos.
Exclusão mútua (Mutual Exclusion)	Apenas uma thread de cada vez pode acessar dados ou recursos compartilhados.
Espera indefinida (Starvation)	Uma thread ou um grupo de threads não pode prosseguir por um tempo excessivamente longo ou indefinidamente. Por exemplo: sempre deixar que threads de execução rápida rodem primeiro pode fazer com que threads que levem mais tempo tenham de esperar muito caso as de execução rápida forem infinitas.
Bloqueio infinito (Deadlock)	Duas ou mais threads esperam que a outra termine. Cada thread possui um recurso que a outra precisa e nenhuma delas pode terminar até obter o tal recurso.
Livelock	Threads num entrave, cada uma tentando fazer seu trabalho, mas se deparando com outras “no caminho”. Devido à repercussão, as threads continuam tentando progredir, mas não conseguem por um tempo excessivamente longo ou indefinido.

Dadas essas definições, agora podemos discutir os modelos de execução usados na programação concorrente.

Producer-Consumer[9]

Uma ou mais threads producer criam alguma tarefa e a colocam em um buffer ou fila de espera. Uma ou mais threads consumer pegam a tarefa da fila de espera e a finalizam. A fila de espera entre as producers e as consumers é um *bound resource* (recurso limitado). Isso significa que as producers devem esperar por espaço livre na fila de espera antes de colocar algo nela, e que as consumers devem esperar até que haja algo na fila de espera para ser recuperado. A coordenação entre as threads producers e consumers através da fila de espera requer que elas enviem sinais entre si. As producers escrevem na fila de espera e sinalizam que ela não está mais vazia. As consumers lêem a partir da fila de espera e sinalizam que ela não está mais cheia. Ambas ficam na espera pela sinalização para poderem continuar.

Leitores e escritores[10]

Quando você tem um recurso compartilhado que serve principalmente como uma fonte de informações para leitores, mas que de vez em quando é atualizada por escritores, a taxa de transferência dos dados é um problema. Isso porque ela pode gerar espera indefinida (starvation) e acúmulo de informações velhas. Permitir atualizações pode afetar a taxa de transferência dos dados. Coordenar os leitores de modo que não leiam algo que um escritor esteja atualizando, e vice-versa, é um equilíbrio difícil. Os escritores tendem a bloquear muitos leitores por bastante tempo, afetando assim a taxa de transferência dos dados.

O desafio é equilibrar as necessidades tanto dos leitores como dos escritores para satisfazer a operação correta, oferecer uma taxa de transferência de dados razoável e evitar a espera indefinida. Uma estratégia simples é fazer os escritores esperarem até que não haja mais leitores e, então, permitir que façam a atualização. Entretanto, se houver leitores constantes, os escritores ficarão numa espera indefinida. Por outro lado, se houver escritores frequentemente e eles tiverem prioridade, o impacto será na taxa de transferência de dados. Encontrar esse equilíbrio e evitar as questões de atualização concorrente é do que trata o problema.

Dining Philosophers (Problema dos Filósofos)[11]

Imagine alguns filósofos sentados em uma mesa redonda. Coloca-se um garfo à esquerda de cada um. Há uma grande tigela de espaguete no meio da mesa. Os filósofos passam o tempo pensando, a menos que estejam com fome. Quando isso acontece, cada um pega seu garfo e come. Um filósofo não pode comer a menos que esteja segurando dois garfos. Se o filósofo à sua direita ou esquerda já estiver usando um dos garfos que ele precisa, ele deverá esperar até que aquele filósofo termine de comer e repouse o garfo novamente na mesa. Quando um filósofo acaba de comer, ele devolve seu grafo à mesa e espera ficar com fome novamente.

Substitua os filósofos por threads e os garfos por recursos. Esse problema é semelhante a muitos aplicativos corporativos nos quais os processos competem pelos recursos. A menos que tenha sido meticulosamente desenvolvido, os sistemas que competem dessa forma podem sofrer deadlock, livelock e queda na taxa de transferência de dados e no desempenho.

---

9. http://en.wikipedia.org/wiki/Producer-consumer

10. http://en.wikipedia.org/wiki/Readers-writers_problem

11. http://en.wikipedia.org/wiki/Dinning_philosophers_problem

A maioria dos problemas de concorrência que você encontrará será uma variação desses três. Estude esses algoritmos e crie soluções usando-os à sua maneira, de modo que, ao se deparar com problemas de concorrência, você esteja mais preparado para resolvê-lo.

Recomendação: *Aprenda esses algoritmos básicos e entenda suas soluções.*

Cuidado com dependências entre métodos sincronizados

Dependências entre métodos sincronizados causam pequenos bugs no código concorrente. A linguagem Java possui a palavra-chave `synchronized`, que protege um único método. Entretanto, se houver mais de um método sincronizado na mesma classe compartilhada, então seu sistema pode ser sido escrito incorretamente[12].

Recomendação: *Evite usar mais de um método em um objeto compartilhado.*

Haverá vezes em que você deverá usar mais de um método em um objeto compartilhado. Neste caso, há três formas de deixar o código certo:

- **Bloqueio voltado para o cliente:** Faça o cliente bloquear o servidor antes de chamar o primeiro método e certifique-se de que o bloqueio inclua o código que chama o último método.
- **Bloqueio voltado para o servidor:** Dentro do servidor, crie um método que bloqueie o servidor, chame todos os métodos e, então, desbloqueie. Faça o cliente chamar o novo método.
- **Servidor extra:** crie um servidor intermediário que efetue o bloqueio. Esse é um exemplo de bloqueio voltado para o servidor, no qual o servidor original não pode ser alterado.

Mantenha pequenas as seções sincronizadas

A palavra-chave `synchronized` adiciona um bloqueio. Todas as seções do código protegidas pelo mesmo bloqueio garantem que há apenas uma thread em execução para todas elas num dado momento. Os bloqueios são prejudiciais, pois causam atrasos e adicionam trabalho extra. Portanto, não queremos amontoar nosso código com instruções `synchronized`. Por outro lado, devem-se proteger seções críticas[13]. Sendo assim, desejamos criar nosso código com o menor número possível de seções críticas.

Alguns programadores ingênuos tentam conseguir isso tornando as seções críticas muito grandes. Entretanto, estender a sincronização além da seção crítica mínima aumenta os conflitos e prejudica o desempenho[14].

Recomendação: *Mantenha suas seções sincronizadas as menores possíveis.*

---

12. Veja "Dependências entre métodos podem danificar o código concorrente" na página 329.

13. Uma seção crítica é qualquer seção de código que deva ser protegido de uso simultâneo para o programa para estar correto.

14. Veja "Como aumentar a taxa de transferência de dados" na página 333.

É difícil criar códigos de desligamento corretos

Criar um sistema que deva ficar para sempre executando é diferente de criar algo que funcione por um tempo e, então, desligue de maneira adequada.

Obter um desligamento adequado pode ser difícil. Dentre os problemas comuns estão o deadlock[15], com threads esperando por um sinal que nunca chega para continuar.

Por exemplo, imagine um sistema com uma thread pai que gera diversas threads filhas e, então, antes de liberar seus recursos e desligar, espera que todas elas finalizem. E se uma das threads filhas sofrer deadlock? O pai esperará para sempre e o sistema jamais desligará.

Ou pense num sistema semelhante que tenha sido instruído a desligar. A thread pai diz a todas as suas filhas para abandonar suas tarefas e finalizar. Mas e se duas das filhas estiverem operando como um par producer/consumer? Suponha que a thread producer receba o sinal da thread pai e desligue imediatamente. A consumer talvez estivesse esperando uma mensagem da producer e bloqueada de modo que não consiga receber o sinal para desligamento. Ela ficaria presa esperando pela producer e nunca finalizar, evitando que a thread pai também finalize.

Situações como essa não são tão incomuns assim. Portanto, se você precisar criar um código concorrente que exija um desligamento apropriado, prepare-se para passar a maior parte de seu tempo tentando fazer com que o desligamento ocorra com sucesso.

Recomendação: *Pense o quanto antes no desligamento e faça com que ele funcione com êxito. Vai levar mais tempo do que você espera. Revise os algoritmos existentes, pois isso é mais difícil do que você imagina.*

Teste de código com threads

Considerar que o código está correto, impossível. Testes não garantem que tudo esteja correto. Entretanto, eles podem minimizar os riscos. Isso tudo é válido para uma solução com uma única thread. Enquanto houver duas ou mais threads usando o mesmo código e trabalhando com os mesmos dados compartilhados, as coisas se tornam consideravelmente mais complexas.

Recomendação: *Crie testes que consigam expor os problemas e, então, execute-os frequentemente, com configurações programáticas e configurações e carregamentos de sistema. Se o teste falhar, rastreie a falha. Não ignora uma falha só porque o teste não a detectou no teste seguinte.*

É muito para se assimilar. Abaixo estão algumas recomendações mais detalhadas:

- Trate falhas falsas como questões relacionadas às threads.
- Primeiro, faça com que seu código sem thread funcione.
- Torne seu código com threads plugável.

15. Veja “Deadlock” na página 335.

- Torne seu código com threads ajustável.
- Execute com mais threads do que processadores.
- Execute em diferentes plataformas.
- Altere seu código para testar e forçar falhas.

Trate falhas falsas como questões relacionadas às threads.

O código que usa threads causa falhas em coisas que "simplesmente não podem falhar". A maioria dos desenvolvedores não entende como o uso de threads interage com outros códigos (incluindo seus autores). Os bugs em códigos com threads podem mostrar seus sintomas uma vez a cada mil ou milhares de execuções. Tentativas para repetir os erros no sistema podem ser frustrantes. Isso geralmente leva os desenvolvedores a descartarem as falhas como raios cósmicos, uma pequena falha no hardware ou outro tipo de "casos isolados". É melhor assumir que não existem casos isolados, os quais quanto mais forem ignorados, mais o código será construído no topo de uma abordagem possivelmente falha.

Recomendação: *Não ignore falhas de sistema como se fossem casos isolados.*

Primeiro, faça com que seu código sem thread funcione

Isso pode parecer óbvio, mas não custa nada repetir. Certifique-se de que o código funcione sem threads. Geralmente, isso significa criar POJOs que são chamados pelas suas threads. Os POJOs não enxergam as threads e, portanto, podem ser testados fora do ambiente com threads. Quando mais locais no seu sistema você conseguir colocar tais POJOs, melhor.

Recomendação: *Não procure bugs não relacionados a threads com os relacionados a elas ao mesmo tempo. Certifique-se de que seu código funcione sem threads.*

Torne plugável seu código com threads

Criar o código que suporte concorrência de modo que possa ser executado em diversas configurações:

- Uma thread, várias threads, variações conforme a execução.
- O código com threads interage com algo que possa ser tanto real como artificial.
- Execute com objetos artificiais que executem de forma rápida, lenta e variável.
- Configure testes de modo que possam executar para um certo número de iterações.

Recomendação: *Faça de seu código com threads especialmente portátil de modo que possa executá-lo em várias configurações.*

Torne ajustável seu código com threads

Obter o equilíbrio certo entre as threads requer testar e errar. O quanto antes, encontre maneiras de cronometrar o desempenho de seu sistema sob variadas configurações. Faça com que seja possível ajustar o número de threads. Considere permitir a alteração enquanto o sistema estiver em execução. Considere permitir um auto-ajuste baseando-se na taxa de transferência de dados e no uso do sistema.

Execute com mais threads do que processadores.

Coisas acontecem quando o sistema alterna entre as tarefas. A fim de incentivar a troca (swapping) de tarefas, execute mais threads do que os processadores ou núcleos presentes. Quanto mais frequentemente suas tarefas alternarem, mais provavelmente você descobrirá partes do código que precisam de uma seção crítica ou que causa um deadlock.

Execute em diferentes plataformas

Em meados de 2007, elaboramos um curso sobre programação concorrente. O curso foi desenvolvido essencialmente sob a plataforma OS X. Apresentamos à turma usando o Windows XP rodando sob uma máquina virtual (VM, sigla em inglês). Criamos testes para demonstrar que as condições para falhas ocorriam mais frequentemente num ambiente OS X do que em um XP.

Em todos os casos, sabia-se que o código testado possuía erros. Isso só reforçou o fato de que sistemas operacionais diferentes têm diferentes políticas de tratamento de threads, cada uma afetando a execução do código. O código multithread se comporta de maneira diferente em ambientes diversos[16]. Você deve executar seus testes em provável ambiente de implantação.

Recomendação: *Execute o quanto antes e frequentemente seu código com threads em todas as plataformas finais.*

Altere seu código para testar e forçar falhas

É normal que as falhas se escondam em códigos concorrentes. Testes simples não costumam expô-las. Na verdade, elas costumam se ocultar durante o processamento normal e talvez só apareçam uma vez em algumas horas, ou dias, ou semanas!

O motivo que torna os bugs em threads raros, esporádicos e de rara reincidência é que muito poucos caminhos dos milhares possíveis através de uma seção realmente falham. Portanto, a probabilidade de se tomar um caminho falho é extraordinariamente pequena. Isso dificulta muito a detecção e a depuração.

Como você poderia aumentar suas chances de capturar tais raras ocorrências? Você pode alterar seu código e forçá-lo a executar em diferentes situações através da adição de chamadas a métodos como `Object.wait()`, `Object.sleep()`, `Object.yield()` e `Object.priority()`.

Cada um deles pode afetar a ordem da execução, aumentando assim as chances de detectar uma falha. É melhor que o código falhe o quanto antes.

Há duas opções para alteração:

- Manualmente
- Automatizada

---

16. Você sabia que o modelo de thread em Java não garante threading preemptivo? Sistemas operacionais modernos dão suporte a threading preemptivos, então você ganha isso "de graça". Mesmo assim não é garantido pelo JVM.

Manualmente

Você pode inserir manualmente as chamadas a `wait()`, `sleep()`, `yield()` e `priority()`. É bom fazer isso quando estiver testando uma parte capciosa do código.

O exemplo abaixo faz exatamente isso:

```
public synchronized String nextUrlOrNull() {
  if(hasNext()) {
    String url = urlGenerator.next();
    Thread.yield(); // inserido para testar.
    updateHasNext();
    return url;
  }
  return null;
}
```

A chamada ao `yield()` inserida mudará os caminhos de execução tomados pelo código e possivelmente fará o código falhar onde não havia erro antes. Se isso ocorrer, não foi porque você adicionou uma chamada ao `yield()`[17], mas porque seu código já possuía a falha e isso simplesmente a tornou evidente.

Há muitos problemas com essa abordagem:

- É preciso encontrar manualmente os locais onde fazer isso.
- Como saber onde e qual tipo de chamada colocar?
- Deixar tal código em um código de produção sem necessidade atrasa o código.
- Essa abordagem é um tiro no escuro. Você pode ou não encontrar falhas. De fato, as probabilidades não estão a seu favor.

Precisamos de uma forma de fazer isso durante a fase de testes, e não na de produção. Também temos de misturar com facilidade as configurações entre as diferentes execuções, o que aumentará as chances de encontrar erros no todo.

Claramente, se dividirmos nosso sistema em POJOs que não saibam nada sobre as threads e as classes que controlam o uso daquelas, será mais fácil encontrar os locais apropriados para alterar o código. Ademais, poderíamos criar muitas variações de testes que invoquem os POJOs sob sistemas diferentes de chamadas a `sleep`, `yield`, e assim por diante.

Automatizada

Você poderia usar ferramentas como um Framework Orientado a Aspecto, CGLIB ou ASM para alterar seu código de forma automática. Por exemplo, você poderia usar uma classe com um único método:

```
public class ThreadJigglePoint {
  public static void jiggle() {
  }
}
```

17. Este não é o caso exatamente. Já que JVM não garante threading preemptivo, um algoritmo em particular pode funcionar sempre em um Sistema Operacional que não realiza a preempção. O contrário também é possível, mas por razões diferentes.

Você pode adicionar chamadas a ele em vários lugares de seu código:

```
public synchronized String nextUrlOrNull() {
  if(hasNext()) {
    ThreadJiglePoint.jiggle();
    String url = urlGenerator.next();
    ThreadJiglePoint.jiggle();
    updateHasNext();
    ThreadJiglePoint.jiggle();
    return url;
  }
  return null;
}
```

Agora você usa um aspecto simples que selecione aleatoriamente entre fazer nada, dormir ou ficar passivo.

Ou imagine que a classe `ThreadJigglePoint` tem duas implementações. A primeira implementa `jiggle`, não faz nada e é usada na produção. A segunda gera um número aleatório para selecionar entre dormir, ficar passivo ou apenas prosseguir. Se executar seus testes mil vezes com essa aleatoriedade, talvez você revele algumas falhas. Se o teste passar, pelo menos você pode dizer que teve a devida diligência. Embora um pouco simples, essa poderia ser uma opção razoável em vez de uma ferramenta mais sofisticada.

Há uma ferramenta chamada ConTest[18], desenvolvida pela IBM que faz algo semelhante, mas com um pouco mais de sofisticação.

A questão é testar o código de modo que as threads executem em ordens diferentes em momentos diferentes. A combinação de testes bem escritos e esse processo podem aumentar consideravelmente as chances de encontrar erros.

Recomendação: *Use essas estratégias de testes para desmascarar erros.*

Conclusão

É difícil conseguir um código concorrente correto. Um código simples de se seguir pode se tornar um pesadelo quando múltiplas threads e dados compartilhados entram em jogo. Se você estiver criando esse tipo de código, é preciso mantê-lo rigorosamente limpo, ou haverá falhas sutis e não frequentes.

Primeiro e acima de tudo, siga o Princípio da Responsabilidade Única. Divida seu sistema em POJOs que separem o código que enxerga threads daquele que as ignora. Certifique-se de que você está testando apenas seu código que usa threads e nada mais. Isso sugere que ele deva ser pequeno e centralizado.

Tenha em mente as possíveis fontes de problemas com concorrência: múltiplas threads operando em dados compartilhados ou usando uma fonte de recursos em comum. Casos de limites, como desligar adequadamente ou terminar a iteração de um loop, pode ser um risco a mais.

---

18. http://www.alphaworks.ibm.com/tech/contest

Estude sua biblioteca e conheça os algoritmos essenciais. Entenda como alguns dos recursos oferecidos por ela dão suporte à solução de problemas semelhantes aos proporcionados algoritmos essenciais.

Aprenda como encontrar partes do código que devam ser bloqueadas e as bloqueie – faça isso apenas com as que realmente precisem ser. Evite chamar uma seção bloqueada a partir de outra, pois isso requer um grande entendimento se algo deve ou não ser compartilhado. Mantenha a quantidade de objetos compartilhados e o escopo do compartilhamento o mais curto possível. Altere os modelos dos objetos com os dados compartilhados para acomodar os clientes em vez de forçar estes a gerenciar o estado compartilhado.

Problemas surgirão. Os que não aparecem logo geralmente são descartados como casos isolados. Esses famosos "casos isolados" costumam ocorrer apenas na inicialização ou em momentos aleatórios. Portanto, é preciso ser capaz de executar repetidamente e constantemente seu código com threads em muitas configurações e plataformas. A capacidade de ser testado, que vem naturalmente com as Três Leis do TDD, implica certo nível de portabilidade, o que oferece o suporte necessário para executar o código numa gama maior de configurações.

Você pode melhorar consideravelmente suas chances de encontrar erros se tomar seu tempo para manipular seu código. Isso pode ser feito manualmente ou com alguma ferramenta automatizada. Invista nisso o quanto antes. É melhor ter executado seu código com threads o máximo possível antes de colocá-lo na fase de produção.

Se tomar uma abordagem limpa, suas chances de acertar aumentarão drasticamente.

Bibliografia

[Lea99]: *Concurrent Programming in Java: Design Principles and Patterns,* 2d. ed., Doug Lea, Prentice Hall, 1999.

[PPP]: *Agile Software Development: Principles, Patterns, and Practices,* Robert C. Martin, Prentice Hall, 2002.

[PRAG]: *The Pragmatic Programmer,* Dave Thomas, Addison-Wesley, 2000.

14

Refinamento Sucessivo

Caso de estudo de um analisador sintático de parâmetro em uma linha de comando

Este capítulo é um estudo de caso sobre como obter um refinamento com êxito. Você verá um módulo que começará bem, mas não progredirá mais. Então, verá como ele será refatorado e limpo.

A maioria de nós, de tempos em tempos, tem de analisar a sintaxe dos parâmetros na linha de comando. Se não tivermos um utilitário adequado, então simplesmente movemos o array de strings passado à função `main`. Há vários utilitários bons disponíveis, mas nenhum deles faz exatamente o que quero. Portanto, decidi criar o meu próprio, que chamarei de `Args`.

É muito simples usá-lo. Basta criar uma classe `Args` com os parâmetros de entrada e uma string de formato, e, então, consultar a instância `Args` pelos valores dos parâmetros. Por exemplo, veja o exemplo abaixo:

Listagem 14-1
Uso simples de Args

```
public static void main(String[] args) {
  try {
    Args arg = new Args("l,p#,d*", args);
    boolean logging = arg.getBoolean('l');
    int port = arg.getInt('p');
    String directory = arg.getString('d');
    executeApplication(logging, port, directory);
  } catch (ArgsException e) {
    System.out.printf("Argument error: %s\n", e.errorMessage())
  }
}
```

Viu a simplicidade? Apenas criamos uma instância da classe `Args` com dois parâmetros. O primeiro é a string do formato, ou esquema: `"l,p#,d*."` Ela declara três parâmetros na linha de comando. O primeiro, `-l`, é booleano; o segundo, `-p`, é um inteiro; e o terceiro, `-d`, é uma string. O segundo parâmetro do construtor `Args` é um array simples passado como parâmetro na linha de comando passado para `main`.

Se o construtor retornar sem lançar uma `ArgsException`, então a linha de comando da entrada é analisada e a instância `Args` fica pronta para ser consultada. Métodos como `getBoolean`, `getInteger` e `getString` nos permite acessar os valores dos argumentos pelos nomes.

Se houver um problema, seja na string de formato ou nos parâmetros da linha de comando, será lançada uma `ArgsException`. Para uma descrição adequada do que deu errado, consulte o método `errorMessage` da exceção.

Implementação de Args

A Listagem 14-2 é a implementação da classe `Args`. Leia-a com bastante atenção. Esforcei-me bastante no estilo e na estrutura e espero que valha a pena.

Listagem 14-2
Args.java

```
package com.objectmentor.utilities.args;

import static com.objectmentor.utilities.args.ArgsException.ErrorCode.*;
import java.util.*;

public class Args {
  private Map<Character, ArgumentMarshaler> marshalers;
```

Listagem 14-2 (continuação)
Args.java

```
  private Set<Character> argsFound;
  private ListIterator<String> currentArgument;

  public Args(String schema, String[] args) throws ArgsException {
    marshalers = new HashMap<Character, ArgumentMarshaler>();
    argsFound = new HashSet<Character>();

    parseSchema(schema);
    parseArgumentStrings(Arrays.asList(args));
  }

  private void parseSchema(String schema) throws ArgsException {
    for (String element : schema.split(","))
      if (element.length() > 0)
        parseSchemaElement(element.trim());
  }

  private void parseSchemaElement(String element) throws ArgsException {
    char elementId = element.charAt(0);
    String elementTail = element.substring(1);
    validateSchemaElementId(elementId);
    if (elementTail.length() == 0)
      marshalers.put(elementId, new BooleanArgumentMarshaler());
    else if (elementTail.equals("*"))
      marshalers.put(elementId, new StringArgumentMarshaler());
    else if (elementTail.equals("#"))
      marshalers.put(elementId, new IntegerArgumentMarshaler());
    else if (elementTail.equals("##"))
      marshalers.put(elementId, new DoubleArgumentMarshaler());
    else if (elementTail.equals("[*]"))
      marshalers.put(elementId, new StringArrayArgumentMarshaler());
    else
      throw new ArgsException(INVALID_ARGUMENT_FORMAT, elementId, elementTail);
  }

  private void validateSchemaElementId(char elementId) throws ArgsException {
    if (!Character.isLetter(elementId))
      throw new ArgsException(INVALID_ARGUMENT_NAME, elementId, null);
  }

  private void parseArgumentStrings(List<String> argsList) throws ArgsException
  {
    for (currentArgument = argsList.listIterator(); currentArgument.hasNext();)
    {
      String argString = currentArgument.next();
      if (argString.startsWith("-")) {
        parseArgumentCharacters(argString.substring(1));
      } else {
        currentArgument.previous();
        break;
      }
    }
  }
```

Listagem 14-2 (continuação)
Args.java

```
  private void parseArgumentCharacters(String argChars) throws ArgsException {
    for (int i = 0; i < argChars.length(); i++)
      parseArgumentCharacter(argChars.charAt(i));
  }

  private void parseArgumentCharacter(char argChar) throws ArgsException {
    ArgumentMarshaler m = marshalers.get(argChar);
    if (m == null) {
      throw new ArgsException(UNEXPECTED_ARGUMENT, argChar, null);
    } else {
      argsFound.add(argChar);
      try {
        m.set(currentArgument);
      } catch (ArgsException e) {
        e.setErrorArgumentId(argChar);
        throw e;
      }
    }
  }

  public boolean has(char arg) {
    return argsFound.contains(arg);
  }

  public int nextArgument() {
    return currentArgument.nextIndex();
  }

  public boolean getBoolean(char arg) {
    return BooleanArgumentMarshaler.getValue(marshalers.get(arg));
  }

  public String getString(char arg) {
    return StringArgumentMarshaler.getValue(marshalers.get(arg));
  }

  public int getInt(char arg) {
    return IntegerArgumentMarshaler.getValue(marshalers.get(arg));
  }

  public double getDouble(char arg) {
    return DoubleArgumentMarshaler.getValue(marshalers.get(arg));
  }

  public String[] getStringArray(char arg) {
    return StringArrayArgumentMarshaler.getValue(marshalers.get(arg));
  }
}
```

Note que você consegue ler esse código de cima para baixo sem ter de saltar muito para lá e para cá. Uma coisa que você teve de olhar um pouco mais a à frente é a definição de `ArgumentMarshaler`, que deixei de fora propositalmente. Após ter lido com atenção esse código, você deve ser capaz de entender o que fazem a interface `ArgumentMarshaler` e seus derivados. Irei lhe mostrar alguns deles agora (Listagem 14-3 até 14-6).

Listagem 14-3
ArgumentMarshaler.java

```
public interface ArgumentMarshaler {
  void set(Iterator<String> currentArgument) throws ArgsException;
}
```

Listagem 14-4
ArgumentMarshaler.java

```
public class BooleanArgumentMarshaler implements ArgumentMarshaler {
  private boolean booleanValue = false;

  public void set(Iterator<String> currentArgument) throws ArgsException {
    booleanValue = true;
  }

  public static boolean getValue(ArgumentMarshaler am) {
    if (am != null && am instanceof BooleanArgumentMarshaler)
      return ((BooleanArgumentMarshaler) am).booleanValue;
    else
      return false;
  }
}
```

Listagem 14-5
StringArgumentMarshaler.java

```
import static com.objectmentor.utilities.args.ArgsException.ErrorCode.*;

public class StringArgumentMarshaler implements ArgumentMarshaler {
  private String stringValue = "";

  public void set(Iterator<String> currentArgument) throws ArgsException {
    try {
      stringValue = currentArgument.next();
    } catch (NoSuchElementException e) {
      throw new ArgsException(MISSING_STRING);
    }
  }

  public static String getValue(ArgumentMarshaler am) {
    if (am != null && am instanceof StringArgumentMarshaler)
      return ((StringArgumentMarshaler) am).stringValue;
    else
      return "";
  }
}
```

Listagem 14-6
IntegerArgumentMarshaler.java

```
import static com.objectmentor.utilities.args.ArgsException.ErrorCode.*;

public class IntegerArgumentMarshaler implements ArgumentMarshaler {
  private int intValue = 0;

  public void set(Iterator<String> currentArgument) throws ArgsException {
    String parameter = null;
    try {
      parameter = currentArgument.next();
      intValue = Integer.parseInt(parameter);
    } catch (NoSuchElementException e) {
      throw new ArgsException(MISSING_INTEGER);
    } catch (NumberFormatException e) {
      throw new ArgsException(INVALID_INTEGER, parameter);
    }
  }

  public static int getValue(ArgumentMarshaler am) {
    if (am != null && am instanceof IntegerArgumentMarshaler)
      return ((IntegerArgumentMarshaler) am).intValue;
    else
      return 0;
  }
}
```

O outro `ArgumentMarshaler` derivado simplesmente replica esse padrão para arrays tipo `doubles` e `String`, e serve para encher esse capítulo. Deixarei-os para que você pratique neles.

Outra coisa pode estar lhe incomodando: a definição das constantes dos códigos de erro. Elas estão na classe `ArgsException` (Listagem 14-7).

Listagem 14-7
ArgsException.java

```
import static com.objectmentor.utilities.args.ArgsException.ErrorCode.

public class ArgsException extends Exception {
  private char errorArgumentId = '\0';
  private String errorParameter = null;
  private ErrorCode errorCode = OK;

  public ArgsException() {}

  public ArgsException(String message) {super(message);}

  public ArgsException(ErrorCode errorCode) {
    this.errorCode = errorCode;
  }

  public ArgsException(ErrorCode errorCode, String errorParameter) {
    this.errorCode = errorCode;
    this.errorParameter = errorParameter;
  }
```

Listagem 14-7 (continuação)
ArgsException.java

```
public ArgsException(ErrorCode errorCode,
                     char errorArgumentId, String errorParameter) {
  this.errorCode = errorCode;
  this.errorParameter = errorParameter;
  this.errorArgumentId = errorArgumentId;
}

public char getErrorArgumentId() {
  return errorArgumentId;
}

public void setErrorArgumentId(char errorArgumentId) {
  this.errorArgumentId = errorArgumentId;
}

public String getErrorParameter() {
  return errorParameter;
}

public void setErrorParameter(String errorParameter) {
  this.errorParameter = errorParameter;
}

public ErrorCode getErrorCode() {
  return errorCode;
}

public void setErrorCode(ErrorCode errorCode) {
  this.errorCode = errorCode;
}

public String errorMessage() {
  switch (errorCode) {
    case OK:
      return "TILT: Should not get here.";
    case UNEXPECTED_ARGUMENT:
      return String.format("Argument -%c unexpected.", errorArgumentId);
    case MISSING_STRING:
      return String.format("Could not find string parameter for -%c.",
                           errorArgumentId);
    case INVALID_INTEGER:
      return String.format("Argument -%c expects an integer but was '%s'.",
                           errorArgumentId, errorParameter);
    case MISSING_INTEGER:
      return String.format("Could not find integer parameter for -%c.",
                           errorArgumentId);
    case INVALID_DOUBLE:
      return String.format("Argument -%c expects a double but was '%s'.",
                           errorArgumentId, errorParameter);
    case MISSING_DOUBLE:
      return String.format("Could not find double parameter for -%c.",
                           errorArgumentId);
    case INVALID_ARGUMENT_NAME:
      return String.format("'%c' is not a valid argument name.",
                           errorArgumentId);
```

Listagem 14-7 (continuação)
ArgsException.java

```
      case INVALID_ARGUMENT_FORMAT:
        return String.format("'%s' is not a valid argument format.",
                             errorParameter);
    }
    return "";
  }

  public enum ErrorCode {
    OK, INVALID_ARGUMENT_FORMAT, UNEXPECTED_ARGUMENT, INVALID_ARGUMENT_NAME,
    MISSING_STRING,
    MISSING_INTEGER, INVALID_INTEGER,
    MISSING_DOUBLE, INVALID_DOUBLE}
}
```

É impressionante a quantidade de código necessária para esclarecer os detalhes deste simples conceito. Um dos motivos disso é que estamos usando uma linguagem particularmente prolixa. Como Java é uma linguagem estática, é preciso digitar muitas palavras de modo a satisfazer o sistema de tipos. Em linguagens como Ruby, Python ou Smalltalk, esse programa fica muito menor[1].

Leia o código novamente. Atente especialmente para o modo como as coisas são nomeadas, o tamanho das funções e o formato do código. Se você for um programador experiente, talvez faça uma crítica aqui e ali e em relação ao estilo ou à estrutura. De modo geral, entretanto, espero que você chegue a conclusão que este programa está bem escrito e possui uma estrutura limpa.

Por exemplo, deve ficar óbvio como adicionar um novo tipo de parâmetro, como uma data ou um número complexo, e que essa inserção exige pouco esforço. Em suma, simplesmente bastaria criar um derivado de `ArgumentMarshaler`, uma nova função `getXXX` e uma nova instrução case na função `parseSchemaElement`. Provelmente haveria também um na nova `ArgsException.ErrorCode` e uma nova mensagem de erro.

Como fiz isso?

Permita-me tirar sua dúvida. Eu não criei simplesmente esse programa do início ao fim neste formato que ele se encontra agora. E, mais importante, não espero que você seja capaz de escrever programas limpos e elegantes de primeira. Se aprendemos algo ao longo das últimas décadas, é que programar é mais uma arte do que ciência. Para criar um código limpo, é preciso criar primeiro um "sujo" e, então limpá-lo.

Isso não deveria ser surpresa para você. Aprendemos essa verdade na escola quando nossos professores tentavam (em vão) nos fazer escrever rascunhos de nossas redações. O processo, eles diziam, era criar um rascunho e, depois, um segundo e, então, vários outros até que chegássemos à versão final. Escrever redações limpas, eles tentavam nos dizer, é uma questão de refinamento constante.

---

1. Eu reescrevi recentemente este módulo em Ruby. Ficou com um sétimo do tamanho e possuia uma estrutura sutilmente melhor.

A maioria dos programadores iniciantes (assim como muitos alunos do ensino fundamental) não segue muito bem esse conselho. Eles acreditam que o objetivo principal é fazer o programa funcionar e, uma vez conseguido, passam para a tarefa seguinte, deixando o programa "que funciona" no estado em que estiver. A maioria dos programadores experientes sabe que isso é suicídio profissional.

Args: O rascunho

A Listagem 14-8 mostra uma versão anterior da classe `Args`. Ela "funciona" e está uma bagunça.

Listagem 14-8

`Args.java (primeiro rascunho)`

```
import java.text.ParseException;
import java.util.*;

public class Args {
  private String schema;
  private String[] args;
  private boolean valid = true;
  private Set<Character> unexpectedArguments = new TreeSet<Character>();
  private Map<Character, Boolean> booleanArgs =
    new HashMap<Character, Boolean>();
  private Map<Character, String> stringArgs = new HashMap<Character, String>();
  private Map<Character, Integer> intArgs = new HashMap<Character, Integer>();
  private Set<Character> argsFound = new HashSet<Character>();
  private int currentArgument;
  private char errorArgumentId = '\0';
  private String errorParameter = "TILT";
  private ErrorCode errorCode = ErrorCode.OK;

  private enum ErrorCode {
    OK, MISSING_STRING, MISSING_INTEGER, INVALID_INTEGER, UNEXPECTED_ARGUMENT}

  public Args(String schema, String[] args) throws ParseException {
    this.schema = schema;
    this.args = args;
    valid = parse();
  }

  private boolean parse() throws ParseException {
    if (schema.length() == 0 && args.length == 0)
      return true;
    parseSchema();
    try {
      parseArguments();
    } catch (ArgsException e) {
    }
    return valid;
  }

  private boolean parseSchema() throws ParseException {
    for (String element : schema.split(",")) {
```

Listagem 14-8 (continuação)

`Args.java (primeiro rascunho)`

```
        if (element.length() > 0) {
          String trimmedElement = element.trim();
          parseSchemaElement(trimmedElement);
        }
      }
      return true;
    }

    private void parseSchemaElement(String element) throws ParseException {
      char elementId = element.charAt(0);
      String elementTail = element.substring(1);
      validateSchemaElementId(elementId);
      if (isBooleanSchemaElement(elementTail))
        parseBooleanSchemaElement(elementId);
      else if (isStringSchemaElement(elementTail))
        parseStringSchemaElement(elementId);
      else if (isIntegerSchemaElement(elementTail)) {
        parseIntegerSchemaElement(elementId);
      } else {
        throw new ParseException(
          String.format("Argument: %c has invalid format: %s.",
                        elementId, elementTail), 0);
      }
    }

    private void validateSchemaElementId(char elementId) throws ParseException {
      if (!Character.isLetter(elementId)) {
        throw new ParseException(
          "Bad character:" + elementId + "in Args format: " + schema, 0);
      }
    }

    private void parseBooleanSchemaElement(char elementId) {
      booleanArgs.put(elementId, false);
    }

    private void parseIntegerSchemaElement(char elementId) {
      intArgs.put(elementId, 0);
    }

    private void parseStringSchemaElement(char elementId) {
      stringArgs.put(elementId, "");
    }

    private boolean isStringSchemaElement(String elementTail) {
      return elementTail.equals("*");
    }

    private boolean isBooleanSchemaElement(String elementTail) {
      return elementTail.length() == 0;
    }

    private boolean isIntegerSchemaElement(String elementTail) {
      return elementTail.equals("#");
    }
```

Listagem 14-8 (continuação)

Args.java (primeiro rascunho)

```
private boolean parseArguments() throws ArgsException {
  for (currentArgument = 0; currentArgument < args.length; currentArgument++)
  {
    String arg = args[currentArgument];
    parseArgument(arg);
  }
  return true;
}

private void parseArgument(String arg) throws ArgsException {
  if (arg.startsWith("-"))
    parseElements(arg);
}

private void parseElements(String arg) throws ArgsException {
  for (int i = 1; i < arg.length(); i++)
    parseElement(arg.charAt(i));
}

private void parseElement(char argChar) throws ArgsException {
  if (setArgument(argChar))
    argsFound.add(argChar);
  else {
    unexpectedArguments.add(argChar);
    errorCode = ErrorCode.UNEXPECTED_ARGUMENT;
    valid = false;
  }
}

private boolean setArgument(char argChar) throws ArgsException {
  if (isBooleanArg(argChar))
    setBooleanArg(argChar, true);
  else if (isStringArg(argChar))
    setStringArg(argChar);
  else if (isIntArg(argChar))
    setIntArg(argChar);
  else
    return false;

  return true;
}

private boolean isIntArg(char argChar) {return intArgs.containsKey(argChar);}

private void setIntArg(char argChar) throws ArgsException {
  currentArgument++;
  String parameter = null;
  try {
    parameter = args[currentArgument];
    intArgs.put(argChar, new Integer(parameter));
  } catch (ArrayIndexOutOfBoundsException e) {
    valid = false;
    errorArgumentId = argChar;
    errorCode = ErrorCode.MISSING_INTEGER;
```

Listagem 14-8 (continuação)

Args.java (primeiro rascunho)

```
      throw new ArgsException();
    } catch (NumberFormatException e) {
      valid = false;
      errorArgumentId = argChar;
      errorParameter = parameter;
      errorCode = ErrorCode.INVALID_INTEGER;
      throw new ArgsException();
    }
  }

  private void setStringArg(char argChar) throws ArgsException {
    currentArgument++;
    try {
      stringArgs.put(argChar, args[currentArgument]);
    } catch (ArrayIndexOutOfBoundsException e) {
      valid = false;
      errorArgumentId = argChar;
      errorCode = ErrorCode.MISSING_STRING;
      throw new ArgsException();
    }
  }

  private boolean isStringArg(char argChar) {
    return stringArgs.containsKey(argChar);
  }

  private void setBooleanArg(char argChar, boolean value) {
    booleanArgs.put(argChar, value);
  }

  private boolean isBooleanArg(char argChar) {
    return booleanArgs.containsKey(argChar);
  }

  public int cardinality() {
    return argsFound.size();
  }

  public String usage() {
    if (schema.length() > 0)
      return "-[" + schema + "]";
    else
      return "";
  }

  public String errorMessage() throws Exception {
    switch (errorCode) {
      case OK:
        throw new Exception("TILT: Should not get here.");
      case UNEXPECTED_ARGUMENT:
        return unexpectedArgumentMessage();
      case MISSING_STRING:
        return String.format("Could not find string parameter for -%c.",
                             errorArgumentId);
```

Listagem 14-8 (continuação)
Args.java (primeiro rascunho)

```
      case INVALID_INTEGER:
        return String.format("Argument -%c expects an integer but was '%s'.",
                             errorArgumentId, errorParameter);
      case MISSING_INTEGER:
        return String.format("Could not find integer parameter for -%c.",
                             errorArgumentId);
    }
    return "";
  }

  private String unexpectedArgumentMessage() {
    StringBuffer message = new StringBuffer("Argument(s) -");
    for (char c : unexpectedArguments) {
      message.append(c);
    }
    message.append(" unexpected.");

    return message.toString();
  }

  private boolean falseIfNull(Boolean b) {
    return b != null && b;
  }

  private int zeroIfNull(Integer i) {
    return i == null ? 0 : i;
  }

  private String blankIfNull(String s) {
    return s == null ? "" : s;
  }

  public String getString(char arg) {
    return blankIfNull(stringArgs.get(arg));
  }

  public int getInt(char arg) {
    return zeroIfNull(intArgs.get(arg));
  }

  public boolean getBoolean(char arg) {
    return falseIfNull(booleanArgs.get(arg));
  }

  public boolean has(char arg) {
    return argsFound.contains(arg);
  }

  public boolean isValid() {
    return valid;
  }

  private class ArgsException extends Exception {
  }
}
```

Espero que sua reação inicial a esse pedaço de código seja "Realmente estou feliz por ele não tê-lo deixado assim!". Se você se sentir assim, então lembre-se de como as outras pessoas ficarão ao ler um código que você deixou num formato de "rascunho".

Na verdade, "rascunho" é provavelmente a coisa mais gentil que se possa falar desste código. Está claro que é um trabalho em progresso. Quantidade de variáveis de instâncias é assustadora. Strings estranhas, como "`TILT`", "`HashSets`" e "`TreeSets`, e os blocos `try-catch-catch` ficam todas amontoadas.

Eu não queria criar um código amontoado. De fato, eu estava tentando manter as coisas razoavelmente bem organizadas. Você provavelmente pode deduzir isso dos nomes que escolhi para as funções e as variáveis, e o fato de que mantive uma estrutura bruta. Mas, obviamente, me afastei do problema.

A bagunça cresceu gradualmente. As versões anteriores não estavam tão bagunçadas assim. Por exemplo, a Listagem 14-9 mostra uma versão antiga na qual só funcionavam os parâmetros do tipo `boolean`.

Listagem 14-9

`Args.java (Boolean apenas)`

```
package com.objectmentor.utilities.getopts;

import java.util.*;

public class Args {
  private String schema;
  private String[] args;
  private boolean valid;
  private Set<Character> unexpectedArguments = new TreeSet<Character>();
  private Map<Character, Boolean> booleanArgs =
    new HashMap<Character, Boolean>();
  private int numberOfArguments = 0;

  public Args(String schema, String[] args) {
    this.schema = schema;
    this.args = args;
    valid = parse();
  }

  public boolean isValid() {
    return valid;
  }

  private boolean parse() {
    if (schema.length() == 0 && args.length == 0)
      return true;
    parseSchema();
    parseArguments();
    return unexpectedArguments.size() == 0;
  }

  private boolean parseSchema() {
    for (String element : schema.split(",")) {
      parseSchemaElement(element);
    }
```

Listagem 14-9 (continuação)
Args.java (Boolean apenas)

```
    return true;
  }

  private void parseSchemaElement(String element) {
    if (element.length() == 1) {
      parseBooleanSchemaElement(element);
    }
  }

  private void parseBooleanSchemaElement(String element) {
    char c = element.charAt(0);
    if (Character.isLetter(c)) {
      booleanArgs.put(c, false);
    }
  }

  private boolean parseArguments() {
    for (String arg : args)
      parseArgument(arg);
    return true;
  }

  private void parseArgument(String arg) {
    if (arg.startsWith("-"))
      parseElements(arg);
  }

  private void parseElements(String arg) {
    for (int i = 1; i < arg.length(); i++)
      parseElement(arg.charAt(i));
  }

  private void parseElement(char argChar) {
    if (isBoolean(argChar)) {
      numberOfArguments++;
      setBooleanArg(argChar, true);
    } else
      unexpectedArguments.add(argChar);
  }

  private void setBooleanArg(char argChar, boolean value) {
    booleanArgs.put(argChar, value);
  }

  private boolean isBoolean(char argChar) {
    return booleanArgs.containsKey(argChar);
  }

  public int cardinality() {
    return numberOfArguments;
  }

  public String usage() {
    if (schema.length() > 0)
       return "-["+schema+"]";
```

Listagem 14-9 (continuação)
Args.java (Booleano apenas)

```
      else
        return "";
    }

    public String errorMessage() {
      if (unexpectedArguments.size() > 0) {
        return unexpectedArgumentMessage();
      } else
        return "";
    }

    private String unexpectedArgumentMessage() {
      StringBuffer message = new StringBuffer("Argument(s) -");
      for (char c : unexpectedArguments) {
        message.append(c);
      }
      message.append(" unexpected.");

      return message.toString();
    }

    public boolean getBoolean(char arg) {
      return booleanArgs.get(arg);
    }
  }
```

Embora você possa encontrar muitas formas de criticar esse código, ele não está tão ruim assim. Ele está compacto, simples e fácil de entender. Entretanto, dentro dele é fácil identificar as "sementes" que bagunçarão o código. Está bem claro como ele se tornará uma grande bagunça.

Note que a bagunça futura possui apenas mais dois tipos de parâmetros do que estes: `String` e `integer`. Só essa adição tem um impacto negativo enorme no código. Ele o transformou de algo que seria razoavelmente passível de manutenção em algo confuso cheio de bugs.

Inseri esses dois tipos de parâmetro de modo gradual. Primeiro, adicionei o parâmetro do tipo `String`, que resultou no seguinte:

Listagem 14-10
Args.java (Boolean e String)

```
package com.objectmentor.utilities.getopts;

import java.text.ParseException;
import java.util.*;

public class Args {
  private String schema;
  private String[] args;
  private boolean valid = true;
  private Set<Character> unexpectedArguments = new TreeSet<Character>();
  private Map<Character, Boolean> booleanArgs =
    new HashMap<Character, Boolean>();
```

Listagem 14-10 (continuação)
Args.java (Boolean e String)

```
private Map<Character, String> stringArgs =
  new HashMap<Character, String>();
private Set<Character> argsFound = new HashSet<Character>();
private int currentArgument;
private char errorArgument = '\0';

enum ErrorCode {
  OK, MISSING_STRING}

private ErrorCode errorCode = ErrorCode.OK;

public Args(String schema, String[] args) throws ParseException {
  this.schema = schema;
  this.args = args;
  valid = parse();
}

private boolean parse() throws ParseException {
  if (schema.length() == 0 && args.length == 0)
    return true;
  parseSchema();
  parseArguments();
  return valid;
}

private boolean parseSchema() throws ParseException {
  for (String element : schema.split(",")) {
    if (element.length() > 0) {
      String trimmedElement = element.trim();
      parseSchemaElement(trimmedElement);
    }
  }
  return true;
}

private void parseSchemaElement(String element) throws ParseException {
  char elementId = element.charAt(0);
  String elementTail = element.substring(1);
  validateSchemaElementId(elementId);
  if (isBooleanSchemaElement(elementTail))
    parseBooleanSchemaElement(elementId);
  else if (isStringSchemaElement(elementTail))
    parseStringSchemaElement(elementId);
}

private void validateSchemaElementId(char elementId) throws ParseException {
  if (!Character.isLetter(elementId)) {
    throw new ParseException(
      "Bad character:" + elementId + "in Args format: " + schema, 0);
  }

}

private void parseStringSchemaElement(char elementId) {
  stringArgs.put(elementId, "");
}
```

Listagem 14-10 (continuação)

`Args.java (Boolean e String)`

```
private boolean isStringSchemaElement(String elementTail) {
  return elementTail.equals("*");
}

private boolean isBooleanSchemaElement(String elementTail) {
  return elementTail.length() == 0;
}

private void parseBooleanSchemaElement(char elementId) {
  booleanArgs.put(elementId, false);
}

private boolean parseArguments() {
  for (currentArgument = 0; currentArgument < args.length; currentArgument++)
  {
    String arg = args[currentArgument];
    parseArgument(arg);
  }
  return true;
}

private void parseArgument(String arg) {
  if (arg.startsWith("-"))
    parseElements(arg);
}

private void parseElements(String arg) {
  for (int i = 1; i < arg.length(); i++)
    parseElement(arg.charAt(i));
}

private void parseElement(char argChar) {
  if (setArgument(argChar))
    argsFound.add(argChar);
  else {
    unexpectedArguments.add(argChar);
    valid = false;
  }
}

private boolean setArgument(char argChar) {
  boolean set = true;
  if (isBoolean(argChar))
    setBooleanArg(argChar, true);
  else if (isString(argChar))
    setStringArg(argChar, "");
  else
    set = false;

  return set;
}

private void setStringArg(char argChar, String s) {
  currentArgument++;
  try {
```

Listagem 14-10 (continuação)

Args.java (Boolean e String)

```
        stringArgs.put(argChar, args[currentArgument]);
      } catch (ArrayIndexOutOfBoundsException e) {
        valid = false;
        errorArgument = argChar;
        errorCode = ErrorCode.MISSING_STRING;
      }
    }

    private boolean isString(char argChar) {
      return stringArgs.containsKey(argChar);
    }

    private void setBooleanArg(char argChar, boolean value) {
      booleanArgs.put(argChar, value);
    }

    private boolean isBoolean(char argChar) {
      return booleanArgs.containsKey(argChar);
    }

    public int cardinality() {
      return argsFound.size();
    }

    public String usage() {
      if (schema.length() > 0)
        return "-[" + schema + "]";
      else
        return "";
    }

    public String errorMessage() throws Exception {
      if (unexpectedArguments.size() > 0) {
        return unexpectedArgumentMessage();
      } else
        switch (errorCode) {
          case MISSING_STRING:
            return String.format("Could not find string parameter for -%c.",
                                 errorArgument);
          case OK:
            throw new Exception("TILT: Should not get here.");
        }
      return "";
    }

    private String unexpectedArgumentMessage() {
      StringBuffer message = new StringBuffer("Argument(s) -");
      for (char c : unexpectedArguments) {
        message.append(c);
      }
      message.append(" unexpected.");

      return message.toString();
    }
```

Listagem 14-10 (continuação)
Args.java (Boolean e String)

```
  public boolean getBoolean(char arg) {
    return falseIfNull(booleanArgs.get(arg));
  }

  private boolean falseIfNull(Boolean b) {
    return b == null ? false : b;
  }

  public String getString(char arg) {
    return blankIfNull(stringArgs.get(arg));
  }

  private String blankIfNull(String s) {
    return s == null ? "" : s;
  }

  public boolean has(char arg) {
    return argsFound.contains(arg);
  }

  public boolean isValid() {
    return valid;
  }
}
```

Você pode ver que as coisas começaram a fugir ao controle. Ainda não está horrível, mas a bagunça certamente está crescendo. É um amontoado, mas ainda não está tão grande assim. Isso ocorreu com a adição do parâmetro do tipo integer.

Portanto, eu parei

Eu tinha pelo menos mais dois tipos de parâmetros para adicionar, e eu poderia dizer que eles piorariam as coisas. Se eu forçasse a barra, provavelmente os faria funcionar também, mas deixaria um rastro de bagunça grande demais para consertar. Se a estrutura deste desse código algum dia for passível de manutenção, este é o momento para consertá-lo.

Portanto, parei de adicionar novos recursos e comecei a refatorar. Como só adicionei os parâmetros do tipo `string` e `integer`, eu saiba que cada tipo exigia um bloco de código novo em três locais principais. Primeiro, cada tipo requer uma forma de analisar a sintaxe de seu elemento de modo a selecionar o `HashMap` para aquele tipo. Depois, seria preciso passar cada tipo nas strings da linha de comando e convertê-lo para seu tipo verdadeiro. Por fim, cada tipo precisaria de um método `getXXX` de modo que pudesse ser retornado ao chamador já em seu tipo verdadeiro.

Muitos tipos diferentes, todos com métodos similares – isso parece uma classe para mim. E, então, surgiu o `ArgumentMarshaler`.

Incrementalismo

Uma das melhores maneiras de arruinar um programa é fazer modificações excessivas em sua estrutura visando uma melhoria. Alguns programas jamais se recuperam de tais "melhorias". O problema é que é muito difícil fazer o programa funcionar como antes da "melhoria".

A fim de evitar isso, sigo o conceito do Desenvolvimento dirigido a testes (TDD, sigla em inglês). Uma das doutrinas centrais dessa abordagem é sempre manter o sistema operante. Em outras palavras, ao usar o TDD, não posso fazer alterações ao sistema que o danifiquem. Cada uma deve mantê-lo funcionando como antes.

Para conseguir isso, precisei de uma coleção de testes automatizados que eu pudesse rodar quando desejasse e que verificasse se o comportamento do sistema continua inalterado. Para a classe `Args`, criei uma coleção de testes unitários e de aceitação enquanto eu bagunçava o código. Os testes de unidade estão em `Java` e são gerenciados pelo `JUnit`. Os de aceitação são como páginas wiki no `FitNesse`. Eu poderia rodar esses testes quantas vezes quisesse, e, se passassem, eu ficaria confiante de que o sistema estava funcionando como eu especificara.

Sendo assim, continuei e fiz muitas alterações minúsculas. Cada uma movia a estrutura do sistema em direção ao `ArgumentMarshaler`. E ainda assim, cada mudança mantinha o sistema funcionando. A primeira que fiz foi adicionar ao esqueleto do `ArgumentMarshaler` ao final da pilha amontoada de códigos (Listagem 14-11).

Listing 14-11

`ArgumentMarshaller` agregado à `Args.java`

```
private class ArgumentMarshaler {
    private boolean booleanValue = false;

    public void setBoolean(boolean value) {
      booleanValue = value;
    }

    public boolean getBoolean() {return booleanValue;}
  }

  private class BooleanArgumentMarshaler extends ArgumentMarshaler {
  }

  private class StringArgumentMarshaler extends ArgumentMarshaler {
  }

  private class IntegerArgumentMarshaler extends ArgumentMarshaler {
  }
}
```

Obviamente, isso não danificaria nada. Portanto, fiz a modificação mais simples que pude, uma que danificaria o mínimo possível. Troquei o `HashMap` dos parâmetros do tipo `boolean` para receber um `ArgumentMarshaler`.

```
private Map<Character, ArgumentMarshaler> booleanArgs =
  new HashMap<Character, ArgumentMarshaler>();
```

Isso danificou algumas instruções, que rapidamente consertei.

```
...
  private void parseBooleanSchemaElement(char elementId) {
    booleanArgs.put(elementId, new BooleanArgumentMarshaler());
  }
..
```

```
   private void setBooleanArg(char argChar, boolean value) {
     booleanArgs.get(argChar).setBoolean(value);
   }
...
   public boolean getBoolean(char arg) {
     return falseIfNull(booleanArgs.get(arg).getBoolean());
   }
```

Note como essas mudanças estão exatamente nas áreas mencionadas anteriormente: o parse, o `set` e o `get` para o tipo do parâmetro. Infelizmente, por menor que tenha sido essa alteração, alguns testes começaram a falhar. Se olhar com atenção para o `getBoolean`, verá que se você o chamar com "y", mas se não houver parâmetro `y`, `booleanArgs.get('y')` retornará `null` e a função lançará uma `NullPointerException`. Usou-se a função `falseIfNull` para evitar que isso ocorresse, mas, com a mudança que fiz, ela se tornou irrelevante.

O incrementalismo exige que eu conserte isso rapidamente antes de fazer qualquer outra alteração. De fato, a solução não foi muito difícil. Só tive de mover a verificação por `null`. Não era mais um `boolean` sendo `null` que eu deveria verificar, mas o `ArgumentMarshaller`.

Primeiro, removi a chamada a `falseIfNull` na função `getBoolean`. Ela não fazia mais nada agora, portanto a eliminei. Os testes ainda falhavam de certa forma, então eu estava certo de que não havia gerado novos erros.

```
public boolean getBoolean(char arg) {
  return booleanArgs.get(arg).getBoolean();
}
```

Em seguida, dividi a função em duas linhas e coloquei o `ArgumentMarshaller` em sua própria variável chamada `argumentMarshaller`. Não me preocupara com o tamanho do nome; ele era redundante e bagunçava a função. Portanto o reduzi para `am` [N5].

```
public boolean getBoolean(char arg) {
  Args.ArgumentMarshaler am = booleanArgs.get(arg);
  return am.getBoolean();
}
```

E, então, inseri a lógica de detecção de null.

```
public boolean getBoolean(char arg) {
  Args.ArgumentMarshaler am = booleanArgs.get(arg);
  return am != null && am.getBoolean();
}
```

Parâmetros do tipo string

Adicionar parâmetros do tipo `String` é muito semelhante à adição de parâmetros `booleanos`. Eu tive de mudar o `HashMap` e fazer as funções `parse`, `get` e `set` funcionarem. Não há muitas surpresas depois, talvez pareça que eu esteja colocando toda a implementação de disponibilização (marshalling) na classe base `ArgumentMarshaller` em vez de seus derivados.

```
private Map<Character, ArgumentMarshaler> stringArgs =
    new HashMap<Character, ArgumentMarshaler>();
...
  private void parseStringSchemaElement(char elementId) {
    stringArgs.put(elementId, new StringArgumentMarshaler());
  }
...
```

```
  private void setStringArg(char argChar) throws ArgsException {
    currentArgument++;
    try {
      stringArgs.get(argChar).setString(args[currentArgument]);
    } catch (ArrayIndexOutOfBoundsException e) {
      valid = false;
      errorArgumentId = argChar;
      errorCode = ErrorCode.MISSING_STRING;
      throw new ArgsException();
    }
  }
...
  public String getString(char arg) {
    Args.ArgumentMarshaler am = stringArgs.get(arg);
    return am == null ? " " : am.getString();
  }
...
  private class ArgumentMarshaler {
    private boolean booleanValue = false;
    private String stringValue;

    public void setBoolean(boolean value) {
      booleanValue = value;
    }

    public boolean getBoolean() {
      return booleanValue;
    }

    public void setString(String s) {
      stringValue = s;
    }

    public String getString() {
      return stringValue == null ? " " : stringValue;
    }
  }
```

Novamente, essas alterações foram feitas uma de cada vez e de tal forma que os testes estavam sempre funcionando. Quando um falhava, eu me certificava de fazê-lo passar com êxito antes de fazer a próxima mudança.

Mas, a esta altura, você já deve saber o que pretendo. Após eu colocar todo o comportamento doa disponibilização dentro da classe base `ArgumentMarshaler`, começarei a passá-lo hierarquia abaixo para os derivados. Isso me permitirá manter tudo operante enquanto eu modifico gradualmente a forma deste programa.

O próximo, e óbvio, passo foi mover a funcionalidade do parâmetro do tipo `int` para `ArgumentMarshaler`. Novamente, não há nada de novo aqui.

```
private Map<Character, ArgumentMarshaler> intArgs =
  new HashMap<Character, ArgumentMarshaler>();
...
```

```
  private void parseIntegerSchemaElement(char elementId) {
    intArgs.put(elementId, new IntegerArgumentMarshaler());
  }
...
  private void setIntArg(char argChar) throws ArgsException {
    currentArgument++;
    String parameter = null;
    try {
      parameter = args[currentArgument];
      intArgs.get(argChar).setInteger(Integer.parseInt(parameter));
    } catch (ArrayIndexOutOfBoundsException e) {
      valid = false;
      errorArgumentId = argChar;
      errorCode = ErrorCode.MISSING_INTEGER;
      throw new ArgsException();
    } catch (NumberFormatException e) {
      valid = false;
      errorArgumentId = argChar;
      errorParameter = parameter;
      errorCode = ErrorCode.INVALID_INTEGER;
      throw new ArgsException();
    }
  }
...
  public int getInt(char arg) {
    Args.ArgumentMarshaler am = intArgs.get(arg);
    return am == null ? 0 : am.getInteger();
  }
...
  private class ArgumentMarshaler {
    private boolean booleanValue = false;
    private String stringValue;
    private int integerValue;

    public void setBoolean(boolean value) {
      booleanValue = value;
    }

    public boolean getBoolean() {
      return booleanValue;
    }

    public void setString(String s) {
      stringValue = s;
    }

    public String getString() {
      return stringValue == null ? "" : stringValue;
    }

    public void setInteger(int i) {
      integerValue = i;
    }

    public int getInteger() {
      return integerValue;
    }
  }
```

Após mover toda a disponibilização para `ArgumentMarshaler`, comecei a passar a funcionalidade para os derivados. O primeiro passo foi mover a função `setBoolean` para `BooleanArgumentMarshaller` e me certificar de que fosse chamada corretamente. Portanto, criei um método `set` abstrato.

```
private abstract class ArgumentMarshaler {
  protected boolean booleanValue = false;
  private String stringValue;
  private int integerValue;
  public void setBoolean(boolean value) {
    booleanValue = value;
  }
  public boolean getBoolean() {
    return booleanValue;
  }
  public void setString(String s) {
    stringValue = s;
  }
  public String getString() {
    return stringValue == null ? "" : stringValue;
  }
  public void setInteger(int i) {
    integerValue = i;
  }
  public int getInteger() {
    return integerValue;
  }
  public abstract void set(String s);
}
```

Então, implementei o método set em BooleanArgumentMarshaller.

```
private class BooleanArgumentMarshaler extends ArgumentMarshaler {
  public void set(String s) {
    booleanValue = true;
  }
}
```

E, finalmente, substitui a chamada a `setBoolean` pela chamada ao `set`.

```
private void setBooleanArg(char argChar, boolean value) {
  booleanArgs.get(argChar).set("true");
}
```

Os testes ainda passavam. Como essa mudança causou a implementação do `set` em `BooleanArgumentMarshaler`, removi o método `setBoolean` da classe base `ArgumentMarshaler`.

Note que a função `set` abstrata recebe um parâmetro do tipo `String`, mas a implementação em `BooleanArgumentMarshaller` não o usa. Coloquei um parâmetro lá porque eu sabia que `StringArgumentMarshaller` e `IntegerArgumentMarshaller` o usariam.

Depois, eu queria implementar o método get em BooleanArgumentMarshaler. Mas implementar funções get sempre fica ruim, pois o tipo retornado tem de ser um Object, e neste caso teria de ser declarado como um Booleano.

```
public boolean getBoolean(char arg) {
    Args.ArgumentMarshaler am = booleanArgs.get(arg);
    return am != null && (Boolean)am .get();
  }
```

Só para que isso compile, adicionei a função get a ArgumentMarshaler.

```
private abstract class ArgumentMarshaler {
  ...
  public Object get() {
    return null;
  }
}
```

A compilação ocorreu e, obviamente, os testes falharam. Fazê-los funcionarem novamente era simplesmente uma questão de tornar o get abstrato e implementá-lo em BooleanAgumentMarshaler.

```
private abstract class ArgumentMarshaler {
    protected boolean booleanValue = false;
    ...
    public abstract Object get();
  }

  private class BooleanArgumentMarshaler extends ArgumentMarshaler {
    public void set(String s) {
      booleanValue = true;
    }

    public Object get() {
      return booleanValue;
    }
  }
```

Mais uma vez, os testes passaram. Portanto, as implementações de get e set ficam em BooleanArgumentMarshaler! Isso me permitiu remover a função getBoolean antiga de ArgumentMarshaler, mover a variável protegida booleanValue abaixo para BooleanArgumentMarshaler e torná-la privada.

Fiz as mesmas alterações para os tipos String. Implementei set e get e exclui as funções não mais utilizadas e movi as variáveis.

```
private void setStringArg(char argChar) throws ArgsException {
  currentArgument++;
  try {
    stringArgs.get(argChar).set(args[currentArgument]);
  } catch (ArrayIndexOutOfBoundsException e) {
    valid = false;
    errorArgumentId = argChar;
    errorCode = ErrorCode.MISSING_STRING;
    throw new ArgsException();
```

```
    }
  }
  ...
    public String getString(char arg) {
      Args.ArgumentMarshaler am = stringArgs.get(arg);
      return am == null ? "" : (String) am.get();
    }
  ...
    private abstract class ArgumentMarshaler {
      private int integerValue;

      public void setInteger(int i) {
        integerValue = i;
      }

      public int getInteger() {
        return integerValue;
      }

      public abstract void set(String s);

      public abstract Object get();
    }

    private class BooleanArgumentMarshaler extends ArgumentMarshaler {
      private boolean booleanValue = false;

      public void set(String s) {
        booleanValue = true;
      }

      public Object get() {
        return booleanValue;
      }
    }

    private class StringArgumentMarshaler extends ArgumentMarshaler {
      private String stringValue = "";

      public void set(String s) {
        stringValue = s;
      }

      public Object get() {
        return stringValue;

      }
    }

    private class IntegerArgumentMarshaler extends ArgumentMarshaler {
      public void set(String s) {

      }

      public Object get() {
        return null;
      }
    }
  }
```

Por fim, repeti o processo para os `integers`. Só um pouco mais complicado, pois os `integers` precisam ser analisados sintaticamente, e esse processo `parse` pode lançar uma exceção. Mas o resultado fica melhor, pois toda a ação de `NumberFormatException` fica escondido em `IntegerArgumentMarshaler`.

```
private boolean isIntArg(char argChar) {return intArgs containsKey(argChar);}
  private void setIntArg(char argChar) throws ArgsException {
    currentArgument++;
    String parameter = null;
    try {
      parameter = args[currentArgument];
      intArgs.get(argChar).set(parameter);
    } catch (ArrayIndexOutOfBoundsException e) {
      valid = false;
      errorArgumentId = argChar;
      errorCode = ErrorCode.MISSING_INTEGER;
      throw new ArgsException();
    } catch (ArgsException e) {
      valid = false;
      errorArgumentId = argChar;
      errorParameter = parameter;
      errorCode = ErrorCode.INVALID_INTEGER;
      throw e;
    }
  }
...
  private void setBooleanArg(char argChar) {
    try {
      booleanArgs.get(argChar).set("true");
    } catch (ArgsException e) {
    }
  }
...
  public int getInt(char arg) {
    Args.ArgumentMarshaler am = intArgs.get(arg);
    return am == null ? 0 : (Integer) am .get();
  }
...
  private abstract class ArgumentMarshaler {
      public abstract void set(String s) throws ArgsException;
      public abstract Object get();
  }
...
  private class IntegerArgumentMarshaler extends ArgumentMarshaler {
    private int intValue = 0;
    public void set(String s) throws ArgsException {
      try {
        intValue = Integer.parseInt(s);
      } catch (NumberFormatException e) {
        throw new ArgsException();
      }
    }
    public Object get() {
      return intValue;
    }
  }
```

É claro que os testes continuavam a passar. Depois, me livrei dos três maps diferentes no início do algoritmo. Isso generalizou muito mais o sistema todo. Entretanto, não consegui me livrar dele apenas excluindo-os, pois isso danificaria o sistema. Em vez disso, adicionei um novo `Map` para `ArgumentMarshaler` e, então, um a um, mudei os métodos e o usei este novo Map no lugar dos três originais.

```
public class Args {
...
  private Map<Character, ArgumentMarshaler> booleanArgs =
    new HashMap<Character, ArgumentMarshaler>();
  private Map<Character, ArgumentMarshaler> stringArgs =
    new HashMap<Character, ArgumentMarshaler>();
  private Map<Character, ArgumentMarshaler> intArgs =
    new HashMap<Character, ArgumentMarshaler>();
  private Map<Character, ArgumentMarshaler> marshalers =
    new HashMap<Character, ArgumentMarshaler>();
...
  private void parseBooleanSchemaElement(char elementId) {
    ArgumentMarshaler m = new BooleanArgumentMarshaler();
    booleanArgs.put(elementId, m);
    marshalers.put(elementId, m);
  }

  private void parseIntegerSchemaElement(char elementId) {
    ArgumentMarshaler m = new IntegerArgumentMarshaler();
    intArgs.put(elementId, m);
    marshalers.put(elementId, m);
  }

  private void parseStringSchemaElement(char elementId) {
    ArgumentMarshaler m = new StringArgumentMarshaler();
    stringArgs.put(elementId, m);
    marshalers.put(elementId, m);
  }
```

É claro que todos os testes ainda passaram. Em seguida, modifiquei o `isBooleanArg` disso:

```
private boolean isBooleanArg(char argChar) {
  return booleanArgs.containsKey(argChar);
}
```

para isso:

```
private boolean isBooleanArg(char argChar) {
  ArgumentMarshaler m = marshalers.get(argChar);
  return m instanceof BooleanArgumentMarshaler;
}
```

Os testes ainda passaram. Portanto, fiz a mesma mudança em `isIntArg` e `isStringArg`.

```
private boolean isIntArg(char argChar) {
  ArgumentMarshaler m = marshalers.get(argChar);
  return m instanceof IntegerArgumentMarshaler;
}
private boolean isStringArg(char argChar) {
  ArgumentMarshaler m = marshalers.get(argChar);
  return m instanceof StringArgumentMarshaler;
}
```

Os testes ainda passaram. Portanto, eliminei todas as chamadas repetidas a `marshalers.get`:

```
private boolean setArgument(char argChar) throws ArgsException {
  ArgumentMarshaler m = marshalers.get(argChar);
  if (isBooleanArg(m))
    setBooleanArg(argChar);
  else if (isStringArg(m))
    setStringArg(argChar);
  else if (isIntArg(m))
    setIntArg(argChar);
  else
    return false;
  return true;
}

private boolean isIntArg(ArgumentMarshaler m) {
  return m instanceof IntegerArgumentMarshaler;
}

private boolean isStringArg(ArgumentMarshaler m) {
  return m instanceof StringArgumentMarshaler;
}

private boolean isBooleanArg(ArgumentMarshaler m) {
  return m instanceof BooleanArgumentMarshaler;
}
```

Isso fez com que não houvesse razão para os três métodos `isxxxArg`. Portanto, eu os encurtei:

```
private boolean setArgument(char argChar) throws ArgsException {
  ArgumentMarshaler m = marshalers.get(argChar);
  if (m instanceof BooleanArgumentMarshaler)
    setBooleanArg(argChar);
  else if (m instanceof StringArgumentMarshaler)
    setStringArg(argChar);
  else if (m instanceof IntegerArgumentMarshaler)
    setIntArg(argChar);
  else
    return false;
  return true;
}
```

Depois, comecei a usar os map do `marshalers` nas funções `set`, danificando o uso dos outros três maps. Comecei com os `booleanos`.

```
private boolean setArgument(char argChar) throws ArgsException {
  ArgumentMarshaler m = marshalers.get(argChar);
  if (m instanceof BooleanArgumentMarshaler)
    setBooleanArg(m);
  else if (m instanceof StringArgumentMarshaler)
    setStringArg(argChar);
  else if (m instanceof IntegerArgumentMarshaler)
    setIntArg(argChar);
```

```
      else
        return false;
      return true;
    }
  ...
    private void setBooleanArg(ArgumentMarshaler m) {
      try {
        m.set("true"); // was: booleanArgs.get(argChar).set("true");
      } catch (ArgsException e) {
      }
    }
```

Os testes continuam passando, portanto, fiz o mesmo para `Strings` e `Integers`. Isso me permitiu integrar parte do código de gerenciamento de exceção à função `setArgument`.

```
  private boolean setArgument(char argChar) throws ArgsException {
    ArgumentMarshaler m = marshalers.get(argChar);
    try {
      if (m instanceof BooleanArgumentMarshaler)
        setBooleanArg(m);
      else if (m instanceof StringArgumentMarshaler)
        setStringArg(m);
      else if (m instanceof IntegerArgumentMarshaler)
        setIntArg(m);
      else
        return false;
    } catch (ArgsException e) {
      valid = false;
      errorArgumentId = argChar;
      throw e;
    }
    return true;
  }

  private void setIntArg(ArgumentMarshaler m) throws ArgsException {
    currentArgument++;
    String parameter = null;
    try {
      parameter = args[currentArgument];
      m.set(parameter);
    } catch (ArrayIndexOutOfBoundsException e) {
      errorCode = ErrorCode.MISSING_INTEGER;
      throw new ArgsException();
    } catch (ArgsException e) {
      errorParameter = parameter;
      errorCode = ErrorCode.INVALID_INTEGER;
      throw e;
    }
  }

  private void setStringArg(ArgumentMarshaler m) throws ArgsException {
    currentArgument++;
    try {
      m.set(args[currentArgument]);
    } catch (ArrayIndexOutOfBoundsException e) {
      errorCode = ErrorCode.MISSING_STRING;
      throw new ArgsException();
    }
  }
```

Quase consegui remover os três maps antigos. Primeiro, precisei alterar a função `getBoolean` disso:

```
public boolean getBoolean(char arg) {
  Args.ArgumentMarshaler am = booleanArgs.get(arg);
  return am != null && (Boolean) am.get();
}
```

para isso:

```
public boolean getBoolean(char arg) {
  Args.ArgumentMarshaler am = marshalers.get(arg);
  boolean b = false;
  try {
    b = am != null && (Boolean) am.get();
  } catch (ClassCastException e) {
    b = false;
  }
  return b;
}
```

Você deve ter se surpreendido com essa última alteração. Por que decidi usar de repente a `ClassCastException`? O motivo é que tenho uma série de testes de unidade e uma série separada de testes de aceitação escritos no FitNesse. Acabou que os testes do FitNesse garantiram que, se você chamasse a `getBoolean` em um parâmetro não booleano, você recebia `false`. Mas os testes unitários não. Até este momento, eu só havia rodado os testes unitários[2].

Essa última alteração me permitiu remover outro uso do map `booleano`:

```
private void parseBooleanSchemaElement(char elementId) {
  ArgumentMarshaler m = new BooleanArgumentMarshaler();
  booleanArgs.put(elementId, m);
  marshalers.put(elementId, m);
}
```

E agora podemos excluir o map `booleano`.

```
public class Args {
...
  private Map<Character, ArgumentMarshaler> booleanArgs =
  new HashMap<Character, ArgumentMarshaler>();
  private Map<Character, ArgumentMarshaler> stringArgs =
  new HashMap<Character, ArgumentMarshaler>();
  private Map<Character, ArgumentMarshaler> intArgs =
  new HashMap<Character, ArgumentMarshaler>();
  private Map<Character, ArgumentMarshaler> marshalers =
  new HashMap<Character, ArgumentMarshaler>();
...
```

Em seguida, migrei os parâmetros do tipo `String` e `Integer` da mesma maneira e fiz uma pequena limpeza nos `booleans`.

```
private void parseBooleanSchemaElement(char elementId) {
  marshalers.put(elementId, new BooleanArgumentMarshaler());
}
private void parseIntegerSchemaElement(char elementId) {
  marshalers.put(elementId, new IntegerArgumentMarshaler());
}
```

2. A fim de evitar surpresas desse tipo mais tarde, adicionei um novo teste unitário que invoca todos os testes do FitNesse.

```
    private void parseStringSchemaElement(char elementId) {
      marshalers.put(elementId, new StringArgumentMarshaler());
    }
  ...
    public String getString(char arg) {
      Args.ArgumentMarshaler am = marshalers.get(arg);
      try {
        return am == null ? "" : (String) am.get();
      } catch (ClassCastException e) {
        return "";
      }
    }

    public int getInt(char arg) {
      Args.ArgumentMarshaler am = marshalers.get(arg);
      try {
        return am == null ? 0 : (Integer) am.get();
      } catch (Exception e) {
        return 0;
      }
    }
  ...
  public class Args {
  ...
    private Map<Character, ArgumentMarshaler> stringArgs =
    new HashMap<Character, ArgumentMarshaler>();
    private Map<Character, ArgumentMarshaler> intArgs =
    new HashMap<Character, ArgumentMarshaler>();
    private Map<Character, ArgumentMarshaler> marshalers =
    new HashMap<Character, ArgumentMarshaler>();
  ...
```

Em seguida, encurtei os métodos `parse` porque eles não fazem mais muita coisa.

```
  private void parseSchemaElement(String element) throws ParseException {
    char elementId = element.charAt(0);
    String elementTail = element.substring(1);
    validateSchemaElementId(elementId);
    if (isBooleanSchemaElement(elementTail))
      marshalers.put(elementId, new BooleanArgumentMarshaler());
    else if (isStringSchemaElement(elementTail))
      marshalers.put(elementId, new StringArgumentMarshaler());
    else if (isIntegerSchemaElement(elementTail)) {
      marshalers.put(elementId, new IntegerArgumentMarshaler());
    } else {
      throw new ParseException(String.format(
      "Argument: %c has invalid format: %s.", elementId, elementTail), 0);
    }
  }
```

Tudo bem, agora vejamos o todo novamente. A Listagem 14-12 mostra a forma atual da classe `Args`.

Listagem 14-12
Args.java (Após primeira refatoração)

```
package com.objectmentor.utilities.getopts;

import java.text.ParseException;
import java.util.*;

public class Args {
  private String schema;
  private String[] args;
  private boolean valid = true;
  private Set<Character> unexpectedArguments = new TreeSet<Character>();
  private Map<Character, ArgumentMarshaler> marshalers =
   new HashMap<Character, ArgumentMarshaler>();
  private Set<Character> argsFound = new HashSet<Character>();
  private int currentArgument;
  private char errorArgumentId = '\0';
  private String errorParameter = "TILT";
  private ErrorCode errorCode = ErrorCode.OK;

  private enum ErrorCode {
    OK, MISSING_STRING, MISSING_INTEGER, INVALID_INTEGER, UNEXPECTED_ARGUMENT}

  public Args(String schema, String[] args) throws ParseException {
    this.schema = schema;
    this.args = args;
    valid = parse();
  }

  private boolean parse() throws ParseException {
    if (schema.length() == 0 && args.length == 0)
      return true;
    parseSchema();
    try {
      parseArguments();
    } catch (ArgsException e) {
    }
    return valid;
  }

  private boolean parseSchema() throws ParseException {
    for (String element : schema.split(",")) {
      if (element.length() > 0) {
        String trimmedElement = element.trim();
        parseSchemaElement(trimmedElement);
      }
    }
    return true;
  }

  private void parseSchemaElement(String element) throws ParseException {
    char elementId = element.charAt(0);
    String elementTail = element.substring(1);
    validateSchemaElementId(elementId);
    if (isBooleanSchemaElement(elementTail))
      marshalers.put(elementId, new BooleanArgumentMarshaler());
    else if (isStringSchemaElement(elementTail))
      marshalers.put(elementId, new StringArgumentMarshaler());
```

Listagem 14-12 (continuação)
Args.java (Após primeira refatoração)

```
    else if (isIntegerSchemaElement(elementTail)) {
      marshalers.put(elementId, new IntegerArgumentMarshaler());
    } else {
      throw new ParseException(String.format(
      "Argument: %c has invalid format: %s.", elementId, elementTail), 0);
    }
  }

  private void validateSchemaElementId(char elementId) throws ParseException {
    if (!Character.isLetter(elementId)) {
      throw new ParseException(
      "Bad character:" + elementId + "in Args format: " + schema, 0);
    }
  }

  private boolean isStringSchemaElement(String elementTail) {
    return elementTail.equals("*");
  }

  private boolean isBooleanSchemaElement(String elementTail) {
    return elementTail.length() == 0;
  }

  private boolean isIntegerSchemaElement(String elementTail) {
    return elementTail.equals("#");
  }

  private boolean parseArguments() throws ArgsException {
    for (currentArgument=0; currentArgument<args.length; currentArgument++) {
      String arg = args[currentArgument];
      parseArgument(arg);
    }
    return true;
  }

  private void parseArgument(String arg) throws ArgsException {
    if (arg.startsWith("-"))
      parseElements(arg);
  }

  private void parseElements(String arg) throws ArgsException {
    for (int i = 1; i < arg.length(); i++)
      parseElement(arg.charAt(i));
  }

  private void parseElement(char argChar) throws ArgsException {
    if (setArgument(argChar))
      argsFound.add(argChar);
    else {
      unexpectedArguments.add(argChar);
      errorCode = ErrorCode.UNEXPECTED_ARGUMENT;
      valid = false;
    }
  }
```

Listagem 14-12 (continuação)

Args.java (Após primeira refatoração)

```
private boolean setArgument(char argChar) throws ArgsException {
  ArgumentMarshaler m = marshalers.get(argChar);
  try {
    if (m instanceof BooleanArgumentMarshaler)
      setBooleanArg(m);
    else if (m instanceof StringArgumentMarshaler)
      setStringArg(m);
    else if (m instanceof IntegerArgumentMarshaler)
      setIntArg(m);
    else
      return false;
  } catch (ArgsException e) {
    valid = false;
    errorArgumentId = argChar;
    throw e;
  }
  return true;
}

private void setIntArg(ArgumentMarshaler m) throws ArgsException {
  currentArgument++;
  String parameter = null;
  try {
    parameter = args[currentArgument];
    m.set(parameter);
  } catch (ArrayIndexOutOfBoundsException e) {
    errorCode = ErrorCode.MISSING_INTEGER;
    throw new ArgsException();
  } catch (ArgsException e) {
    errorParameter = parameter;
    errorCode = ErrorCode.INVALID_INTEGER;
    throw e;
  }
}

private void setStringArg(ArgumentMarshaler m) throws ArgsException {
  currentArgument++;
  try {
    m.set(args[currentArgument]);
  } catch (ArrayIndexOutOfBoundsException e) {
    errorCode = ErrorCode.MISSING_STRING;
    throw new ArgsException();
  }
}

private void setBooleanArg(ArgumentMarshaler m) {
  try {
    m.set("true");
  } catch (ArgsException e) {
  }
}

public int cardinality() {
  return argsFound.size();
}
```

Listagem 14-12 (continuação)
Args.java (Após primeira refatoração)

```
public String usage() {
  if (schema.length() > 0)
    return "-[" + schema + "]";
  else
    return "";
}

public String errorMessage() throws Exception {
  switch (errorCode) {
    case OK:
      throw new Exception("TILT: Should not get here.");
    case UNEXPECTED_ARGUMENT:
      return unexpectedArgumentMessage();
    case MISSING_STRING:
      return String.format("Could not find string parameter for -%c.",
                           errorArgumentId);
    case INVALID_INTEGER:
      return String.format("Argument -%c expects an integer but was '%s'.",
                           errorArgumentId, errorParameter);
    case MISSING_INTEGER:
      return String.format("Could not find integer parameter for -%c.",
                           errorArgumentId);
  }
  return "";
}

private String unexpectedArgumentMessage() {
  StringBuffer message = new StringBuffer("Argument(s) -");
  for (char c : unexpectedArguments) {
    message.append(c);
  }
  message.append(" unexpected.");

  return message.toString();
}

public boolean getBoolean(char arg) {
  Args.ArgumentMarshaler am = marshalers.get(arg);
  boolean b = false;
  try {
    b = am != null && (Boolean) am.get();
  } catch (ClassCastException e) {
    b = false;
  }
  return b;
}

public String getString(char arg) {
  Args.ArgumentMarshaler am = marshalers.get(arg);
  try {
    return am == null ? "" : (String) am.get();
  } catch (ClassCastException e) {
    return "";
  }
}
```

Listagem 14-12 (continuação)
Args.java (Após primeira refatoração)

```
public int getInt(char arg) {
  Args.ArgumentMarshaler am = marshalers.get(arg);
  try {
    return am == null ? 0 : (Integer) am.get();
  } catch (Exception e) {
    return 0;
  }
}

public boolean has(char arg) {
  return argsFound.contains(arg);
}

public boolean isValid() {
  return valid;
}

private class ArgsException extends Exception {
}

private abstract class ArgumentMarshaler {
  public abstract void set(String s) throws ArgsException;
  public abstract Object get();
}

private class BooleanArgumentMarshaler extends ArgumentMarshaler {
  private boolean booleanValue = false;

  public void set(String s) {
    booleanValue = true;
  }

  public Object get() {
    return booleanValue;
  }
}

private class StringArgumentMarshaler extends ArgumentMarshaler {
  private String stringValue = "";

  public void set(String s) {
    stringValue = s;
  }

  public Object get() {
    return stringValue;
  }
}

private class IntegerArgumentMarshaler extends ArgumentMarshaler {
  private int intValue = 0;

  public void set(String s) throws ArgsException {
    try {
      intValue = Integer.parseInt(s);
```

Listagem 14-12 (continuação)
Args.java (Após primeira refatoração)

```
      } catch (NumberFormatException e) {
        throw new ArgsException();
      }
    }

    public Object get() {
      return intValue;
    }
  }
}
```

Depois de todo esse trabalho, isso é um pouco frustrante. A estrutura ficou um pouco melhor, mas ainda temos todas aquelas variáveis no início; Ainda há uma estrutura case de tipos em setArgument; e todas aquelas funções `set` estão horríveis. Sem contar com todos os tratamentos de erros. Ainda temos muito trabalho pela frente.

Eu realmente gostaria de me livrar daquele case de tipos em `setArgument` [G23]. Eu preferia ter nele apenas uma única chamada, a `ArgumentMarshaler.set`. Isso significa que preciso empurrar `setIntArg`, `setStringArg` e `setBooleanArg` hierarquia abaixo para os derivados de `ArgumentMarshaler` apropriados. Mas há um problema.

Se observar `setIntArg` de perto, notará que ele usa duas variáveis de instâncias: `args` e `currentArg`. Para mover `setIntArg` para baixo até `BooleanArgumentMarshaler`, terei de fasser passar as variáveis `args` e `currentArgs` como parâmetros da função. Isso suja o código [F1]. Prefiro passar um parâmetro em vez de dois. Felizmente, há uma solução simples. Podemos converter o array `args` em uma `list` e passar um `Iterator` abaixo para as funções `set`. Levei dez passos no exemplo a seguir para passar todos os testes após cada passo. Mas só lhe mostrarei o resultado. Você deve ser capaz de descobrir o que era a maioria desses pequenos passos.

```
public class Args {
  private String schema;
  private String[] args;
  private boolean valid = true;
  private Set<Character> unexpectedArguments = new TreeSet<Character>();
  private Map<Character, ArgumentMarshaler> marshalers =
  new HashMap<Character, ArgumentMarshaler>();
  private Set<Character> argsFound = new HashSet<Character>();
  private Iterator<String> currentArgument;
  private char errorArgumentId = '\0';
  private String errorParameter = "TILT";
  private ErrorCode errorCode = ErrorCode.OK;
  private List<String> argsList;

  private enum ErrorCode {
    OK, MISSING_STRING, MISSING_INTEGER, INVALID_INTEGER, UNEXPECTED_ARGUMENT}

  public Args(String schema, String[] args) throws ParseException {
    this.schema = schema;
    argsList = Arrays.asList(args);
    valid = parse();
  }
```

```
  private boolean parse() throws ParseException {
    if (schema.length() == 0 && argsList.size() == 0)
      return true;
    parseSchema();
    try {
      parseArguments();
    } catch (ArgsException e) {
    }
    return valid;
  }
---
  private boolean parseArguments() throws ArgsException {
    for (currentArgument = argsList.iterator(); currentArgument.hasNext();) {
      String arg = currentArgument.next();
      parseArgument(arg);
    }
    return true;
  }
---
  private void setIntArg(ArgumentMarshaler m) throws ArgsException {
    String parameter = null;
    try {
      parameter = currentArgument.next();
      m.set(parameter);
    } catch (NoSuchElementException e) {
      errorCode = ErrorCode.MISSING_INTEGER;
      throw new ArgsException();
    } catch (ArgsException e) {
       errorParameter = parameter;
       errorCode = ErrorCode.INVALID_INTEGER;
       throw e;
    }
  }
  private void setStringArg(ArgumentMarshaler m) throws ArgsException {
    try {

      m.set(currentArgument.next());
    } catch (NoSuchElementException e) {
      errorCode = ErrorCode.MISSING_STRING;
      throw new ArgsException();
    }
  }
```

Essas foram simples modificações nas quais todos os testes passaram. Agora podemos começar a mover as funções `set` para os derivados apropriados. Primeiro, preciso fazer a seguinte alteração em `setArgument`:

```
private boolean setArgument(char argChar) throws ArgsException {
  ArgumentMarshaler m = marshalers.get(argChar);
  if (m == null)
    return false;
  try {
    if (m instanceof BooleanArgumentMarshaler)
      setBooleanArg(m);
    else if (m instanceof StringArgumentMarshaler)
      setStringArg(m);
```

```
      else if (m instanceof IntegerArgumentMarshaler)
        setIntArg(m);
      else
        return false;
    } catch (ArgsException e) {
      valid = false;
      errorArgumentId = argChar;
      throw e;
    }
  return true;
}
```

Essa mudança é importante porque queremos eliminar completamente a cadeia `if-else`. Logo, precisamos retirar a condição de erro lá de dentro.

Agora podemos começar a mover as funções `set`. A `setBooleanArg` é trivial, então trabalharemos nela primeiro. Nosso objetivo é alterá-la simplesmente para repassar para `BooleanArgumentMarshaler`.

```
private boolean setArgument(char argChar) throws ArgsException {
    ArgumentMarshaler m = marshalers.get(argChar);
    if (m == null)
      return false;
    try {
      if (m instanceof BooleanArgumentMarshaler)
        setBooleanArg(m, currentArgument);
      else if (m instanceof StringArgumentMarshaler)
        setStringArg(m);
      else if (m instanceof IntegerArgumentMarshaler)
        setIntArg(m);

    } catch (ArgsException e) {
      valid = false;
      errorArgumentId = argChar;
      throw e;
    }
    return true;
  }
---
  private void setBooleanArg(ArgumentMarshaler m,
                             Iterator<String> currentArgument)
                             throws ArgsException {
  try {
    m.set("true");
  catch (ArgsException e) {
  }
}
```

Não acabamos de incluir aquele tratamento de exceção? É muito comum na refatoração inserir e remover as coisas novamente. A simplicidade dos passos e a necessidade de manter os testes funcionando significa que você move bastante as coisas. Refatorar é como resolver o cubo de Rubik. Há muitos passos pequenos necessários para alcançar um objetivo maior. Cada passo possibilita o próximo.

Por que passamos aquele `iterator` quando `setBooleanArg` certamente não precisa dele? Porque `setIntArg` e `setStringArg` precisarão! E porque quero implementar todas essas três funções através de um método abstrato em `ArgumentMarshaller` e passá-lo para `setBooleanArg`.

Dessa forma, `setBooleanArg` agora não serve para nada. Se houvesse uma função set em `ArgumentMarshaler`, poderíamos chamá-la diretamente. Portanto, é hora de criá-la! O primeiro passo é adicionar o novo método abstrato a `ArgumentMarshaler`.

```
private abstract class ArgumentMarshaler {
  public abstract void set(Iterator<String> currentArgument)
                                    throws ArgsException;
  public abstract void set(String s) throws ArgsException;
  public abstract Object get();
}
```

É claro que isso separa todos os derivados. Portanto, vemos implementar o novo método em cada um.

```
private class BooleanArgumentMarshaler extends ArgumentMarshaler {
  private boolean booleanValue = false;
  public void set(Iterator<String> currentArgument) throws ArgsException
{
    booleanValue = true;
  }
  public void set(String s) {
    booleanValue = true;
  }
  public Object get() {
    return booleanValue;
  }
}
private class StringArgumentMarshaler extends ArgumentMarshaler {
  private String stringValue = "";
  public void set(Iterator<String> currentArgument) throws ArgsException
{
  }
  public void set(String s) {
    stringValue = s;
  }
  public Object get() {
    return stringValue;
  }
}
private class IntegerArgumentMarshaler extends ArgumentMarshaler {
  private int intValue = 0;
  public void set(Iterator<String> currentArgument) throws ArgsException
{
  }
  public void set(String s) throws ArgsException {
    try {
      intValue = Integer.parseInt(s);
    } catch (NumberFormatException e) {
      throw new ArgsException();
  }
}
```

```
    public Object get() {
      return intValue;
    }
  }
```

E, agora, podemos eliminar `setBooleanArg`!

```
  private boolean setArgument(char argChar) throws ArgsException {
    ArgumentMarshaler m = marshalers.get(argChar);
    if (m == null)
      return false;
    try {
      if (m instanceof BooleanArgumentMarshaler)
        m.set(currentArgument);
      else if (m instanceof StringArgumentMarshaler)
        setStringArg(m);
      else if (m instanceof IntegerArgumentMarshaler)
        setIntArg(m);

    } catch (ArgsException e) {
      valid = false;
      errorArgumentId = argChar;
      throw e;
    }
    return true;
  }
```

Todos os testes passam e a função `set` é implementada para `BooleanArgumentMarshaler`! Agora podemos fazer o mesmo para `Strings` e `Integers`.

```
  private boolean setArgument(char argChar) throws ArgsException {
    ArgumentMarshaler m = marshalers.get(argChar);
    if (m == null)
      return false;
    try {
      if (m instanceof BooleanArgumentMarshaler)
        m.set(currentArgument);
      else if (m instanceof StringArgumentMarshaler)
        m.set(currentArgument);
      else if (m instanceof IntegerArgumentMarshaler)
        m.set(currentArgument);

      } catch (ArgsException e) {
        valid = false;
        errorArgumentId = argChar;
        throw e;
      }
      return true;
    }
  ---
    private class StringArgumentMarshaler extends ArgumentMarshaler {
      private String stringValue = "";

      public void set(Iterator<String> currentArgument) throws ArgsException {
        try {
          stringValue = currentArgument.next();
        } catch (NoSuchElementException e) {
          errorCode = ErrorCode.MISSING_STRING;
```

```
        throw new ArgsException();
      }
    }
    public void set(String s) {
    }
    public Object get() {
      return stringValue;
    }
  }
  private class IntegerArgumentMarshaler extends ArgumentMarshaler {
    private int intValue = 0;
  public void set(Iterator<String> currentArgument) throws ArgsException {
    String parameter = null;
    try {
      parameter = currentArgument.next();
      set(parameter);
    } catch (NoSuchElementException e) {
      errorCode = ErrorCode.MISSING_INTEGER;
      throw new ArgsException();
    } catch (ArgsException e) {
      errorParameter = parameter;
      errorCode = ErrorCode.INVALID_INTEGER;
      throw e;
    }
  }
    public void set(String s) throws ArgsException {
      try {
        intValue = Integer.parseInt(s);
      } catch (NumberFormatException e) {
        throw new ArgsException();
      }
    }
    public Object get() {
      return intValue;
    }
  }
```

E, agora o *coup de grace*: pode-se remover o caso do tipo! Touché!

```
  private boolean setArgument(char argChar) throws ArgsException {
    ArgumentMarshaler m = marshalers.get(argChar);
    if (m == null)
      return false;
    try {
      m.set(currentArgument);
      return true;
    } catch (ArgsException e) {
      valid = false;
      errorArgumentId = argChar;
      throw e;
    }
  }
```

Agora podemos nos livrar de algumas funções inúteis em `IntegerArgumentMarshaler` e limpá-la um pouco.

```
private class IntegerArgumentMarshaler extends ArgumentMarshaler {
  private int intValue = 0

  public void set(Iterator<String> currentArgument) throws ArgsException {
    String parameter = null;
    try {
      parameter = currentArgument.next();
      intValue = Integer.parseInt(parameter);
    } catch (NoSuchElementException e) {
      errorCode = ErrorCode.MISSING_INTEGER;
      throw new ArgsException();
    } catch (NumberFormatException e) {
      errorParameter = parameter;
      errorCode = ErrorCode.INVALID_INTEGER;
      throw new ArgsException();
    }
  }

  public Object get() {
    return intValue;
  }
}
```

Também podemos transformar **ArgumentMarshaler** em uma interface.

```
private interface ArgumentMarshaler {
  void set(Iterator<String> currentArgument) throws ArgsException;
  Object get();
}
```

Portanto, agora vejamos como fica fácil adicionar um novo tipo de parâmetro a à nossa estrutura. São necessárias poucas mudanças, e elas devem ser isoladas. Primeiro, adicionamos um novo teste de caso para verificar se o parâmetro `double` funciona corretamente.

```
public void testSimpleDoublePresent() throws Exception {
  Args args = new Args("x##", new String[] {"-x","42.3"});
  assertTrue(args.isValid());
  assertEquals(1, args.cardinality());
  assertTrue(args.has('x'));
  assertEquals(42.3, args.getDouble('x'), .001);
}
```

Agora, limpamos o código de análise da sintaxe e adicionamos o `##` para detectar o parâmetro do tipo `double`.

```
private void parseSchemaElement(String element) throws ParseException {
  char elementId = element.charAt(0);
  String elementTail = element.substring(1);
  validateSchemaElementId(elementId);
  if (elementTail.length() == 0)
    marshalers.put(elementId, new BooleanArgumentMarshaler());
  else if (elementTail.equals("*"))
    marshalers.put(elementId, new StringArgumentMarshaler());
  else if (elementTail.equals("#"))
    marshalers.put(elementId, new IntegerArgumentMarshaler());
```

```
    else if (elementTail.equals("##"))
      marshalers.put(elementId, new DoubleArgumentMarshaler());
    else
      throw new ParseException(String.format(
        "Parâmetro: %c possui formato inválido: %s.", elementId, elementTail), 0);
}
```

Em seguida, criamos a classe DoubleArgumentMarshaler.

```
private class DoubleArgumentMarshaler implements ArgumentMarshaler {
  private double doubleValue = 0;
  public void set(Iterator<String> currentArgument) throws ArgsException
{
    String parameter = null;
    try {
      parameter = currentArgument.next();
      doubleValue = Double.parseDouble(parameter);
    } catch (NoSuchElementException e) {
      errorCode = ErrorCode.MISSING_DOUBLE;
      throw new ArgsException();
    } catch (NumberFormatException e) {
      errorParameter = parameter;
      errorCode = ErrorCode.INVALID_DOUBLE;
      throw new ArgsException();
    }
  }
  public Object get() {
    return doubleValue;
  }
}
```

Isso nos força a adicionar um novo ErrorCode.

```
private enum ErrorCode {
  OK, MISSING_STRING, MISSING_INTEGER, INVALID_INTEGER, UNEXPECTED_ARGUMENT,
  MISSING_DOUBLE, INVALID_DOUBLE}
```

E precisamos de uma função getDouble.

```
public double getDouble(char arg) {
  Args.ArgumentMarshaler am = marshalers.get(arg);
  try {
    return am == null ? 0 : (Double) am.get();
  } catch (Exception e) {
    return 0.0;
  }
}
```

E todos os testes passaram! Não houve problemas. Portanto, agora vamos nos certificar de que todo o processamento de erros funcione corretamente. No próximo caso de teste, um erro é declarado se uma string cujo valor não corresponda ao tipo esperado é passada em um parâmetro ##.

```
public void testInvalidDouble() throws Exception {
  Args args = new Args("x##", new String[] {"-x","Forty two"});
  assertFalse(args.isValid());
  assertEquals(0, args.cardinality());
  assertFalse(args.has('x'));
  assertEquals(0, args.getInt('x'));
```

```
    assertEquals("Argument -x expects a double but was 'Forty two'.",
                 args.errorMessage());
  }
---
  public String errorMessage() throws Exception {
    switch (errorCode) {
      case OK:
        throw new Exception("TILT: Should not get here.");
      case UNEXPECTED_ARGUMENT:
        return unexpectedArgumentMessage();
      case MISSING_STRING:
        return String.format("Could not find string parameter for
-%c.",
                             errorArgumentId);
      case INVALID_INTEGER:
        return String.format("Argument -%c expects an integer but was
'%s'.",
                             errorArgumentId, errorParameter);
      case MISSING_INTEGER:
        return String.format("Could not find integer parameter for
-%c.",
                             errorArgumentId);
      case INVALID_DOUBLE:
        return String.format("Argument -%c expects a double but was '%s'.",
                             errorArgumentId, errorParameter);
      case MISSING_DOUBLE:
        return String.format("Could not find double parameter for -%c.",
                             errorArgumentId);
    }
    return "";
  }
```

O teste passa com êxito. O próximo garante que detectemos devidamente um parâmetro `double` que está faltando.

```
public void testMissingDouble() throws Exception {
  Args args = new Args("x##", new String[]{"-x"});
  assertFalse(args.isValid());
  assertEquals(0, args.cardinality());
  assertFalse(args.has('x'));
  assertEquals(0.0, args.getDouble('x'), 0.01);
  assertEquals("Não foi possível encontrar um parâmetro double para -x.",
               args.errorMessage());
}
```

O teste passa normalmente. Fizemos isso apenas por questão de finalização.

O código de exceção está horrível e não pertence à classe `Args`. Também estamos lançando a `ParseException`, que não cabe a nós. Portanto, vamos unir todas as exceções em uma única classe, `ArgsException`, e colocá-la em seu próprio módulo.

```
public class ArgsException extends Exception {
  private char errorArgumentId = '\0';
  private String errorParameter = "TILT";
  private ErrorCode errorCode = ErrorCode.OK;
  public ArgsException() {}
  public ArgsException(String message) {super(message);}
  public enum ErrorCode {
    OK, MISSING_STRING, MISSING_INTEGER, INVALID_INTEGER, UNEXPECTED_ARGUMENT,
    MISSING_DOUBLE, INVALID_DOUBLE}
}
---
```

```
public class Args {
  ...
  private char errorArgumentId = '\0';
  private String errorParameter = "TILT";
  private ArgsException.ErrorCode errorCode = ArgsException.ErrorCode.OK;
  private List<String> argsList;

  public Args(String schema, String[] args) throws ArgsException {
    this.schema = schema;
    argsList = Arrays.asList(args);
    valid = parse();
  }

  private boolean parse() throws ArgsException {
    if (schema.length() == 0 && argsList.size() == 0)
      return true;
    parseSchema();
  try {
    parseArguments();
  } catch (ArgsException e) {
  }
  return valid;
}

private boolean parseSchema() throws ArgsException {
  ...
}

private void parseSchemaElement(String element) throws ArgsException
{
  ...
  else
    throw new ArgsException(
      String.format("Argument: %c has invalid format: %s.",
                    elementId,elementTail));
}

private void validateSchemaElementId(char elementId) throws ArgsException {
  if (!Character.isLetter(elementId)) {
    throw new ArgsException(
      "Bad character:" + elementId + "in Args format: " + schema);
  }
}
...

private void parseElement(char argChar) throws ArgsException {
  if (setArgument(argChar))
    argsFound.add(argChar);
  else {
    unexpectedArguments.add(argChar);
    errorCode = ArgsException.ErrorCode.UNEXPECTED_ARGUMENT;
    valid = false;
  }
}
...
```

```
private class StringArgumentMarshaler implements ArgumentMarshaler {
  private String stringValue = "";

  public void set(Iterator<String> currentArgument) throws ArgsException {
    try {
      stringValue = currentArgument.next();
    } catch (NoSuchElementException e) {
      errorCode = ArgsException.ErrorCode.MISSING_STRING;
      throw new ArgsException();
    }
  }

  public Object get() {
    return stringValue;
  }
}

private class IntegerArgumentMarshaler implements ArgumentMarshaler
{
  private int intValue = 0;

  public void set(Iterator<String> currentArgument) throws ArgsException {
    String parameter = null;
    try {
      parameter = currentArgument.next();
      intValue = Integer.parseInt(parameter);
    } catch (NoSuchElementException e) {
      errorCode = ArgsException.ErrorCode.MISSING_INTEGER;
      throw new ArgsException();
    } catch (NumberFormatException e) {
      errorParameter = parameter;
      errorCode = ArgsException.ErrorCode.INVALID_INTEGER;
      throw new ArgsException();
    }
  }

  public Object get() {
    return intValue;
  }
}

private class DoubleArgumentMarshaler implements ArgumentMarshaler {
  private double doubleValue = 0;

  public void set(Iterator<String> currentArgument) throws ArgsException {
    String parameter = null;
    try {
      parameter = currentArgument.next();
      doubleValue = Double.parseDouble(parameter);
    } catch (NoSuchElementException e) {
      errorCode = ArgsException.ErrorCode.MISSING_DOUBLE;
      throw new ArgsException();
    } catch (NumberFormatException e) {
      errorParameter = parameter;
      errorCode = ArgsException.ErrorCode.INVALID_DOUBLE;
      throw new ArgsException();
    }
  }
```

```
      public Object get() {
        return doubleValue;
      }
    }
}
```

Isso é bom. Agora `Args` lança apenas a exceção `ArgsException` que, ao ser movida para seu próprio módulo, agora podemos retirar de `Args` os variados códigos de suporte a erros e colocar naquele módulo. Isso oferece um local óbvio e natural para colocar todo aquele código e ainda nos ajuda a limpar o módulo `Args`.

Portanto, agora separamos completamente os códigos de exceção e de erro do módulo `Args`. (Veja da Listagem 14-13 à 14-16). Conseguimos isso apenas com pequenos 30 passos, fazendo com que os testes rodem entre cada um.

Listagem 14-13

`ArgsTest.java`

```
package com.objectmentor.utilities.args;

import junit.framework.TestCase;

public class ArgsTest extends TestCase {
  public void testCreateWithNoSchemaOrArguments() throws Exception {
    Args args = new Args("", new String[0]);
    assertEquals(0, args.cardinality());
  }

  public void testWithNoSchemaButWithOneArgument() throws Exception {
    try {
      new Args("", new String[]{"-x"});
      fail();
    } catch (ArgsException e) {
      assertEquals(ArgsException.ErrorCode.UNEXPECTED_ARGUMENT,
                   e.getErrorCode());
      assertEquals('x', e.getErrorArgumentId());
    }
  }

  public void testWithNoSchemaButWithMultipleArguments() throws Exception {
    try {
      new Args("", new String[]{"-x", "-y"});
      fail();


    } catch (ArgsException e) {
      assertEquals(ArgsException.ErrorCode.UNEXPECTED_ARGUMENT,
                   e.getErrorCode());
      assertEquals('x', e.getErrorArgumentId());
    }

  }

  public void testNonLetterSchema() throws Exception {
    try {
      new Args("*", new String[]{});
      fail("Args constructor should have thrown exception");
    } catch (ArgsException e) {
```

Listagem 14-13 (continuação)
ArgsTest.java

```
        assertEquals(ArgsException.ErrorCode.INVALID_ARGUMENT_NAME,
                     e.getErrorCode());
        assertEquals('*', e.getErrorArgumentId());
      }
    }

    public void testInvalidArgumentFormat() throws Exception {
      try {
        new Args("f~", new String[]{});
        fail("Args constructor should have throws exception");
      } catch (ArgsException e) {
        assertEquals(ArgsException.ErrorCode.INVALID_FORMAT, e.getErrorCode());
        assertEquals('f', e.getErrorArgumentId());
      }
    }

    public void testSimpleBooleanPresent() throws Exception {
      Args args = new Args("x", new String[]{"-x"});
      assertEquals(1, args.cardinality());
      assertEquals(true, args.getBoolean('x'));
    }

    public void testSimpleStringPresent() throws Exception {
      Args args = new Args("x*", new String[]{"-x", "param"});
      assertEquals(1, args.cardinality());
      assertTrue(args.has('x'));
      assertEquals("param", args.getString('x'));
    }

    public void testMissingStringArgument() throws Exception {
      try {
        new Args("x*", new String[]{"-x"});
        fail();
      } catch (ArgsException e) {
        assertEquals(ArgsException.ErrorCode.MISSING_STRING, e.getErrorCode());
        assertEquals('x', e.getErrorArgumentId());
      }
    }

    public void testSpacesInFormat() throws Exception {
      Args args = new Args("x, y", new String[]{"-xy"});
      assertEquals(2, args.cardinality());
      assertTrue(args.has('x'));
      assertTrue(args.has('y'));
    }

    public void testSimpleIntPresent() throws Exception {
      Args args = new Args("x#", new String[]{"-x", "42"});
      assertEquals(1, args.cardinality());
      assertTrue(args.has('x'));
      assertEquals(42, args.getInt('x'));
    }

    public void testInvalidInteger() throws Exception {
      try {
        new Args("x#", new String[]{"-x", "Forty two"});
```

Listagem 14-13 (continuação)
ArgsTest.java

```
      fail();
    } catch (ArgsException e) {
      assertEquals(ArgsException.ErrorCode.INVALID_INTEGER, e.getErrorCode());
      assertEquals('x', e.getErrorArgumentId());
      assertEquals("Forty two", e.getErrorParameter());
    }

  }

  public void testMissingInteger() throws Exception {
    try {
      new Args("x#", new String[]{"-x"});
      fail();
    } catch (ArgsException e) {
      assertEquals(ArgsException.ErrorCode.MISSING_INTEGER, e.getErrorCode());
      assertEquals('x', e.getErrorArgumentId());
    }
  }

  public void testSimpleDoublePresent() throws Exception {
    Args args = new Args("x##", new String[]{"-x", "42.3"});
    assertEquals(1, args.cardinality());
    assertTrue(args.has('x'));
    assertEquals(42.3, args.getDouble('x'), .001);
  }

  public void testInvalidDouble() throws Exception {
    try {
      new Args("x##", new String[]{"-x", "Forty two"});
      fail();
    } catch (ArgsException e) {
      assertEquals(ArgsException.ErrorCode.INVALID_DOUBLE, e.getErrorCode());
      assertEquals('x', e.getErrorArgumentId());
      assertEquals("Forty two", e.getErrorParameter());
    }
  }

  public void testMissingDouble() throws Exception {
    try {
      new Args("x##", new String[]{"-x"});
      fail();
    } catch (ArgsException e) {
      assertEquals(ArgsException.ErrorCode.MISSING_DOUBLE, e.getErrorCode());
      assertEquals('x', e.getErrorArgumentId());
    }
  }
}
```

Listagem 14-14
ArgsExceptionTest.java

```
public class ArgsExceptionTest extends TestCase {
  public void testUnexpectedMessage() throws Exception {
    ArgsException e =
```

Listagem 14-14 (continuação)
ArgsExceptionTest.java

```
      new ArgsException(ArgsException.ErrorCode.UNEXPECTED_ARGUMENT,
                        'x', null);
    assertEquals("Argument -x unexpected.", e.errorMessage());
  }

  public void testMissingStringMessage() throws Exception {
    ArgsException e = new ArgsException(ArgsException.ErrorCode.MISSING_STRING,
                                         'x', null);
    assertEquals("Could not find string parameter for -x.", e.errorMessage());
  }

  public void testInvalidIntegerMessage() throws Exception {
    ArgsException e =
      new ArgsException(ArgsException.ErrorCode.INVALID_INTEGER,
                        'x', "Forty two");
    assertEquals("Argument -x expects an integer but was 'Forty two'.",
                 e.errorMessage());
  }

  public void testMissingIntegerMessage() throws Exception {
    ArgsException e =
      new ArgsException(ArgsException.ErrorCode.MISSING_INTEGER, 'x', null);
    assertEquals("Could not find integer parameter for -x.", e.errorMessage());
  }

  public void testInvalidDoubleMessage() throws Exception {
    ArgsException e = new ArgsException(ArgsException.ErrorCode.INVALID_DOUBLE,

                                         'x', "Forty two");
    assertEquals("Argument -x expects a double but was 'Forty two'.",
                 e.errorMessage());
  }

  public void testMissingDoubleMessage() throws Exception {
    ArgsException e = new ArgsException(ArgsException.ErrorCode.MISSING_DOUBLE,
                                         'x', null);
    assertEquals("Could not find double parameter for -x.", e.errorMessage());
  }
}
```

Listagem 14-15
ArgsException.java

```
public class ArgsException extends Exception {
  private char errorArgumentId = '\0';
  private String errorParameter = "TILT";
  private ErrorCode errorCode = ErrorCode.OK;

  public ArgsException() {}

  public ArgsException(String message) {super(message);}

  public ArgsException(ErrorCode errorCode) {
    this.errorCode = errorCode;
  }
```

Listagem 14-15 (continuação)
ArgsException.java

```
  public ArgsException(ErrorCode errorCode, String errorParameter) {
    this.errorCode = errorCode;
    this.errorParameter = errorParameter;
  }

  public ArgsException(ErrorCode errorCode, char errorArgumentId,
                       String errorParameter) {
    this.errorCode = errorCode;
    this.errorParameter = errorParameter;
    this.errorArgumentId = errorArgumentId;
  }

  public char getErrorArgumentId() {
    return errorArgumentId;
  }

  public void setErrorArgumentId(char errorArgumentId) {
    this.errorArgumentId = errorArgumentId;
  }
  public String getErrorParameter() {
    return errorParameter;
  }

  public void setErrorParameter(String errorParameter) {
    this.errorParameter = errorParameter;
  }

  public ErrorCode getErrorCode() {
    return errorCode;
  }

  public void setErrorCode(ErrorCode errorCode) {
    this.errorCode = errorCode;
  }

  public String errorMessage() throws Exception {
    switch (errorCode) {
      case OK:
        throw new Exception("TILT: Should not get here.");
      case UNEXPECTED_ARGUMENT:
        return String.format("Argument -%c unexpected.", errorArgumentId);
      case MISSING_STRING:
        return String.format("Could not find string parameter for -%c.",
                             errorArgumentId);
      case INVALID_INTEGER:
        return String.format("Argument -%c expects an integer but was '%s'.",
                             errorArgumentId, errorParameter);
      case MISSING_INTEGER:
        return String.format("Could not find integer parameter for -%c.",
                             errorArgumentId);
      case INVALID_DOUBLE:
        return String.format("Argument -%c expects a double but was '%s'.",
                             errorArgumentId, errorParameter);
```

Listagem 14-15 (continuação)

ArgsException.java

```
      case MISSING_DOUBLE:
        return String.format("Could not find double parameter for -%c.",
                             errorArgumentId);
    }
    return "";
  }

  public enum ErrorCode {
    OK, INVALID_FORMAT, UNEXPECTED_ARGUMENT, INVALID_ARGUMENT_NAME,
    MISSING_STRING,
    MISSING_INTEGER, INVALID_INTEGER,
    MISSING_DOUBLE, INVALID_DOUBLE}
}
```

Listagem 14-16

Args.java

```
public class Args {
  private String schema;
  private Map<Character, ArgumentMarshaler> marshalers =
    new HashMap<Character, ArgumentMarshaler>();
  private Set<Character> argsFound = new HashSet<Character>();
  private Iterator<String> currentArgument;
  private List<String> argsList;

  public Args(String schema, String[] args) throws ArgsException {
    this.schema = schema;
    argsList = Arrays.asList(args);
    parse();
  }

  private void parse() throws ArgsException {
    parseSchema();
    parseArguments();
  }

  private boolean parseSchema() throws ArgsException {
    for (String element : schema.split(",")) {
      if (element.length() > 0) {
        parseSchemaElement(element.trim());
      }
    }
    return true;
  }

  private void parseSchemaElement(String element) throws ArgsException {
    char elementId = element.charAt(0);
    String elementTail = element.substring(1);
    validateSchemaElementId(elementId);
    if (elementTail.length() == 0)
      marshalers.put(elementId, new BooleanArgumentMarshaler());
    else if (elementTail.equals("*"))
      marshalers.put(elementId, new StringArgumentMarshaler());
```

Listagem 14-16 (continuação)

Args.java

```
    else if (elementTail.equals("#"))
      marshalers.put(elementId, new IntegerArgumentMarshaler());
    else if (elementTail.equals("##"))
      marshalers.put(elementId, new DoubleArgumentMarshaler());
    else
      throw new ArgsException(ArgsException.ErrorCode.INVALID_FORMAT,
                              elementId, elementTail);
  }

  private void validateSchemaElementId(char elementId) throws ArgsException {
    if (!Character.isLetter(elementId)) {
      throw new ArgsException(ArgsException.ErrorCode.INVALID_ARGUMENT_NAME,
                              elementId, null);
    }
  }

  private void parseArguments() throws ArgsException {
    for (currentArgument = argsList.iterator(); currentArgument.hasNext();) {
      String arg = currentArgument.next();
      parseArgument(arg);
    }
  }

  private void parseArgument(String arg) throws ArgsException {
    if (arg.startsWith("-"))
      parseElements(arg);
  }

  private void parseElements(String arg) throws ArgsException {
    for (int i = 1; i < arg.length(); i++)
      parseElement(arg.charAt(i));
  }

  private void parseElement(char argChar) throws ArgsException {
    if (setArgument(argChar))
      argsFound.add(argChar);
    else {
      throw new ArgsException(ArgsException.ErrorCode.UNEXPECTED_ARGUMENT,
                              argChar, null);
    }
  }

  private boolean setArgument(char argChar) throws ArgsException {
    ArgumentMarshaler m = marshalers.get(argChar);
    if (m == null)
      return false;
    try {
      m.set(currentArgument);
      return true;
    } catch (ArgsException e) {
      e.setErrorArgumentId(argChar);
      throw e;
    }
  }
```

Listagem 14-16 (continuação)

Args.java

```
    public int cardinality() {
      return argsFound.size();
    }

    public String usage() {
      if (schema.length() > 0)
        return "-[" + schema + "]";
      else
        return "";
    }

    public boolean getBoolean(char arg) {
      ArgumentMarshaler am = marshalers.get(arg);
      boolean b = false;
      try {
        b = am != null && (Boolean) am.get();
      } catch (ClassCastException e) {
        b = false;
      }
      return b;
    }

    public String getString(char arg) {
      ArgumentMarshaler am = marshalers.get(arg);
      try {
        return am == null ? "" : (String) am.get();
      } catch (ClassCastException e) {
        return "";
      }
    }

    public int getInt(char arg) {
      ArgumentMarshaler am = marshalers.get(arg);
      try {
        return am == null ? 0 : (Integer) am.get();
      } catch (Exception e) {
        return 0;
      }
    }

    public double getDouble(char arg) {
      ArgumentMarshaler am = marshalers.get(arg);
      try {
        return am == null ? 0 : (Double) am.get();
      } catch (Exception e) {
        return 0.0;
      }
    }

    public boolean has(char arg) {
      return argsFound.contains(arg);
    }
}
```

A maioria das mudanças da classe `Args` foram exclusões. Muito do código foi apenas removido de `Args` e colocado em `ArgsException`. Ótimo. Também movemos todos os `ArgumentMarshaller` para seus próprios arquivos. Melhor ainda.

Muitos dos bons projetos de software se resumem ao particionamento – criar locais apropriados para colocar diferentes tipos de código. Essa separação de preocupações torna o código muito mais simples para se manter e compreender.

De interesse especial temos o método `errorMessage` de `ArgsException`. Obviamente, é uma violação ao SRP colocar a formatação da mensagem de erro em `Args`. Este deve apenas processar os parâmetros, e não o formato de tais mensagens. Entretanto, realmente faz sentido colocar o código da formatação das mensagens de erro em `ArgsException`?

Francamente, é uma obrigação. Os usuários não gostam de ter que de criar eles mesmos as mensagens de erro fornecidas por `ArgsException`. Mas a conveniência de ter mensagens de erro prontas e já preparadas para você não é insignificante.

A esta altura já deve estar claro que estamos perto da solução final que surgiu no início deste capítulo. Deixarei como exercício para você as últimas modificações.

Conclusão

Isso não basta para que um código funcione. Um código que funcione, geralmente possui bastantes erros. Os programadores que se satisfazem só em verem um código funcionando não estão se comportando de maneira profissional. Talvez temam que não tenham tempo para melhorar a estrutura e o modelo de seus códigos, mas eu discordo. Nada tem um efeito mais intenso e degradante em longo termo sobre um projeto de desenvolvimento do que um código ruim. É possível refazer cronogramas e redefinir requisitos ruins. Pode-se consertar as dinâmicas ruins de uma equipe. Mas um código ruim apodrece e degrada, tornando-se um peso que se leva a equipe consigo. Não me canso de ver equipes caírem num passo lentíssimo devido à pressa inicial que os levou a criar uma massa maligna de código que acabou selando seus destinos.

É claro que um código ruim pode ser limpo. Mas é caro. Conforme o código degrada, os módulos se perpetuam uns para os outros, criando muitas dependências ocultas e intrincadas. Encontrar e remover dependências antigas é uma tarefa árdua e longa. Por outro lado, manter o código limpo é relativamente fácil. Se você fizer uma bagunça em um módulo pela manhã, é mais fácil limpá-lo pela tarde. Melhor ainda, se fez a zona a cinco minutos atrás, é muito mais fácil limpá-la agora mesmo.

Sendo assim, a solução é constantemente manter seu código o mais limpo e simples possível. Jamais deixe que ele comece a se degradar.

15

Características Internas do JUnit

O JUnit é um dos frameworks Java mais famosos de todos. Em relação a frameworks, ele é simples, preciso em definição e elegante na implementação. Mas como é o código? Neste capítulo, analisaremos um exemplo retirado do framework JUnit.

O framework JUnit

O JUnit tem tido muitos autores, mas ele começou com Kent Beck e Eric Gamma dentro de um avião indo à Atlanta. Kent queria aprender Java; e Eric, sobre o framework Smalltalk de testes de Kent. "O que poderia ser mais natural para uma dupla de geeks num ambiente apertado do que abrirem seus notebooks e começarem a programar?"[1] Após três horas de programação em alta altitude, eles criaram os fundamentos básicos do JUnit.

O módulo que veremos, o `ComparisonCompactor`, é a parte engenhosa do código que ajuda a identificar erros de comparação entre strings. Dadas duas strings diferentes, como `ABCDE` e `ABXDE`, o módulo exibirá a diferença através da produção de uma string como `<...B[X]D...>`.

Eu poderia explicar mais, porém, os casos de teste fazem um trabalho melhor. Sendo assim, veja a Listagem 15-1 e você entenderá os requisitos deste módulo em detalhes. Durante o processo, analise a estrutura dos testes. Elas poderiam ser mais simples ou óbvias?

Listagem 15-1
`ComparisonCompactorTest.java`

```
package junit.tests.framework;

import junit.framework.ComparisonCompactor;
import junit.framework.TestCase;

public class ComparisonCompactorTest extends TestCase {

  public void testMessage() {
    String failure= new ComparisonCompactor(0, "b", "c").compact("a");
    assertTrue("a expected:<[b]> but was:<[c]>".equals(failure));
  }

  public void testStartSame() {
    String failure= new ComparisonCompactor(1, "ba", "bc").compact(null);
    assertEquals("expected:<b[a]> but was:<b[c]>", failure);
  }

  public void testEndSame() {
    String  failure= new ComparisonCompactor(1, "ab", "cb").compact(null);
    assertEquals("expected:<[a]b> but was:<[c]b>", failure);
  }

  public void testSame() {
    String failure= new ComparisonCompactor(1, "ab", "ab").compact(null);
    assertEquals("expected:<ab> but was:<ab>", failure);
  }

  public void testNoContextStartAndEndSame() {
    String failure= new ComparisonCompactor(0, "abc", "adc").compact(null);
    assertEquals("expected:<...[b]...> but was:<...[d]...>", failure);
  }
```

1. JUnit Pocket Guide, Kent Beck, O'Reilly, 2004, p. 43.

Listagem 15-1 (continuação)
ComparisonCompactorTest.java

```
  public void testStartAndEndContext() {
    String failure= new ComparisonCompactor(1, "abc", "adc").compact(null);
    assertEquals("expected:<a[b]c> but was:<a[d]c>", failure);
  }

  public void testStartAndEndContextWithEllipses() {
    String failure=
      new ComparisonCompactor(1, "abcde", "abfde").compact(null);
    assertEquals("expected:<...b[c]d...> but was:<...b[f]d...>", failure);
  }

  public void testComparisonErrorStartSameComplete() {
    String failure= new ComparisonCompactor(2, "ab", "abc").compact(null);
    assertEquals("expected:<ab[]> but was:<ab[c]>", failure);
  }

  public void testComparisonErrorEndSameComplete() {
    String failure= new ComparisonCompactor(0, "bc", "abc").compact(null);
    assertEquals("expected:<[]...> but was:<[a]...>", failure);
  }

  public void testComparisonErrorEndSameCompleteContext() {
    String failure= new ComparisonCompactor(2, "bc", "abc").compact(null);
    assertEquals("expected:<[]bc> but was:<[a]bc>", failure);
  }

  public void testComparisonErrorOverlapingMatches() {
    String failure= new ComparisonCompactor(0, "abc", "abbc").compact(null);
    assertEquals("expected:<...[]...> but was:<...[b]...>", failure);
  }

  public void testComparisonErrorOverlapingMatchesContext() {
    String failure= new ComparisonCompactor(2, "abc", "abbc").compact(null);
    assertEquals("expected:<ab[]c> but was:<ab[b]c>", failure);
  }

  public void testComparisonErrorOverlapingMatches2() {
    String failure= new ComparisonCompactor(0, "abcdde",
"abcde").compact(null);
    assertEquals("expected:<...[d]...> but was:<...[]...>", failure);
  }

  public void testComparisonErrorOverlapingMatches2Context() {
    String failure=
      new ComparisonCompactor(2, "abcdde", "abcde").compact(null);
    assertEquals("expected:<...cd[d]e> but was:<...cd[]e>", failure);
  }

  public void testComparisonErrorWithActualNull() {
    String failure= new ComparisonCompactor(0, "a", null).compact(null);
    assertEquals("expected:<a> but was:<null>", failure);
  }

  public void testComparisonErrorWithActualNullContext() {
    String failure= new ComparisonCompactor(2, "a", null).compact(null);
```

Listagem 15-1 (continuação)
ComparisonCompactorTest.java

```
      assertEquals("expected:<a> but was:<null>", failure);
   }

   public void testComparisonErrorWithExpectedNull() {
      String failure= new ComparisonCompactor(0, null, "a").compact(null);
      assertEquals("expected:<null> but was:<a>", failure);
   }

   public void testComparisonErrorWithExpectedNullContext() {
      String failure= new ComparisonCompactor(2, null, "a").compact(null);
      assertEquals("expected:<null> but was:<a>", failure);
   }

   public void testBug609972() {
      String failure= new ComparisonCompactor(10, "S&P500", "0").compact(null)
      assertEquals("expected:<[S&P50]0> but was:<[]0>", failure);
   }
```

Efetuei uma análise geral do código no `ComparisonCompactor` usando esses testes, que cobrem 100% do código: cada linha, cada estrutura `if` e loop `for`. Isso me dá um alto grau de confiança de que o código funciona e de respeito pela habilidade de seus autores.

O código do `ComparisonCompactor` está na Listagem 15-2. Passe um momento analisando-o. Penso que você o achará bem particionado, razoavelmente expressivo e de estrutura simples. Quando você terminar, entenderemos juntos os detalhes.

Listing 15-2
ComparisonCompactor.java (Original)

```
package junit.framework;

public class ComparisonCompactor {

  private static final String ELLIPSIS = "...";
  private static final String DELTA_END = "]";
  private static final String DELTA_START = "[";

  private int fContextLength;
  private String fExpected;
  private String fActual;
  private int fPrefix;
  private int fSuffix;

  public ComparisonCompactor(int contextLength,
                             String expected,
                               String actual) {
    fContextLength = contextLength;
    fExpected = expected;
    fActual = actual;
  }
```

Listing 15-2 (continuação)

ComparisonCompactor.java (Original)

```
public String compact(String message) {
  if (fExpected == null || fActual == null || areStringsEqual())
    return Assert.format(message, fExpected, fActual);

  findCommonPrefix();
  findCommonSuffix();
  String expected = compactString(fExpected);
  String actual = compactString(fActual);
  return Assert.format(message, expected, actual);
}

private String compactString(String source) {
  String result = DELTA_START +
                  source.substring(fPrefix, source.length() -
                    fSuffix + 1) + DELTA_END;
  if (fPrefix > 0)
    result = computeCommonPrefix() + result;
  if (fSuffix > 0)
    result = result + computeCommonSuffix();
  return result;
}

private void findCommonPrefix() {
  fPrefix = 0;


  int end = Math.min(fExpected.length(), fActual.length());
  for (; fPrefix < end; fPrefix++) {
    if (fExpected.charAt(fPrefix) != fActual.charAt(fPrefix))
      break;
  }
}

private void findCommonSuffix() {
  int expectedSuffix = fExpected.length() - 1;
  int actualSuffix = fActual.length() - 1;
  for (;
       actualSuffix >= fPrefix && expectedSuffix >= fPrefix;
        actualSuffix--, expectedSuffix--) {
    if (fExpected.charAt(expectedSuffix) != fActual.charAt(actualSuffix))
      break;
  }
  fSuffix = fExpected.length() - expectedSuffix;
}

private String computeCommonPrefix() {
  return (fPrefix > fContextLength ? ELLIPSIS : "") +
           fExpected.substring(Math.max(0, fPrefix - fContextLength),
                                  fPrefix);
}


private String computeCommonSuffix() {
  int end = Math.min(fExpected.length() - fSuffix + 1 + fContextLength,
                       fExpected.length());
  return fExpected.substring(fExpected.length() - fSuffix + 1, end) +
         (fExpected.length() - fSuffix + 1 < fExpected.length() -
          fContextLength ? ELLIPSIS : "");
}
```

Listing 15-2 (continuação)
ComparisonCompactor.java (Original)

```
  private boolean areStringsEqual() {
    return fExpected.equals(fActual);
  }
}
```

Talvez você tenha algumas críticas em relação a este módulo. Há expressões muito extensas e uns estranhos +1s e por aí vai. Mas, de modo geral, este módulo está muito bom. Afinal de contas, ele deveria estar como na Listagem 15-3.

Listagem 15-3
ComparisonCompator.java (sem refatoração)

```
package junit.framework;

public class ComparisonCompactor {
  private int ctxt;
  private String s1;
  private String s2;
  private int pfx;
  private int sfx;

  public ComparisonCompactor(int ctxt, String s1, String s2) {
    this.ctxt = ctxt;
    this.s1 = s1;
    this.s2 = s2;
  }

  public String compact(String msg) {
    if (s1 == null || s2 == null || s1.equals(s2))
      return Assert.format(msg, s1, s2);

    pfx = 0;
    for (; pfx < Math.min(s1.length(), s2.length()); pfx++) {
      if (s1.charAt(pfx) != s2.charAt(pfx))
        break;
    }
    int sfx1 = s1.length() - 1;
    int sfx2 = s2.length() - 1;
    for (; sfx2 >= pfx && sfx1 >= pfx; sfx2--, sfx1--) {
      if (s1.charAt(sfx1) != s2.charAt(sfx2))
        break;
    }
    sfx = s1.length() - sfx1;
    String cmp1 = compactString(s1);


    String cmp2 = compactString(s2);
    return Assert.format(msg, cmp1, cmp2);
  }

  private String compactString(String s) {
    String result =
      "[" + s.substring(pfx, s.length() - sfx + 1) + "]";
    if (pfx > 0)
      result = (pfx > ctxt ? "..." : "") +
        s1.substring(Math.max(0, pfx - ctxt), pfx) + result;
```

Listagem 15-3 (continuação)
ComparisonCompator.java (sem refatoração)

```
      if (sfx > 0) {
        int end = Math.min(s1.length() - sfx + 1 + ctxt, s1.length());
        result = result + (s1.substring(s1.length() - sfx + 1, end) +
          (s1.length() - sfx + 1 < s1.length() - ctxt ? "..." : ""));
      }
      return result;
    }

}
```

Mesmo que os autores tenham deixado este módulo num formato muito bom, a Regra de Escoteiro[2] nos diz que devemos deixá-lo mais limpo do que como você o encontrou. Portanto, como podemos melhorar o código original na Listagem 15-2?

Primeiro, não deve se preocupar com o prefixo `f` nas variáveis membro [N6]. Os ambientes de hoje em dia tornam esse tipo de escopo redundante. Sendo assim, eliminemos todos os `f`.

```
private int contextLength;
private String expected;
private String actual;
private int prefix;
private int suffix;
```

Depois, temos uma estrutura condicional não encapsulada no início da função `compact`. [G28].

```
public String compact(String message) {
  if (expected == null || actual == null || areStringsEqual())
    return Assert.format(message, expected, actual);
  findCommonPrefix();
  findCommonSuffix();
  String expected = compactString(this.expected);
  String actual = compactString(this.actual);
  return Assert.format(message, expected, actual);
}
```

Devemos condicionalmente encapsular este if para deixar clara nossa intenção. Portanto, criemos um método que a explique.

```
public String compact(String message) {
  if (shouldNotCompact())
    return Assert.format(message, expected, actual);
  findCommonPrefix();
  findCommonSuffix();
  String expected = compactString(this.expected);
  String actual = compactString(this.actual);
  return Assert.format(message, expected, actual);
}
```

2. Consulte "A regra de escoteiro" na página 14

```
private boolean shouldNotCompact() {
  return expected == null || actual == null || areStringsEqual();
}
```

Não ligo muito para as notações `this.expected` e `this.actual` na função `compact`. Isso ocorreu quando alteramos o nome de `fExpected` para `expected`. Por que há variáveis nesta função que possuem os mesmos nomes das variáveis membro? Elas não representam outra coisa [N4]? Devemos desambigüizar os nomes.

```
String compactExpected = compactString(expected);
String compactActual = compactString(actual);
```

É um pouco mais difícil entender negativas do que afirmativas [G29]. Portanto, vamos inverter aquela estrutura `if`.

```
public String compact(String message) {
  if (canBeCompacted()) {
    findCommonPrefix();
    findCommonSuffix();
    String compactExpected = compactString(expected);
    String compactActual = compactString(actual);
    return Assert.format(message, compactExpected, compactActual);
  } else {
    return Assert.format(message, expected, actual);
  }
}

private boolean canBeCompacted() {
  return expected != null && actual != null && !areStringsEqual();
}
```

O nome da função está estranho [N7]. Embora ela realmente compacte as strings, ela talvez não o faça se `canBeCompacted` retornar `false`. Portanto, nomear essa função como `compact` esconde o efeito colateral da verificação de erro. Note também que, além das strings compactadas, a função retorna uma mensagem formatada. Dessa forma, o nome da função deveria ser `formatCompactedComparison`. Assim fica muito melhor quando lido juntamente com o parâmetro da função.

```
public String formatCompactedComparison(String message) {
```

O corpo da estrutura `if` é onde ocorre a compactação real das strings. Deveríamos extrair isso para um método chamado `compactExpectedAndActual`. Entretanto, queremos que a função `formatCompactedComparison` faça toda a formatação. A função `compact...` não deve fazer nada além da compactação [G30]. Portanto, vamos dividi-la assim:

```
...
  private String compactExpected;
  private String compactActual;
...
  public String formatCompactedComparison(String message) {
    if (canBeCompacted()) {
      compactExpectedAndActual();
      return Assert.format(message, compactExpected, compactActual);
    } else {
```

```
        return Assert.format(message, expected, actual);
    }
}
private void compactExpectedAndActual() {
    findCommonPrefix();
    findCommonSuffix();
    compactExpected = compactString(expected);
    compactActual = compactString(actual);
}
```

Note que isso nos força a transformar `compactExpected` e `compactActual` em variáveis-membro. Não gosto da forma de que as duas últimas linhas da nova função retorna as variáveis, mas duas primeiras não retornam. Elas não estão usando convenções consistentes [G11]. Portanto, devemos alterar `findCommonPrefix` e `findCommonSuffix` para retornar os valores do prefixo e do sufixo.

```
private void compactExpectedAndActual() {
    prefixIndex = findCommonPrefix();
    suffixIndex = findCommonSuffix();
    compactExpected = compactString(expected);
    compactActual = compactString(actual);
}

private int findCommonPrefix() {
    int prefixIndex = 0;
    int end = Math.min(expected.length(), actual.length());
    for (; prefixIndex < end; prefixIndex++) {
        if (expected.charAt(prefixIndex) != actual.charAt(prefixIndex))
            break;
    }
    return prefixIndex;
}

private int findCommonSuffix() {
    int expectedSuffix = expected.length() - 1;
    int actualSuffix = actual.length() - 1;
    for (; actualSuffix >= prefixIndex && expectedSuffix >= prefixIndex;
            actualSuffix--, expectedSuffix--) {
        if (expected.charAt(expectedSuffix) != actual.charAt(actualSuffix))
            break;
    }
    return expected.length() - expectedSuffix;
}
```

Também deveríamos tornar os nomes das variáveis-membro um pouco mais precisos [N1]; apesar de tudo, ambas são índices.

Uma análise cuidadosa de `findCommonSuffix` expõe um acoplamento temporário escondido [G31]; ele depende do fato de `prefixIndex` ser calculado por `findCommonPrefix`. Se chamassem essas duas funções fora de ordem, a sessão de depuração depois ficaria difícil. Portanto, para expor esse acoplamento temporário, vamos fazer com que `findCommonSuffix` receba `prefixIndex` como um parâmetro.

```
private void compactExpectedAndActual() {
    prefixIndex = findCommonPrefix();
    suffixIndex = findCommonSuffix(prefixIndex);
```

```
    compactExpected = compactString(expected);
    compactActual = compactString(actual);
  }

  private int findCommonSuffix(int prefixIndex) {
    int expectedSuffix = expected.length() - 1;
    int actualSuffix = actual.length() - 1;
    for (; actualSuffix >= prefixIndex && expectedSuffix >= prefixIndex;
         actualSuffix--, expectedSuffix--) {
      if (expected.charAt(expectedSuffix) != actual.charAt(actualSuffix))
        break;
    }
    return expected.length() - expectedSuffix;
  }
```

Não estou satisfeito com isso. A passagem de `prefixIndex` ficou um pouco arbitrária [G32]. Ela serve para estabelecer a ordenação, mas não explica essa necessidade. Outro programador talvez desfaça o que acabamos de fazer por não haver indicação de que o parâmetro é realmente necessário. Portanto, tentemos de outra maneira.

```
  private void compactExpectedAndActual() {
    findCommonPrefixAndSuffix();
    compactExpected = compactString(expected);
    compactActual = compactString(actual);
  }

  private void findCommonPrefixAndSuffix() {
    findCommonPrefix();
    int expectedSuffix = expected.length() - 1;
    int actualSuffix = actual.length() - 1;
    for (;
         actualSuffix >= prefixIndex && expectedSuffix >= prefixIndex;
         actualSuffix--, expectedSuffix--
      ) {
      if (expected.charAt(expectedSuffix) != actual.charAt(actualSuffix))
        break;
    }
    suffixIndex = expected.length() - expectedSuffix;
  }

  private void findCommonPrefix() {
    prefixIndex = 0;
    int end = Math.min(expected.length(), actual.length());
    for (; prefixIndex < end; prefixIndex++)
      if (expected.charAt(prefixIndex) != actual.charAt(prefixIndex))
        break;
  }
```

Colocamos `findCommonPrefix` e `findCommonSuffix` como estavam antes, mudando o nome de `findCommonSuffix` para `findCommonPrefixAndSuffix` e fazendo-a chamar `findCommonPrefix` antes de qualquer outra coisa. Isso estabelece a natureza temporária das duas funções de uma maneira muito mais expressiva do que a solução anterior. E também indicar como `findCommonPrefixAndSuffix` é horrível. Vamos limpá-la agora.

```
  private void findCommonPrefixAndSuffix() {
    findCommonPrefix();
    int suffixLength = 1;
```

```
    for (; !suffixOverlapsPrefix(suffixLength); suffixLength++) {
      if (charFromEnd(expected, suffixLength) !=
          charFromEnd(actual, suffixLength))
        break;
    }
    suffixIndex = suffixLength;
  }
  private char charFromEnd(String s, int i) {
    return s.charAt(s.length()-i);}
  private boolean suffixOverlapsPrefix(int suffixLength) {
    return actual.length() - suffixLength < prefixLength ||
      expected.length() - suffixLength < prefixLength;
  }
```

Assim ficou muito melhor, pois mostra que `suffixIndex` é o comprimento (Length) do sufixo e que não está bem nomeado. O mesmo vale para `prefixIndex`, embora neste caso "índice" (Index) e "comprimento" (Length) sejam sinônimos. O problema é que a variável `suffixIndex` não começa com zero, mas por 1, e, portanto, não é um comprimento real. Esse também é o motivo pelo qual existem todos aqueles `+1`s em `computeCommonSuffix` [G33]. Sendo assim, vamos consertar isso. O resultado está na Listagem 15-4.

Listagem 15-4
ComparisonCompactor.java (temporário)

```
public class ComparisonCompactor {
...
  private int suffixLength;
...
  private void findCommonPrefixAndSuffix() {
    findCommonPrefix();
    suffixLength = 0;
    for (; !suffixOverlapsPrefix(suffixLength); suffixLength++) {
      if (charFromEnd(expected, suffixLength) !=
          charFromEnd(actual, suffixLength))
        break;
    }
  }

  private char charFromEnd(String s, int i) {
    return s.charAt(s.length() - i - 1);
  }

  private boolean suffixOverlapsPrefix(int suffixLength) {
    return actual.length() - suffixLength <= prefixLength ||
      expected.length() - suffixLength <= prefixLength;
  }

...
  private String compactString(String source) {
    String result =
      DELTA_START +
      source.substring(prefixLength, source.length() - suffixLength) +
      DELTA_END;
    if (prefixLength > 0)
      result = computeCommonPrefix() + result;
```

Listagem 15-4 (continuação)
ComparisonCompactor.java (temporário)

```
      if (suffixLength > 0)
        result = result + computeCommonSuffix();
      return result;
    }

  ...
    private String computeCommonSuffix() {
      int end = Math.min(expected.length() - suffixLength +
        contextLength, expected.length()
      );
      return
        expected.substring(expected.length() - suffixLength, end) +
        (expected.length() - suffixLength <
          expected.length() - contextLength ?
          ELLIPSIS : "");
    }
```

Substituímos os `+1s` em `computeCommonSuffix` por um `-1` em `charFromEnd`, onde faz mais sentido, e dois operadores <= em `suffixOverlapsPrefix`, onde também fazem mais sentido. Isso nos permitiu alterar o nome de `suffixIndex` para `suffixLength`, aumentando consideravelmente a legibilidade do código.

Porém, há um problema. Enquanto eu eliminava os +1s, percebi a seguinte linha em `compactString`:

```
if (suffixLength > 0)
```

Observe-a na Listagem 15-4. Pela lógica, como agora `suffixLength` está uma unidade menor do que anteriormente, eu deveria alterar o operador > para >=. Mas isso não faz sentido. Agora faz! Isso significa que antes não fazia sentido e que provavelmente era um bug. Bem, não um bug. Após análise mais detalhada, vemos que agora a estrutura `if` evita que um sufixo de comprimento zero seja anexado. Antes de fazermos a alteração, a estrutura `if` não era funcional, pois `suffixIndex` jamais poderia ser menor do que um.

Isso levanta a questão sobre ambas as estruturas `if` em `compactString`! Parece que poderiam ser eliminadas. Portanto, vamos colocá-las como comentários e executar os testes. Eles passaram! Sendo assim, vamos reestruturar `compactString` para eliminar as estruturas if irrelevantes e tornar a função mais simples [G9].

```
private String compactString(String source) {
  return
    computeCommonPrefix() +
    DELTA_START +
    source.substring(prefixLength, source.length() - suffixLength) +
    DELTA_END +
    computeCommonSuffix();
}
```

Assim está muito melhor! Agora vemos que a função `compactString` está simplesmente unindo os fragmentos. Provavelmente, podemos tornar isso ainda mais claro. De fato, há várias e pequenas limpezas que poderíamos fazer. Mas em vez de lhe arrastar pelas modificações finais, mostrarei logo o resultado na Listagem 15-5.

Listagem 15-5
ComparisonCompactor.java (final)

```
package junit.framework;

public class ComparisonCompactor {

  private static final String ELLIPSIS = "...";
  private static final String DELTA_END = "]";
  private static final String DELTA_START = "[";

  private int contextLength;
  private String expected;
  private String actual;
  private int prefixLength;
  private int suffixLength;
  public ComparisonCompactor(
    int contextLength, String expected, String actual
  ) {
    this.contextLength = contextLength;
    this.expected = expected;
    this.actual = actual;
  }

  public String formatCompactedComparison(String message) {
    String compactExpected = expected;
    String compactActual = actual;
    if (shouldBeCompacted()) {
      findCommonPrefixAndSuffix();
      compactExpected = compact(expected);
      compactActual = compact(actual);
    }
    return Assert.format(message, compactExpected, compactActual);
  }

  private boolean shouldBeCompacted() {
    return !shouldNotBeCompacted();
  }

  private boolean shouldNotBeCompacted() {
    return expected == null ||
           actual == null ||
           expected.equals(actual);
  }

  private void findCommonPrefixAndSuffix() {
    findCommonPrefix();
    suffixLength = 0;
    for (; !suffixOverlapsPrefix(); suffixLength++) {
      if (charFromEnd(expected, suffixLength) !=
          charFromEnd(actual, suffixLength)
      )
```

Listagem 15-5 (continuação)
ComparisonCompactor.java (final)

```
        break;
    }
  }

  private char charFromEnd(String s, int i) {
    return s.charAt(s.length() - i - 1);
  }

  private boolean suffixOverlapsPrefix() {
    return actual.length() - suffixLength <= prefixLength ||
      expected.length() - suffixLength <= prefixLength;
  }
  private void findCommonPrefix() {
    prefixLength = 0;
    int end = Math.min(expected.length(), actual.length());
    for (; prefixLength < end; prefixLength++)
      if (expected.charAt(prefixLength) != actual.charAt(prefixLength))
        break;
  }

  private String compact(String s) {
    return new StringBuilder()
      .append(startingEllipsis())
      .append(startingContext())
      .append(DELTA_START)
      .append(delta(s))
      .append(DELTA_END)
      .append(endingContext())
      .append(endingEllipsis())
      .toString();
  }

  private String startingEllipsis() {
    return prefixLength > contextLength ? ELLIPSIS : "";
  }

  private String startingContext() {
    int contextStart = Math.max(0, prefixLength - contextLength);
    int contextEnd = prefixLength;
    return expected.substring(contextStart, contextEnd);
  }

  private String delta(String s) {
    int deltaStart = prefixLength;
    int deltaEnd = s.length() - suffixLength;
    return s.substring(deltaStart, deltaEnd);
  }

  private String endingContext() {
    int contextStart = expected.length() - suffixLength;
    int contextEnd =
      Math.min(contextStart + contextLength, expected.length());
    return expected.substring(contextStart, contextEnd);
  }
```

Listagem 15-5 (continuação)
ComparisonCompactor.java (final)

```
    private String endingEllipsis() {
      return (suffixLength > contextLength ? ELLIPSIS : "");
    }
}
```

Ficou realmente belo. O módulo está separado em um grupo de funções de análise e em um de síntese. E estão topologicamente organizadas de modo que a declaração de cada uma aparece logo após seu uso. Todas as funções de análise aparecem primeiro e as de síntese por último.

Se olhar com atenção, verá que reverti diversas das decisões que eu havia feito anteriormente neste capítulo. Por exemplo, coloquei de volta alguns métodos extraídos em `formatCompactedComparison` e alterei o sentido da expressão `shouldNotBeCompacted`. Isso é típico. Geralmente, uma refatoração leva à outra, que leva à reversão da primeira. Refatorar é um processo iterativo cheio de tentativas e erros, convergindo inevitavelmente em algo que consideramos digno de um profissional.

Conclusão

E também cumprimos a Regra de Escoteiro. Deixamos este módulo um pouco mais limpo do que como o encontramos. Não que já não estivesse limpo. Seus autores fizeram um trabalho excelente com ele. Mas nenhum módulo está imune a um aperfeiçoamento, e cada um de nós tem o dever de deixar o código um pouco melhor do que como o encontramos.

16

Refatorando o SerialDate

Se você for ao site `http://www.jfree.org/jcommon/index.php`, encontrará a biblioteca JCommon, dentro da qual há um pacote chamado `org.jfree.date`, que possui uma classe chamada `SerialDate`. Iremos explorar essa classe.

David Gilbert é o criador da `SerialDate`. Obviamente, ele é um programador competente e experiente. Como veremos, ele exibe um nível considerável de profissionalismo e disciplina dentro do código. Para todos os efeitos, esse é um "bom código". E eu irei desmembrá-lo em partes.

Não possuo más intenções aqui. Nem acho que eu seja tão melhor do que o David que, de alguma forma, eu teria o direito de julgar seu código. De fato, se visse alguns de meus códigos, estou certo de que você encontraria várias coisas para criticar.

Não, também não é uma questão de arrogância ou maldade. O que pretendo fazer aqui nada mais é do que uma revisão profissional. Algo com a qual todos nós deveríamos nos sentir confortáveis em fazer. E algo que deveríamos receber bem quando fizessem conosco. É só através de críticas como essas que aprenderemos. Os médicos fazem isso. Os pilotos também fazem. Os advogados também. E nós programadores precisamos aprender a fazer também.

E mais uma coisa sobre David Gilbert: ele é muito mais do que um bom programador. David teve a coragem e a boa vontade de oferecer de graça seu código à comunidade em geral. Ele o colocou à disposição para que todos vissem, usassem e analisassem. Isso foi um ótimo feito!

`SerialDate` (Listagem B-1, página 349) é uma classe que representa uma data em Java. Por que ter uma classe que represente uma data quando o Java já possui a `java.util.Date` e a `java.util.Calendar`, dentre outras? O autor criou essa classe em resposta a um incômodo que eu mesmo costumo sentir. O comentário em seu Javadoc de abertura (linha 67) explica bem isso. Poderíamos deduzir a intenção do autor, mas eu certamente já tive de lidar com essa questão e, então, sou grato a essa classe que trata de datas ao invés de horas.

Primeiro, faça-a funcionar

Há alguns testes de unidade numa classe chamada `SerialDateTests` (Listagem B-2, página 366). Todos os testes passam. Infelizmente, uma rápida análise deles mostra que não testam tudo [T1]. Por exemplo, efetuar uma busca "Encontrar Tarefas" no método `MonthCodeToQuarter` (linha 334) indica que ele não é usado [F4]. Logo, os testes de unidade não o testam.

Então, executei o Clover para ver o que os testes unitários cobriam e não cobriam. O Clover informou que os testes unitários só executavam 91 das 185 instruções na `SerialDate` (~50%) [T2]. O mapa do que era testado parecia uma colcha de retalhos, com grandes buracos de código não executado amontoados ao longo de toda a classe.

Meu objetivo era entender completamente e também refatorar essa classe. Eu não poderia fazer isso sem um teste de maior cobertura. Portanto, criei minha própria coleção de testes de unidade completamente independente (Listagem B-4, página 374).

Ao olhar esses testes, você verá que muitos foram colocados como comentários. Esses testes falharam. Eles representam o comportamento que eu acho que a `SerialDate` deveria ter. Dessa forma, conforme refatoro a `SerialDate`, farei também com que esses testes passem com êxito.

Mesmo com alguns dos testes colocados como comentário, o Clover informa que os novos testes de unidade executam 170 (92%) das 185 instruções executáveis. Isso é muito bom, e acho que poderemos aumentar ainda mais esse número.

Os primeiros poucos testes postos como comentários (linhas 23-63) são um pouco de prepotência de minha parte. O programa não foi projetado para passar nesses testes, mas o comportamento parece óbvio [G2] para mim.

Não estou certo por que o método `testWeekdayCodeToString` foi criado, mas como ele está lá, parece óbvio que ele não deve diferir letras maiúsculas de minúsculas. Criar esses testes foi simples [T3]. Fazê-los passar foi mais simples ainda; apenas alterei as linhas 259 e 263 para usarem `equalsIgnoreCase`.

Coloquei os testes nas linhas 32 e 45 como comentários porque não está claro para mim se as abreviações “tues” (Tuesday, terça-feira em inglês) e “thurs” (Thursday, quinta-feira em inglês) devem ser suportadas.

Os testes nas linhas 153 e 154 falham. Obviamente, eles deveriam mesmo [G2]. Podemos facilmente consertá-los e, também, os testes das linhas 163 a 213, fazendo as seguintes modificações à função `stringToMonthCode`.

```
457        if ((result < 1) || (result > 12)) {
               result = -1;
458            for (int i = 0; i < monthNames.length; i++) {
459                if (s.equalsIgnoreCase(shortMonthNames[i]))
460                    result = i + 1;
461                    break;
462                }
463                if (s.equalsIgnoreCase(monthNames[i])) {
464                    result = i + 1;
465                    break;
466                }
467            }
468        }
```

O texto colocado como comentário na linha 318 expõe um bug no método `getFollowingDayOfWeek` (linha 672). A data 25 de dezembro de 2004 caiu num sábado. E o sábado seguinte em 1º de janeiro de 2005. Entretanto, quando efetuamos o teste, vemos que `getFollowingDayOfWeek` retorna 25 de dezembro como o sábado seguinte a 25 de dezembro. Isso está claramente errado [G3], [T1]. Vimos o problema na linha 685, que é um típico erro de condição de limite [T5]. Deveria estar escrito assim:

```
685        if (baseDOW >= targetWeekday) {
```

É interessante notar que essa função foi o alvo de um conserto anterior. O histórico de alterações (linha 43) mostra que os “bugs” em `getPreviousDayOfWeek`, `getFollowingDayOfWeek` e `getNearestDayOfWeek` [T6] foram consertados.

O teste unitário `testGetNearestDayOfWeek` (linha 329), que testa o método `getNearestDayOfWeek` (linha 705), não rodou por muito tempo e não foi completo como está configurado para ser. Adicionei muitos casos de teste ao método, pois nem todos os meus iniciais passaram [T6]. Você pode notar o padrão de falhas ao verificar quais casos de teste estão como comentários [T7]. Isso mostra que o algoritmo falha se o dia mais próximo estiver no futuro. Obviamente, há um tipo de erro de condição de limite [T5].

O padrão do que o teste cobre informado pelo Clover também é interessante [T8]. A linha 719 nunca é executada! Isso significa que a estrutura `if` na linha 718 é sempre falsa. De fato, basta olhar o código para ver que isso é verdade. A variável `adjust` é sempre negativa e, portanto, não pode ser maior ou igual a 4. Sendo assim, este algoritmo está errado.

O algoritmo correto é disponibilizado abaixo:

```
int delta = targetDOW - base.getDayOfWeek();
int positiveDelta = delta + 7;
int adjust = positiveDelta % 7;
if (adjust > 3)
  adjust -= 7;

return SerialDate.addDays(adjust, base);
```

Por fim, podem-se fazer os testes na linha 417 e 429 obterem êxito simplesmente lançando uma `IllegalArgumentException` ao invés de uma string de erro a partir de `weekInMonthToString` e `relativeToString`.

Com essas alterações, todos os teste de unidade passam, e creio eu que agora a `SerialDate` funcione. Portanto, está na hora de torná-la "certa".

Então, torne-a certa

Iremos abordar a `SerialDate` de cima para baixo, aperfeiçoando-a no caminho. Embora você não veja esse processo, passarei todos os teste de unidade do `JCommon`, incluindo o meu melhorado para a `SerialDate`, após cada alteração que eu fizer. Portanto, pode ter certeza de que cada mudança que você vir aqui funciona com todos os testes do `JCommon`.

Começando pela linha 1, vemos uma grande quantidade de comentários sobre licença, direitos autorais, criadores e histórico de alterações. Reconheço que é preciso tratar de certos assuntos legais. Sendo assim, os direitos autorais e as informações sobre a licença devem permanecer. Por outro lado, o histórico de alterações é um resquício da década de 1960, e deve ser excluído [C1].

Poderia-se reduzir a lista de importações (import) na linha 61 usando `java.text.*` e `java.util.*`. [J1]

Não gostei da formatação HTML no Javadoc (linha 67), pois o que me preocupa é ter um arquivo fonte com mais de uma linguagem contida nele. E ele possui quatro: Java, inglês, Javadoc e html [G1]. Com tantas linguagens assim, fica difícil manter tudo em ordem. Por exemplo, a boa posição das linhas 71 e 72 ficam perdidas quando o Javadoc é criado e, mesmo assim, quem deseja ver `<ul>` e `<li>` no código-fonte? Uma boa estratégia seria simplesmente envolver todo o comentário com `<pre>` de modo que a formatação visível no código-fonte seja preservada dentro do Javadoc[1].

A linha 86 é a declaração da classe. Por que essa classe se chama `SerialDate`? Qual o significado de "serial"? Seria por que a classe é derivada de `Serializable`? Parece pouco provável.

1. Uma solução ainda melhor seria fazer o Javadoc apresentar todos os comentários de forma pré-formatada, de modo que tivessem o mesmo formato no código e no documento.

Não vou deixar você tentando adivinhar. Eu sei o porquê (pelo menos acho que sei) da palavra "serial". A dica está nas constantes SERIAL_LOWER_BOUND e SERIAL_UPPER_BOUND nas linhas 98 e 101. Uma dica ainda melhor está no comentário que começa na linha 830. A classe se chama `SerialDate` por ser implementada usando-se um "serial number" (número de série, em português), que é o número de dias desde 30 de dezembro de 1899.

Tenho dois problemas com isso. Primeiro, o termo "serial number" não está correto. Isso pode soar como uma crítica, mas a representação está mais para uma medida do que um número de série. O termo "serial number" tem mais a ver com a identificação de produtos do que com datas. Portanto, não acho este nome descritivo [N1]. Um termo mais explicativo seria "ordinal".

O segundo problema é mais significativo. O nome `SerialDate` implica uma implementação. Essa classe é abstrata, logo não há necessidade indicar coisa alguma sobre a implementação, a qual, na verdade, há uma boa razão para ser ocultada. Sendo assim, acho que esse nome esteja no nível errado de abstração [N2]. Na minha opinião, o nome da classe deveria ser simplesmente `Date`.

Infelizmente, já existem muitas classes na biblioteca Java chamadas de `Date`. Portanto, essa, provavelmente, não é o melhor nome. Como essa classe é sobre dias ao invés de horas, pensei em chamá-la de `Day` (dia em inglês), mas também se usa demasiadamente esse nome em outros locais. No final, optei por `DayDate` (DiaData) como a melhor opção.

A partir de agora, usarei o termo DayDate. Mas espero que se lembre de que nas listagens as quais você vir, DayDate representará `SerialDate`.

Entendo o porquê de `DayDate` herdar de `Comparable` e `Serializable`. Mas ela herda de `MonthConstants`? Esta classe (Listagem B-3, página 367) é um bando de constantes estáticas finais que definem os meses. Herdar dessas classes com constantes é um velho truque usado pelos programadores Java de modo que não precisassem usar expressões como `MonthConstants`.January – mas isso é uma péssima idéia [J2]. A `MonthConstants` deveria ser realmente um enum.

```
public abstract class DayDate implements Comparable,
                                         Serializable {
  public static enum Month {
    JANUARY(1),
    FEBRUARY(2),
    MARCH(3),
    APRIL(4),
    MAY(5),
    JUNE(6),
    JULY(7),
    AUGUST(8),
    SEPTEMBER(9),
    OCTOBER(10),
    NOVEMBER(11),
    DECEMBER(12);

    Month(int index) {
      this.index = index;
    }
```

```
    public static Month make(int monthIndex) {
      for (Month m : Month.values()) {
        if (m.index == monthIndex)
          return m;
      }
      throw new IllegalArgumentException("Invalid month index " + monthIndex);
    }
    public final int index;
  }
```

Alterar a MonthConstants para este enum exige algumas alterações na classe DayDate e para todos os usuários. Levei uma hora para fazer todas as modificações. Entretanto, qualquer função costumava pegar um int para um mês, agora pega um enumerador Month. Isso significa que podemos nos livrar do método isValidMonthCode (linha 326) e de toda verificação de erro no código dos Month, como aquela em monthCodeToQuarter (linha 356) [G5].

Em seguida, temos a linha 91, serialVersionUID – variável usada para controlar o "serializador". Se a alterarmos, então qualquer DayDate criado com uma versão antiga do software não será mais legível e produzirá uma InvalidClassException. Se você não declarar a variável serialVersionUID, o compilador gerará automaticamente uma para você e ela será diferente toda vez que você alterar o módulo. Sei que todos os documentos recomendam controlar manualmente essa variável, mas me parece que o controle automático de serialização é bem mais seguro [G4]. Apesar de tudo, eu prefiro depurar uma InvalidClassException ao comportamento estranho que surgiria caso eu me esquecesse de alterar o serialVersionUID. Sendo assim, vou excluir a variável – pelo menos por agora[2].

Acho o comentário da linha 93 redundante. Comentários redundantes só servem para passar mentiras e informações erradas [C2]. Portanto, vou me livrar de todo esse tipo de comentários.

Os comentários das linhas 97 e 100 falam sobre os números de série (serial numbers) que mencionei anteriormente [C1]. As variáveis que eles representam são as datas mais antigas e atuais possíveis que a DayDate pode descrever. É possível esclarecer isso um pouco mais [N1].

```
public static final int EARLIEST_DATE_ORDINAL = 2;       // 1/1/1900
public static final int LATEST_DATE_ORDINAL = 2958465; // 12/31/999
```

Não está claro para mim porque EARLIEST_DATE_ORDINAL é 2 em vez de 0. Há uma dica no comentário na linha 829 sugerindo que tem algo a ver com a forma de representação das datas no Microsoft Excel. A SpreadsheetDate (Listagem B-5, página 382), uma derivada de DayDate, possui uma explicação muito mais descritiva. O comentário na linha 71 descreve bem a questão. Meu problema com isso é que a questão parece estar relacionada à implementação de SpreadsheetDate e não tem nada a ver com DayDate. Cheguei à conclusão de que EARLIEST_DATE_ORDINAL e LATEST_DATE_ORDINAL realmente não pertencem à DayDate e devem ser movidos para SpreadsheetDate [G6].

---

2. Muitos dos revisores deste texto fizeram objeção a essa decisão. Elas argumentaram que em um framework de código aberto é melhor permitir o controle manual em vez da serialização de IDs de modo que pequenas alterações ao software não invalidem as datas antigas serializadas. É um argumento válido. Entretanto, pelo menos a falha, embora inconveniente como possa ser, possui uma causa bem-definida. Por outro lado, se o autor da classe esquecer de atualizar a ID, então o modo de falha fica indefinido e pode muito bem não ser detectado. Acho que a moral real dessa estória é que você não deve esperar ter de "desserializar" ao longo das versões.

Na verdade, uma busca pelo código mostra que essas variáveis são usadas apenas dentro de SpreadsheetDate. Nada em DayDate ou em qualquer outra classe no framework JCommon as usa. Sendo assim, moverei-as abaixo para SpreadsheetDate.

As variáveis seguintes, MINIMUM_YEAR_SUPPORTED e MAXIMUM_YEAR_SUPPORTED (linhas 104 e 107), geram um dilema. Parece claro que, se DayDate é uma classe abstrata que não dá nenhuma indicação de implementação, então ela não deveria nos informar sobre um ano mínimo ou máximo. Novamente, fico tentado a mover essas variáveis abaixo para SpreadsheetDate [G6]. Entretanto, uma busca rápida pelos usuários que as usam mostra que uma outra classe as usa: RelativeDayOfWeekRule (Listagem B-6, página 384). Vemos que, nas linhas 177 e 178 na função getDate, as variáveis são usadas para verificar se o parâmetro para getDate é um ano válido. O dilema é que um usuário de uma classe abstrata necessita de informações sobre sua implementação.

O que precisamos é fornecer essas informações sem poluir a DayDate. Geralmente, pegaríamos as informações da implementação a partir de uma derivada de instância. Entretanto, a função getDate não recebe uma instância de uma DayDate, mas retorna tal instância, o que significa que, em algum lugar, ela a deve estar criando. Da linha 187 a 205, dão a dica. A instância de DayDate é criada por uma dessas três funções: getPreviousDayOfWeek, getNearestDayOfWeek ou getFollowingDayOfWeek. Olhando novamente a listagem de DayDate, vemos que todas essas funções (linhas 638-724) retornam uma data criada por addDays (linha 571), que chama createInstance (linha 808), que cria uma SpreadsheetDate! [G7].

Costuma ser uma péssima ideia para classes base enxergar seus derivados. Para consertar isso, devemos usar o padrão ABSTRACT FACTORY[3] e criar uma DayDateFactory. Essa factory criará as instâncias de DayDate que precisamos e também poderá responder às questões sobre a implementação, como as datas mínima e máxima.

```
public abstract class DayDateFactory {
  private static DayDateFactory factory = new SpreadsheetDateFactory();
  public static void setInstance(DayDateFactory factory) {
    DayDateFactory.factory = factory;
  }

  protected abstract DayDate _makeDate(int ordinal);
  protected abstract DayDate _makeDate(int day, DayDate.Month month, int year);
  protected abstract DayDate _makeDate(int day, int month, int year);
  protected abstract DayDate _makeDate(java.util.Date date);
  protected abstract int _getMinimumYear();
  protected abstract int _getMaximumYear();

  public static DayDate makeDate(int ordinal) {
    return factory._makeDate(ordinal);
  }
```

3. [GOF].

```
public static DayDate makeDate(int day, DayDate.Month month, int year) {
  return factory._makeDate(day, month, year);
}

public static DayDate makeDate(int day, int month, int year) {
  return factory._makeDate(day, month, year);
}

public static DayDate makeDate(java.util.Date date) {
  return factory._makeDate(date);
}

public static int getMinimumYear() {
  return factory._getMinimumYear();
}

public static int getMaximumYear() {
  return factory._getMaximumYear();
}
```

Essa classe factory substitui os métodos createInstance pelos makeDate, que melhora um pouco os nomes [N1]. O padrão se vira para SpreadsheetDateFactory, mas que pode ser modificado a qualquer hora para usar uma factory diferente. Os métodos estáticos que delegam responsabilidade aos métodos abstratos para usarem uma combinação dos padrões SINGLETON[4], DECORATOR[5] e ABSTRACT FACTORY, que tenho achado úteis.

A `SpreadsheetDateFactory` se parece com isso:

```
public class SpreadsheetDateFactory extends DayDateFactory {
  public DayDate _makeDate(int ordinal) {
    return new SpreadsheetDate(ordinal);
  }

  public DayDate _makeDate(int day, DayDate.Month month, int year) {
    return new SpreadsheetDate(day, month, year);
  }

  public DayDate _makeDate(int day, int month, int year) {
    return new SpreadsheetDate(day, month, year);
  }

  public DayDate _makeDate(Date date) {
    final GregorianCalendar calendar = new GregorianCalendar();
    calendar.setTime(date);
    return new SpreadsheetDate(
      calendar.get(Calendar.DATE),
      DayDate.Month.make(calendar.get(Calendar.MONTH) + 1),
      calendar.get(Calendar.YEAR));
  }
```

4. Ibid.

5. Ibid.

```
    protected int _getMinimumYear() {
      return SpreadsheetDate.MINIMUM_YEAR_SUPPORTED;
    }

    protected int _getMaximumYear() {
      return SpreadsheetDate.MAXIMUM_YEAR_SUPPORTED;
    }
```

Como pode ver, já movi as variáveis `MINIMUM_YEAR_SUPPORTED` e `MAXIMUM_YEAR_SUPPORTED` para onde elas pertencem [G6], em `SpreadsheetDate`.

A próxima questão na `DayDate` são as constantes day que começam na linha 109. Isso deveria ser outro enum [J3]. Já vimos esse padrão antes, portanto, não o repetirei aqui. Você o verá nas últimas listagens.

Em seguida, precisamos de uma série de tabelas começando com `LAST_DAY_OF_MONTH` na linha 140. Meu primeiro problema com essas tabelas é que os comentários que as descrevem são redundantes [C3]. Os nomes estão bons. Sendo assim, irei excluir os comentários.

Parece não haver uma boa razão para que essa tabela não seja privada [G8], pois existe uma função `lastDayOfMonth` estática que fornece os mesmos dados.

A próxima tabela, `AGGREGATE_DAYS_TO_END_OF_MONTH`, é um pouco mais enigmática, pois não é usada em lugar algum no framework `JCommon` [G9]. Portanto, excluí-a.

O mesmo vale para `LEAP_YEAR_AGGREGATE_DAYS_TO_END_OF_MONTH`.

Apenas a SpreadsheetDate (linhas 434 e 473) usa a tabela seguinte, `AGGREGATE_DAYS_TO_END_OF_PRECEDING_MONTH`. Isso leva à questão se ela deve ser movida para `SpreadsheetDate`. O argumento para não fazê-lo é que a tabela não é específica a nenhuma implementação em particular [G6]. Por outro lado, não há implementação além da `SpreadsheetDate` e, portanto, a tabela deve ser colocada próxima do local onde ela é usada [G10].

Para mim, o que decide é que para ser consistente [G11], precisamos tornar a tabela privada e expô-la através de uma função, como a `julianDateOfLastDayOfMonth`. Parece que ninguém precisa de uma função como essa. Ademais, pode-se facilmente colocar a tabela de volta na classe `DayDate` se qualquer implementação nova desta precisar daquela.

O mesmo vale para `LEAP_YEAR_AGGREGATE_DAYS_TO_END_OF_MONTH`.

Agora, veremos as três séries de constantes que podem ser convertidas em enum (linhas 162-205). A primeira das três seleciona uma semana dentro de um mês. Transformei-a em um enum chamado `WeekInMonth`.

```
  public enum WeekInMonth {
      FIRST(1), SECOND(2), THIRD(3), FOURTH(4), LAST(0);
      public final int index;

      WeekInMonth(int index) {
        this.index = index;
      }
    }
```

A segunda série de constantes (linhas 177-187) é um pouco mais confusa. Usam-se as constantes INCLUDE_NONE, INCLUDE_FIRST, INCLUDE_SECOND e INCLUDE_BOTH para descrever se as datas nas extremidades de um intervalo devam ser incluídas nele. Matematicamente, usam-se os termos "intervalo aberto", "intervalo meio-aberto" e "intervalo fechado". Acho que fica mais claro se usarmos a nomenclatura matemática [N3], então transformei essa segunda série de constantes em um enum chamado DateInterval com enumeradores CLOSED (fechado), CLOSED_LEFT (esquerda_fechado), CLOSED_RIGHT (direta_fechado) e OPEN (aberto).

A terceira série de constantes (linhas 18-205) descreve se uma busca por um dia particular da semana deve resultar na última, na próxima ou na mais próxima instância. Decidir o nome disso é no mínimo difícil. No final, optei por WeekdayRange com enumeradores LAST (último), NEXT (próximo) e NEAREST (mais próximo).

Talvez você não concorde com os nomes que escolhi. Para mim eles fazem sentido, pode não fazer para você. A questão é que agora eles estão num formato que facilita sua alteração [J3]. Eles não são mais passados como inteiros, mas como símbolos. Posso usar a função "change name" de minha IDE para mudar os nomes, ou os tipos, sem me preocupar se deixei passar algum -1 ou 2 em algum lugar do código ou se alguma declaração de um parâmetro do tipo int está mal descrito.

Parece que ninguém usa o campo de descrição da linha 208. Portanto, eu a excluí juntamente com seu método de acesso e de alteração [G9].

Também deletei o danoso construtor padrão da linha 213 [G12]. O compilador o criará para nós.

Podemos pular o método isValidWeekdayCode (linhas 216-238), pois o excluímos quando criamos a enumeração de Day.

Isso nos leva ao método stringToWeekdayCode (linhas 242–270). Os Javadocs que não contribui muito à assinatura do método são apenas restos [C3],[G12]. O único valor que esse Javadoc adiciona é a descrição do valor retornado -1. Entretanto, como mudamos para a enumeração de Day, o comentário está de fato errado [C2]. Agora o método lança uma IllegalArgumentException. Sendo assim, deletei o Javadoc.

Também exclui a palavra reservada final das declarações de parâmetros e variáveis. Até onde pude entender, ela não adicionava nenhum valor real, só adiciona mais coisas aos restos inúteis [G12]. Eliminar essas final contraria alguns conhecimentos convencionais. Por exemplo, Robert Simons[6] nos aconselha a "...colocar final em todo o seu código". Obviamente, eu discordo. Acho que há alguns poucos usos para o final, como a constante final, mas fora isso, as palavras reservadas acrescentam pouca coisa e criam muito lixo. Talvez eu me sinta dessa forma porque os tipos de erros que final possa capturar, os testes de unidade que escrevi já capturam.

Não me importo com as estruturas if duplicadas [G5] dentro do loop for (linhas 259 e 263), portanto, eu os uni em um único if usando o operador || Também usei a enumeração de Day para direcionar o loop for e fiz outros retoques.

---

6. [Simmons04], p. 73.

Ocorreu-me que este método não pertence à `DayDate`. Ele é a função de análise sintática de `Day`. Então o movi para dentro da enumeração de `Day`, a qual ficou muito grande. Como `Day` não depende de `DayDate`, retirei a enumeração de `Day` da classe `DayDate` e coloquei em seu próprio arquivo fonte [G13].

Também movi a próxima função, `weekdayCodeToString` (linhas 272–286) para dentro da enumeração de `Day` e a chamei de `toString`.

```
public enum Day {
  MONDAY(Calendar.MONDAY),
  TUESDAY(Calendar.TUESDAY),
  WEDNESDAY(Calendar.WEDNESDAY),s
  THURSDAY(Calendar.THURSDAY),
  FRIDAY(Calendar.FRIDAY),
  SATURDAY(Calendar.SATURDAY),
  SUNDAY(Calendar.SUNDAY);

  public final int index;
  private static DateFormatSymbols dateSymbols = new DateFormatSymbols();

  Day(int day) {
    index = day;
  }

  public static Day make(int index) throws IllegalArgumentException {
    for (Day d : Day.values())
      if (d.index == index)
        return d;
    throw new IllegalArgumentException(
      String.format("Illegal day index: %d.", index));
  }

  public static Day parse(String s) throws IllegalArgumentException {
    String[] shortWeekdayNames =
      dateSymbols.getShortWeekdays();
    String[] weekDayNames =
      dateSymbols.getWeekdays();

    s = s.trim();
    for (Day day : Day.values()) {
      if (s.equalsIgnoreCase(shortWeekdayNames[day.index]) ||
          s.equalsIgnoreCase(weekDayNames[day.index])) {
        return day;
      }
    }
    throw new IllegalArgumentException(
      String.format("%s is not a valid weekday string", s));
  }

  public String toString() {
    return dateSymbols.getWeekdays()[index];
  }
}
```

Há duas funções `getMonths` (linhas 288-316). A primeira chama a segunda. Esta só é chamada por aquela. Sendo assim, juntei as duas numa única só e as simplifiquei consideravelmente [G9],[G12],[F4]. Por fim, troquei o nome para ficar um pouco mais descritivo [N1].

```
public static String[] getMonthNames() {
  return dateFormatSymbols.getMonths();
}
```

A função isValidMonthCode (linhas 326-346) se tornou irrelevante devido ao enum Month. Portanto, deletei-a [G9].

A função monthCodeToQuarter (linhas 356–375) parece a FEATURE ENVY[7] [G14] e, provavelmente, pertence a enum Moth como um método chamado quarter. Portanto, excluí-a.

```
public int quarter() {
  return 1 + (index-1)/3;
}
```

Isso deixou o enum Month grande o suficiente para ter sua própria classe. Sendo assim, retirei-o de DayDate para ficar mais consistente com o enum Day [G11], [G13].

Os dois métodos seguintes chamam-se monthCodeToString (linhas 377–426). Novamente, vemos um padrão de um método chamando sua réplica com uma flag. Costuma ser uma péssima idéia passar uma flag como parâmetro de uma função, especialmente qual a flag simplesmente seleciona o formato da saída [G15]. Renomeei, simplifiquei e reestruturei essas funções e as movi para o enum Month [N1],[N3],[C3],[G14].

```
public String toString() {
  return dateFormatSymbols.getMonths()[index - 1];
}

public String toShortString() {
  return dateFormatSymbols.getShortMonths()[index - 1]
}
```

O próximo método é o stringToMonthCode (linhas 428–472). Renomeei, o movi para enum Month e o simplifiquei [N1],[N3],[C3],[G14],[G12].

```
public static Month parse(String s) {
  s = s.trim();
  for (Month m : Month.values())
    if (m.matches(s))
      return m;

  try {
    return make(Integer.parseInt(s));
  }
  catch (NumberFormatException e) {}
  throw new IllegalArgumentException("Invalid month " + s)
}
```

7. [Refactoring]

```
private boolean matches(String s) {
  return s.equalsIgnoreCase(toString()) ||
         s.equalsIgnoreCase(toShortString());
}
```

É possível tornar o método `isLeapYear` (linhas 495–517) um pouco mais expressivo [G16].

```
public static boolean isLeapYear(int year) {
  boolean fourth = year % 4 == 0;
  boolean hundredth = year % 100 == 0;
  boolean fourHundredth = year % 400 == 0;
  return fourth && (!hundredth || fourHundredth);
}
```

A próxima função, `leapYearCount` (linhas 519–536), realmente não pertence a `DayDate`. Ninguém a chama, exceto pelos dois métodos em `SpreadsheetDate`. Portanto, a movi para baixo [G6].

A função `lastDayOfMonth` (linhas 538–560) usa o array `LAST_DAY_OF_MONTH`, que pertence a enum `Month` [G17]. Portanto, movi-a para lá e também a simplifiquei e a tornei um pouco mais expressiva [G16].

```
public static int lastDayOfMonth(Month month, int year)
  if (month == Month.FEBRUARY && isLeapYear(year))
    return month.lastDay() + 1;
   else
    return month.lastDay();
}
```

Agora as coisas estão ficando mais interessantes. A função seguinte é a `addDays` (linhas 562–576). Primeiramente, como ela opera nas variáveis de `DayDate`, ela não pode ser estática [G18]. Sendo assim, a transformei em um método de instância. Segundo, ela chama a função `toSerial`, que deve ser renomeada para `toOrdinal` [N1]. Por fim, é possível simplificar o método.

```
public DayDate addDays(int days) {
  return DayDateFactory.makeDate(toOrdinal() + days);
}
```

O mesmo vale para `addMonths` (linhas 578–602), que deverá um método de instância. O algoritmo está um pouco mais complicado, então usei EXPLAINING TEMPORARY VARIABLES[8] para ficar mais transparente. Também renomeei o método `getYYY` para `getYear` [N1].

```
public DayDate addMonths(int months) {
  int thisMonthAsOrdinal = 12 * getYear() + getMonth().index - 1;
  int resultMonthAsOrdinal = thisMonthAsOrdinal + months;
  int resultYear = resultMonthAsOrdinal / 12;
  Month resultMonth = Month.make(resultMonthAsOrdinal % 12 + 1)
```

8. [Beck97].

```
    int lastDayOfResultMonth = lastDayOfMonth(resultMonth, resultYear)
    int resultDay = Math.min(getDayOfMonth(), lastDayOfResultMonth);
    return DayDateFactory.makeDate(resultDay, resultMonth, resultYear)
  }
```

A função `addYears` (linhas 604–626) não possui nada de extraordinário em relação às outras.

```
  public DayDate plusYears(int years) {
    int resultYear = getYear() + years;
    int lastDayOfMonthInResultYear = lastDayOfMonth(getMonth(), resultYear)
    int resultDay = Math.min(getDayOfMonth(), lastDayOfMonthInResultYear);
    return DayDateFactory.makeDate(resultDay, getMonth(), resultYear);
  }
```

Estou com uma pulga atrás da orelha sobre alterar esses métodos de estáticos para métodos de instâncias. A expressão `date.addDays(5)` deixa claro que o objeto `date` não é alterado e que é retornada uma nova instância de `DayDate`? Ou indica erroneamente que estamos adicionando cinco dias ao objeto `date`? Você pode achar que isso não seja um grande problema, mas um pedaço de código parecido com o abaixo pode enganar bastante [G20].

```
DayDate date = DateFactory.makeDate(5, Month.DECEMBER, 1952);
date.addDays(7); // pula a data em uma semana.
```

Alguém lendo esse código muito provavelmente entenderia apenas que addDays está alterando o objeto `date`. Portanto, precisamos de um nome que acabe com essa ambiguidade [N4]. Sendo assim, troquei os nomes para `plusDays` e `plusMonths`. Parece-me que a expressão abaixo indica bem o objetivo do método:

```
DayDate date = oldDate.plusDays(5);
```

Por outro lado, a instrução abaixo não é lida de forma fluida suficiente para que o leitor deduza que o objeto `date` fora modificado:

```
date.plusDays(5);
```

Os algoritmos continuam a ficar mais interessantes. `getPreviousDayOfWeek` (linhas 628-660) funciona, mas está um pouco complicado. Após pensar um pouco sobre o que realmente está acontecendo [G21], fui capaz de simplificá-lo e usar as Explaining Temporary Variables (Variáveis Temporárias Explicativas) [G19] para esclarecê-lo. Também a passei de um método estático para a método de instância [G18], e me livrei das instâncias duplicadas [G5] (linhas 997-1008).

```
  public DayDate getPreviousDayOfWeek(Day targetDayOfWeek) {
    int offsetToTarget = targetDayOfWeek.index - getDayOfWeek().index
    if (offsetToTarget >= 0)
      offsetToTarget -= 7;
    return plusDays(offsetToTarget);
  }
```

Exatamente o mesmo ocorreu com `getFollowingDayOfWeek` (linhas 662–693).

```
public DayDate getFollowingDayOfWeek(Day targetDayOfWeek) {
    int offsetToTarget = targetDayOfWeek.index - getDayOfWeek().index;
    if (offsetToTarget <= 0)
```

```
      offsetToTarget += 7;
    return plusDays(offsetToTarget);
  }
```

Consertamos a função seguinte, `getNearestDayOfWeek` (linhas 695–726), na página 270. Mas as alterações que fiz naquela hora não eram consistentes com o padrão atual nas duas últimas funções [G11]. Sendo assim, tornei-a consistente e usei algumas EXPLAINING TEMPORARY VARIABLES [G19] para esclarecer o algoritmo.

```
public DayDate getNearestDayOfWeek(final Day targetDay) {
    int offsetToThisWeeksTarget = targetDay.index - getDayOfWeek().index;
    int offsetToFutureTarget = (offsetToThisWeeksTarget + 7) % 7;
    int offsetToPreviousTarget = offsetToFutureTarget - 7;

    if (offsetToFutureTarget > 3)
      return plusDays(offsetToPreviousTarget);
    else
      return plusDays(offsetToFutureTarget);
  }
```

O método `getEndOfCurrentMonth` (linhas 728–740) está um pouco estranho método de instância que inveja [G14] sua própria classe ao receber um parâmetro `DayDate`. Tornei-o a método de instância real e esclareci alguns nomes.

```
public DayDate getEndOfMonth() {
    Month month = getMonth();
    int year = getYear();
    int lastDay = lastDayOfMonth(month, year);
    return DayDateFactory.makeDate(lastDay, month, year);
  }
```

De fato, refatorar `weekInMonthToString` (linhas 742–761) acabou sendo bem interessante. Usando as ferramentas de refatoração de minha IDE, primeiro movi o método para o enum `WeekInMonth` que criei na página 275. Então, renomeei o método para `toString`. Em seguida, alterei-o de um método estático para a método de instância. Todos os testes ainda passavam com êxito (Já sabe o que vou fazer?).

Depois, excluí o método inteiro! Cinco testes de confirmação falharam (linhas 411–415, Listagem B-4, página 374). Alterei essas linhas para usarem os nomes dos enumeradores (`FIRST`, `SECOND`, . . .). Todos os testes passaram. Consegue ver por quê? Consegue ver também por que foi preciso cada um desses passos? A ferramenta de refatoração garantiu que todos os chamadores de `weekInMonthToString` agora invocassem `toString` no enum `weekInMonth`, pois todos os enumeradores implementam `toString` para simplesmente retornarem seus nomes...

Infelizmente, fui esperto demais. Por mais elegante que estivesse aquela linda sequência de refatorações, finalmente percebi que os únicos usuários dessa função eram os testes que eu acabara de modificar, portanto os exclui.

Me enganou uma vez, a culpa é sua. Me engane novamente, a culpa é minha! Então, depois de determinar que ninguém além dos testes chamava `relativeToString` (linhas 765–781), simplesmente deletei a função e seus testes.

Finalmente chegamos aos métodos abstratos desta classe abstrata. E o primeiro não poderia ser mais apropriado: toSerial (linhas 838–844). Lá na página 274, troquei o nome para toOrdinal. Analisando isso com o contexto atual, decidi que o nome deve ser getOrdinalDay.

O próximo método abstrato é o toDate (linhas 838–844). Ele converte uma DayDate para uma java.util.Date. Por que o método é abstrato? Se olharmos sua implementação na SpreadsheetDate (linhas 198–207, Listagem B-5, página 376), vemos que ele não depende de nada na implementação daquela classe [G6]. Portanto, o movi para cima.

Os métodos getYYYY, getMonth e getDayOfMonth estão bem como abstratos. Entretanto, o getDayOfWeek é outro que deve ser retirado de SpreadSheetDate, pois ele não depende de nada que esteja em DayDate [G6]. Ou depende?

Se olhar com atenção (linha 247, Listagem B-5, página 376), verá que o algoritmo implicitamente depende da origem do dia ordinal. Portanto, mesmo que essa função não tenha dependências físicas que possam ser movidas para DayDate, ela possui uma dependência lógica.

Dependências lógicas como essa me incomodam [G22]. Se algo lógico depende da implementação, então algo físico também depende. Ademais, parece-me que o próprio algoritmo poderia ser genérico com uma parte muito menor de si dependendo da implementação [G6].

Sendo assim, criei um método abstrato getDayOfWeekForOrdinalZero em DayDate e o implementei em SpreadsheetDate para retornar Day.SATURDAY. Então, subi o método getDayOfWeek para a DayDate e o alterei para chamar getOrdinalDay e getDayOfWeekForOrdinalZero.

```
public Day getDayOfWeek() {
    Day startingDay = getDayOfWeekForOrdinalZero();
    int startingOffset = startingDay.index - Day.SUNDAY.index;
    return Day.make((getOrdinalDay() + startingOffset) % 7 + 1);
  }
```

Como uma observação, olhe atentamente o comentário da linha 895 até a 899. Essa repetição era realmente necessária? Como de costume, exclui esse comentário juntamente com todos os outros.

O próximo método é o compare (linhas 902–913). Novamente, ele não está adequadamente abstrato [G6], de modo que subi sua implementação para DayDate. Ademais, o nome não diz muito [N1]. Esse método realmente retorna a diferença em dias desde o parâmetro. Sendo assim, mudei seu nome para daysSince. Também notei que não havia testes para este método, então os escrevi.

As seis funções seguintes (linhas 915–980) são todas métodos abstratos que devem ser implementados em DayDate, onde os coloquei após retirá-los de SpreadsheetDate.

A última função, isInRange (linhas 982–995), também precisa ser movida para cima e refatorada. A estrutura switch está um pouco feia [G23] e pode-se substituí-la movendo os case para o enum DateInterval.

```
public enum DateInterval {
    OPEN {
      public boolean isIn(int d, int left, int right) {
        return d > left && d < right;
      }
    },
    CLOSED_LEFT {
      public boolean isIn(int d, int left, int right) {
        return d >= left && d < right;
      }
    },
    CLOSED_RIGHT {
      public boolean isIn(int d, int left, int right) {
        return d > left && d <= right;
      }
    },
    CLOSED {
      public boolean isIn(int d, int left, int right) {
        return d >= left && d <= right;
      }
    };

    public abstract boolean isIn(int d, int left, int right);
  }
```

```
public boolean isInRange(DayDate d1, DayDate d2, DateInterval interval) {
    int left = Math.min(d1.getOrdinalDay(), d2.getOrdinalDay());
    int right = Math.max(d1.getOrdinalDay(), d2.getOrdinalDay());
    return interval.isIn(getOrdinalDay(), left, right);
  }
```

Isso nos leva ao final de `DayDate`. Então, agora vamos dar mais uma passada por toda a classe para ver como ela flui.

Primeiramente, o comentário de abertura está desatualizado, então o reduzi e o melhorei [C2].

Depois, movi todos os enum restantes para seus próprios arquivos [G12].

Em seguida, movi a variável estática (`dateFormatSymbols`) e três métodos estáticos (`getMonthNames`, `isLeapYear`, `lastDayOfMonth`) para uma nova classe chamada `DateUtil` [G6].

Subi os métodos abstratos para o topo, onde eles pertencem [G24].

Alterei de `Month.make` para `Month.fromInt` [N1] e fiz o mesmo com todos os outros enums. Também criei um método acessor `toInt` para todos os enum e tornei privado o campo index.

Havia umas duplicações interessantes [G5] em `plusYears` e em `plusMonths` que fui capaz de eliminar extraindo um novo método chamado `correctLastDayOfMonth`, o que deixou todos os três métodos muito mais claros.

Livrei-me do número mágico 1 [G25], substituindo-o por `Month.JANUARY.toInt()` ou `Day.SUNDAY.toInt()`, conforme apropriado. Gastei um tempo limpando um pouco os algoritmos de `SpreadsheetDate`. O resultado final vai da Listagem B-7 (p. 394) até a Listagem B-16 (p. 405).

É interessante como a cobertura dos testes no código de `DayDate` caiu para 84.9%! Isso não se deve à menor quantidade de funcionalidade testada, mas à classe que foi tão reduzida que as poucas linhas que não eram testadas eram o maior problema. Agora a `DayDate` possui 45 de 53 instruções executáveis cobertas pelos testes. As linhas que não são cobertas são tão triviais que não vale a pena testá-las.

Conclusão

Então, mais uma vez seguimos a Regra de Escoteiro. Deixamos o código um pouco mais limpo do que antes. Levou um tempo, mas vale a pena. Aumentamos a cobertura dos testes, consertamos alguns bugs e esclarecemos e reduzimos o código. Espero que a próxima pessoa que leia este código ache mais fácil lidar com ele do que nós achamos. Essa pessoa provavelmente também será capaz de limpá-lo ainda mais do que nós.

Bibliografia

[GOF]: *Design Patterns: Elements of Reusable Object Oriented Software*, Gamma et al., Addison-Wesley, 1996.

[Simmons04]: *Hardcore Java*, Robert Simmons, Jr., O'Reilly, 2004.

[Refatoração]: *Refactoring: Improving the Design of Existing Code*, Martin Fowler et al., Addison-Wesley, 1999.

[Beck97]: *Smalltalk Best Practice Patterns*, Kent Beck, Prentice Hall, 1997.

17

Odores e Heurísticas

Em seu magnífico livro *Refactoring*[1], Martin Fowler identificou muitos "odores diferentes de código". A lista seguinte possui muitos desses odores de Martin e muitos outros meus. Há também outras pérolas e heurísticas que uso para praticar meu ofício.

1. [Refactoring]

Compilei essa lista ao analisar e refatorar diferentes programas. Conforme os alterava, eu me perguntava por que fiz aquela modificação e, então, escrevia o motivo aqui. O resultado é uma extensa lista de coisas que cheiram ruim para mim quando leio um código.

Esta lista é para ser lida de cima para baixo e também se deve usá-la como referência. Há uma referência cruzada para cada heurística que lhe mostra onde está o que é referenciado no resto do texto no Apêndice C na página 409.

Comentários

C1: Informações inapropriadas

Não é apropriado para um comentário deter informações que ficariam melhores em um outro tipo diferente de sistema, como o seu sistema de controle de seu código-fonte, seu sistema de rastreamento de problemas ou qualquer outro sistema que mantenha registros. Alterar históricos, por exemplo, apenas amontoa os arquivos fonte com volumes de textos passados e desinteressantes. De modo geral, metadados, como autores, data da última atualização, número SRP e assim por diante, não deve ficar nos comentários. Estes devem conter apenas dados técnicas sobre o código e o projeto.

C2: Comentário obsoleto

Um comentário que ficou velho, irrelevante e incorreto é obsoleto. Comentários ficam velhos muito rápido, logo é melhor não escrever um que se tornará obsoleto. Caso você encontre um, é melhor atualizá-lo ou se livrar dele o quanto antes. Comentários obsoletos tendem a se desviar do código que descreviam. Eles se tornam ilhas flutuantes de irrelevância no código e passam informações erradas.

C3: Comentários redundantes

Um comentário é redundante se ele descreve algo que já descreve a si mesmo. Por exemplo:

```
i++; // incrementa i
```

Outro exemplo é um Javadoc que nada diz além da assinatura da função:

```
/**
   * @param sellRequest
   * @return
   * @throws ManagedComponentException
   */
public SellResponse beginSellItem(SellRequest sellRequest)
   throws ManagedComponentException
```

Os comentários devem informar o que o código não consegue por si só.

C4: Comentário mal escrito

Um comentário que valha ser escrito deve ser bem escrito. Se for criar um, não tenha pressa e certifique-se de que seja o melhor comentário que você já escreveu. Selecione bem suas palavras. Use corretamente a gramática e a pontuação. Não erre. Não diga o óbvio. Seja breve.

C5: Código como comentário

Fico louco ao ver partes de código como comentários. Quem sabe a época em que foi escrito? Quem sabe se é ou não significativo? Mesmo assim, ninguém o exclui porque todos assumem que outra pessoa precisa dele ou tem planos para ele.

O código permanece lá e apodrece, ficando cada vez menos relevante a cada dia que passa. Ele chama funções que não existem mais; usa variáveis cujos nomes foram alterados; segue convenções que há muito se tornaram obsoletas; polui os módulos que o contêm e distrai as pessoas que tentam lê-lo. Colocar códigos em comentários é uma abominação.

Quando você vir um código como comentário, exclua-o! Não se preocupe, o sistema de controle de código fonte ainda se lembrará dele. Se alguém precisar dele, poderá verificar a versão anterior. Não deixe que códigos como comentários existam.

Ambiente

A1: Construir requer mais de uma etapa

Construir um projeto deve ser uma operação simples e única. Você não deve: verificar muitos pedacinhos do controle de código-fonte; precisar de uma sequência de comandos arcaicos ou scripts dependentes de contexto de modo a construir elementos individuais; ter de buscar perto e longe vários JARs extras, arquivos XML e outros componentes que o sistema precise. E você deve ser capaz de verificar o sistema com um único comando e, então, dar outro comando simples para construí-lo.

```
svn get mySystem
cd mySystem
ant all
```

A2: Testes requerem mais de uma etapa

Você deve ser capaz de rodar todos os testes de unidade com apenas um comando. No melhor dos casos, você pode executar todos ao clicar em um botão em sua IDE. No pior, você deve ser capaz de dar um único comando simples em um único prompt. Poder rodar todos os testes é tão essencial e importante que deve ser rápido, fácil e óbvio de se fazer.

Funções

F1: Parâmetros em excesso

As funções devem ter um número pequeno de parâmetros. Ter nenhum é melhor. Depois vem um, dois e três. Mais do que isso é questionável e deve-se evitar com preconceito. (Consulte Parâmetros de funções na página 40.)

F2: Parâmetros de saída

Os parâmetros de saída são inesperados. Os leitores esperam que parâmetros sejam de entrada, e não de saída. Se sua função deve alterar o estado de algo, faça-a mudar o do objeto no qual ela é chamada. (Consulte Parâmetros de saída na página 45.)

F3: Parâmetros lógicos

Parâmetros booleanos explicitamente declaram que a função faz mais de uma coisa. Eles são confusos e se devem eliminá-los (Consulte Parâmetros lógicos na página 41).

F4: Função morta

Devem-se descartar os métodos que nunca são chamados. Manter pedaços de código mortos é devastador. Não tenha receio de excluir a função. Lembre-se de que seu o sistema de controle de código fonte ainda se lembrará dela.

Geral

G1: Múltiplas linguagens em um arquivo fonte

Os ambientes modernos de programação atuais possibilitam colocar muitas linguagens distintas em um único arquivo fonte. Por exemplo, um arquivo-fonte Java pode conter blocos em XML, HTML, YAML, JavaDoc, inglês, JavaScript, etc. Outro exemplo seria adicionar ao HTML um arquivo JSP que contenha Java, uma sintaxe de biblioteca de tags, comentários em português, Javadocs, etc. Na melhor das hipóteses, isso é confuso, e na pior, negligentemente desleixado.

O ideal para um arquivo-fonte é ter uma, apenas uma, linguagem. Mas na vida real, provavelmente teremos de usar mais de uma. Devido a isso, devemos minimizar tanto a quantidade como o uso de linguagens extras em nossos arquivos-fonte.

G2: Comportamento óbvio não é implementado

Seguindo o "Princípio da Menor Supresa"[2], qualquer função ou classe deve implementar os comportamentos que outro programador possivelmente esperaria. Por exemplo, considere uma função que traduza o nome de um dia em um `enum` que represente o dia.

```
Day day = DayDate.StringToDay(String dayName);
```

2. Ou "O Princípio da Surpresa Mínima": http://en.wikipedia.org/wiki/Principle_of_least_astonishment

Esperamos que a string "`Monday`" seja traduzido para `Day.MONDAY`. Também esperamos que as abreviações comuns sejam traduzidas, e que a função não faça a distinção entre letras maiúsculas e minúsculas.

Quando um comportamento não é implementado, os leitores e usuários do código não podem mais depender de suas intuições sobre o que indica o nome das funções. Aquelas pessoas perdem a confiança no autor original e devem voltar e ler todos os detalhes do código.

G3: Comportamento incorreto nos limites

Parece óbvio dizer que o código deva se comportar corretamente. O problema é que raramente percebemos como é complicado um comportamento correto. Desenvolvedores geralmente criam funções as quais eles acham que funcionarão, e, então, confiam em suas intuições em vez de se esforçar para provar que o código funciona em todos os lugares e limites.

Não existe substituição para uma dedicação minuciosa. Cada condição de limite, cada canto do código, cada ajuste e exceção representa algo que pode estragar um algoritmo elegante e intuitivo. *Não dependa de sua intuição.* Cuide de cada condição de limite e crie testes para cada.

G4: Seguranças anuladas

Chernobyl derreteu porque o gerente da planta anulou cada um dos mecanismos de segurança, um a um. Os dispositivos de segurança estavam tornando inconveniente a execução de um experimento. O resultado era que o experimento não executava, e o mundo viu a maior catástrofe civil nuclear.

É arriscado anular as seguranças. Talvez seja necessário forçar o controle manual em *serialVersionUID*, mas há sempre um risco. Desabilitar certos avisos (ou todos!) do compilador talvez ajude a fazer a compilação funcionar com êxito, mas com o risco de infindáveis sessões de depuração. Desabilitar os testes de falhas e dizer a si mesmo que os aplicará depois é tão ruim quanto fingir que seus cartões de crédito sejam dinheiro gratuito.

G5: Duplicação

Essa é uma das regras mais importantes neste livro, e você deve levá-la muito a sério. Praticamente, todo autor que escreve sobre projetos de software a mencionam. Dave Thomas e Andy Hunt a chamaram de princípio de DRY[3] (Don't Repeat Yourself - Não Se Repita), o qual Kent Beck tornou o centro dos princípios da eXtreme Programming (XP) e o chamou de "Uma vez, e apenas uma". Ron Jeffries colocou essa como a segunda regra, sendo a primeira aquela em que se deve fazer todos os testes passarem com êxito.

Sempre que você vir duplicação em código, isso significa que você perdeu uma chance para abstração. Aquela duplicação provavelmente poderia se tornar uma sub-rotina ou talvez outra classe completa. Ao transformar a duplicação em tal, você aumenta o vocabulário da linguagem de seu projeto. Outros programadores podem usar os recursos de abstração que você criar, E a codificação se torna mais rápida e menos propensa a erros devido a você ter elevado o nível de abstração.

---

3. [PRAG]

A forma mais óbvia de duplicação é quando você possui blocos de código idênticos, como se alguns programadores tivessem saído copiando e colando o mesmo código várias vezes. Estes devem ser substituídos por métodos simples.

Uma forma mais sutil seriam as estruturas aninhadas de `switch/case` e `if/else` que aparecem repetidas vezes em diversos módulos, sempre testando as mesmas condições. Nesse caso, deve-se substituir pelo polimorfismo.

Formas ainda mais sutis seriam os módulos que possuem algoritmos parecidos, mas que não possuem as mesmas linhas de código. Isso ainda é duplicação e deveria-se resolvê-la através do padrão TEMPLATE METHOD[4] ou STRATEGY[5].

Na verdade, a maioria dos padrões de projeto que têm surgido nos últimos 15 anos são simplesmente maneiras bem conhecidas para eliminar a duplicação. Assim como as regras de normalização (Normal Forms) de Codd são uma estratégia para eliminar a duplicação em bancos de dados. A OO em si – e também a programação estruturada – é uma tática para organizar módulos e eliminar a duplicação.

Acho que a mensagem foi passada: encontre e elimine duplicações sempre que puder.

G6: Códigos no nível errado de abstração

É importante criar abstrações que separem conceitos gerais de níveis mais altos dos conceitos detalhados de níveis mais baixos. Às vezes, fazemos isso criando classes abstratas que contenham os conceitos de níveis mais altos e gerando derivadas que possuam os conceitos de níveis mais baixos. Com isso, garantimos uma divisão completa. Queremos que todos os conceitos de níveis mais altos fiquem na classe base e que todos os de níveis mais baixos fiquem em suas derivadas.

Por exemplo, constantes, variáveis ou funções que possuam apenas a implementação detalhada não devem ficar na classe base. Essa não deve saber nada sobre o resto.

Essa regra também se aplica aos arquivos-fonte, componentes e módulos. Um bom projeto de software exige que separemos os conceitos em níveis diferentes e que os coloquemos em contêineres distintos. De vez em quando, esses contêineres são classes base ou derivadas, e, às vezes, arquivos-fonte, módulos ou componentes. Seja qual for o caso, a separação deve ser total. Não queremos que os conceitos de baixo e alto níveis se misturem.

Considere o código seguinte:

```
public interface Stack {
  Object pop() throws EmptyException;
  void push(Object o) throws FullException;
  double percentFull();
  class EmptyException extends Exception {}
  class FullException extends Exception {}
}
```

4. [GOF]

5. [GOF]

A função `percentFull` está no nível errado de abstração. Embora haja muitas implementações de `Stack` onde o conceito de plenitude seja razoável, existem outras implementações que simplesmente não poderiam enxergar quão completas elas são. Sendo assim, seria melhor colocar a função em uma interface derivada, como a `BoundedStack`.

Talvez você esteja pensando que a implementação poderia simplesmente retornar zero se a pilha (stack) fosse ilimitada. O problema com isso é que nenhuma pilha é realmente infinita. Você não consegue evitar uma `OutOfMemoryException` ao testar

```
stack.percentFull() < 50.0.
```

Implementar a função para retornar zero seria mentir.

A questão é que você não pode mentir ou falsificar para consertar uma abstração mal posicionada. Isolar as abstrações é uma das coisas mais difíceis para os desenvolvedores de software, e não há uma solução rápida quando você erra.

G7: As classes base dependem de suas derivadas

A razão mais comum para separar os conceitos em classes base e derivadas é para que os conceitos de níveis mais altos das classes base possam ficar independentes dos conceitos de níveis mais baixos das classes derivadas. Portanto, quando virmos classes base mencionando os nomes de suas derivadas, suspeitaremos de um problema. De modo geral, as classes base não deveriam enxergar nada em suas derivadas.

Essa regra possui exceções, é claro. De vez em quando, o número de derivadas é fixado, e a classe base tem códigos que consultam suas derivadas. Vemos isso em muitas implementações de máquinas com configuração finita. Porém, neste caso, as classes base e derivadas estão fortemente acopladas e são sempre implementadas juntas no mesmo arquivo jar. De modo geral, queremos poder implementar as classes base e derivadas em arquivos jar diferentes.

Conseguir isso e garantir que os arquivos base jar não enxerguem o conteúdo dos arquivos derivados jar, nos permite implementar nossos sistemas em componentes independentes e distintos. Ao serem modificados, podem-se implementar novamente esses componentes sem ter de fazer o mesmo com os componentes base. Isso significa que o impacto de uma alteração é consideravelmente reduzido, e fazer a manutenção dos sistemas no local se torna muito mais simples.

G8: Informações excessivas

Módulos bem definidos possuem interfaces pequenas que lhe permite fazer muito com pouco. Já os mal definidos possuem interfaces grandes e longas que lhe obriga a usar muitas formas diferentes para efetuar coisas simples. Uma interface bem definida não depende de muitas funções, portanto, há baixa acoplamento. E uma interface mal definida depende de diversas funções que devem ser chamadas, gerando um alto acoplamento.

Bons desenvolvedores de software aprendem a limitar o que expõem nas interfaces de suas classes e módulos. Quanto menos métodos tiver uma classe, melhor. Quanto menos variáveis uma função usar, melhor. Quanto menos variáveis tiver uma classe, melhor.

Esconda seus dados. Esconda suas funções utilitárias. Esconda suas constantes e suas variáveis temporárias. Não crie classes com muitos métodos ou variáveis de instâncias. Não crie muitas variáveis e funções protegidas para suas subclasses. Concentre-se em manter as interfaces curtas e muito pequenas. Limite as informações para ajudar a manter um baixo acoplamento.

G9: Código morto

Um código morto é aquele não executado. Pode-se encontrá-lo: no corpo de uma estrutura `if` que verifica uma condição que não pode acontecer; no bloco `catch` de um `try` que nunca `throws`; em pequenos métodos utilitários que nunca são chamados ou em condições da estrutura `switch/case` que nunca ocorrem.

O problema com códigos mortos é que após um tempo ele começa a "cheirar". Quanto mais antigo ele for, mais forte e desagradável o odor se torna. Isso porque um código morto não é atualizado completamente quando um projeto muda. Ele ainda compila, mas não segue as novas convenções ou regras. Ele foi escrito numa época quando o sistema era diferente. Quando encontrar um código morto, faça a coisa certa. Dê a ele um funeral decente. Exclua-o do sistema.

G10: Separação vertical

Devem-se declarar as variáveis e funções próximas de onde são usadas. Devem-se declarar as variáveis locais imediatamente acima de seu primeiro uso, e o escopo deve ser vertical. Não queremos que variáveis locais sejam declaradas centenas de linhas afastadas de onde são utilizadas.

Devem-se declarar as funções privadas imediatamente abaixo de seu primeiro uso. Elas pertencem ao escopo de toda a classe. Mesmo assim, ainda desejamos limitar a distância vertical entre as chamadas e as declarações. Encontrar uma função privada deve ser uma questão de buscar para baixo a partir de seu primeiro uso.

G11: Inconsistência

Se você fizer algo de uma determinada maneira, faça da mesma forma todas as outras coisas similares. Isso retoma o princípio da surpresa mínima. Atenção ao escolher suas convenções. Uma vez escolhidas, atente para continuar seguindo-as.

Se dentro de uma determina função você usar uma variável de nome `response` para armazenar uma `HttpServletResponse`, então use o mesmo nome da variável de nome consistente nas outras funções que usem os objetos `HttpServletResponse`. Se chamar um método de `processVerificationRequest`, então use um nome semelhante, como `processDeletionRequest`, para métodos que processem outros tipos de pedidos (request).

Uma simples consistência como essa, quando aplicada corretamente, pode facilitar muito mais a leitura e a modificação do código.

G12: Entulho

De que serve um construtor sem implementação alguma? Só serve para entulhar o código com pedaços inúteis. Variáveis que não são usadas, funções que jamais são chamadas, comentários que não acrescentam informações e assim por diante, são todos entulhos e devem ser removidos. Mantenha seus arquivos-fonte limpos, bem organizados e livres de entulhos.

G13: Acoplamento artificial

Coisas que não dependem uma da outra não devem ser acopladas artificialmente. Por exemplo, `enums` genéricos não devem ficar dentro de classes mais específicas, pois isso obriga todo o aplicativo a enxergar mais essas classes. O mesmo vale para funções `static` de propósito geral declaradas em classes específicas.

De modo geral, um acoplamento artificial é um acoplamento entre dois módulos que não possuem um propósito direto. Isso ocorre quando se colocar uma variável, uma constante ou uma função em um local temporariamente conveniente, porém inapropriado. Isso é descuido e preguiça.

Tome seu tempo para descobrir onde devem ser declaradas as funções, as constantes e as variáveis. Não as jogue no local mais conveniente e fácil e as deixe lá.

G14: Feature Envy

Esse é um dos smells[6] (odores) de código de Martin Fowler. Os métodos de uma classe devem ficar interessados nas variáveis e funções da classe a qual eles pertencem, e não nas de outras classes. Quando um método usa métodos de acesso e de alteração de algum outro objeto para manipular os dados dentro deste objeto, o método inveja o escopo da classe daquele outro objeto. Ele queria estar dentro daquela outra classe de modo que pudesse ter acesso direto às variáveis que está manipulando. Por exemplo:

```
public class HourlyPayCalculator {
  public Money calculateWeeklyPay(HourlyEmployee e) {
    int tenthRate = e.getTenthRate().getPennies();
    int tenthsWorked = e.getTenthsWorked();
    int straightTime = Math.min(400, tenthsWorked);
    int overTime = Math.max(0, tenthsWorked - straightTime);
    int straightPay = straightTime * tenthRate;
    int overtimePay = (int)Math.round(overTime*tenthRate*1.5);
    return new Money(straightPay + overtimePay);
  }
}
```

O método `calculateWeeklyPay` consulta o objeto `HourlyEmployee` para obter os dados nos quais ele opera. Então, o método `HourlyEmployee` inveja o escopo de `HourlyEmployee`. Ele “queria” poder estar dentro de `HourlyEmployee`.

---

6. [Refactoring].

Sendo todo o resto igual, desejamos eliminar a Feature Envy, pois ela expõe os componentes internos de uma classe à outra. De vez em quando, entretanto, esse é um mal necessário. Considere o seguinte:

```
public class HourlyEmployeeReport {
  private HourlyEmployee employee ;

  public HourlyEmployeeReport(HourlyEmployee e) {
    this.employee = e;
  }
  String reportHours() {
    return String.format(
      "Name: %s\tHours:%d.%1d\n",
      employee.getName(),
      employee.getTenthsWorked()/10,
      employee.getTenthsWorked()%10);
  }
}
```

Está claro que o método `reportHours` inveja a classe `HourlyEmployee`. Por outro lado, não queremos que `HourlyEmployee` tenha de enxergar o formato do relatório. Mover aquela string de formato para a classe `HourlyEmployee` violaria vários princípios do projeto orientado a objeto[7], pois acoplaria `HourlyEmployee` ao formato do relatório, expondo as alterações feitas naquele formato.

G15: Parâmetros seletores

Dificilmente há algo mais abominável do que um parâmetro `false` pendurado no final da chamada de uma função. O que ele significa? O que mudaria se ele fosse `true`? Não bastava ser difícil lembrar o propósito de um parâmetro seletor, cada um agrupa muitas funções em uma única. Os parâmetros seletores são uma maneira preguiçosa de não ter de dividir uma função grande em várias outras menores. Considere o seguinte:

```
public int calculateWeeklyPay(boolean overtime) {
  int tenthRate = getTenthRate();
  int tenthsWorked = getTenthsWorked();
  int straightTime = Math.min(400, tenthsWorked);
  int overTime = Math.max(0, tenthsWorked - straightTime);
  int straightPay = straightTime * tenthRate;
  double overtimeRate = overtime ? 1.5 : 1.0 * tenthRate;
  int overtimePay = (int)Math.round(overTime*overtimeRate);
  return straightPay + overtimePay;
}
```

Você chama essa função com `true` se as horas extras forem pagas como uma hora e meia, e `false` se forem como horas normais. Já é ruim o bastante ter de lembrar o que `calculateWeeklyPay(false)` significa sempre que você a vir. Mas o grande

7. Especificamente, o Principio da Responsabilidade Única, o Princípio de Aberto-Fechado e o Princípio do Fecho Comum. Consulte [PPP].

problema de uma função como essa está na oportunidade que o autor deixou passar de escrever o seguinte:

```
public int straightPay() {
  return getTenthsWorked() * getTenthRate();
}

public int overTimePay() {
  int overTimeTenths = Math.max(0, getTenthsWorked() - 400);
  int overTimePay = overTimeBonus(overTimeTenths);
  return straightPay() + overTimePay;
}

private int overTimeBonus(int overTimeTenths) {
  double bonus = 0.5 * getTenthRate() * overTimeTenths;
  return (int) Math.round(bonus);
}
```

É claro que os seletores não precisam ser `boolean`. Podem ser enums, inteiros ou outro tipo de parâmetro usado para selecionar o comportamento da função. De modo geral, é melhor ter muitas funções do que passar um código por parâmetro para selecionar o comportamento.

G16: Propósito obscuro

Queremos que o código seja o mais expressivo possível. Expressões contínuas, notação húngara e números mágicos são elementos que obscurecem a intenção do autor. Por exemplo, abaixo esta como poderia aparecer a função `overTimePay`:

```
public int m_otCalc() {
  return iThsWkd * iThsRte +
    (int) Math.round(0.5 * iThsRte *
      Math.max(0, iThsWkd - 400)
    );
}
```

Pequena e concisa como pode parecer, ela também é praticamente impenetrável. Vale a pena separar um tempo para tornar visível o propósito de nosso código para nossos leitores.

G17: Responsabilidade mal posicionada

Onde colocar o código é uma das decisões mais importantes que um desenvolvedor de software deve fazer. Por exemplo, onde colocar a constante `PI`? Na classe `Math`? Talvez na classe `Trigonometry`? Ou quem sabe na classe `Circle`?

O princípio da surpresa mínima entra aqui. Deve-se substituir o código onde um leitor geralmente espera. A constante `PI` deve ficar onde estão declaradas as funções de trigonometria. A constante OVERTIME_RATE deve ser declarada na classe `HourlyPayCalculator`.

Às vezes damos uma de “espertinhos” na hora de posicionar certa funcionalidade. Colocando-a em uma coluna função que é conveniente para nós, mas não necessariamente intuitiva para o leitor. Por exemplo, talvez precisemos imprimir um relatório com o total de horas trabalhadas por um funcionário. Poderíamos somar todas aquelas horas no código que imprime o relatório, ou tentar criar um cálculo contínuo do total num código que aceite uma interação com os cartões de ponto.

Uma maneira de tomar essa decisão é olhar o nome das funções. Digamos que nosso módulo de relatório possua uma função `getTotalHours`. Digamos também que esse módulo aceite uma interação com os cartões de ponto e tenha uma função `saveTimeCard`. Qual das duas funções, baseando-se no nome, indica que ela calcula o total? A resposta deve ser óbvia.

Claramente, há, às vezes, questões de desempenho pelo qual se deva calcular o total usando-se os cartões de ponto em vez de fazê-lo na impressão do relatório. Tudo bem, mas os nomes das funções devem refletir isso. Por exemplo, deve existir uma função `computeRunningTotalOfHours` no módulo timecard.

G18: Modo estático inadequado

`Math.max(double a, double b)` é um bom método estático. Ele não opera em só uma instância; de fato, seria tolo ter de usar `Math().max(a,b)` ou mesmo `a.max(b)`.Todos os dados que `max` usa vem de seus dois parâmetros, não de qualquer objeto "pertencente" a ele. Sendo mais específico, há quase nenhuma chance de querermos que `Math.max` seja polifórmico.

Às vezes, contudo, criamos funções estáticas que não deveriam ser. Por exemplo, considere a função

```
HourlyPayCalculator.calculatePay(employee, overtimeRate).
```

Novamente, pode parecer uma função `static` lógica. Ela não opera em nenhum objeto em particular e obtém todos os seus dados a partir de seus parâmetros. Entretanto, há uma chance razoável de desejarmos que essa função seja polifórmica. Talvez desejemos implementar diversos algoritmos diferentes para calcular o pagamento por hora, por exemplo, `OvertimeHourlyPayCalculator` e `StraightTimeHourlyPayCalculator`. Portanto, neste caso, a função não deve ser estática, e sim uma função membro não estática de `Employee`.

Em geral, deve-se dar preferência a métodos não estáticos. Na dúvida, torne a função não estática. Se você realmente quiser uma função estática, certifique-se de que não há possibilidades de você mais tarde desejar que ela se comporte de maneira polifórmica.

G19: *Use variáveis descritivas*

Kent Beck escreveu sobre isso em seu ótimo livro chamado *Smalltalk Best Practice Patterns*[8], e mais recentemente em outro livro também ótimo chamado *Implementation Patterns*[9]. Uma das formas mais poderosas de tornar um programa legível é separar os cálculos em valores intermediários armazenados em variáveis com nomes descritivos.

---

8. [Beck97], p. 108.

9. [Beck07].

Considere o exemplo seguinte do FitNesse:

```
Matcher match = headerPattern.matcher(line);
if(match.find())
{
  String key = match.group(1);
  String value = match.group(2);
  headers.put(key.toLowerCase(), value);
}
```

O simples uso de variáveis descritivas esclarece que o primeiro grupo de comparação (match group) é a chave (key), e que o segundo é o valor (value).

É difícil fazer mais do que isso. Mais variáveis explicativas geralmente são melhores do que menos. É impressionante como um módulo opaco pode repentinamente se tornar transparente simplesmente ao separar os cálculos em valores intermediários bem nomeados.

G20: *Nomes de funções devem dizer o que elas fazem*

Veja este código:

```
Date newDate = date.add(5);
```

Você acha que ele adiciona cinco dias à data? Ou seria a semanas, ou horas? A instância `date` mudou ou a função simplesmente retornou uma nova `Date` sem alterar a antiga? Não dá para saber a partir da chamada o que a função faz.

Se a função adiciona cinco dias à data e a altera, então ela deveria se chamar `addDaysTo` ou `increaseByDays`. Se, por outro lado, ela retorna uma nova data acrescida de cinco dias, mas não altera a instância date, ela deveria se chamar `daysLater` ou `daysSince`.

Se você tiver de olhar a implementação (ou a documentação) da função para saber o que ela faz, então é melhor selecionar um nome melhor ou reorganizar a funcionalidade de modo que esta possa ser colocada em funções com nomes melhores.

G21: *Entenda o algoritmo*

Criam-se muitos códigos estranhos porque as pessoas não gastam tempo para entender o algoritmo. Elas fazem algo funcionar jogando estruturas `if` e flags, sem parar e pensar no que realmente está acontecendo.

Programa geralmente é uma análise. Você acha que conhece o algoritmo certo para algo e, então, acaba perdendo tempo com ele e pincelando aqui e ali até fazê-lo "funcionar". Como você sabe que ele "funciona"? Porque ele passa nos casos de teste nos quais você conseguiu pensar.

Não há muito de errado com esta abordagem. De fato, costuma ser a única forma de fazer uma função funcionar como você acha que ela deva. Entretanto, deixar a palavra "funcionar" entre aspas não é o suficiente.

Antes de achar que já terminou com uma função, certifique-se de que você entenda como ela funciona. Ter passado em todos os testes não basta. Você deve compreender[10] que a solução está correta.

Geralmente, a melhor forma de obter esse conhecimento e entendimento é refatorar a função em algo que seja tão limpo e expressivo que fique óbvio que ela funciona.

G22: Torne dependências lógicas em físicas

Se um módulo depende de outro, essa dependência deve ser física, e não apenas lógica. O módulo dependente não deve fazer suposições (em outras palavras, dependências lógicas) sobre o módulo no qual ele depende. Em vez disso, ele deve pedir explicitamente àquele módulo todas as informações das quais ele depende.

Por exemplo, imagine que você esteja criando uma função que imprima um relatório de texto simples das horas trabalhadas pelos funcionários. Uma classe chamada `HourlyReporter` junta todos os dados em um formulário e, então, o passa para `HourlyReportFormatter` imprimi-lo. (Veja lista 17-1.)

Listagem 17-1
`HourlyReporter.java`

```
public class HourlyReporter {
  private HourlyReportFormatter formatter;
  private List<LineItem> page;
  private final int PAGE_SIZE = 55;

  public HourlyReporter(HourlyReportFormatter formatter) {
    this.formatter = formatter;
    page = new ArrayList<LineItem>();
  }

  public void generateReport(List<HourlyEmployee> employees) {
    for (HourlyEmployee e : employees) {
      addLineItemToPage(e);
      if (page.size() == PAGE_SIZE)
        printAndClearItemList();
    }
    if (page.size() > 0)
      printAndClearItemList();
  }

  private void printAndClearItemList() {
    formatter.format(page);
    page.clear();
  }

  private void addLineItemToPage(HourlyEmployee e) {
    LineItem item = new LineItem();
    item.name = e.getName();
    item.hours = e.getTenthsWorked() / 10;
```

10. Há uma diferença entre entender como o código funciona e saber se o algoritmo fará o trabalho como deve. Não ter certeza se o algorítimo é apropriado é normal. Não ter certeza do que seu código faz é pura preguiça.

Listagem 17-1 (continuação)
HourlyReporter.java

```
      item.tenths = e.getTenthsWorked() % 10;
      page.add(item);
    }

    public class LineItem {
      public String name;
      public int hours;
      public int tenths;
    }
  }
```

Esse código possui uma dependência que não foi transformada em física. Você consegue enxergá-la? É a constante PAGE_SIZE. Por que `HourlyReporter` deveria saber o tamanho da página? Isso deveria ser responsabilidade de `HourlyReportFormatter`.

O fato de PAGE_SIZE estar declarada em `HourlyReporter` representa uma responsabilidade mal posicionada [G17] que faz `HourlyReporter` assumir que ele sabe qual deve ser o tamanho da página. Tal suposição é uma dependência lógica. `HourlyReporter` depende do fato de que `HourlyReportFormatter` pode lidar com os tamanhos 55 de página. Se alguma implementação de `HourlyReportFormatter` não puder lidar com tais tamanhos, então haverá um erro.

Podemos tornar essa dependência física criando um novo método em `HourlyReportFormatter` chamado `getMaxPageSize()`. Então, `HourlyReporter` chamará a função em vez de usar a constante `PAGE_SIZE`.

G23: Prefira polimorfismo a if/else ou switch/case

Essa pode parecer uma sugestão estranha devido ao assunto do Capítulo 6. Afinal, lá eu disse que as estruturas switch possivelmente são adequadas nas partes do sistema nas quais a adição de novas funções seja mais provável do que a de novos tipos.

Primeiro, a maioria das pessoas usa os switch por ser a solução por força bruta óbvia, e não por ser a correta para a situação. Portanto, essa heurística está aqui para nos lembrar de considerar o polimorfismo antes de usar um switch.

Segundo, são relativamente raros os casos nos quais as funções são mais voláteis do que os tipos. Sendo assim, cada estrutura switch deve ser um suspeito.

Eu uso a seguinte regra do "Um Switch": *Podem existir mais de uma estrutura switch para um dado tipo de seleção. Os casos nos quais o switch deva criar objetos polifórmicos que substituam outras estruturas switch no resto do sistema.*

G24: Siga as convenções padrões

Cada equipe deve seguir um padrão de programação baseando-se nas normas comuns do mercado. Esse padrão deve especificar coisas como onde declarar variáveis de instâncias; como nomear classes, métodos e variáveis; onde colocar as chaves; e assim por diante. A equipe não deve precisar de um documento que descreva essas convenções porque seus códigos fornecem os exemplos.

Cada membro da equipe deve seguir essas convenções. Isso significa que cada um deve ser maduro o suficiente para entender que não importa onde você coloque suas chaves contanto que todos concordem onde colocá-las.

Se quiser saber quais convenções eu sigo, veja o código refatorado da Listagem B-7 (p. 394) até a B-14.

G25: Substitua os números mágicos por constantes com nomes

Essa é provavelmente uma das regras mais antigas em desenvolvimento de software. Lembro-me de tê-la lido no final da década de 1960 nos manuais de introdução de COBOL, FORTRAN e PL/1. De modo geral, é uma péssima ideia ter números soltos em seu código. Deve-se escondê-los em constantes com nomes bem selecionados.

Por exemplo, o número 86.400 deve ficar escondido na constante `SECONDS_PER_DAY`. Se você for imprimir 55 linhas por página, então a constante 55 deva ficar na constante `LINES_PER_PAGE`.

Algumas constantes são tão fáceis de reconhecer que nem sempre precisam de um nome para armazená-las, contanto que sejam usadas juntamente com um código bastante auto-explicativo. Por exemplo:

```
double milesWalked = feetWalked/5280.0;
int dailyPay = hourlyRate * 8;
double circumference = radius * Math.PI * 2;
```

Realmente precisamos das constantes `FEET_PER_MILE`, `WORK_HOURS_PER_DAY` e `TWO` no exemplo acima? Está óbvio que o último caso é um absurdo. Há algumas fórmulas nas quais fica melhor escrever as constantes simplesmente como números. Talvez você reclame do caso de `WORK_HOURS_PER_DAY`, pois as leis e convenções podem mudar. Por outro lado, aquela fórmula é tão fácil de ler com o 8 nela que eu ficaria relutante em adicionar 17 caracteres extras para o leitor. E no caso de `FEET_PER_MILE`, o número 5280 é tão conhecido e exclusivo que os leitores reconheceriam mesmo se estivesse numa página sem contexto ao redor.

Constantes como 3,141592653589793 também são tão conhecidas e facilmente reconhecíveis. Entretanto, a chance de erros é muito grande para deixá-las como números. Sempre que alguém vir 3,1415927535890793, saberão que é pi, e, portanto, não olharão com atenção. (Percebeu que um número está errado?) Também não queremos pessoas usando 3,14, 3,14159, 3,142, e assim por diante. Mas é uma boa coisa que `Math.PI` já tenha sido definida para nós.

O termo "Número Mágico" não se aplica apenas a números, mas também a qualquer token (símbolos, termos, expressões, números, etc.) que possua um valor que não seja auto-explicativo. Por exemplo:

```
assertEquals(7777, Employee.find("John Doe").employeeNumber());
```

Há dois números mágicos nessa confirmação. Obviamente o primeiro é 7777, embora seu significado possa não ser óbvio. O segundo é "`John Doe`", e, novamente, o propósito não está claro.

Acabou que "`John Doe`" é o nome do funcionário #7777 em um banco de dados de testes criado por nossa equipe. Todos na equipe sabem que ao se conectar a este banco de dados, ele já possuirá diversos funcionários incluídos com valores e atributos conhecidos. Também acabou que "`John Doe`" representa o único funcionário horista naquele banco de dados. Sendo assim, esse teste deve ser:

```
assertEquals(
  HOURLY_EMPLOYEE_ID,
  Employee.find(HOURLY_EMPLOYEE_NAME).employeeNumber());
```

G26: Seja preciso

Esperar que a primeira correspondência seja a única em uma consulta é ser ingênuo. Usar números de ponto flutuante para representar moedas é quase criminoso. Evitar gerenciamento de bloqueios e/ou transações porque você não acha que a atualização concorrente seja provável, é no mínimo desleixo. Declarar uma variável para ser uma `ArrayList` quando uma `List` é o suficiente, é totalmente constrangedor. Tornar `protected` por padrão todas as variáveis não é constrangedor o suficiente.

Quando você toma uma decisão em seu código, certifique-se de fazê-la precisamente. Saiba por que a tomou e como você lidará com quaisquer exceções. Não seja desleixado com a precisão de suas decisões. Se decidir chamar uma função que retorne `null`, certifique-se de verificar por `null`. Se for consultar o que você acha ser o único registro no banco de dados, garanta que seu código verifique se não há outros. Se precisar lidar com concorrência, use inteiros[11] e lide apropriadamente com o arredondamento. Se houver a possibilidade de atualização concorrente, certifique-se de implementar algum tipo de mecanismo de bloqueio.

Ambiguidades e imprecisão em códigos são resultado de desacordos ou desleixos. Seja qual for o caso, elas devem ser eliminadas.

G27: Estrutura acima de convenção

Insista para que as decisões do projeto baseiem-se em estrutura acima de convenção. Convenções de nomenclatura são boas, mas são inferiores as estruturas, que forçam um certo cumprimento. Por exemplo, `switch/cases` com enumerações bem nomeadas são inferiores a classes base com métodos abstratos. Ninguém é obrigado a implementar a estrutura `switch/case` da mesma forma o tempo todo; mas as classes base obrigam a implementação de todos os métodos abstratos das classes concretas.

G28: Encapsule as condicionais

A lógica booleana já é difícil o bastante de entender sem precisar vê-la no contexto de um `if` ou um `while`. Extraia funções que expliquem o propósito da estrutura condicional.

Por exemplo:

```
if (shouldBeDeleted(timer))
```

é melhor do que

```
if (timer.hasExpired() && !timer.isRecurrent())
```

11. Ou, melhor ainda, uma classe Money que use inteiros.

G29: Evite condicionais negativas

É um pouco mais difícil entender condições negativas do que afirmativas. Portanto, sempre que possível, use condicionais afirmativas. Por exemplo:

```
if (buffer.shouldCompact())
```

é melhor do que

```
if (!buffer.shouldNotCompact())
```

G30: As funções devem fazer uma coisa só

Costuma ser tentador criar funções que tenham várias seções que efetuam uma série de operações. Funções desse tipo fazem mais de uma coisa, e devem ser dividas em funções melhores, cada um fazendo apenas uma coisa.

Por exemplo:

```
public void pay() {
  for (Employee e : employees) {
    if (e.isPayday()) {
      Money pay = e.calculatePay();
      e.deliverPay(pay);
    }
  }
}
```

Esse pedaço de código faz três coisas. Ele itera sobre todos os funcionários, verifica se cada um deve ser pago e, então, paga o funcionário. Esse código ficaria melhor assim:

```
public void pay() {
  for (Employee e : employees)
    payIfNecessary(e);
}

private void payIfNecessary(Employee e) {
  if (e.isPayday())
    calculateAndDeliverPay(e);
}

private void calculateAndDeliverPay(Employee e) {
  Money pay = e.calculatePay();
  e.deliverPay(pay);
}
```

Cada uma dessas funções faz apenas uma coisa. (Consulte Faça apenas uma coisa na página 35.)

G31: Acoplamentos temporais ocultos

Acoplamentos temporais costumam ser necessários, mas você não deve ocultar o acoplamento. Organize os parâmetros de suas funções de modo que a ordem na qual são chamadas fique óbvia. Considere o seguinte:

```
public class MoogDiver {
  Gradient gradient;
  List<Spline> splines;

  public void dive(String reason) {
    saturateGradient();
    reticulateSplines();
    diveForMoog(reason);
  }
  ...
}
```

A ordem das três funções é importante. Você deve saturar o gradiente antes de poder dispor em formato de redes (reticulate) as ranhuras (splines) e só então você pode seguir para o Moog (dive for moog). Infelizmente, o código não exige esse acoplamento temporal. Outro programador poderia chamar `reticulateSplines` antes de `saturateGradient`, gerando uma `UnsaturatedGradientException`. Uma solução melhor seria:

```
public class MoogDiver {
  Gradient gradient;
  List<Spline> splines;

  public void dive(String reason) {
    Gradient gradient = saturateGradient();
    List<Spline> splines = reticulateSplines(gradient);
    diveForMoog(splines, reason);
  }
  ...
}
```

Isso expõe o acoplamento temporário ao criar um "bucket brigade". Cada função produz um resultado que a próxima precisa, portanto não há uma forma lógica de chamá-los fora de ordem.

Talvez você reclame que isso aumente a complexidade das funções, e você está certo. Mas aquela complexidade sintática extra expõe a complexidade temporal verdadeira da situação.

Note que deixei as variáveis de instâncias. Presumo que elas sejam necessárias aos métodos privados na classe. Mesmo assim, mantive os parâmetros para tornar explícito o acoplamento temporário.

G32: Não seja arbitrário

Tenha um motivo pelo qual você estruture seu código e certifique-se de que tal motivo seja informado na estrutura. Se esta parece arbitrária, as outras pessoas se sentirão no direito de alterá-la. Mas se uma estrutura parece consistente por todo o sistema, as outras pessoas irão usá-la e preservar a convenção utilizada. Por exemplo, recentemente eu fazia alterações ao FitNesse quando descobri que um de nossos colaboradores havia feito isso:

```
public class AliasLinkWidget extends ParentWidget
{
  public static class VariableExpandingWidgetRoot {
    ...
  ...
}
```

O problema era que `VariableExpandingWidgetRoot` não tinha necessidade para estar dentro do escopo de `AliasLinkWidget`. Ademais, outras classes sem relação usavam a `AliasLinkWidget.VariableExpandingWidgetRoot`. Essas classes não precisavam enxergar a `AliasLinkWidget`.

Talvez o programador tenha jogado a `VariableExpandingWidgetRoot` dentro de `AliasWidget` por questão de conveniência. Ou talvez ele pensara que ela realmente precisava ficar dentro do escopo de `AliasWidget`. Seja qual for a razão, o resultado acabou sendo arbitrário. Classes públicas que não são usadas por outras classes não podem ficar dentro de outra classe. A convenção é torná-las públicas no nível mais alto de seus pacotes.

G33: Encapsule as condições de limites

Condições de limite são difíceis de acompanhar. Coloque o processamento para elas em um único lugar. Não as deixe espalhadas pelo código. Não queremos um enxame de +1s e -1s aparecendo aqui e acolá. Considere o exemplo abaixo do FIT:

```
if(level + 1 < tags.length)
{
  parts = new Parse(body, tags, level + 1, offset + endTag);
  body = null;
}
```

Note que `level+1` aparece duas vezes. Essa é uma condição de limite que deveria estar encapsulada dentro de uma variável com um nome ou algo como `nextLevel`.

```
int nextLevel = level + 1;
if(nextLevel < tags.length)
{
  parts = new Parse(body, tags, nextLevel, offset + endTag);
  body = null;
}
```

G34: Funções devem descer apenas um nível de abstração

As instruções dentro de uma função devem ficar todas no mesmo nível de abstração, o qual deve ser um nível abaixo da operação descrita pelo nome da função. Isso pode ser o mais difícil dessas heurísticas para se interpretar e seguir. Embora a ideia seja simples o bastante, os seres humanos são de longe ótimos em misturar os níveis de abstração. Considere, por exemplo, o código seguinte retirado do FitNesse:

```
public String render() throws Exception
{
  StringBuffer html = new StringBuffer("<hr");
  if(size > 0)
    html.append(" size=\"").append(size + 1).append("\"");
  html.append(">");

  return html.toString();
}
```

Basta analisar um pouco e você verá o que está acontecendo. Essa função constrói a tag HTML que desenha uma régua horizontal ao longo da página. A altura da régua é especificada na variável `size`.

Leia o método novamente. Ele está misturando pelo menos dois níveis de abstração. O primeiro é a noção de que uma régua horizontal (horizontal rule, daí a tag hr) possui um tamanho. O segundo é a própria sintaxe da tag HR. Esse código vem do módulo HruleWidget no FitNesse. Ele detecta uma sequência de quatro ou mais traços horizontais e a converte em uma tag HR apropriada. Quanto mais traços, maior o tamanho.

Eu refatorei abaixo esse pedaço de código. Note que troquei o nome do campo `size` para refletir seu propósito real. Ele armazena o número de traços extras.

```
public String render() throws Exception
{
  HtmlTag hr = new HtmlTag("hr");
  if (extraDashes > 0)
    hr.addAttribute("size", hrSize(extraDashes));
  return hr.html();
}
private String hrSize(int height)
{
  int hrSize = height + 1;
  return String.format("%d", hrSize);
}
```

Essa mudança separa bem os dois níveis de abstração. A função `render` simplesmente gera uma tag HR, sem ter de saber a sintaxe HTML da tag. O módulo `HtmlTag` trata de todas as questões complicadas da sintaxe.

Na verdade, ao fazer essa alteração, notei um pequeno erro. O código original não colocava uma barra na tag HR de fechamento, como o faria o padrão XHTML. (Em outras palavras, foi gerado `<hr>` em vez de `<hr/>`.) O módulo `HtmlTag` foi alterado para seguir o XHTML há muito tempo.

Separar os níveis de abstração é uma das funções mais importantes da refatoração, e uma das mais difíceis também. Como um exemplo, veja o código abaixo. Ele foi a minha primeira tentativa em separar os níveis de abstração no `HruleWidget.render method`.

```
public String render() throws Exception
{
  HtmlTag hr = new HtmlTag("hr");
  if (size > 0) {
    hr.addAttribute("size", ""+(size+1));
  }
  return hr.html();
}
```

Meu objetivo, naquele momento, era criar a separação necessária para fazer os testes passarem. Isso foi fácil, mas fiquei com uma função que ainda tinha níveis de abstração misturados. Neste caso, eles estavam na construção da tag HR e na interpretação e formatação da variável `size`.

Isso indica ao dividir uma função em linhas de abstração, você geralmente descobre novas linhas de abstração que estavam ofuscadas pela estrutura anterior.

G35: Mantenha os dados configuráveis em níveis altos

Se você tiver uma constante, como um valor padrão ou de configuração, que seja conhecida e esperada em um nível alto de abstração, não a coloque numa função de nível baixo. Exponha a constante como parâmetro para tal função, que será chamada por outra de nível mais alto. Considere o código seguinte do FitNesse:

```
  public static void main(String[] args) throws Exception
  {
    Arguments arguments = parseCommandLine(args);
    ...
  }
public class Arguments
{
  public static final String DEFAULT_PATH = ".";
  public static final String DEFAULT_ROOT = "FitNesseRoot";
  public static final int DEFAULT_PORT = 80;
  public static final int DEFAULT_VERSION_DAYS = 14;
  ...
}
```

Os parâmetros na linha de comando são analisados sintaticamente na primeira linha executável do FitNesse. O valor padrão deles é especificado no topo da classe `Argument`. Não é preciso sair procurando nos níveis mais baixos do sistema por instruções como a seguinte:

```
if (arguments.port == 0) // use 80 por padrão
```

As constantes de configuração ficam em um nível muito alto e são fáceis de alterar. Elas são passadas abaixo para o resto do aplicativo. Os níveis inferiores não detêm os valores de tais constantes.

G36: Evite a navegação transitiva

De modo geral, não queremos que um único módulo saiba muito sobre seus colaboradores. Mais especificamente, se `A` colabora com `B` e `B` colabora com `C`, não queremos que os módulos que usem `A` enxerguem `C`. (Por exemplo, não queremos `a.getB().getC().doSomething();`.)

Isso às vezes se chama de Lei de Demeter. Os programadores pragmáticos chamam de "Criar um Código Tímido"[12]. Em ambos os casos, resume-se a se garantir que os módulos saibam sobre seus colaboradores imediatos apenas e não sobre o mapa de navegação de todo o sistema.

Se muitos módulos usam algum tipo de instrução `a.getB().getC()`, então seria difícil alterar o projeto e a arquitetura para introduzir um `Q` entre `B` e `C`. Seria preciso encontrar cada instância de `a.getB().getC()` e converter para `a.getB().getQ().getC()`. É assim que as estruturas se tornam rígidas. Módulos em excesso enxergam demais sobre a arquitetura.

12. [PRAG], p. 138.

Em vez disso, queremos que nossos colaboradores imediatos ofereçam todos os serviços de que precisamos. Não devemos ter de percorrer a planta do sistema em busca do método que desejamos chamar, mas simplesmente ser capaz de dizer:

```
meuColaborador.facaAlgo().
```

Java

J1: Evite longas listas de importação usando wildcards (caracteres curinga)

Se você usa duas ou mais classes de um pacote, então importe o pacote todo usando

```
import package.*;
```

Listas longas de import intimidam o leitor. Não queremos amontoar o topo de nossos módulos com 80 linhas de import. Em vez disso, desejamos que os import sejam uma instrução concisa sobre os pacotes que usamos.

Importações específicas são dependências fixas, enquanto importações com caracteres curingas não são. Se você não importar uma classe especificamente, então ela deve existir. Mas se você importa um pacote com um caractere curinga (wildcards), uma determinada classe não precisa existir. A instrução import simplesmente adiciona o pacote ao caminho de busca na procura por nomes. Portanto, os import não criam uma dependência real e, portanto, servem para manter os módulos menos acoplados.

Há vezes nas quais a longa lista de import específicos pode ser útil. Por exemplo, se estiver lidando com código legado e deseja descobrir para quais classes você precisa para construir stubs (objetos que criam simulam um ambiente real para fins de testes) ou mocks (objetos similares que também analisam chamadas feitas a eles e avaliam a precisão delas), percorrer pela lista e encontrar os nomes verdadeiros de todas aquelas classes e, então, criar os stubs adequados. Entretanto, esse uso de import específicos é muito raro. Ademais, a maioria das IDEs modernas lhe permitem converter instruções import com caracteres curinga em um único comando. Portanto, mesmo no caso do código legado, é melhor importar usando caracteres curinga.

Import com caracteres curinga pode às vezes causar conflitos de nomes e ambiguidades. Duas classes com o mesmo nome, mas em pacotes diferentes, precisam ser importadas especificamente, ou pelo menos limitada especificamente quando usada. Isso pode ser chato, mas é raro o bastante para que o uso de import com caracteres curinga ainda seja melhor do que importações específicas.

J2: Não herde as constantes

Já vi isso várias vezes e sempre faço uma careta quando vejo. Um programador coloca algumas constantes numa interface e, então, ganha acesso a elas herdando daquela interface. Observe o código seguinte:

```
public class HourlyEmployee extends Employee {
  private int tenthsWorked;
  private double hourlyRate;
```

```
    public Money calculatePay() {
      int straightTime = Math.min(tenthsWorked, TENTHS_PER_WEEK);
      int overTime = tenthsWorked - straightTime;
      return new Money(
        hourlyRate * (tenthsWorked + OVERTIME_RATE * overTime)
      );
    }
    ...
  }
```

De onde vieram as constantes `TENTHS_PER_WEEK` e `OVERTIME_RATE`? Devem ter vindo da classe `Employee`; então, vamos dar uma olhada:

```
  public abstract class Employee implements PayrollConstants {
    public abstract boolean isPayday();
    public abstract Money calculatePay();
    public abstract void deliverPay(Money pay);
  }
```

Não, não está lá. Mas onde então? Leia atentamente a classe `Employee`. Ela implementa **`PayrollConstants`**.

```
  public interface PayrollConstants {
    public static final int TENTHS_PER_WEEK = 400;
    public static final double OVERTIME_RATE = 1.5;
  }
```

Essa é uma prática horrível! As constantes estão escondidas no topo da hierarquia de herança. Eca! Não use a herança como um meio para burlar as regras de escopo da linguagem. Em vez disso, use um, em inglês, *static import.*

```
  import static PayrollConstants.*;
  public class HourlyEmployee extends Employee {
    private int tenthsWorked;
    private double hourlyRate;

    public Money calculatePay() {
      int straightTime = Math.min(tenthsWorked, TENTHS_PER_WEEK);
      int overTime = tenthsWorked - straightTime;
      return new Money(
        hourlyRate * (tenthsWorked + OVERTIME_RATE * overTime)
      );
    }
    ...
  }
```

J3: Constantes versus enums

Agora que os `enum` foram adicionados à linguagem (Java 5), use-os! Não fique usando o truque antigo de `public static final int`. Pode-se perder o significado dos `int`, mas não dos `enum`, pois eles pertencem a uma enumeração que possui nomes.

Além do mais, estude cuidadosamente a sintaxe para os `enum`. Eles podem ter métodos e campos, o que os torna ferramentas muito poderosas que permitem muito mais expressividade e flexibilidade do que os `int`. Considere a variação abaixo do código da folha de pagamento (payroll):

```
public class HourlyEmployee extends Employee {
  private int tenthsWorked;
  HourlyPayGrade grade;

  public Money calculatePay() {
    int straightTime = Math.min(tenthsWorked, TENTHS_PER_WEEK);
    int overTime = tenthsWorked - straightTime;
    return new Money(
      grade.rate() * (tenthsWorked + OVERTIME_RATE * overTime)
    );
  }
  ...
}

public enum HourlyPayGrade {
  APPRENTICE {
    public double rate() {
      return 1.0;
    }
  },
  LEUTENANT_JOURNEYMAN {
    public double rate() {
      return 1.2;
    }
  },
  JOURNEYMAN {
    public double rate() {
      return 1.5;
    }
  },
  MASTER {
    public double rate() {
      return 2.0;
    }
  };

  public abstract double rate();
}
```

Nomes

N1: Escolha nomes descritivos

Não se apresse ao escolher um nome. Certifique-se de que ele seja descritivo. Lembre-se de que os sentidos tendem a se perder conforme o software evolui. Portanto, reavalie frequentemente a adequação dos nomes que você escolher.

Essa não é apenas uma recomendação para lhe "satisfazer". Nomes em softwares são 90% responsáveis pela legibilidade do software. Você precisa tomar seu tempo para escolhê-los sabiamente e mantê-los relevantes. Nomes são muito importantes para serem tratados de qualquer jeito.

Considere o código abaixo. O que ele faz? Se eu lhe mostrasse o código com nomes bem escolhidos, ele faria sentido para você, mas como está abaixo, é apenas um emaranhado de símbolos e números mágicos.

```
public int x() {
  int q = 0;
  int z = 0;
  for (int kk = 0; kk < 10; kk++) {
    if (l[z] == 10)
    {
      q += 10 + (l[z + 1] + l[z + 2]);
      z += 1;
    }
    else if (l[z] + l[z + 1] == 10)
    {
      q += 10 + l[z + 2];
      z += 2;
    } else {
      q += l[z] + l[z + 1];
      z += 2;
    }
  }
  return q;
}
```

Aqui está o código da forma como deveria ser. Na verdade, esse pedaço está menos completo do que o acima. Mesmo assim você pode entender imediatamente o que ele tenta fazer, e muito provavelmente até mesmo criar as funções que faltam baseando-se no que você compreendeu. Os números não são mais mágicos, e a estrutura do algoritmo está claramente descritiva.

```
public int score() {
  int score = 0;
  int frame = 0;
  for (int frameNumber = 0; frameNumber < 10; frameNumber++) {
    if (isStrike(frame)) {
      score += 10 + nextTwoBallsForStrike(frame);
      frame += 1;
    } else if (isSpare(frame)) {
      score += 10 + nextBallForSpare(frame);
      frame += 2;
    } else {
      score += twoBallsInFrame(frame);
      frame += 2;
    }
  }
  return score;
}
```

O poder de nomes cuidadosamente selecionados é que eles preenchem a estrutura do código com descrições. Esse preenchimento faz com que os leitores saibam o que esperar das outras funções no módulo. Só de olhar o código acima, você pode inferir a implementação de `isStrike()`. Quando você ler o método `isStrike`, ele será "basicamente o que você esperava"[13].

```
private boolean isStrike(int frame) {
  return rolls[frame] == 10;
}
```

13. Veja a citação de Ward Cunningham na página 11.

N2: Escolha nomes no nível apropriado de abstração

Não escolha nomes que indiquem a implementação, mas nomes que reflitam o nível de abstração da classe ou função na qual você está trabalhando. Essa tarefa é árdua. Novamente, as pessoas são muito boas em misturar níveis de abstração. Cada vez que você analisa seu código, provavelmente encontrará alguma variável nomeada baseando-se em um nível muito baixo. Você deve aproveitar a chance e trocar aqueles nomes quando os encontrar. Tornar o código legível requer dedicação a um aperfeiçoamento constante. Considere a interface `Modem` abaixo:

```
public interface Modem {
  boolean dial(String phoneNumber);
  boolean disconnect();
  boolean send(char c);
  char recv();
  String getConnectedPhoneNumber();
}
```

À primeira vista, tudo parece bem. As funções parecem adequadas. Na verdade, para muitos aplicativos elas são. Mas, agora, considere um aplicativo com alguns modens que não se conectem por discagem. Em vez disso, eles ficam sempre conectados juntos por meio de fios (pense em modens a cabo que oferecem acesso à Internet à maioria das casas atualmente). Talvez alguns se conectem enviando o número de uma porta para um switch em uma conexão USB. Obviamente, a noção de números de telefones está no nível errado de abstração. Uma melhor estratégia de nomenclatura para este cenário seria:

```
public interface Modem {
  boolean connect(String connectionLocator);
  boolean disconnect();
  boolean send(char c);
  char recv();
  String getConnectedLocator();
}
```

Agora, os nomes não se restringem aos números de telefones. Eles ainda podem ser desse tipo, mas também podem usar outro tipo de conexão.

N3: Use uma nomenclatura padrão onde for possível

Nomes são mais fáceis de entender se baseados numa convenção ou uso já existente. Por exemplo, se estiver usando o padrão DECORATOR, você deve usar a palavra `Decorator` nos nomes das classes que o usam. Por exemplo, `AutoHangupModemDecorator` deve ser o nome de uma classe que "decora" um `Modem` com a capacidade de desligar automaticamente ao fim da sessão.

Os padrões são apenas um tipo de padrão. Em Java, por exemplo, as funções que convertem objetos em representações de string costumam se chamar `toString`. É melhor seguir convenções como essas do que inventar a sua própria.

Equipes frequentemente inventarão seus próprios sistemas de padrões de nomes para um projeto em particular. Eric Evans se refere a isso como uma linguagem onipresente para o projeto[14]. Seu

14. [DDD].

código deve usar abundantemente os termos a partir dessa linguagem. Em suma, quanto mais você puder usar nomes que indiquem significados especiais relevantes ao seu projeto, mais fácil ficará para os leitores saberem sobre o que se trata seu código.

N4: Nomes não ambíguos

Escolha nomes que não deixem as tarefas de uma função ou variável ambíguas. Considere o exemplo seguinte do FitNesse:

```
private String doRename() throws Exception
{
  if(refactorReferences)
    renameReferences();
  renamePage();
  pathToRename.removeNameFromEnd();
  pathToRename.addNameToEnd(newName);
  return PathParser.render(pathToRename);
}
```

O nome dessa função não diz o que a função faz, exceto em termos vagos e abrangentes. Isso foi enfatizado pelo fato de que há uma função chamada `renamePage` dentro da função chamada `doRename`! O que os nomes lhe dizem sobre a diferença entre as duas funções? Nada.

Um nome melhor para aquela função seria `renamePageAndOptionallyAllReferences`. Pode parecer longo, e é, mas ela só é chamada a partir de um local no módulo, portanto é um valor descritivo que compensa o comprimento.

N5: Use nomes longos para escopos grandes

O comprimento de um nome deve estar relacionado com o do escopo. Você pode usar nomes de variáveis muito curtos para escopos minúsculos. Mas para escopos grandes, devem-se usar nomes extensos.

Nomes de variáveis como `i` e `j` são bons se seu escopo tiver cinco linhas apenas. Considere o pedaço de código abaixo do antigo padrão "Bowling Game" (jogo de boliche).

```
private void rollMany(int n, int pins)
{
  for (int i=0; i<n; i++)
    g.roll(pins);
}
```

Está perfeitamente claro e ficaria ofuscado se a variável i fosse substituída por algo importuno, como `rollCount`. Por outro lado, variáveis e funções com nomes curtos perdem seus sentidos em distâncias longas. Portanto, quanto maior o escopo do nome, maior e mais preciso o nome deve ser.

N6: Evite codificações

Não se devem codificar nomes com informações sobre o tipo ou o escopo. Prefixos, como `m_` ou `f`, são inúteis nos ambientes de hoje em dia. E codificações em projetos e/ou subsistemas, como `siv_` (para sistema de imagem visual), são redundantes e distrativos. Novamente, os ambientes atuais fornecem todas essas informações sem precisar distorcer os nomes. Mantenha seus nomes livres da poluição húngara.

N7: Nomes devem descrever os efeitos colaterais

Nomes devem descrever tudo o que uma função, variável ou classe é ou faz. Não oculte os efeitos colaterais com um nome. Não use um simples verbo para descrever uma função que faça mais do que uma mera ação. Por exemplo, considere o código abaixo do TestNG:

```
public ObjectOutputStream getOos() throws IOException {
  if (m_oos == null) {
    m_oos = new ObjectOutputStream(m_socket.getOutputStream());
  }
    return m_oos;
}
```

Essa função faz um pouco mais além de pegar um "oos"; ela cria o "oos" se ele não tiver sido criado ainda. Logo, um nome melhor seria `createOrReturnOos`.

Testes

T1: Testes insuficientes

Uma coleção de testes deve ter quantos testes? Infelizmente, a medida que muitos programadores usam é "Parece que já está bom". Uma coleção de testes deve testar tudo que pode vir a falhar. Os testes são insuficientes enquanto houver condições que não tenham sido exploradas pelos testes ou cálculos que não tenham sido validados.

T2: Use uma ferramenta de cobertura!

Ferramentas de cobertura informam lacunas em sua estratégia de testes. Elas facilitam o encontro de módulos, classes e funções que são testados de modo insuficiente. A maioria das IDEs lhe dão uma indicação visual, marcando com verde as linhas que são cobertas pelos testes e de vermelho as que não são. Isso agiliza e facilita encontrar instruções `if` e `catch` cujos corpos não foram verificados.

T3: Não pule testes triviais

Eles são fáceis de escrever e seu valor de documentação é maior do que o custo de produzi-los.

T4: Um teste ignorado é uma questão sobre uma ambiguidade

Nós, às vezes, não estamos certos sobre um detalhe de comportamento devido à falta de clareza dos requisitos. Podemos expressar nossa questão sobre os requisitos como um teste que é posto como comentário que é anotado com um `@Ignore`. O que você escolher dependerá se a ambiguidade é sobre algo compilará ou não.

T5: Teste as condições de limites

Dê atenção especial aos testes de condições de limites. Geralmente, entendemos a parte central de um algoritmo, mas erramos sobre seus limites.

T6: Teste abundantemente bugs próximos

Bugs tendem a se reunir. Quando encontrar um bug numa função, é sábio fazer um teste exaustivo nela. Provavelmente você verá que o bug não estava só.

T7: Padrões de falhas são reveladores

De vez em quando, você pode diagnosticar um problema ao encontrar padrões na forma pela qual os casos de teste falharam. Esse é outro argumento para tornar os casos de teste os mais completos possíveis. Eles, quando ordenados de uma maneira lógica, expõem os padrões.

Como um exemplo simples, suponha que você percebeu que todos os testes com uma entrada maior do que cinco caracteres tenham falhado? Ou e se um teste que passasse um número negativo para o segundo parâmetro de uma função falhasse? Às vezes, apenas ver o padrão de linhas vermelhas e verdes no relatório dos testes é o suficiente para soltar um "Arrá!" que leva à solução. Volte à página 267 para ver um exemplo interessante sobre isso no exemplo do `SerialDate`.

T8: Padrões de cobertura de testes podem ser reveladores

Analisar o código que é ou não executado pelos testes efetuados dá dicas do porquê de os testes que falharam estão falhando.

T9: Testes devem ser rápidos

Um teste lento é um que não será rodado. Quando as coisas ficam apertadas, são os testes lentos que serão descartados da coleção, portanto, faça o que puder para manter seus testes rápidos.

Conclusão

Mal poderíamos dizer que esta lista de heurísticas e odores esteja completa. De fato, não estou certo se ela jamais estará. Mas, talvez, a plenitude não deva ser o objetivo, pois o que a lista realmente faz é dar um valor ao sistema.

Na verdade, o sistema de valores tem sido o objetivo, e o assunto deste livro. Não se cria um código limpo seguindo uma série de regras. Você não se torna um especialista na arte de softwares através de uma lista de heurísticas. Profissionalismo e habilidade num ofício vêm com valores que requerem disciplina.

Bibliografia

[Refactoring]: *Refactoring: Improving the Design of Existing Code*, Martin Fowler et al., Addison-Wesley, 1999.

[PRAG]: *The Pragmatic Programme, Andrew Hunt, Dave Thomas,* Addison-Wesley, 2000.

[GOF]: *Design Patterns: Elements of Reusable Object Oriented Software*, Gamma et al., Addison-Wesley, 1996.

[Beck97]: *Smalltalk Best Practice Patterns*, Kent Beck, Prentice Hall, 1997.

[Beck07]: *Implementation Patterns*, Kent Beck, Addison-Wesley, 2008.

[PPP]: *Agile Software Development: Principles, Patterns, and Practices*, Robert C. Martin, Prentice Hall, 2002.

[DDD]: *Domain Driven Design*, Eric Evans, Alta Books, 2009.

Apêndice A

Concorrência II

por Brett L. Schuchert

Este apêndice é uma extensão do capítulo *Concorrência* da página 177. E foi escrito com uma série de tópicos independentes e, possivelmente, você poderá lê-los em qualquer ordem devido a alguns assuntos repetidos entre as seções.

Exemplo de cliente/servidor

Imagine um aplicativo do tipo cliente/servidor. Um servidor fica escutando um socket à espera que um cliente se conecte. Este se conecta e envia um pedido.

O servidor

A seguir está uma versão simplificada de um aplicativo servidor. O código completo para este exemplo começa na página 339, Cliente/sevidor sem threads.

```
ServerSocket serverSocket = new ServerSocket(8009);
while (keepProcessing) {
  try {
    Socket socket = serverSocket.accept();
    process(socket);
  } catch (Exception e) {
    handle(e);
  }
}
```

Este simples aplicativo espera por uma conexão, processa uma mensagem que chega e, então, espera novamente pelo pedido do próximo cliente. Abaixo está o código do cliente que se conecta a esse servidor:

```
private void connectSendReceive(int i) {
   try {
      Socket socket = new Socket("localhost", PORT);
      MessageUtils.sendMessage(socket, Integer.toString(i));
      MessageUtils.getMessage(socket);
      socket.close();
   } catch (Exception e) {
      e.printStackTrace();
   }
}
```

Qual o nível de desempenho entre esse cliente/servidor? Podemos descrevê-lo formalmente? A seguir está um teste que confirma se o desempenho é "aceitável":

```
@Test(timeout = 10000)
public void shouldRunInUnder10Seconds() throws Exception {
   Thread[] threads = createThreads();
   startAllThreadsw(threads);
   waitForAllThreadsToFinish(threads);
}
```

A fim de manter o exemplo simples, deixamos configuração de fora (veja o `ClienteTest.java`, na página 344). Esse teste confirma se ele deve completar dentro de 10.000 milissegundos.

Esse é um exemplo clássico de validação da taxa de transferência de dados de um sistema. Esse deve completar uma série de pedidos do cliente em dez segundos. Enquanto o servidor puder processar cada pedido individualmente a tempo, o teste passará.

O que acontece se ele falhar? No limite de desenvolver um evento de loop de transmissão por solicitação, não há muito o que fazer dentro de uma única thread para agilizar este código. Usar múltiplas threads resolverá o problema? Talvez, mas precisamos saber onde está sendo desperdiçado tempo. Há duas possibilidades:

- E/S – usar um socket, conectar-se a um banco de dados, esperar pela troca com a memória virtual e assim por diante.
- Processador – cálculos numéricos, processamento de expressões regulares, coleta de lixo e assim por diante.

Os sistemas tipicamente possuem um pouco de cada, mas para uma dada operação tende a se usar apenas uma das duas. Se o código for baseado no processador, mais hardwares de processamento podem melhorar a taxa de transferência de dados, fazendo nossos testes passarem. Mas só que há tantos ciclos de CPU disponíveis de modo que adicionar threads a um problema baseando-se o processador não o tornará mais rápido.

Por outro lado, se o processo for baseado em E/S, então a concorrência pode aumentar com eficiência. Quando uma parte do sistema está esperando por uma E/S, outra parte pode usar esse tempo de espera para processar outra coisa, tornando o uso da CPU disponível mais eficiente.

Adição de threads

Agora vamos prever que o teste de desempenho falhe. Como podemos melhorar a taxa de transferência de dados de modo que ele passe? Se o método `process` do servidor for baseado em E/S, então há uma maneira de fazer o servidor usar threads (apenas mude a `processMessage`):

```
void process(final Socket socket) {
  if (socket == null)
    return;
  Runnable clientHandler = new Runnable() {
    public void run() {
      try {
        String message = MessageUtils.getMessage(socket);
        MessageUtils.sendMessage(socket, "Processed: " + message);
        closeIgnoringException(socket);
      } catch (Exception e) {
        e.printStackTrace();
      }
    }
  };
  Thread clientConnection = new Thread(clientHandler);
  clientConnection.start();
}
```

Assuma que essa mudança faça o teste passar[1]; o código está completo, certo?

Observações do servidor

O servidor atualizado completa o teste com êxito em um segundo. Infelizmente, essa solução é um pouco ingênua e adiciona alguns problemas novos.

Quantas threads nosso servidor poderia criar? O código não estabelece limites, portanto poderíamos normalmente alcançar o limite imposto pela Java Virtual Machine (JVM). Para muitos sistemas simples, isso talvez satisfaça. Mas e se o sistema suportar muitos usuários numa rede pública? Se muitos se conectarem ao mesmo tempo, o sistema pode travar.

Mas deixe de lado o problema de comportamento por agora. A solução apresentada possui problemas de clareza e estrutura. Quantas responsabilidades o código do servidor pode ter?

- Gerenciamento de conexão com o socket
- Processamento do cliente
- Diretrizes para uso de threads
- Diretrizes para desligamento do servidor

Infelizmente, todas essas responsabilidades ficam na função `process`. Ademais, o código mistura tantos níveis diferentes de abstração. Sendo assim, por menor que esteja a função, ela precisa ser dividida.

---

1. Verifique isso você mesmo experimentando no código de antes e no de depois. Revise o código sem threads que começa na página 343 e o com threads que começa na página 346.

O servidor possui diversas razões para ser alterado; entretanto, isso violaria o Princípio da Responsabilidade Única. Para manter limpos sistemas concorrentes, o gerenciamento de threads deve ser mantido em poucos locais bem controlados. Além do mais, qualquer código que gerencie threads só deva fazer essa tarefa. Por quê? Só pelo fato de que rastrear questões de concorrência é árduo o bastante sem ter de lidar ao mesmo tempo com outras questões não relacionadas à concorrência.

Se criarmos uma classe separada para cada responsabilidade listada acima, incluindo uma para o gerenciamento de threads, então quando mudarmos a estratégia para tal gerenciamento, a alteração afetará menos o código geral e não poluirá as outras responsabilidades. Isso também facilita muito testar todas as outras responsabilidades sem ter de se preocupar com o uso de threads. Abaixo está uma versão atualizada que faz justamente isso:

```
public void run() {
  while (keepProcessing) {
    try {
    ClientConnection clientConnection = connectionManager.awaitClient();
    ClientRequestProcessor requestProcessor
      = new ClientRequestProcessor(clientConnection);
    clientScheduler.schedule(requestProcessor);
    } catch (Exception e) {
      e.printStackTrace();
    }
  }
  connectionManager.shutdown();
}
```

Agora, se houver problemas de concorrência, só haverá um lugar para olhar, pois tudo relacionado a threads está num único local, em `clientScheduler`.

```
public interface ClientScheduler {
  void schedule(ClientRequestProcessor requestProcessor);
}
```

É fácil implementar a diretriz atual:

```
public class ThreadPerRequestScheduler implements ClientScheduler {
  public void schedule(final ClientRequestProcessor requestProcessor)
{
    Runnable runnable = new Runnable() {
      public void run() {
        requestProcessor.process();
      }
    };
    Thread thread = new Thread(runnable);
    thread.start();
  }
}
```

Ter isolado todo o gerenciamento de threads num único lugar facilitou bastante a alteração do modo como controlamos as threads. Por exemplo, mover o framework Executor do Java 5 envolve criar uma nova classe e inseri-la no código (Listagem A-1).

Listagem A-1
ExecutorClientScheduler.java

```
import java.util.concurrent.Executor;
import java.util.concurrent.Executors;

public class ExecutorClientScheduler implements ClientScheduler {
    Executor executor;

    public ExecutorClientScheduler(int availableThreads) {
        executor = Executors.newFixedThreadPool(availableThreads);
    }

    public void schedule(final ClientRequestProcessor requestProcessor) {
        Runnable runnable = new Runnable() {
            public void run() {
                requestProcessor.process();
            }
        };
        executor.execute(runnable);
    }
}
```

Conclusão

Apresentar concorrência neste exemplo em particular demonstra uma forma de melhorar a taxa de transferência de dados de um sistema e de validar aquela taxa por meio de um framework de teste. Centralizar todo o código de concorrência em um pequeno número de classes é um exemplo da aplicação do Princípio da Responsabilidade Única. Neste caso de programação concorrente, isso se torna especialmente importante devido à sua complexidade.

Caminhos possíveis de execução

Revise o método `incrementValue` – método em Java de apenas uma linha sem iteração ou ramificação.

```
public class IdGenerator {
  int lastIdUsed;
  public int incrementValue() {
    return ++lastIdUsed;
  }
}
```

Ignore o excesso de inteiros e assuma que apenas uma thread possua acesso a uma única instância de `IdGenerator`. Neste caso, só há um caminho de execução e um resultado garantido:

- O valor retornado é igual ao valor de `lastIdUsed`, e ambos estão uma unidade maior do que estavam antes de chamar o método.

O que acontece se usarmos duas threads e deixar o método inalterado? Quais os possíveis resultados se cada thread chamar `incrementValue` uma vez? Haverá quantos caminhos de execução possíveis? Primeiro, os resultados (assuma que `lastIdUsed` comece com o valor 93):

- Thread 1 recebe 94, thread 2 recebe 95 e `lastIdUsed` agora é 95.
- Thread 1 recebe 95, thread 2 recebe 94 e `lastIdUsed` agora é 95.
- Thread 1 recebe 94, thread 2 recebe 94 e `lastIdUsed` agora é 94.

O resultado, mesmo que surpreendente, é possível. A fim de vermos como estes resultados diferentes são possíveis, precisamos entender a quantidade de caminhos possíveis de execução e como a Java Virtual Machine os executa.

Quantidade de caminhos

Para cálculo do número de caminhos possíveis de execução, começaremos com o Bytecode gerado. A única linha em Java (`return ++lastIdUsed;`) retorna oito instruções em bytecode. É possível para as duas threads intercalarem a execução das oito instruções do modo como um embaralhador de cartas faz na hora de embaralhar[2]. Mesmo com apenas oito cartas em cada mão, há uma quantidade considerável de resultados distintos.

Para este caso simples de N instruções numa sequência, sem loop ou condicionais e sem *T* threads, a quantidade total de caminhos possíveis de execução é igual a

$$\frac{(NT)!}{N!^T}$$

Como calcular as possíveis combinações
O trecho a seguir é de um e-mail do Tio Bob para Brett: Com *N* passos e *T* threads, há *T***N* passos no total. Antes de cada um, há uma troca de contexto que seleciona entre as T threads. Pode-se então representar cada caminho como uma string de dígitos denotando as trocas de contexto. Dados os passos A e B e as threads 1 e 2, os seis caminhos possíveis 1122, 1212, 1221, 2112, 2121 e 2211. Ou, em termos de passos, é A1B1A2B2, A1A2B1B2, A1A2B2B1, A2A1B1B2, A2A1B2B1 e A2B2A1B1. Para três threads, a sequência é 112233, 112323, 113223, 113232, 112233, 121233, 121323, 121332, 123132, 123123... Uma característica dessas strings é que deve sempre existir N instâncias de cada *T*. Portanto, a string 111111 é inválida, pois possui seis instâncias de 1 e nenhuma de 2 e 3. Sendo assim, queremos que as permutações de *N* 1's, *N* 2's,... e *N T*'s. Na verdade, essas são apenas as permutações de coisas *N* * *T* retiradas de *N***T* uma de cada vez, que é (*N* * *T*)!, mas com todas as duplicações removidas. Portanto, o truque é contar as duplicações e subtrair de (*N* * *T*)!.

2. Isto é um pouco de simplificação. Entretanto, para uso nesta discussão, nós podemos usar este modelo de simplificação.

Como calcular as possíveis combinações (continuação)

Dado dois passos e duas threads, há quantas duplicações? Cada string de quatro dígitos possui dois 1 e dois 2. Poderiam alternar cada par desses sem alterar o sentido da string. Você poderia trocar os 1 ou os 2, ambos ou nenhum. Portanto, há quatro isomorfos para cada string, isto é, há três duplicações. Sendo assim, três em cada quatro das opções são duplicações; por outro lado, uma das quatro permutações NÃO são duplicações. 4! * .25 = 6. Dessa forma, este raciocínio parece funcionar.

Há quantas duplicações? No caso, em que $N = 2$ e $T = 2$, eu poderia trocar os 1, os 2 ou ambos. Se $N = 2$ e $T = 3$, eu poderia trocar os 1, os 2, os 3, os 1 e os 2, os 1 e os 3 ou os 2 e os 3. Trocar são apenas as permutações de N. Digamos que haja P permutações de N. A quantidade de formas diferentes para ordená-las seria P**T.

Sendo assim, o número de isomorfos possíveis é de N!**T. E, portanto, a quantidade de caminhos é de (T*N)!/(N!**T). Novamente, em nosso caso $T = 2$ e $N = 2$ o obtemos 6 (24/4).

Para $N = 2$ e $T = 3$, obtemos 720/8 = 90.

Para $N = 3$ e $T = 3$ obtemos 9!/6^3 = 1680.

Para nosso simples caso de uma linha de código Java, que equivale a oito linhas de bytecode e duas threads, o número total de caminhos possíveis de execução é de 12.870. Se `lastIdUsed` for do tipo `long`, então cada leitura/escrita se torna duas operações em vez de uma, e o número possível de combinações se torna 2.704.156.

O que acontece se fizermos uma alteração neste método?

```
public synchronized void incrementValue() {
    ++lastIdUsed;
}
```

A quantidade de caminhos possíveis de execução se torna dois para duas threads e N! no caso geral.

Indo mais a fundo

E o resultado surpreendente de que duas threads podiam ambas chamar o método uma vez (antes de adicionarmos `synchronized`) e obter o mesmo resultado numérico? Como isso pode ser possível? Uma coisa de cada vez!

O que é uma operação atômica? Podemos definir uma operação atômica como qualquer operação que seja interrompível. Por exemplo, no código seguinte, linha 5, em que `lastId` recebe 0, é considerada uma operação atômica, pois segundo o modelo Java Memory, a atribuição de um valor de 32 bits não é interrompível.

```
01: public class Example {
02: int lastId;
03:
04: public void resetId() {
05:             lastId;
06: }
07:
08: public int getNextId() {
09:            lastid
10: }
11:}
```

O que acontece se mudarmos o tipo de `lastId` de `int` para `long`? A linha 5 ainda será atômica? Não de acordo com a especificação da JVM. Poderia ser atômica em um processador em particular, mas segundo a especificação da JVM, a atribuição a qualquer valor de 64 bits requer duas de 32 bits. Isso significa que entre a primeira atribuição de 32 bits e a segunda também de 32 bits, alguma outra thread poderia se infiltrar e alterar um dos valores.

E o operador de pré-incremento, ++, na linha 9? Ele pode ser interrompido, logo, ele não é atômico. Para entender, vamos revisar detalhadamente o bytecode de ambos os métodos.

Antes de prosseguirmos, abaixo há três definições que serão importantes:

- Quadro (frame) – Toda chamada de método querer um quadro, que inclui o endereço de retorno, qualquer parâmetro passado ao método e as variáveis locais definidas no método. Essa é uma técnica padrão usada para declarar uma pilha de chamadas usada pelas linguagens atuais, permitindo chamadas recursivas e funções/métodos básicos.
- Variável local – Qualquer variável declarada no escopo do método. Todos os métodos não estáticos têm pelo menos uma variável this, que representa o objeto em questão – aquele que recebeu a mensagem mais recente (na thread em operação) – que gerou a chamada do método.
- Pilha de operadores – Muitas das instruções na JVM recebem parâmetros, que ficam armazenados na pilha de operadores. A pilha é uma estrutura de dados do tipo LIFO (Last In, First Out, ou último a entrar, primeiro a sair).

A seguir está o bytecode gerado para `resetId()`:

Mnemônico	Descrição	Pilha de operadores depois
`ALOAD 0`	Coloca a 0º variável na pilha de operadores. O que é a 0º variável? É a this., o objeto atual. Quando o método é invocado, o receptor da mensagem – uma instância de `Example` – foi inserido no array de variáveis locais do quadro (frame) criado para a chamada do método. Essa é sempre a primeira variável colocada em cada instância do método.	`this`

Mnemônico	Descrição	Pilha de operadores depois
ICONST_0	Coloca o valor constante 0 na pilha de operadores. this, 0	this, 0
PUTFIELD lastId	Armazena o valor no topo da pilha (que é 0) no valor do campo do objeto referido por referência do objeto um a partir do topo da pilha, this.	<empty>

Essas três instruções são certamente atômicas, pois, embora a thread que as executa pudesse ser interrompida após qualquer uma delas, outras threads não poderão tocar nas informações para a instrução PUTFIELD (o valor constante 0 no topo da pilha e a referência para this um abaixo do topo, juntamente com o valor do campo). Portanto, quando ocorrer a atribuição, garantimos que o valor 0 seja armazenado no valor do campo. A operação é atômica. Todos os operadores lidam com informações locais ao método, logo não há interferência entre múltiplas threads.

Sendo assim, se essas três instruções forem executadas por dez threads, haverá 4,38679733629e+24 combinações. Mas como só existe um resultado possível as diferentes combinações são irrelevantes. Neste caso, acontece que o mesmo resultado é certo para o tipo long também. Por quê? Todas as dez threads atribuem um valor constante. Mesmo se intercalassem entre si, o resultado final seria o mesmo.

Com a operação ++ no método getNextId, haverá problemas. Suponha que lastId seja 42 no início deste método. A seguir está o bytecode gerado para este novo método:

Mnemônico	Descrição	Pilha de operadores depois
ALOAD 0	Coloca this na pilha de operadores	this
DUP	Copia o topo da pilha. Agora temos duas cópias de this na pilha de operadores.	this, this
GETFIELD lastId	Recupera o valor de lastId a partir do objeto apontado no topo da pilha (this) e armazena tal valor novamente na pilha.	this, 42
ICONST_1	Insere a constante inteira 1 na pilha.	this, 42, 1
IADD	Adiciona os dois valores inteiros no topo da pilha de operadores e armazena o resultado de volta na pilha de operadores.	this, 43
DUP_X1	Duplica o valor 43 e o coloca antes de this.	43, this, 43
PUTFIELD value	Armazena o valor do topo da pilha de operadores, 43, no valor do campo do objeto atual, representado pelo valor consecutivo ao topo na pilha de operadores, this.	43
IRETURN	Retorna apenas o valor do topo da pilha.	<empty>

Imagine o caso no qual a primeira thread finaliza as três primeiras instruções, chega até GETFIELD e o adiciona e, então, é interrompida. Uma segunda thread assume o controle e executa todo o método, incrementando `lastId` em 1; ela recebe 43 de volta. Então, a primeira thread continua de onde havia parado; 42 ainda está na pilha de operadores, pois esse era o valor de `lastId` quando ele executou a GETFIELD. Ele adiciona 1 para obter 43 novamente e armazena o resultado. O valor 43 é retornado à primeira thread também. O resultado é que aquele 1 do incremento se perde, pois a primeira thread passou por cima da segunda depois desta ter interrompido aquela.

Sincronizar o método `getNexId()` resolve esse problema.

Conclusão

Não é necessário saber muito sobre bytecode para entender como as threads podem passar uma por cima da outra. Se puder entender este exemplo, ele demonstra a possibilidade de múltiplas threads passando uma sobre a outra, o que já é conhecimento suficiente.

Dito isso, o que esse simples exemplo mostra é a necessidade de entender o modelo de memória suficientemente para saber o que é e o que não é seguro. É comum pensarem erroneamente que o operador ++ (seja de pré ou pós-incremento) seja atômico, pois ele obviamente não é. Isso significa que você precisa saber:

- Onde há valores/objetos compartilhados
- Qual código pode causar questões de leitura/atualização concorrentes
- Como evitar ocorrência de tais questões de concorrência

Conheça sua biblioteca

Framework Executor

Como mostramos no `ExecutorClientScheduler.java` (p. 321), o framework `Executor` surgido no Java 5 permite uma execução sofisticada usando-se uma coleção de threads. Essa classe está no pacote `java.util.concurrent`.

Se estiver criando threads, e não usando uma coleção delas, ou estiver usando uma criada manualmente, considere usar o `Executor`. Ele tornará seu código mais limpo, fácil de acompanhar e menor.

O framework `Executor` unirá threads, mudará automaticamente o tamanho e recriará threads se necessário. Ele também suporta futures, uma construção comum de programação concorrente. Este framework trabalha com classes que implementam a `Runnable` e também com classes que implementem a interface `Callable`. Esta se parece com uma `Runnable`, mas ela pode retornar um resultado, que é uma necessidade comum em soluções multithread.

Um *future* é útil quando o código precisa executar múltiplas operações independentes e esperar que ambas finalizem:

```
public String processRequest(String message) throws Exception {
  Callable<String> makeExternalCall = new Callable<String>() {
```

```
        public String call() throws Exception {
          String result = "";
          // faz um pedido externo
          return result;
        }
      };
      Future<String> result = executorService.submit(makeExternalCall);
      String partialResult = doSomeLocalProcessing();
      return result.get() + partialResult;
    }
```

Neste exemplo, o método começa executando o objeto `makeExternalCall`. O método continua com outro processamento. A linha final chama `result.get()`, que o bloqueia até que o future finalize.

Soluções sem bloqueio

A Virtual Machine do Java 5 tira proveito do projeto dos processadores modernos, que suportam atualizações sem bloqueio e confiáveis. Considere, por exemplo, uma classe que use sincronização (e, portanto, bloqueio) para proporcionar uma atualização segura para threads de um valor:

```
public class ObjectWithValue {
  private int value;
  public void synchronized incrementValue() { ++value; }
  public int getValue() { return value; }
}
```

O Java 5 possui uma série de novas classes para situações como essa: `AtomicBoolean`, `AtomicInteger` e `AtomicReference`. São três exemplos. Há diversas outros. Podemos reescrever o código acima para usar uma abordagem sem bloqueios, como segue:

```
public class ObjectWithValue {
  private AtomicInteger value = new AtomicInteger(0);
  public void incrementValue() {
    value.incrementAndGet();
  }
  public int getValue() {
    return value.get();
  }
}
```

Mesmo que esteja usando um objeto em vez de um tipo primitivo e enviando mensagens, como `incrementAndGet()` em vez de ++, o desempenho dessa classe quase sempre superará o da versão anterior. Em alguns casos, ela será só levemente mais rápida, mas casos em que ela fique mais lenta praticamente não existem.

Como isso é possível? Processadores modernos têm uma operação tipicamente chamada de *Compare e Swap* (CAS, sigla em inglês). Essa operação é análoga ao bloqueio otimista de bancos de dados, enquanto a versão sincronizada é análoga ao bloqueio pessimista.

A palavra reservada `synchronized` sempre requer um bloqueio, mesmo quando uma segunda thread não esteja tentando atualizar o mesmo valor. Mesmo que o desempenho de bloqueios intrínsecos tenha melhorado de versão para versão, eles ainda saem caro.

A versão sem bloqueio assume que múltiplas threads não costumam modificar o mesmo valor frequentemente o bastante para criar um problema. Em vez disso, ela detecta de forma eficiente se tal situação ocorreu e tenta novamente até que a atualização ocorra com sucesso. Essa detecção quase sempre sai menos cara do que adquirir um bloqueio, mesmo em situações que vão de moderadas a de alta contenção.

Como a Virtual Machine consegue isso? A operação CAS é atômica. Logicamente, ela se parece com o seguinte:

```
int variableBeingSet;

void simulateNonBlockingSet(int newValue) {
  int currentValue;
  do {
    currentValue = variableBeingSet
  } while(currentValue != compareAndSwap(currentValue, newValue));
}

int synchronized compareAndSwap(int currentValue, int newValue) {
  if(variableBeingSet == currentValue) {
    variableBeingSet = newValue;
    return currentValue;
  }
  return variableBeingSet;
}
```

Quando um método tenta atualizar uma variável compartilhada, a operação CAS verifica se a variável sendo configurada ainda possui o último valor conhecido. Caso possua, ela é, então, alterada. Caso contrário, ela não é configurada porque outra thread está usando-a. O método tentando alterá-la (usando a operação CAS) percebe que mudança não foi feita e tenta de novo.

Classes não seguras para threads

Há algumas classes que, por natureza, não são seguras para threads. Aqui estão alguns exemplos:

- `SimpleDateFormat`
- Conexões com banco de dados
- Contêineres em `java.util`
- Servlets

Note que algumas classes de coleção possuem métodos individuais que são seguros para threads. Entretanto, qualquer operação que envolva chamar mais de um método não é segura. Por exemplo, se você não quiser substituir algo numa `HashTable` porque ele já está lá, você poderia escrever o seguinte:

```
if(!hashTable.containsKey(someKey)) {
  hashTable.put(someKey, new SomeValue());
}
```

Cada método é seguro para threads. Contudo, outra thread poderia adicionar um valor entre a `containsKey` e as chamadas `put`.

- Bloqueie primeiro a `HashTable` e certifique-se de que todos os outros usuários dela façam o mesmo – bloqueio baseando-sc no cliente:

```
synchronized(map) {
if(!map.conainsKey(key))
  map.put(key,value);
}
```

- Coloque a `HashTable` em seu próprio objeto e use uma API diferente – bloqueio baseando-se no servidor usando um ADAPTER:

```
public class WrappedHashtable<K, V> {
  private Map<K, V> map = new Hashtable<K, V>();
  public synchronized void putIfAbsent(K key, V value) {
    if (map.containsKey(key))
      map.put(key, value);
  }
}
```

- Use as coleções seguras para threads.

```
ConcurrentHashMap<Integer, String> map = new ConcurrentHashMap<Integer,
String>();
map.putIfAbsent(key, value);
```

As coleções `java.util.concurrent` possuem funções como a `putIfAbsent()` para acomodar tais operações.

Dependências entre métodos podem danificar o código concorrente

Abaixo está um exemplo simples de uma maneira de inserir dependências entre métodos:

```
public class IntegerIterator implements Iterator<Integer>
  private Integer nextValue = 0;
  public synchronized boolean hasNext() {
    return nextValue < 100000;
  }
  public synchronized Integer next() {
    if (nextValue == 100000)
      throw new IteratorPastEndException();
    return nextValue++;

  }
  public synchronized Integer getNextValue() {
    return nextValue;
  }
}
```

A seguir está um código para usar este `IntegerIterator`:

```
IntegerIterator iterator = new IntegerIterator();
  while(iterator.hasNext()) {
```

```
        int nextValue = iterator.next();
        // faz algo com nextValue
    }
```

Se uma thread executar este código, não haverá problema. Mas o que acontece se duas threads tentarem compartilhar uma única instância de `IngeterIterator` considerando que cada uma processará o valor que receber, mas cada elemento da lista só é processado uma vez? Na maioria das vezes, nada de ruim ocorre; as threads compartilham a lista, processam os elementos que receberem do iterator e param quando este finaliza. Entretanto, há uma pequena chance de que, no final da iteração, as duas threads interajam entre si e façam com que uma vá além do iterator e lance uma exceção.

O problema é o seguinte: A Thread 1 faz a pergunta `hasNext()`, que retorna `true`. Então ela é bloqueada e a Thread 2 faz a mesma pergunta, que ainda retorna `true`. Então, a Thread 2 chama `next()`, que retorna um valor como esperado, mas com um efeito colateral de fazer `hasNext()` retornar `false`. A Thread 1 reinicia, pensando `hasNext()` ainda é `true`, e, então, chama `next()`. Mesmo que os métodos estejam sincronizados, o cliente usa ***dois***.

Esse é o problema real e um exemplo dos tipos que surgem no código concorrente. Neste caso em particular, este problema é consideravelmente sutil, pois a única vez que isto causa uma falha é quando ocorre durante a iteração final do iterator. Se acontecer das threads darem erro na hora certa, então uma delas poderia ir além do final do iterator. Esse é o tipo de bug que ocorre bem depois de um sistema já estar em produção, sendo difícil encontrá-lo.

Você tem três opções:

- Tolere a falha.
- Resolva o problema alterando o cliente: bloqueio baseando-se no cliente.
- Resolva o problema alterando o servidor, que adiciona alterações ao cliente: bloqueio baseando-se no servidor.

Tolere a falha

Às vezes você pode configurar as coisas de tal forma que as falhas não causam mal algum. Por exemplo, o cliente acima captura uma exceção e a ignora. Francamente, isso é um pouco desleixado. É como reiniciar à meia-noite de modo a liberar a memória.

Bloqueio baseando-se no cliente

A fim de fazer o `IntegerIterator` funcionar corretamente com múltiplas threads, altere o cliente abaixo (e cada outro cliente), como segue:

```
IntegerIterator iterator = new IntegerIterator();

  while (true) {
    int nextValue;
      synchronized (iterator) {
```

```
            if (!iterator.hasNext())
              break;
            nextValue = iterator.next();
        }
        doSometingWith(nextValue);
    }
```

Cada cliente adiciona um bloqueio via a palavra reservada `synchronized`. Essa duplicação viola o Princípio do Não Se Repita (Don't Repeat Yourself - DRY em inglês), mas talvez seja necessário, caso o código use ferramentas de terceiros não-seguras para threads.

Essa estratégia é arriscada, pois todos os programadores que usarem o servidor deverão se lembrar de bloqueá-lo antes de usá-lo e, quando terminar, desbloqueá-lo. Há muitos, muitos anos atrás, trabalhei num sistema que usava num recurso compartilhado o bloqueio baseando-se no cliente. O recurso foi usado em centenas de lugares diferentes ao longo do código. Um pobre programador esqueceu de bloquear tal recurso em um desses lugares.

O sistema era um software de contabilidade executando um sistema com compartilhamento de tempo e diversos terminais para a Local 705 do sindicato dos caminhoneiros. O computador estava num nível elevado, em uma sala de ambiente controlado a 80 km ao norte da sede da Local 705. Na sede, havia dezenas de funcionários digitando no terminal os dados dos relatórios de impostos sindicais. Os terminais estavam conectados ao computador através de linhas telefônicas exclusivas e modens semiduplex de 600 bps. (Isso foi há muito, muito tempo atrás).

Cerca de uma vez por dia, um dos terminais "travava". Não havia motivo para isso. O "travamento" não mostrava preferência por nenhum terminal ou horário em particular. Era como se alguém jogasse dados para escolher a hora e o terminal a bloquear. De vez em quando, mais de um terminal travava. Às vezes, passavam-se dias sem um travamento.

À primeira vista, a única solução era uma reinicialização. Mas reinicializações eram difíceis de coordenar. Tínhamos de ligar para a sede e pedir que em todos os terminais todos finalizassem o que estivessem fazendo. Então, poderíamos desligar e reiniciar. Se alguém estivesse fazendo algo importante que levasse uma ou duas horas, o terminal bloqueado simplesmente teria de permanecer assim.

Após poucas semanas de depuração, descobrimos que a causa era um contador de buffer circular que havia saído da sincronia com seu ponteiro. Esse buffer controlava a saída para o terminal. O valor do ponteiro indicava que o buffer estava vazio, mas o contador dizia que estava cheio. Como ele estava vazio, não havia nada a exibir; mas como também estava cheio, não se podia adicionar nada ao buffer para que fosse exibido na tela.

Portanto, sabíamos que os terminais estavam travando, mas não o porquê do buffer circular estar saindo de sincronia. Então, adicionamos um `hack` para contornar o problema. Era possível ler os interruptores do painel central no computador (isso foi há muito, muito, muito tempo). Criamos uma pequena função como armadilha para quando um detector desses interruptores fosse alterado e, então, buscávamos por um buffer circular que estivesse vazio e cheio. Se encontrasse um, o buffer seria configurado para vazio. Voilá! O(s) terminal(ais) travado(s) começa(ram) a funcionar novamente.

Portanto, agora não tínhamos de reiniciar o sistema quando um terminal travasse. A Local 705 simplesmente nos ligaria e diria que tínhamos um travamento, e, então, bastaria irmos até a sala do computador e mexer no interruptor.

É claro que, às vezes, eles da Local 705 trabalhavam nos finais de semana, mas nós não. Então, adicionamos uma função ao programador que verificava todos os buffers circulares uma vez a cada minuto e zerava os que estavam vazios e cheios ao mesmo tempo. Com isso as telas abriam antes mesmo da Local 705 pegar o telefone.

Levou mais algumas semanas de leitura minuciosa, página após página, do gigantesco código em linguagem assembly para descobrirmos o verdadeiro culpado. Havíamos calculado que a frequência dos bloqueios era consistente com um único caso desprotegido do buffer circular. Então, tudo o que tínhamos a fazer era encontrar aquele uso falho. Infelizmente, isso foi há muito tempo e não tínhamos as ferramentas de busca ou de referência cruzada ou qualquer outro tipo de ajuda automatizada. Simplesmente tivemos de ler os códigos.

Aprendi uma lição importante naquele gélido inverno de Chicago, em 1971. O bloqueio, tendo como vase o cliente, era realmente uma desgraça.

Bloqueio com base no servidor

Pode-se remover a duplicação através das seguintes alterações ao `IntegerIterator`:

```
public class IntegerIteratorServerLocked {
  private Integer nextValue = 0;
  public synchronized Integer getNextOrNull() {
    if (nextValue < 100000)
      return nextValue++;
    else
      return null;
  }
}
```

E o código do cliente também muda:

```
while (true) {
  Integer nextValue = iterator.getNextOrNull();
  if (next == null)
    break;
  // faz algo com nextValue
}
```

Neste caso, realmente alteramos a API de nossa classe para ser multithread[3]. O cliente precisa efetuar uma verificação de `null` em vez de checar `hasNext()`.

Em geral, deve-se dar preferência ao bloqueio baseando-se no servidor, pois:

- Ele reduz códigos repetidos – O bloqueio com base no cliente obriga cada cliente a bloquear o servidor adequadamente. Ao colocar o código de bloqueio no servidor, os clientes ficam livres para usar o objeto e não ter de criar códigos de bloqueio extras.
- Permite melhor desempenho – Você pode trocar um servidor seguro para threads por um não-seguro, no caso de uma implementação de thread única, evitando todos os trabalhos extras.

3. Na verdade, a interface Iterator é, por natureza, segura para threads. Ela nunca foi projetada para ser usada por múltiplas threads, logo isso não deveria ser uma surpresa.

- Reduz a possibilidade de erros – Basta o programador esquecer de bloquear devidamente.
- Força a uma única diretriz – Um local, o servidor, em vez de muitos lugares, cada cliente.
- Reduz o escopo das variáveis compartilhadas – O cliente não as enxerga ou não sabe como estão bloqueadas. Tudo fica escondido no servidor. Quando ocorre um erro, diminui a quantidade dos locais nos quais onde procurar.

  E se você não for o dono do código do servidor?

- Use um ADAPTER para alterar a API e adicionar o bloqueio

```
public class ThreadSafeIntegerIterator {
  private IntegerIterator iterator = new IntegerIterator();

  public synchronized Integer getNextOrNull() {
    if(iterator.hasNext())
      return iterator.next();
    return null;
  }
}
```

- Ou, melhor ainda, use coleções seguras para threads com interfaces estendidas.

Como aumentar a taxa de transferência de dados

Vamos assumir que desejamos entrar na net e ler o conteúdo de uma série de páginas de uma lista de URLs. Conforme cada página é lida, analisaremos sua sintaxe para reunir algumas estatísticas. Após ter lido todas as páginas, imprimiremos um relatório resumido.

A classe seguinte retorna o conteúdo de uma página dado um URL.

```
public class PageReader {
  //...
  public String getPageFor(String url) {
    HttpMethod method = new GetMethod(url);
    try {
      httpClient.executeMethod(method);
      String response = method.getResponseBodyAsString();
      return response;
    } catch (Exception e) {
      handle(e);
    } finally {
      method.releaseConnection();
    }
  }
}
```

A próxima classe é o iterator que fornece o conteúdo das páginas baseando-se num iterator de URLS:

```
public class PageIterator {
  private PageReader reader;
  private URLIterator urls;

  public PageIterator(PageReader reader, URLIterator urls) {
    this.urls = urls;
    this.reader = reader;
  }

  public synchronized String getNextPageOrNull() {
    if (urls.hasNext())
    getPageFor(urls.next());
    else
      return null;

  }

  public String getPageFor(String url) {
    return reader.getPageFor(url);
  }
}
```

Pode-se compartilhar uma instância de `PageIterator` entre muitas threads, cada uma usando sua própria instância de `PageReader` para ler e analisar a sintaxe das páginas que receber do iterator.

Note que mantivemos o bloco `synchronized` bem pequeno. Ele contém apenas a seção crítica dentro do `PageIterator`. É sempre melhor sincronizar o menos possível, ao invés de sincronizar o máximo..

Cálculo da taxa de transferência de dados com uma única thread

Agora, façamos alguns cálculos simples. Em relação aos parâmetros, assuma o seguinte:

- Tempo de E/S recupera uma página (média): 1 segundo
- Tempo de processamento para analisar a sintaxe da página (média): .5 segundos
- A E/S requer 0% do uso da CPU enquanto o processamento exige 100%.

Para *N* páginas sendo processadas por uma única thread, o tempo total de execução é de 1,5 segundo * *N*. A Figura A.1 demonstra o processo com 13 páginas ou por volta de 19,5 segundos.

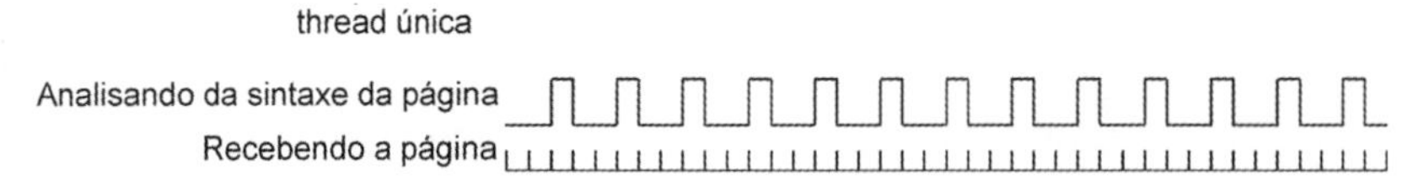

Figura A.1

Thread única

Cálculo da taxa de transferência de dados com múltiplas threads

Se for possível recuperar as páginas em qualquer ordem e processá-las independentemente, então é possível usar múltiplas threads para aumentar a taxa de transferência de dados. O que acontece se usarmos múltiplas threads? Quantas páginas poderemos obter ao mesmo tempo?

Como pode ver na Figura A.2, a solução multithread permite que o processo de análise da sintaxe das páginas (uso do processador) se sobreponha com a leitura delas (E/S). Num mundo ideal, isso significa que o processador está sendo totalmente utilizado. Cada leitura de um segundo por página se sobrepõe com duas análises de sintaxe. Logo, podemos processar duas páginas por segundo, o que é três vezes maior que a taxa de transferência de dados da solução com uma única thread.

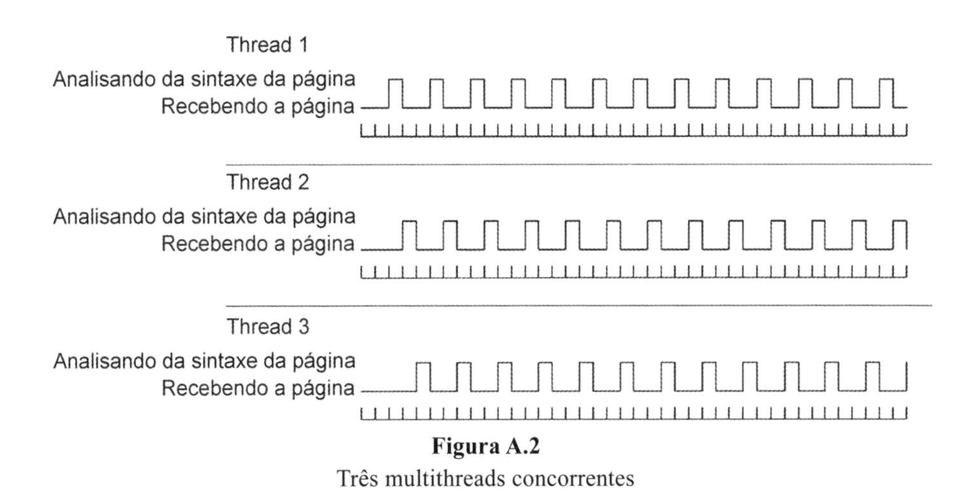

Figura A.2

Três multithreads concorrentes

Deadlock

Imagine um aplicativo Web com dois conjuntos de recursos compartilhados de um tamanho finito.

- Um conjunto de conexões a banco de dados para trabalho local no armazenamento do processo
- Um conjunto de conexões MQ para um repositório principal

  Assuma que haja duas operações neste aplicativo, criar e atualizar:

- Criar – Obtém conexão a um repositório principal ou um banco de dados. Comunica-se com o repositório principal de serviços e, então, armazena a tarefa no trabalho local no banco de dados do processo.

- Atualizar – Obtém conexão a um banco de dados e, então a um repositório principal. Lê a partir da tarefa no banco de dados do processo e, então, envia ao repositório principal.

O que acontece quando o número de usuários é maior que o do conjunto de recursos? Considere que cada conjunto tenha um tamanho 10.

- Dez usuários tentam usar o "criar", então todas as dez conexões ao banco de dados ficam ocupadas, e cada thread é interrompida após obter tal conexão, porém antes de conseguir uma com o repositório principal.
- Dez usuários tentam usar o "atualizar", então todas as dez conexões ao repositório principal ficam ocupadas e cada thread é interrompida após obter tal conexão, porém antes de conseguir uma com o banco de dados.
- Agora, as dez threads "criar" devem esperar para conseguir uma conexão com o repositório principal, mas as dez threads "atualizar" devem esperar para conseguir uma conexão com o banco de dados.
- Deadlock. O sistema fica preso.

Isso pode soar como uma situação improvável, mas quem deseja um sistema que congele infinitamente a cada semana? Quem deseja depurar um sistema com sintomas tão difíceis de produzir? Esse é o tipo de problema que ocorre no local, logo leva semanas para resolvê-lo.

Uma "solução" típica é inserir instruções de depuração para descobrir o que está acontecendo. É claro que elas alteram bastante o código, de modo que depois o deadlock ocorrerá numa situação diferente e levará meses para acontecer de novo[4].

Para resolver de vez o problema de deadlock, precisamos entender sua causa. Há quatro condições para que ele ocorra:

- Exclusão mútua
- Bloqueio e espera
- Sem preempção
- Espera circular

Exclusão mútua

Uma exclusão mútua ocorre quando múltiplas threads precisam usar os mesmos recursos e eles:

- Não possam ser usados por múltiplas threads ao mesmo tempo.
- Possuem quantidade limitada.

Um exemplo de tal recurso é uma conexão a um banco de dados, um arquivo aberto para escrita, um bloqueio para registro ou um semáforo.

4. Por exemplo, alguém adiciona uma saída de depuração e o problema "desaparece", o código de depuração "corrige" o problema e por isso permanece no sistema.

Bloqueio e espera

Uma vez que uma thread pega um recurso, ela não o liberará até que tenha obtido todos os outros recursos necessários e tenha completado seu trabalho.

Sem preempção

Uma thread não pode tomar os recursos de outra. Uma vez que uma thread pega um recurso, a única forma de outra pegá-lo também é que a outra o libere.

Espera circular

Também chamado de "abraço mortal". Imagine duas threads, T1 e T2, e dois recursos, R1 e R2. T1 possui R1, T2 possui R2. T1 também precisa de R2, e T2 de R1. Esse esquema se parece com a Figura A.3:

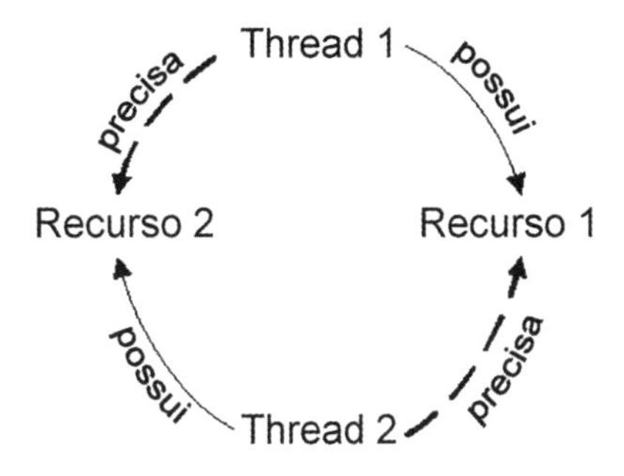

Figura A.3

Todas essas quatro condições devem existir para que ocorra um deadlock. Se apenas uma não estiver presente, o deadlock não será possível.

Como evitar a exclusão mútua

Uma estratégia para evitar um deadlock é impedir exclusão mútua. Você talvez seja capaz de fazer isso se:

- Usar recursos que permitam uso simultâneo, por exemplo, o `AtomicInteger`.
- Aumentar a quantidade de recursos de modo que ele se iguale ou exceda o número de threads que competem por eles.
- Verificar se todos os seus recursos estão livres antes de usar um.

Infelizmente, a maioria dos recursos possui número limitado e não permite uso simultâneo. E não é comum que segundo recurso dependa dos resultados obtidos ao usar o primeiro. Mas não desanime; ainda há três condições.

Como evitar o bloqueio e espera

Você também pode eliminar o deadlock se recusar-se a esperar. Verifique cada recurso antes de usá-lo, e libere todos os recursos e inicie novamente se tentar usar um que esteja ocupado.

Essa abordagem adiciona diversos possíveis problemas:

- Starvation (Espera indefinida) – Uma thread fica impossibilitada de obter os recursos dos quais ela precisa (talvez seja uma combinação exclusiva de recursos os quais raramente ficam disponíveis).
- Livelock – Diversas threads podem ficar num entrave e todas obterem um recurso e, então, liberar um recurso, e assim indefinidamente. Isso ocorre especial e provavelmente com simples algoritmos de agendamento da CPU (pense em dispositivos embutidos ou threads simples criadas manualmente equilibrando os algoritmos).

Ambos os problemas acima podem causar taxas de transferência de dados ruins. O primeiro resulta num uso baixo da CPU, enquanto o segundo causa um uso desnecessário e alto da CPU.

Por mais ineficiente que essa estratégia pareça, ela é melhor do que nada. Isso porque há a vantagem de poder quase sempre implementá-la caso todas as outras falhem.

Como evitar a falta de preempção

Outra estratégia para evitar um deadlock é permitir que as threads peguem os recursos de outras. Geralmente isso é feito através de um simples mecanismo de pedido. Quando uma thread descobre que um recurso está sendo usado, ela pede ao seu usuário que o libere. Se este também estiver esperando por algum outro recurso, ele libera todos e começa de novo.

Essa técnica se parece com a anterior, mas com a vantagem de que se permite a uma thread esperar por um recurso. Isso reduz a quantidade de reinício de tarefas. Entretanto, tenha em mente que gerenciar todos aqueles pedidos pode ser traiçoeiro.

Como evitar a espera circular

Essa é o método mais comum para evitar um deadlock. Para a maioria dos sistemas é preciso nada mais do que uma simples convenção combinada por todos os colaboradores.

No exemplo da página anterior, com a Thread 1 requisitando tanto o Recurso 1 como o Recurso 2, e a Thread 2 requisitando tanto o Recurso 2 como o recurso 1, simplesmente força as Threads 1 e 2 a alocarem recursos na mesma ordem impossibilita a espera circular.

De modo mais geral, se todas as threads puderem usar uma ordenação de recursos global e se todas os alocarem naquela ordem, então o deadlock se torna impossível. Como todas as outras estratégias, essa pode gerar problemas:

- A ordem de aquisição pode não corresponder com a de uso; embora um recurso obtido no início possa não ser utilizado até o final. Isso pode bloquear os recursos por mais tempo do que o necessário.

- De vez em quando, você não tem como ordenar a aquisição de recursos. Se a ID do segundo recurso vier de uma operação efetuada no primeiro, então a ordenação não é viável.

Sendo assim, há tantas formas de evitar um deadlock. Algumas levam à espera infinita (starvation), enquanto outras aumentam em muito o uso da CPU e reduz a rapidez de resposta. TANSTAAFL![5]

Isolar a parte relacionada à thread de sua solução para permitir a sincronização e as experiências é uma maneira poderosa de obter o conhecimento necessário para escolher as melhores estratégias.

Teste de código multithread

Como criar um teste que mostre que o código seguinte está errado?

```
01: public class ClassWithThreadingProblem {
02:         int nextId;
03:
04:         public int takeNextId() {
05:                 return nextId++;
06:         }
07:}
```

A seguir está uma descrição de um teste que provará que o código está errado:

- Lembre-se do valor atual de `nextId`.
- Crie duas threads, cada uma chamando `takeNextId()` uma vez.
- Verifique se `nextId` é maior duas vezes mais do que quando começamos.
- Execute até expor que `nextId` só é incrementado em uma unidade em vez de duas.

A Listagem A-2 mostra esse teste:

Listagem A-2
`ClassWithThreadingProblemTest.java`

```
01: package example;
02:
03: import static org.junit.Assert.fail;
04:
05: import org.junit.Test;
06:
07: public class ClassWithThreadingProblemTest {
08:     @Test
09:     public void twoThreadsShouldFailEventually() throws Exception {
10:         final ClassWithThreadingProblem classWithThreadingProblem
                = new ClassWithThreadingProblem();
11:
```

5. There ain't no such thing as a free lunch. (Não existe essa história de almoço grátis.)

Listagem A-2 (continuação)
ClassWithThreadingProblemTest.java

```
12:         Runnable runnable = new Runnable() {
13:             public void run() {
14:                 classWithThreadingProblem.takeNextId();
15:             }
16:         };
17:
18:         for (int i = 0; i < 50000; ++i) {
19:             int startingId = classWithThreadingProblem.lastId;
20:             int expectedResult = 2 + startingId;
21:
22:             Thread t1 = new Thread(runnable);
23:             Thread t2 = new Thread(runnable);
24:             t1.start();
25:             t2.start();
26:             t1.join();
27:             t2.join();
28:
29:             int endingId = classWithThreadingProblem.lastId;
30:
31:             if (endingId != expectedResult)
32:                 return;
33:         }
34:
35:         fail("Should have exposed a threading issue but it did not.");
36:     }
37: }
```

Linha	Descrição
10	Cria uma única instância de `ClassWithThreadingProblem`. Note que devemos usar a palavra reservada final, pois a usamos abaixo em uma classe anônima interna.
12-16	Crie uma classe anônima interna que use uma única instância de `ClassWithThreadingProblem`
18	Execute esse código quantas vezes for necessário para mostrar que o código falhou, mas não demasiadamente para que o teste "demore muito". Este é um ato balanceado; não queremos esperar muito para expor uma falha. Pegar este número é difícil – embora mais adiante veremos que podemos reduzi-lo consideravelmente.
19	Lembre-se do valor inicial. Esse teste tenta provar que o código em na `ClassWithThreadingProblem` está errado. Se este teste passar, então ficou provado que o código é falho. Se não passar, o teste não foi capaz de provar que o código está errado.
20	Esperamos que o valor final seja duas vezes mais do que o valor atual.
22-23	Crie duas threads, ambas usando o objeto que criamos nas linhas 12-16. Isso nos dá as duas threads possíveis tentando usar nossa única instância de `ClassWithThreadingProblem` e que estão interferindo uma na outra.

Linha	Descrição
`24-25`	Torne executável nossas duas threads.
`26-27`	Espere ambas as threads finalizarem antes de verificar os resultados.
`29`	Registre o valor final atual.
`31-32`	Nosso `endingId` difere do que esperávamos? Caso seja positivo, retorne e termine o teste – provamos que o código está errado. Caso contrário, tente novamente.
`35`	Se chegarmos aqui, nosso teste foi incapaz de provar em tempo "razoável" que o código de produção estava errado; nosso código falhou. Ou o código não está quebrado ou não pudemos efetuar iterações suficientes para fazer a condição de erro acontecer.

Este teste certamente configura as condições para um problema de atualização concorrente. Entretanto, ele ocorre tão raramente que na grande maioria das vezes este teste não o detectará.

Na verdade, para realmente detectar o problema, precisamos configurar a quantidade de iterações para mais de um milhão. Mesmo assim, em dez execuções com um contador de loop em 1.000.000, o problema só aconteceu uma vez. Isso significa que provavelmente devemos colocar o contador da iteração bem acima de 100 milhões, de modo a obter falhas confiáveis. Quanto tempo estamos dispostos a esperar?

Mesmo se direcionássemos o teste para obter falhas confiáveis em uma máquina, provavelmente teríamos de redirecioná-lo com valores diferentes para expor as falhas em outra máquina, sistema operacional ou versão da JVM.

E esse é um problema *simples*. Se não pudermos mostrar facilmente com este problema que um código está errado, então como poderemos detectar problemas realmente mais complexos?

Portanto, que abordagens podemos tomar para expor essa simples falha? E, o mais importante, como criar testes que demonstrem as falhas num código mais complexo? Como seremos capazes de descobrir se nosso código possui falhas se não sabemos onde procurar?

Aqui estão algumas ideias:

- **Teste de Monte Carlo**. Torne flexíveis os testes, de modo que possam ser otimizados. Então, execute-os repetidas vezes – digamos, num servidor – aleatoriamente alterando os valores de otimização. Se os testes falharem, o código está errado. Certifique-se de começar a criação desses testes o quanto antes. Assim, um servidor de integração constante os inicia logo. A propósito, certifique-se de cuidadosamente registrar as condições sob as quais o teste falhou.
- Execute o teste em cada uma das plataformas de implementação finais. Repetidamente. Constantemente. Quanto mais os testes executarem sem falha, mais provavelmente:

  – O código de produção está correto ou

  – Os testes não estão adequados para expor os problemas.
- Rode os testes numa máquina com processos variados. Se você puder simular os processos em uma simulação do ambiente de produção, faça.

Ainda assim, mesmo que você faça tudo isso, as chances de encontrar problemas com threads em seu código não são muito boas. Os problemas mais traiçoeiros são aqueles que possuem uma amostragem tão pequena que só ocorrem uma vez em um bilhão de chances. Tais problemas são o terror de sistemas complexos.

Ferramentas de suporte para testar códigos com threads

A IBM criou uma ferramenta chamada ConTest[6]. Ela altera classes de modo a tornar menos provável que código não seguro para threads falhe.

Não temos nenhum relacionamento direto com a IBM ou a equipe que desenvolveu o ConTest. Foi um colega nosso que o indicou para nós. Notamos uma grande melhoria em nossa capacidade para encontrar questões relacionadas a threads minutos após usar a ferramenta.

A seguir está o resumo de como usar o ConTest:

- Crie testes e código de produção, certifique-se de que há testes desenvolvidos especificamente para simular usuários múltiplos sob cargas variadas, como mencionado anteriormente.
- Altere o teste e o código de produção com o ConTest.
- Execute os testes.

Quando alteramos o código com o ConTest, nossa taxa de êxito caiu bruscamente de uma falha em dez milhões de iterações para uma falha em trinta iterações. Os valores do loop para diversas execuções do teste após a alteração são: 13, 23, 0, 54, 16, 14, 6, 69, 107, 49, 2. Portanto, claramente as classes alteradas falhavam muito antes e com confiabilidade muito maior.

Conclusão

Este capítulo foi uma parada muito breve pelo território amplo e traiçoeiro da programação concorrente. Abordamos muito pouco aqui. Focamo-nos nas técnicas para ajudar a manter o código concorrente limpo, mas há muito mais a se aprender se quiser criar sistemas concorrentes. Recomendamos que comece pelo maravilhoso livro de Doug Lea chamado *Concurrent Programming in Java: Design Principles and Patterns*[7].

Neste capítulo falamos sobre atualização concorrente e as técnicas de sincronização limpa e bloqueios para evitá-la. Discutimos sobre como as threads podem aumentar a taxa de transferência de dados de um sistema baseado em E/S e mostramos técnicas limpas para alcançar tais melhorias. Falamos também sobre deadlock ecomo evitá-lo de uma forma limpa. Por fim, discutimos sobre estratégias para expor os problemas concorrentes através da alteração de seu código.

---

6. http://www.haifa.ibm.com/projects/verification/contest/index.html

7. Consulte [Lea99] p. 191.

Tutorial: Exemplos com códigos completos

Cliente/servidor sem threads

Listagem A-3
Server.java

```
package com.objectmentor.clientserver.nonthreaded;

import java.io.IOException;
import java.net.ServerSocket;
import java.net.Socket;
import java.net.SocketException;

import common.MessageUtils;

public class Server implements Runnable {
    ServerSocket serverSocket;
    volatile boolean keepProcessing = true;

    public Server(int port, int millisecondsTimeout) throws IOException {
        serverSocket = new ServerSocket(port);
        serverSocket.setSoTimeout(millisecondsTimeout);
    }

    public void run() {
        System.out.printf("Server Starting\n");

        while (keepProcessing) {
            try {
                System.out.printf("accepting client\n");
                Socket socket = serverSocket.accept();
                System.out.printf("got client\n");
                process(socket);
            } catch (Exception e) {
                handle(e);
            }
        }
    }

    private void handle(Exception e) {
        if (!(e instanceof SocketException)) {
            e.printStackTrace();
        }
    }

    public void stopProcessing() {
        keepProcessing = false;
        closeIgnoringException(serverSocket);
    }
```

Listagem A-3 (continuação)
Server.java

```
    void process(Socket socket) {
        if (socket == null)
            return;

        try {
            System.out.printf("Server: getting message\n");
            String message = MessageUtils.getMessage(socket);
            System.out.printf("Server: got message: %s\n", message);
            Thread.sleep(1000);
            System.out.printf("Server: sending reply: %s\n", message);
            MessageUtils.sendMessage(socket, "Processed: " + message);
            System.out.printf("Server: sent\n");
            closeIgnoringException(socket);
        } catch (Exception e) {
            e.printStackTrace();
        }

    }

    private void closeIgnoringException(Socket socket) {
        if (socket != null)
            try {
                socket.close();
            } catch (IOException ignore) {
            }
    }

    private void closeIgnoringException(ServerSocket serverSocket) {
        if (serverSocket != null)
            try {
                serverSocket.close();
            } catch (IOException ignore) {
            }
    }
}
```

Listagem A-4
ClientTest.java

```
package com.objectmentor.clientserver.nonthreaded;

import java.io.IOException;
import java.net.ServerSocket;
import java.net.Socket;
import java.net.SocketException;

import common.MessageUtils;

public class Server implements Runnable {
    ServerSocket serverSocket;
    volatile boolean keepProcessing = true;
```

Listagem A-4 (continuação)
ClientTest.java

```
    public Server(int port, int millisecondsTimeout) throws IOException {
        serverSocket = new ServerSocket(port);
        serverSocket.setSoTimeout(millisecondsTimeout);
    }

    public void run() {
        System.out.printf("Server Starting\n");

        while (keepProcessing) {
            try {
                System.out.printf("accepting client\n");
                Socket socket = serverSocket.accept();
                System.out.printf("got client\n");
                process(socket);
            } catch (Exception e) {
                handle(e);
            }
        }
    }

    private void handle(Exception e) {
        if (!(e instanceof SocketException)) {
            e.printStackTrace();
        }
    }

    public void stopProcessing() {
        keepProcessing = false;
        closeIgnoringException(serverSocket);
    }

    void process(Socket socket) {
        if (socket == null)
            return;

        try {
            System.out.printf("Server: getting message\n");
            String message = MessageUtils.getMessage(socket);
            System.out.printf("Server: got message: %s\n", message);
            Thread.sleep(1000);
            System.out.printf("Server: sending reply: %s\n", message);
            MessageUtils.sendMessage(socket, "Processed: " + message);
            System.out.printf("Server: sent\n");
            closeIgnoringException(socket);
        } catch (Exception e) {
            e.printStackTrace();
        }

    }

    private void closeIgnoringException(Socket socket) {
        if (socket != null)
            try {
                socket.close();
```

Listagem A-4 (continuação)
ClientTest.java

```
            } catch (IOException ignore) {
            }
    }

    private void closeIgnoringException(ServerSocket serverSocket) {
        if (serverSocket != null)
            try {
                serverSocket.close();
            } catch (IOException ignore) {
            }
    }
}
```

Listagem A-5
MessageUtils.java

```
package common;

import java.io.IOException;
import java.io.InputStream;
import java.io.ObjectInputStream;
import java.io.ObjectOutputStream;
import java.io.OutputStream;
import java.net.Socket;

public class MessageUtils {
    public static void sendMessage(Socket socket, String message)
            throws IOException {
        OutputStream stream = socket.getOutputStream();
        ObjectOutputStream oos = new ObjectOutputStream(stream);
        oos.writeUTF(message);
        oos.flush();
    }

    public static String getMessage(Socket socket) throws IOException {
        InputStream stream = socket.getInputStream();
        ObjectInputStream ois = new ObjectInputStream(stream);
        return ois.readUTF();
    }
}
```

Cliente/servidor usando threads

Alterar o servidor para usar threads requer simplesmente uma mudança no processamento da mensagem (novas linhas foram realçadas para dar ênfase):

```
void process(final Socket socket) {
  if (socket == null)
    return;
  Runnable clientHandler = new Runnable() {
    public void run() {
```

```
            try {
              System.out.printf("Servidor: recebendo mensagem\n");
              String message = MessageUtils.getMessage(socket);
              System.out.printf("Servidor: mensagem recebida: %s\n", message);
              Thread.sleep(1000);
              System.out.printf("Servidor: enviando resposta: %s\n", message);
              MessageUtils.sendMessage(socket, "Processado: " + message);
              System.out.printf("Servidor: enviado\n");
              closeIgnoringException(socket);
            } catch (Exception e) {
              e.printStackTrace();
            }
          }
        };
        Thread clientConnection = new Thread(clientHandler);
        clientConnection.start();
      }
```

Apêndice B

org.jfree.date.SerialDate

Listagem B-1
SerialDate.Java

```
 1 /* ========================================================================
 2  * JCommon : a free general purpose class library for the Java(tm) platform
 3  * ========================================================================
 4  *
 5  * (C) Copyright 2000-2005, by Object Refinery Limited and Contributors.
 6  *
 7  * Project Info:  http://www.jfree.org/jcommon/index.html
 8  *
 9  * This library is free software; you can redistribute it and/or modify it
10  * under the terms of the GNU Lesser General Public License as published by
11  * the Free Software Foundation; either version 2.1 of the License, or
12  * (at your option) any later version.
13  *
14  * This library is distributed in the hope that it will be useful, but
15  * WITHOUT ANY WARRANTY; without even the implied warranty of MERCHANTABILITY
16  * or FITNESS FOR A PARTICULAR PURPOSE. See the GNU Lesser General Public
17  * License for more details.
18  *
19  * You should have received a copy of the GNU Lesser General Public
20  * License along with this library; if not, write to the Free Software
21  * Foundation, Inc., 51 Franklin Street, Fifth Floor, Boston, MA  02110-1301,
22  * USA.
23  *
24  * [Java is a trademark or registered trademark of Sun Microsystems, Inc.
25  * in the United States and other countries.]
26  *
27  * ---------------
28  * SerialDate.java
29  * ---------------
30  * (C) Copyright 2001-2005, by Object Refinery Limited.
31  *
32  * Original Author:  David Gilbert (for Object Refinery Limited);
33  * Contributor(s):   -;
34  *
35  * $Id: SerialDate.java,v 1.7 2005/11/03 09:25:17 mungady Exp $
36  *
37  * Changes (from 11-Oct-2001)
```

Listagem B-1 (continuação)
SerialDate.Java

```
 38  * --------------------------
 39  * 11-Oct-2001 : Re-organised the class and moved it to new package
 40  *               com.jrefinery.date (DG);
 41  * 05-Nov-2001 : Added a getDescription() method, and eliminated NotableDate
 42  *               class (DG);
 43  * 12-Nov-2001 : IBD requires setDescription() method, now that NotableDate
 44  *               class is gone (DG);  Changed getPreviousDayOfWeek(),
 45  *               getFollowingDayOfWeek() and getNearestDayOfWeek() to correct
 46  *               bugs (DG);
 47  * 05-Dec-2001 : Fixed bug in SpreadsheetDate class (DG);
 48  * 29-May-2002 : Moved the month constants into a separate interface
 49  *               (MonthConstants) (DG);
 50  * 27-Aug-2002 : Fixed bug in addMonths() method, thanks to N???levka Petr (DG);
 51  * 03-Oct-2002 : Fixed errors reported by Checkstyle (DG);
 52  * 13-Mar-2003 : Implemented Serializable (DG);
 53  * 29-May-2003 : Fixed bug in addMonths method (DG);
 54  * 04-Sep-2003 : Implemented Comparable.  Updated the isInRange javadocs (DG);
 55  * 05-Jan-2005 : Fixed bug in addYears() method (1096282) (DG);
 56  *
 57  */
 58
 59 package org.jfree.date;
 60
 61 import java.io.Serializable;
 62 import java.text.DateFormatSymbols;
 63 import java.text.SimpleDateFormat;
 64 import java.util.Calendar;
 65 import java.util.GregorianCalendar;
 66
 67 /**
 68  *  An abstract class that defines our requirements for manipulating dates,
 69  *  without tying down a particular implementation.
 70  *  <P>
 71  *  Requirement 1 : match at least what Excel does for dates;
 72  *  Requirement 2 : class is immutable;
 73  *  <P>
 74  *  Why not just use java.util.Date?  We will, when it makes sense.  At times,
 75  *  java.util.Date can be *too* precise - it represents an instant in time,
 76  *  accurate to 1/1000th of a second (with the date itself depending on the
 77  *  time-zone).  Sometimes we just want to represent a particular day (e.g. 21
 78  *  January 2015) without concerning ourselves about the time of day, or the
 79  *  time-zone, or anything else.  That's what we've defined SerialDate for.
 80  *  <P>
 81  *  You can call getInstance() to get a concrete subclass of SerialDate,
 82  *  without worrying about the exact implementation.
 83  *
 84  * @author David Gilbert
 85  */
 86 public abstract class SerialDate implements Comparable,
 87                                             Serializable,
 88                                             MonthConstants {
 89
 90     /** For serialization. */
 91     private static final long serialVersionUID = -293716040467423637L;
 92
 93     /** Date format symbols. */
 94     public static final DateFormatSymbols
 95         DATE_FORMAT_SYMBOLS = new SimpleDateFormat().getDateFormatSymbols();
 96
 97     /** The serial number for 1 January 1900. */
 98     public static final int SERIAL_LOWER_BOUND = 2;
 99
100     /** The serial number for 31 December 9999. */
101     public static final int SERIAL_UPPER_BOUND = 2958465;
102
```

Listagem B-1 (continuação)
SerialDate.Java

```
103      /** The lowest year value supported by this date format. */
104      public static final int MINIMUM_YEAR_SUPPORTED = 1900;
105
106      /** The highest year value supported by this date format. */
107      public static final int MAXIMUM_YEAR_SUPPORTED = 9999;
108
109      /** Useful constant for Monday. Equivalent to java.util.Calendar.MONDAY. */
110      public static final int MONDAY = Calendar.MONDAY;
111
112      /**
113       * Useful constant for Tuesday. Equivalent to java.util.Calendar.TUESDAY.
114       */
115      public static final int TUESDAY = Calendar.TUESDAY;
116
117      /**
118       * Useful constant for Wednesday. Equivalent to
119       * java.util.Calendar.WEDNESDAY.
120       */
121      public static final int WEDNESDAY = Calendar.WEDNESDAY;
122
123      /**
124       * Useful constant for Thrusday. Equivalent to java.util.Calendar.THURSDAY.
125       */
126      public static final int THURSDAY = Calendar.THURSDAY;
127
128      /** Useful constant for Friday. Equivalent to java.util.Calendar.FRIDAY. */
129      public static final int FRIDAY = Calendar.FRIDAY;
130
131      /**
132       * Useful constant for Saturday. Equivalent to java.util.Calendar.SATURDAY.
133       */
134      public static final int SATURDAY = Calendar.SATURDAY;
135
136      /** Useful constant for Sunday. Equivalent to java.util.Calendar.SUNDAY. */
137      public static final int SUNDAY = Calendar.SUNDAY;
138
139      /** The number of days in each month in non leap years. */
140      static final int[] LAST_DAY_OF_MONTH =
141          {0, 31, 28, 31, 30, 31, 30, 31, 31, 30, 31, 30, 31};
142
143      /** The number of days in a (non-leap) year up to the end of each month. */
144      static final int[] AGGREGATE_DAYS_TO_END_OF_MONTH =
145          {0, 31, 59, 90, 120, 151, 181, 212, 243, 273, 304, 334, 365};
146
147      /** The number of days in a year up to the end of the preceding month. */
148      static final int[] AGGREGATE_DAYS_TO_END_OF_PRECEDING_MONTH =
149          {0, 0, 31, 59, 90, 120, 151, 181, 212, 243, 273, 304, 334, 365};
150
151      /** The number of days in a leap year up to the end of each month. */
152      static final int[] LEAP_YEAR_AGGREGATE_DAYS_TO_END_OF_MONTH =
153          {0, 31, 60, 91, 121, 152, 182, 213, 244, 274, 305, 335, 366};
154
155      /**
156       * The number of days in a leap year up to the end of the preceding month.
157       */
158      static final int[]
159          LEAP_YEAR_AGGREGATE_DAYS_TO_END_OF_PRECEDING_MONTH =
160              {0, 0, 31, 60, 91, 121, 152, 182, 213, 244, 274, 305, 335, 366};
161
162      /** A useful constant for referring to the first week in a month. */
163      public static final int FIRST_WEEK_IN_MONTH = 1;
164
```

Listagem B-1 (continuação)
SerialDate.Java

```
165     /** A useful constant for referring to the second week in a month. */
166     public static final int SECOND_WEEK_IN_MONTH = 2;
167
168     /** A useful constant for referring to the third week in a month. */
169     public static final int THIRD_WEEK_IN_MONTH = 3;
170
171     /** A useful constant for referring to the fourth week in a month. */
172     public static final int FOURTH_WEEK_IN_MONTH = 4;
173
174     /** A useful constant for referring to the last week in a month. */
175     public static final int LAST_WEEK_IN_MONTH = 0;
176
177     /** Useful range constant. */
178     public static final int INCLUDE_NONE = 0;
179
180     /** Useful range constant. */
181     public static final int INCLUDE_FIRST = 1;
182
183     /** Useful range constant. */
184     public static final int INCLUDE_SECOND = 2;
185
186     /** Useful range constant. */
187     public static final int INCLUDE_BOTH = 3;
188
189     /**
190      * Useful constant for specifying a day of the week relative to a fixed
191      * date.
192      */
193     public static final int PRECEDING = -1;
194
195     /**
196      * Useful constant for specifying a day of the week relative to a fixed
197      * date.
198      */
199     public static final int NEAREST = 0;
200
201     /**
202      * Useful constant for specifying a day of the week relative to a fixed
203      * date.
204      */
205     public static final int FOLLOWING = 1;
206
207     /** A description for the date. */
208     private String description;
209
210     /**
211      * Default constructor.
212      */
213     protected SerialDate() {
214     }
215
216     /**
217      * Returns <code>true</code> if the supplied integer code represents a
218      * valid day-of-the-week, and <code>false</code> otherwise.
219      *
220      * @param code  the code being checked for validity.
221      *
222      * @return <code>true</code> if the supplied integer code represents a
223      *         valid day-of-the-week, and <code>false</code> otherwise.
224      */
225     public static boolean isValidWeekdayCode(final int code) {
226
```

Listagem B-1 (continuação)
SerialDate.Java

```
227         switch(code) {
228             case SUNDAY:
229             case MONDAY:
230             case TUESDAY:
231             case WEDNESDAY:
232             case THURSDAY:
233             case FRIDAY:
234             case SATURDAY:
235                 return true;
236             default:
237                 return false;
238         }
239 
240     }
241 
242     /**
243      * Converts the supplied string to a day of the week.
244      *
245      * @param s  a string representing the day of the week.
246      *
247      * @return <code>-1</code> if the string is not convertable, the day of
248      *         the week otherwise.
249      */
250     public static int stringToWeekdayCode(String s) {
251 
252         final String[] shortWeekdayNames
253             = DATE_FORMAT_SYMBOLS.getShortWeekdays();
254         final String[] weekDayNames = DATE_FORMAT_SYMBOLS.getWeekdays();
255 
256         int result = -1;
257         s = s.trim();
258         for (int i = 0; i < weekDayNames.length; i++) {
259             if (s.equals(shortWeekdayNames[i])) {
260                 result = i;
261                 break;
262             }
263             if (s.equals(weekDayNames[i])) {
264                 result = i;
265                 break;
266             }
267         }
268         return result;
269 
270     }
271 
272     /**
273      * Returns a string representing the supplied day-of-the-week.
274      * <P>
275      * Need to find a better approach.
276      *
277      * @param weekday  the day of the week.
278      *
279      * @return a string representing the supplied day-of-the-week.
280      */
281     public static String weekdayCodeToString(final int weekday) {
282 
283         final String[] weekdays = DATE_FORMAT_SYMBOLS.getWeekdays();
284         return weekdays[weekday];
285 
286     }
287 
288     /**
```

Listagem B-1 (continuação)
SerialDate.Java

```
289      * Returns an array of month names.
290      *
291      * @return an array of month names.
292      */
293     public static String[] getMonths() {
294
295         return getMonths(false);
296
297     }
298
299     /**
300      * Returns an array of month names.
301      *
302      * @param shortened  a flag indicating that shortened month names should
303      *                   be returned.
304      *
305      * @return an array of month names.
306      */
307     public static String[] getMonths(final boolean shortened) {
308
309         if (shortened) {
310             return DATE_FORMAT_SYMBOLS.getShortMonths();
311         }
312         else {
313             return DATE_FORMAT_SYMBOLS.getMonths();
314         }
315
316     }
317
318     /**
319      * Returns true if the supplied integer code represents a valid month.
320      *
321      * @param code  the code being checked for validity.
322      *
323      * @return <code>true</code> if the supplied integer code represents a
324      *         valid month.
325      */
326     public static boolean isValidMonthCode(final int code) {
327
328         switch(code) {
329             case JANUARY:
330             case FEBRUARY:
331             case MARCH:
332             case APRIL:
333             case MAY:
334             case JUNE:
335             case JULY:
336             case AUGUST:
337             case SEPTEMBER:
338             case OCTOBER:
339             case NOVEMBER:
340             case DECEMBER:
341                 return true;
342             default:
343                 return false;
344         }
345
346     }
347
348     /**
349      * Returns the quarter for the specified month.
350      *
```

Listagem B-1 (continuação)
SerialDate.Java

```
351      * @param code  the month code (1-12).
352      *
353      * @return the quarter that the month belongs to.
354      * @throws java.lang.IllegalArgumentException
355      */
356     public static int monthCodeToQuarter(final int code) {
357
358         switch(code) {
359             case JANUARY:
360             case FEBRUARY:
361             case MARCH: return 1;
362             case APRIL:
363             case MAY:
364             case JUNE: return 2;
365             case JULY:
366             case AUGUST:
367             case SEPTEMBER: return 3;
368             case OCTOBER:
369             case NOVEMBER:
370             case DECEMBER: return 4;
371             default: throw new IllegalArgumentException(
372                 "SerialDate.monthCodeToQuarter: invalid month code.");
373         }
374
375     }
376
377     /**
378      * Returns a string representing the supplied month.
379      * <P>
380      * The string returned is the long form of the month name taken from the
381      * default locale.
382      *
383      * @param month  the month.
384      *
385      * @return a string representing the supplied month.
386      */
387     public static String monthCodeToString(final int month) {
388
389         return monthCodeToString(month, false);
390
391     }
392
393     /**
394      * Returns a string representing the supplied month.
395      * <P>
396      * The string returned is the long or short form of the month name taken
397      * from the default locale.
398      *
399      * @param month  the month.
400      * @param shortened  if <code>true</code> return the abbreviation of the
401      *                   month.
402      *
403      * @return a string representing the supplied month.
404      * @throws java.lang.IllegalArgumentException
405      */
406     public static String monthCodeToString(final int month,
407                                            final boolean shortened) {
408
409         // check arguments...
410         if (!isValidMonthCode(month)) {
411             throw new IllegalArgumentException(
412                 "SerialDate.monthCodeToString: month outside valid range.");
```

Listing B-1 (continuação)
SerialDate.Java

```
413         }
414
415         final String[] months;
416
417         if (shortened) {
418             months = DATE_FORMAT_SYMBOLS.getShortMonths();
419         }
420         else {
421             months = DATE_FORMAT_SYMBOLS.getMonths();
422         }
423
424         return months[month - 1];
425
426     }
427
428     /**
429      * Converts a string to a month code.
430      * <P>
431      * This method will return one of the constants JANUARY, FEBRUARY, ...,
432      * DECEMBER that corresponds to the string.  If the string is not
433      * recognised, this method returns -1.
434      *
435      * @param s  the string to parse.
436      *
437      * @return <code>-1</code> if the string is not parseable, the month of the
438      *         year otherwise.
439      */
440     public static int stringToMonthCode(String s) {
441
442         final String[] shortMonthNames = DATE_FORMAT_SYMBOLS.getShortMonths();
443         final String[] monthNames = DATE_FORMAT_SYMBOLS.getMonths();
444
445         int result = -1;
446         s = s.trim();
447
448         // first try parsing the string as an integer (1-12)...
449         try {
450             result = Integer.parseInt(s);
451         }
452         catch (NumberFormatException e) {
453             // suppress
454         }
455
456         // now search through the month names...
457         if ((result < 1) || (result > 12)) {
458             for (int i = 0; i < monthNames.length; i++) {
459                 if (s.equals(shortMonthNames[i])) {
460                     result = i + 1;
461                     break;
462                 }
463                 if (s.equals(monthNames[i])) {
464                     result = i + 1;
465                     break;
466                 }
467             }
468         }
469
470         return result;
471
472     }
473
474     /**
```

Listing B-1 (continuação)
SerialDate.Java

```
475      * Returns true if the supplied integer code represents a valid
476      * week-in-the-month, and false otherwise.
477      *
478      * @param code  the code being checked for validity.
479      * @return <code>true</code> if the supplied integer code represents a
480      *         valid week-in-the-month.
481      */
482     public static boolean isValidWeekInMonthCode(final int code) {
483 
484         switch(code) {
485             case FIRST_WEEK_IN_MONTH:
486             case SECOND_WEEK_IN_MONTH:
487             case THIRD_WEEK_IN_MONTH:
488             case FOURTH_WEEK_IN_MONTH:
489             case LAST_WEEK_IN_MONTH: return true;
490             default: return false;
491         }
492 
493     }
494 
495     /**
496      * Determines whether or not the specified year is a leap year.
497      *
498      * @param yyyy  the year (in the range 1900 to 9999).
499      *
500      * @return <code>true</code> if the specified year is a leap year.
501      */
502     public static boolean isLeapYear(final int yyyy) {
503 
504         if ((yyyy % 4) != 0) {
505             return false;
506         }
507         else if ((yyyy % 400) == 0) {
508             return true;
509         }
510         else if ((yyyy % 100) == 0) {
511             return false;
512         }
513         else {
514             return true;
515         }
516 
517     }
518 
519     /**
520      * Returns the number of leap years from 1900 to the specified year
521      * INCLUSIVE.
522      * <P>
523      * Note that 1900 is not a leap year.
524      *
525      * @param yyyy  the year (in the range 1900 to 9999).
526      *
527      * @return the number of leap years from 1900 to the specified year.
528      */
529     public static int leapYearCount(final int yyyy) {
530 
531         final int leap4 = (yyyy - 1896) / 4;
532         final int leap100 = (yyyy - 1800) / 100;
533         final int leap400 = (yyyy - 1600) / 400;
534         return leap4 - leap100 + leap400;
535 
536     }
```

Listing B-1 (continuação)
SerialDate.Java

```
537
538     /**
539      * Returns the number of the last day of the month, taking into account
540      * leap years.
541      *
542      * @param month  the month.
543      * @param yyyy  the year (in the range 1900 to 9999).
544      *
545      * @return the number of the last day of the month.
546      */
547     public static int lastDayOfMonth(final int month, final int yyyy) {
548
549         final int result = LAST_DAY_OF_MONTH[month];
550         if (month != FEBRUARY) {
551             return result;
552         }
553         else if (isLeapYear(yyyy)) {
554             return result + 1;
555         }
556         else {
557             return result;
558         }
559
560     }
561
562     /**
563      * Creates a new date by adding the specified number of days to the base
564      * date.
565      *
566      * @param days  the number of days to add (can be negative).
567      * @param base  the base date.
568      *
569      * @return a new date.
570      */
571     public static SerialDate addDays(final int days, final SerialDate base) {
572
573         final int serialDayNumber = base.toSerial() + days;
574         return SerialDate.createInstance(serialDayNumber);
575
576     }
577
578     /**
579      * Creates a new date by adding the specified number of months to the base
580      * date.
581      * <P>
582      * If the base date is close to the end of the month, the day on the result
583      * may be adjusted slightly:  31 May + 1 month = 30 June.
584      *
585      * @param months  the number of months to add (can be negative).
586      * @param base  the base date.
587      *
588      * @return a new date.
589      */
590     public static SerialDate addMonths(final int months,
591                                        final SerialDate base) {
592
593         final int yy = (12 * base.getYYYY() + base.getMonth() + months - 1)
594                        / 12;
595         final int mm = (12 * base.getYYYY() + base.getMonth() + months - 1)
596                        % 12 + 1;
597         final int dd = Math.min(
598             base.getDayOfMonth(), SerialDate.lastDayOfMonth(mm, yy)
```

Listing B-1 (continuação)
SerialDate.Java

```
599         );
600         return SerialDate.createInstance(dd, mm, yy);
601
602     }
603
604     /**
605      * Creates a new date by adding the specified number of years to the base
606      * date.
607      *
608      * @param years  the number of years to add (can be negative).
609      * @param base  the base date.
610      *
611      * @return A new date.
612      */
613     public static SerialDate addYears(final int years, final SerialDate base) {
614
615         final int baseY = base.getYYYY();
616         final int baseM = base.getMonth();
617         final int baseD = base.getDayOfMonth();
618
619         final int targetY = baseY + years;
620         final int targetD = Math.min(
621             baseD, SerialDate.lastDayOfMonth(baseM, targetY)
622         );
623
624         return SerialDate.createInstance(targetD, baseM, targetY);
625
626     }
627
628     /**
629      * Returns the latest date that falls on the specified day-of-the-week and
630      * is BEFORE the base date.
631      *
632      * @param targetWeekday  a code for the target day-of-the-week.
633      * @param base  the base date.
634      *
635      * @return the latest date that falls on the specified day-of-the-week and
636      *         is BEFORE the base date.
637      */
638     public static SerialDate getPreviousDayOfWeek(final int targetWeekday,
639                                                   final SerialDate base) {
640
641         // check arguments...
642         if (!SerialDate.isValidWeekdayCode(targetWeekday)) {
643             throw new IllegalArgumentException(
644                 "Invalid day-of-the-week code."
645             );
646         }
647
648         // find the date...
649         final int adjust;
650         final int baseDOW = base.getDayOfWeek();
651         if (baseDOW > targetWeekday) {
652             adjust = Math.min(0, targetWeekday - baseDOW);
653         }
654         else {
655             adjust = -7 + Math.max(0, targetWeekday - baseDOW);
656         }
657
658         return SerialDate.addDays(adjust, base);
659
660     }
```

Listing B-1 (continuação)
SerialDate.Java

```
661
662     /**
663      * Returns the earliest date that falls on the specified day-of-the-week
664      * and is AFTER the base date.
665      *
666      * @param targetWeekday  a code for the target day-of-the-week.
667      * @param base  the base date.
668      *
669      * @return the earliest date that falls on the specified day-of-the-week
670      *         and is AFTER the base date.
671      */
672     public static SerialDate getFollowingDayOfWeek(final int targetWeekday,
673                                                    final SerialDate base) {
674
675         // check arguments...
676         if (!SerialDate.isValidWeekdayCode(targetWeekday)) {
677             throw new IllegalArgumentException(
678                 "Invalid day-of-the-week code."
679             );
680         }
681
682         // find the date...
683         final int adjust;
684         final int baseDOW = base.getDayOfWeek();
685         if (baseDOW > targetWeekday) {
686             adjust = 7 + Math.min(0, targetWeekday - baseDOW);
687         }
688         else {
689             adjust = Math.max(0, targetWeekday - baseDOW);
690         }
691
692         return SerialDate.addDays(adjust, base);
693     }
694
695     /**
696      * Returns the date that falls on the specified day-of-the-week and is
697      * CLOSEST to the base date.
698      *
699      * @param targetDOW  a code for the target day-of-the-week.
700      * @param base  the base date.
701      *
702      * @return the date that falls on the specified day-of-the-week and is
703      *         CLOSEST to the base date.
704      */
705     public static SerialDate getNearestDayOfWeek(final int targetDOW,
706                                                  final SerialDate base) {
707
708         // check arguments...
709         if (!SerialDate.isValidWeekdayCode(targetDOW)) {
710             throw new IllegalArgumentException(
711                 "Invalid day-of-the-week code."
712             );
713         }
714
715         // find the date...
716         final int baseDOW = base.getDayOfWeek();
717         int adjust = -Math.abs(targetDOW - baseDOW);
718         if (adjust >= 4) {
719             adjust = 7 - adjust;
720         }
721         if (adjust <= -4) {
722             adjust = 7 + adjust;
```

Listing B-1 (continuação)
SerialDate.Java

```
723         }
724         return SerialDate.addDays(adjust, base);
725
726     }
727
728     /**
729      * Rolls the date forward to the last day of the month.
730      *
731      * @param base  the base date.
732      *
733      * @return a new serial date.
734      */
735     public SerialDate getEndOfCurrentMonth(final SerialDate base) {
736         final int last = SerialDate.lastDayOfMonth(
737             base.getMonth(), base.getYYYY()
738         );
739         return SerialDate.createInstance(last, base.getMonth(), base.getYYYY());
740     }
741
742     /**
743      * Returns a string corresponding to the week-in-the-month code.
744      * <P>
745      * Need to find a better approach.
746      *
747      * @param count  an integer code representing the week-in-the-month.
748      *
749      * @return a string corresponding to the week-in-the-month code.
750      */
751     public static String weekInMonthToString(final int count) {
752
753         switch (count) {
754             case SerialDate.FIRST_WEEK_IN_MONTH : return "First";
755             case SerialDate.SECOND_WEEK_IN_MONTH : return "Second";
756             case SerialDate.THIRD_WEEK_IN_MONTH : return "Third";
757             case SerialDate.FOURTH_WEEK_IN_MONTH : return "Fourth";
758             case SerialDate.LAST_WEEK_IN_MONTH : return "Last";
759             default :
760                 return "SerialDate.weekInMonthToString(): invalid code.";
761         }
762
763     }
764
765     /**
766      * Returns a string representing the supplied 'relative'.
767      * <P>
768      * Need to find a better approach.
769      *
770      * @param relative  a constant representing the 'relative'.
771      *
772      * @return a string representing the supplied 'relative'.
773      */
774     public static String relativeToString(final int relative) {
775
776         switch (relative) {
777             case SerialDate.PRECEDING : return "Preceding";
778             case SerialDate.NEAREST : return "Nearest";
779             case SerialDate.FOLLOWING : return "Following";
780             default : return "ERROR : Relative To String";
781         }
782
783     }
784
```

Listing B-1 (continuação)
SerialDate.Java

```
785     /**
786      * Factory method that returns an instance of some concrete subclass of
787      * {@link SerialDate}.
788      *
789      * @param day  the day (1-31).
790      * @param month  the month (1-12).
791      * @param yyyy  the year (in the range 1900 to 9999).
792      *
793      * @return An instance of {@link SerialDate}.
794      */
795     public static SerialDate createInstance(final int day, final int month,
796                                             final int yyyy) {
797         return new SpreadsheetDate(day, month, yyyy);
798     }
799 
800     /**
801      * Factory method that returns an instance of some concrete subclass of
802      * {@link SerialDate}.
803      *
804      * @param serial  the serial number for the day (1 January 1900 = 2).
805      *
806      * @return a instance of SerialDate.
807      */
808     public static SerialDate createInstance(final int serial) {
809         return new SpreadsheetDate(serial);
810     }
811 
812     /**
813      * Factory method that returns an instance of a subclass of SerialDate.
814      *
815      * @param date  A Java date object.
816      *
817      * @return a instance of SerialDate.
818      */
819     public static SerialDate createInstance(final java.util.Date date) {
820 
821         final GregorianCalendar calendar = new GregorianCalendar();
822         calendar.setTime(date);
823         return new SpreadsheetDate(calendar.get(Calendar.DATE),
824                                    calendar.get(Calendar.MONTH) + 1,
825                                    calendar.get(Calendar.YEAR));
826 
827     }
828 
829     /**
830      * Returns the serial number for the date, where 1 January 1900 = 2 (this
831      * corresponds, almost, to the numbering system used in Microsoft Excel for
832      * Windows and Lotus 1-2-3).
833      *
834      * @return the serial number for the date.
835      */
836     public abstract int toSerial();
837 
838     /**
839      * Returns a java.util.Date.  Since java.util.Date has more precision than
840      * SerialDate, we need to define a convention for the 'time of day'.
841      *
842      * @return this as <code>java.util.Date</code>.
843      */
844     public abstract java.util.Date toDate();
845 
846     /**
```

Listing B-1 (continuação)
SerialDate.Java

```
847      * Returns a description of the date.
848      *
849      * @return a description of the date.
850      */
851     public String getDescription() {
852         return this.description;
853     }
854
855     /**
856      * Sets the description for the date.
857      *
858      * @param description  the new description for the date.
859      */
860     public void setDescription(final String description) {
861         this.description = description;
862     }
863
864     /**
865      * Converts the date to a string.
866      *
867      * @return  a string representation of the date.
868      */
869     public String toString() {
870         return getDayOfMonth() + "-" + SerialDate.monthCodeToString(getMonth())
871                                + "-" + getYYYY();
872     }
873
874     /**
875      * Returns the year (assume a valid range of 1900 to 9999).
876      *
877      * @return the year.
878      */
879     public abstract int getYYYY();
880
881     /**
882      * Returns the month (January = 1, February = 2, March = 3).
883      *
884      * @return the month of the year.
885      */
886     public abstract int getMonth();
887
888     /**
889      * Returns the day of the month.
890      *
891      * @return the day of the month.
892      */
893     public abstract int getDayOfMonth();
894
895     /**
896      * Returns the day of the week.
897      *
898      * @return the day of the week.
899      */
900     public abstract int getDayOfWeek();
901
902     /**
903      * Returns the difference (in days) between this date and the specified
904      * 'other' date.
905      * <P>
906      * The result is positive if this date is after the 'other' date and
907      * negative if it is before the 'other' date.
908      *
```

Listing B-1 (continuação)
SerialDate.Java

```
909        * @param other  the date being compared to.
910        *
911        * @return the difference between this and the other date.
912        */
913       public abstract int compare(SerialDate other);
914
915       /**
916        * Returns true if this SerialDate represents the same date as the
917        * specified SerialDate.
918        *
919        * @param other  the date being compared to.
920        *
921        * @return <code>true</code> if this SerialDate represents the same date as
922        *         the specified SerialDate.
923        */
924       public abstract boolean isOn(SerialDate other);
925
926       /**
927        * Returns true if this SerialDate represents an earlier date compared to
928        * the specified SerialDate.
929        *
930        * @param other  The date being compared to.
931        *
932        * @return <code>true</code> if this SerialDate represents an earlier date
933        *         compared to the specified SerialDate.
934        */
935       public abstract boolean isBefore(SerialDate other);
936
937       /**
938        * Returns true if this SerialDate represents the same date as the
939        * specified SerialDate.
940        *
941        * @param other  the date being compared to.
942        *
943        * @return <code>true<code> if this SerialDate represents the same date
944        *         as the specified SerialDate.
945        */
946       public abstract boolean isOnOrBefore(SerialDate other);
947
948       /**
949        * Returns true if this SerialDate represents the same date as the
950        * specified SerialDate.
951        *
952        * @param other  the date being compared to.
953        *
954        * @return <code>true</code> if this SerialDate represents the same date
955        *         as the specified SerialDate.
956        */
957       public abstract boolean isAfter(SerialDate other);
958
959       /**
960        * Returns true if this SerialDate represents the same date as the
961        * specified SerialDate.
962        *
963        * @param other  the date being compared to.
964        *
965        * @return <code>true</code> if this SerialDate represents the same date
966        *         as the specified SerialDate.
967        */
968       public abstract boolean isOnOrAfter(SerialDate other);
969
970       /**
971        * Returns <code>true</code> if this {@link SerialDate} is within the
```

Listing B-1 (continuação)
SerialDate.Java

```
972        * specified range (INCLUSIVE).  The date order of d1 and d2 is not
973        * important.
974        *
975        * @param d1  a boundary date for the range.
976        * @param d2  the other boundary date for the range.
977        *
978        * @return A boolean.
979        */
980       public abstract boolean isInRange(SerialDate d1, SerialDate d2);
981
982       /**
983        * Returns <code>true</code> if this {@link SerialDate} is within the
984        * specified range (caller specifies whether or not the end-points are
985        * included).  The date order of d1 and d2 is not important.
986        *
987        * @param d1  a boundary date for the range.
988        * @param d2  the other boundary date for the range.
989        * @param include  a code that controls whether or not the start and end
990        *                 dates are included in the range.
991        *
992        * @return A boolean.
993        */
994       public abstract boolean isInRange(SerialDate d1, SerialDate d2,
995                                         int include);
996
997       /**
998        * Returns the latest date that falls on the specified day-of-the-week and
999        * is BEFORE this date.
1000       *
1001       * @param targetDOW  a code for the target day-of-the-week.
1002       *
1003       * @return the latest date that falls on the specified day-of-the-week and
1004       *         is BEFORE this date.
1005       */
1006      public SerialDate getPreviousDayOfWeek(final int targetDOW) {
1007          return getPreviousDayOfWeek(targetDOW, this);
1008      }
1009
1010      /**
1011       * Returns the earliest date that falls on the specified day-of-the-week
1012       * and is AFTER this date.
1013       *
1014       * @param targetDOW  a code for the target day-of-the-week.
1015       *
1016       * @return the earliest date that falls on the specified day-of-the-week
1017       *         and is AFTER this date.
1018       */
1019      public SerialDate getFollowingDayOfWeek(final int targetDOW) {
1020          return getFollowingDayOfWeek(targetDOW, this);
1021      }
1022
1023      /**
1024       * Returns the nearest date that falls on the specified day-of-the-week.
1025       *
1026       * @param targetDOW  a code for the target day-of-the-week.
1027       *
1028       * @return the nearest date that falls on the specified day-of-the-week.
1029       */
1030      public SerialDate getNearestDayOfWeek(final int targetDOW) {
1031          return getNearestDayOfWeek(targetDOW, this);
1032      }
1033
1034 }
```

Listagem B-2
SerialDateTest.java

```
 1 /* ========================================================================
 2  * JCommon : a free general purpose class library for the Java(tm) platform
 3  * ========================================================================
 4  *
 5  * (C) Copyright 2000-2005, by Object Refinery Limited and Contributors.
 6  *
 7  * Project Info:  http://www.jfree.org/jcommon/index.html
 8  *
 9  * This library is free software; you can redistribute it and/or modify it
10  * under the terms of the GNU Lesser General Public License as published by
11  * the Free Software Foundation; either version 2.1 of the License, or
12  * (at your option) any later version.
13  *
14  * This library is distributed in the hope that it will be useful, but
15  * WITHOUT ANY WARRANTY; without even the implied warranty of MERCHANTABILITY
16  * or FITNESS FOR A PARTICULAR PURPOSE. See the GNU Lesser General Public
17  * License for more details.
18  *
19  * You should have received a copy of the GNU Lesser General Public
20  * License along with this library; if not, write to the Free Software
21  * Foundation, Inc., 51 Franklin Street, Fifth Floor, Boston, MA  02110-1301,
22  * USA.
23  *
24  * [Java is a trademark or registered trademark of Sun Microsystems, Inc.
25  * in the United States and other countries.]
26  *
27  * --------------------
28  * SerialDateTests.java
29  * --------------------
30  * (C) Copyright 2001-2005, by Object Refinery Limited.
31  *
32  * Original Author:  David Gilbert (for Object Refinery Limited);
33  * Contributor(s):   -;
34  *
35  * $Id: SerialDateTests.java,v 1.6 2005/11/16 15:58:40 taqua Exp $
36  *
37  * Changes
38  * -------
39  * 15-Nov-2001 : Version 1 (DG);
40  * 25-Jun-2002 : Removed unnecessary import (DG);
41  * 24-Oct-2002 : Fixed errors reported by Checkstyle (DG);
42  * 13-Mar-2003 : Added serialization test (DG);
43  * 05-Jan-2005 : Added test for bug report 1096282 (DG);
44  *
45  */
46
47 package org.jfree.date.junit;
48
49 import java.io.ByteArrayInputStream;
50 import java.io.ByteArrayOutputStream;
51 import java.io.ObjectInput;
52 import java.io.ObjectInputStream;
53 import java.io.ObjectOutput;
54 import java.io.ObjectOutputStream;
55
56 import junit.framework.Test;
57 import junit.framework.TestCase;
58 import junit.framework.TestSuite;
59
60 import org.jfree.date.MonthConstants;
61 import org.jfree.date.SerialDate;
62
```

Listagem B-2 (continuação)
SerialDateTest.java

```
 63 /**
 64  * Some JUnit tests for the {@link SerialDate} class.
 65  */
 66 public class SerialDateTests extends TestCase {
 67
 68     /** Date representing November 9. */
 69     private SerialDate nov9Y2001;
 70
 71     /**
 72      * Creates a new test case.
 73      *
 74      * @param name  the name.
 75      */
 76     public SerialDateTests(final String name) {
 77         super(name);
 78     }
 79
 80     /**
 81      * Returns a test suite for the JUnit test runner.
 82      *
 83      * @return The test suite.
 84      */
 85     public static Test suite() {
 86         return new TestSuite(SerialDateTests.class);
 87     }
 88
 89     /**
 90      * Problem set up.
 91      */
 92     protected void setUp() {
 93         this.nov9Y2001 = SerialDate.createInstance(9, MonthConstants.NOVEMBER, 2001);
 94     }
 95
 96     /**
 97      * 9 Nov 2001 plus two months should be 9 Jan 2002.
 98      */
 99     public void testAddMonthsTo9Nov2001() {
100         final SerialDate jan9Y2002 = SerialDate.addMonths(2, this.nov9Y2001);
101         final SerialDate answer = SerialDate.createInstance(9, 1, 2002);
102         assertEquals(answer, jan9Y2002);
103     }
104
105     /**
106      * A test case for a reported bug, now fixed.
107      */
108     public void testAddMonthsTo5Oct2003() {
109         final SerialDate d1 = SerialDate.createInstance(5, MonthConstants.OCTOBER, 2003);
110         final SerialDate d2 = SerialDate.addMonths(2, d1);
111         assertEquals(d2, SerialDate.createInstance(5, MonthConstants.DECEMBER, 2003));
112     }
113
114     /**
115      * A test case for a reported bug, now fixed.
116      */
117     public void testAddMonthsTo1Jan2003() {
118         final SerialDate d1 = SerialDate.createInstance(1, MonthConstants.JANUARY, 2003);
119         final SerialDate d2 = SerialDate.addMonths(0, d1);
120         assertEquals(d2, d1);
121     }
122
123     /**
124      * Monday preceding Friday 9 November 2001 should be 5 November.
```

Listagem B-2 (continuação)
SerialDateTest.java

```
125      */
126     public void testMondayPrecedingFriday9Nov2001() {
127         SerialDate mondayBefore = SerialDate.getPreviousDayOfWeek(
128             SerialDate.MONDAY, this.nov9Y2001
129         );
130         assertEquals(5, mondayBefore.getDayOfMonth());
131     }
132
133     /**
134      * Monday following Friday 9 November 2001 should be 12 November.
135      */
136     public void testMondayFollowingFriday9Nov2001() {
137         SerialDate mondayAfter = SerialDate.getFollowingDayOfWeek(
138             SerialDate.MONDAY, this.nov9Y2001
139         );
140         assertEquals(12, mondayAfter.getDayOfMonth());
141     }
142
143     /**
144      * Monday nearest Friday 9 November 2001 should be 12 November.
145      */
146     public void testMondayNearestFriday9Nov2001() {
147         SerialDate mondayNearest = SerialDate.getNearestDayOfWeek(
148             SerialDate.MONDAY, this.nov9Y2001
149         );
150         assertEquals(12, mondayNearest.getDayOfMonth());
151     }
152
153     /**
154      * The Monday nearest to 22nd January 1970 falls on the 19th.
155      */
156     public void testMondayNearest22Jan1970() {
157         SerialDate jan22Y1970 = SerialDate.createInstance(22, MonthConstants.JANUARY, 1970);
158         SerialDate mondayNearest=SerialDate.getNearestDayOfWeek(SerialDate.MONDAY, jan22Y1970);
159         assertEquals(19, mondayNearest.getDayOfMonth());
160     }
161
162     /**
163      * Problem that the conversion of days to strings returns the right result.  Actually, this
164      * result depends on the Locale so this test needs to be modified.
165      */
166     public void testWeekdayCodeToString() {
167
168         final String test = SerialDate.weekdayCodeToString(SerialDate.SATURDAY);
169         assertEquals("Saturday", test);
170
171     }
172
173     /**
174      * Test the conversion of a string to a weekday.  Note that this test will fail if the
175      * default locale doesn't use English weekday names...devise a better test!
176      */
177     public void testStringToWeekday() {
178
179         int weekday = SerialDate.stringToWeekdayCode("Wednesday");
180         assertEquals(SerialDate.WEDNESDAY, weekday);
181
182         weekday = SerialDate.stringToWeekdayCode(" Wednesday ");
183         assertEquals(SerialDate.WEDNESDAY, weekday);
184
```

Listagem B-2 (continuação)
SerialDateTest.java

```
185         weekday = SerialDate.stringToWeekdayCode("Wed");
186         assertEquals(SerialDate.WEDNESDAY, weekday);
187
188     }
189
190     /**
191      * Test the conversion of a string to a month.  Note that this test will fail if the
192      * default locale doesn't use English month names...devise a better test!
193      */
194     public void testStringToMonthCode() {
195
196         int m = SerialDate.stringToMonthCode("January");
197         assertEquals(MonthConstants.JANUARY, m);
198
199         m = SerialDate.stringToMonthCode(" January ");
200         assertEquals(MonthConstants.JANUARY, m);
201
202         m = SerialDate.stringToMonthCode("Jan");
203         assertEquals(MonthConstants.JANUARY, m);
204
205     }
206
207     /**
208      * Tests the conversion of a month code to a string.
209      */
210     public void testMonthCodeToStringCode() {
211
212         final String test = SerialDate.monthCodeToString(MonthConstants.DECEMBER);
213         assertEquals("December", test);
214
215     }
216
217     /**
218      * 1900 is not a leap year.
219      */
220     public void testIsNotLeapYear1900() {
221         assertTrue(!SerialDate.isLeapYear(1900));
222     }
223
224     /**
225      * 2000 is a leap year.
226      */
227     public void testIsLeapYear2000() {
228         assertTrue(SerialDate.isLeapYear(2000));
229     }
230
231     /**
232      * The number of leap years from 1900 up-to-and-including 1899 is 0.
233      */
234     public void testLeapYearCount1899() {
235         assertEquals(SerialDate.leapYearCount(1899), 0);
236     }
237
238     /**
239      * The number of leap years from 1900 up-to-and-including 1903 is 0.
240      */
241     public void testLeapYearCount1903() {
242         assertEquals(SerialDate.leapYearCount(1903), 0);
243     }
244
245     /**
246      * The number of leap years from 1900 up-to-and-including 1904 is 1.
247      */
```

Listagem B-2 (continuação)
SerialDateTest.java

```
248     public void testLeapYearCount1904() {
249         assertEquals(SerialDate.leapYearCount(1904), 1);
250     }
251
252     /**
253      * The number of leap years from 1900 up-to-and-including 1999 is 24.
254      */
255     public void testLeapYearCount1999() {
256         assertEquals(SerialDate.leapYearCount(1999), 24);
257     }
258
259     /**
260      * The number of leap years from 1900 up-to-and-including 2000 is 25.
261      */
262     public void testLeapYearCount2000() {
263         assertEquals(SerialDate.leapYearCount(2000), 25);
264     }
265
266     /**
267      * Serialize an instance, restore it, and check for equality.
268      */
269     public void testSerialization() {
270
271         SerialDate d1 = SerialDate.createInstance(15, 4, 2000);
272         SerialDate d2 = null;
273
274         try {
275             ByteArrayOutputStream buffer = new ByteArrayOutputStream();
276             ObjectOutput out = new ObjectOutputStream(buffer);
277             out.writeObject(d1);
278             out.close();
279
280             ObjectInput in = new ObjectInputStream(
                                     new ByteArrayInputStream(buffer.toByteArray()));
281             d2 = (SerialDate) in.readObject();
282             in.close();
283         }
284         catch (Exception e) {
285             System.out.println(e.toString());
286         }
287         assertEquals(d1, d2);
288
289     }
290
291     /**
292      * A test for bug report 1096282 (now fixed).
293      */
294     public void test1096282() {
295         SerialDate d = SerialDate.createInstance(29, 2, 2004);
296         d = SerialDate.addYears(1, d);
297         SerialDate expected = SerialDate.createInstance(28, 2, 2005);
298         assertTrue(d.isOn(expected));
299     }
300
301     /**
302      * Miscellaneous tests for the addMonths() method.
303      */
304     public void testAddMonths() {
305         SerialDate d1 = SerialDate.createInstance(31, 5, 2004);
306
```

Listagem B-2 (continuação)
SerialDateTest.java

```
307         SerialDate d2 = SerialDate.addMonths(1, d1);
308         assertEquals(30, d2.getDayOfMonth());
309         assertEquals(6, d2.getMonth());
310         assertEquals(2004, d2.getYYYY());
311
312         SerialDate d3 = SerialDate.addMonths(2, d1);
313         assertEquals(31, d3.getDayOfMonth());
314         assertEquals(7, d3.getMonth());
315         assertEquals(2004, d3.getYYYY());
316
317         SerialDate d4 = SerialDate.addMonths(1, SerialDate.addMonths(1, d1));
318         assertEquals(30, d4.getDayOfMonth());
319         assertEquals(7, d4.getMonth());
320         assertEquals(2004, d4.getYYYY());
321     }
322 }
```

Listagem B-3
MonthConstants.java

```
 1 /* ========================================================================
 2  * JCommon : a free general purpose class library for the Java(tm) platform
 3  * ========================================================================
 4  *
 5  * (C) Copyright 2000-2005, by Object Refinery Limited and Contributors.
 6  *
 7  * Project Info:  http://www.jfree.org/jcommon/index.html
 8  *
 9  * This library is free software; you can redistribute it and/or modify it
10  * under the terms of the GNU Lesser General Public License as published by
11  * the Free Software Foundation; either version 2.1 of the License, or
12  * (at your option) any later version.
13  *
14  * This library is distributed in the hope that it will be useful, but
15  * WITHOUT ANY WARRANTY; without even the implied warranty of MERCHANTABILITY
16  * or FITNESS FOR A PARTICULAR PURPOSE. See the GNU Lesser General Public
17  * License for more details.
18  *
19  * You should have received a copy of the GNU Lesser General Public
20  * License along with this library; if not, write to the Free Software
21  * Foundation, Inc., 51 Franklin Street, Fifth Floor, Boston, MA  02110-1301,
22  * USA.
23  *
24  * [Java is a trademark or registered trademark of Sun Microsystems, Inc.
25  * in the United States and other countries.]
26  *
27  * -------------------
28  * MonthConstants.java
29  * -------------------
30  * (C) Copyright 2002, 2003, by Object Refinery Limited.
31  *
32  * Original Author:  David Gilbert (for Object Refinery Limited);
33  * Contributor(s):   -;
34  *
35  * $Id: MonthConstants.java,v 1.4 2005/11/16 15:58:40 taqua Exp $
36  *
37  * Changes
38  * -------

39  * 29-May-2002 : Version 1 (code moved from SerialDate class) (DG);
40  *
41  */
42
43 package org.jfree.date;
44
45 /**
46  * Useful constants for months.  Note that these are NOT equivalent to the
47  * constants defined by java.util.Calendar (where JANUARY=0 and DECEMBER=11).
48  * <P>
49  * Used by the SerialDate and RegularTimePeriod classes.
50  *
51  * @author David Gilbert
52  */
53 public interface MonthConstants {
54
55     /** Constant for January. */
56     public static final int JANUARY = 1;
57
58     /** Constant for February. */
59     public static final int FEBRUARY = 2;
60
```

Listagem B-3 (continuação)
MonthConstants.java

```
61     /** Constant for March. */
62     public static final int MARCH = 3;
63
64     /** Constant for April. */
65     public static final int APRIL = 4;
66
67     /** Constant for May. */
68     public static final int MAY = 5;
69
70     /** Constant for June. */
71     public static final int JUNE = 6;
72
73     /** Constant for July. */
74     public static final int JULY = 7;
75
76     /** Constant for August. */
77     public static final int AUGUST = 8;
78
79     /** Constant for September. */
80     public static final int SEPTEMBER = 9;
81
82     /** Constant for October. */
83     public static final int OCTOBER = 10;
84
85     /** Constant for November. */
86     public static final int NOVEMBER = 11;
87
88     /** Constant for December. */
89     public static final int DECEMBER = 12;
90
91 }
```

Listagem B-4
BobsSerialDateTest.java

```
 1 package org.jfree.date.junit;
 2
 3 import junit.framework.TestCase;
 4 import org.jfree.date.*;
 5 import static org.jfree.date.SerialDate.*;
 6
 7 import java.util.*;
 8
 9 public class BobsSerialDateTest extends TestCase {
10
11   public void testIsValidWeekdayCode() throws Exception {
12     for (int day = 1; day <= 7; day++)
13       assertTrue(isValidWeekdayCode(day));
14     assertFalse(isValidWeekdayCode(0));
15     assertFalse(isValidWeekdayCode(8));
16   }
17
18   public void testStringToWeekdayCode() throws Exception {
19
20     assertEquals(-1, stringToWeekdayCode("Hello"));
21     assertEquals(MONDAY, stringToWeekdayCode("Monday"));
22     assertEquals(MONDAY, stringToWeekdayCode("Mon"));
23 //todo    assertEquals(MONDAY,stringToWeekdayCode("monday"));
24 //     assertEquals(MONDAY,stringToWeekdayCode("MONDAY"));
25 //     assertEquals(MONDAY, stringToWeekdayCode("mon"));
26
27     assertEquals(TUESDAY, stringToWeekdayCode("Tuesday"));
28     assertEquals(TUESDAY, stringToWeekdayCode("Tue"));
29 //     assertEquals(TUESDAY,stringToWeekdayCode("tuesday"));
30 //     assertEquals(TUESDAY,stringToWeekdayCode("TUESDAY"));
31 //     assertEquals(TUESDAY, stringToWeekdayCode("tue"));
32 //     assertEquals(TUESDAY, stringToWeekdayCode("tues"));
33
34     assertEquals(WEDNESDAY, stringToWeekdayCode("Wednesday"))
35     assertEquals(WEDNESDAY, stringToWeekdayCode("Wed"));
36 //     assertEquals(WEDNESDAY,stringToWeekdayCode("wednesday")
37 //     assertEquals(WEDNESDAY,stringToWeekdayCode("WEDNESDAY")
38 //     assertEquals(WEDNESDAY, stringToWeekdayCode("wed"));
39
40     assertEquals(THURSDAY, stringToWeekdayCode("Thursday"));
41     assertEquals(THURSDAY, stringToWeekdayCode("Thu"));
42 //     assertEquals(THURSDAY,stringToWeekdayCode("thursday"));
43 //     assertEquals(THURSDAY,stringToWeekdayCode("THURSDAY"));
44 //     assertEquals(THURSDAY, stringToWeekdayCode("thu"));
45 //     assertEquals(THURSDAY, stringToWeekdayCode("thurs"));
46
47     assertEquals(FRIDAY, stringToWeekdayCode("Friday"));
48     assertEquals(FRIDAY, stringToWeekdayCode("Fri"));
49 //     assertEquals(FRIDAY,stringToWeekdayCode("friday"));
50 //     assertEquals(FRIDAY,stringToWeekdayCode("FRIDAY"));
51 //     assertEquals(FRIDAY, stringToWeekdayCode("fri"));
52
53     assertEquals(SATURDAY, stringToWeekdayCode("Saturday"));
54     assertEquals(SATURDAY, stringToWeekdayCode("Sat"));
55 //     assertEquals(SATURDAY,stringToWeekdayCode("saturday"));
56 //     assertEquals(SATURDAY,stringToWeekdayCode("SATURDAY"));
57 //     assertEquals(SATURDAY, stringToWeekdayCode("sat"));
58
59     assertEquals(SUNDAY, stringToWeekdayCode("Sunday"));
60     assertEquals(SUNDAY, stringToWeekdayCode("Sun"));
61 //     assertEquals(SUNDAY,stringToWeekdayCode("sunday"));
62 //     assertEquals(SUNDAY,stringToWeekdayCode("SUNDAY"));
63 //     assertEquals(SUNDAY, stringToWeekdayCode("sun"));
64   }
65
```

Listagem B-4 (continuação)
BobsSerialDateTest.java

```
66   public void testWeekdayCodeToString() throws Exception {
67     assertEquals("Sunday", weekdayCodeToString(SUNDAY));
68     assertEquals("Monday", weekdayCodeToString(MONDAY));
69     assertEquals("Tuesday", weekdayCodeToString(TUESDAY));
70     assertEquals("Wednesday", weekdayCodeToString(WEDNESDAY)
71     assertEquals("Thursday", weekdayCodeToString(THURSDAY));
72     assertEquals("Friday", weekdayCodeToString(FRIDAY));
73     assertEquals("Saturday", weekdayCodeToString(SATURDAY));
74   }
75
76   public void testIsValidMonthCode() throws Exception {
77     for (int i = 1; i <= 12; i++)
78       assertTrue(isValidMonthCode(i));
79     assertFalse(isValidMonthCode(0));
80     assertFalse(isValidMonthCode(13));
81   }
82
83   public void testMonthToQuarter() throws Exception {
84     assertEquals(1, monthCodeToQuarter(JANUARY));
85     assertEquals(1, monthCodeToQuarter(FEBRUARY));
86     assertEquals(1, monthCodeToQuarter(MARCH));
87     assertEquals(2, monthCodeToQuarter(APRIL));
88     assertEquals(2, monthCodeToQuarter(MAY));
89     assertEquals(2, monthCodeToQuarter(JUNE));
90     assertEquals(3, monthCodeToQuarter(JULY));
91     assertEquals(3, monthCodeToQuarter(AUGUST));
92     assertEquals(3, monthCodeToQuarter(SEPTEMBER));
93     assertEquals(4, monthCodeToQuarter(OCTOBER));
94     assertEquals(4, monthCodeToQuarter(NOVEMBER));
95     assertEquals(4, monthCodeToQuarter(DECEMBER));
96
97     try {
98       monthCodeToQuarter(-1);
99       fail("Invalid Month Code should throw exception");
100    } catch (IllegalArgumentException e) {
101    }
102  }
103
104  public void testMonthCodeToString() throws Exception {
105    assertEquals("January", monthCodeToString(JANUARY));
106    assertEquals("February", monthCodeToString(FEBRUARY));
107    assertEquals("March", monthCodeToString(MARCH));
108    assertEquals("April", monthCodeToString(APRIL));
109    assertEquals("May", monthCodeToString(MAY));
110    assertEquals("June", monthCodeToString(JUNE));
111    assertEquals("July", monthCodeToString(JULY));
112    assertEquals("August", monthCodeToString(AUGUST));
113    assertEquals("September", monthCodeToString(SEPTEMBER));
114    assertEquals("October", monthCodeToString(OCTOBER));
115    assertEquals("November", monthCodeToString(NOVEMBER));
116    assertEquals("December", monthCodeToString(DECEMBER));
117
118    assertEquals("Jan", monthCodeToString(JANUARY, true));
119    assertEquals("Feb", monthCodeToString(FEBRUARY, true));
120    assertEquals("Mar", monthCodeToString(MARCH, true));
121    assertEquals("Apr", monthCodeToString(APRIL, true));
122    assertEquals("May", monthCodeToString(MAY, true));
123    assertEquals("Jun", monthCodeToString(JUNE, true));
124    assertEquals("Jul", monthCodeToString(JULY, true));
125    assertEquals("Aug", monthCodeToString(AUGUST, true));
126    assertEquals("Sep", monthCodeToString(SEPTEMBER, true));
127    assertEquals("Oct", monthCodeToString(OCTOBER, true));
```

Listagem B-4 (continuação)

BobsSerialDateTest.java

```
128     assertEquals("Nov", monthCodeToString(NOVEMBER, true));
129     assertEquals("Dec", monthCodeToString(DECEMBER, true));
130
131     try {
132       monthCodeToString(-1);
133       fail("Invalid month code should throw exception");
134     } catch (IllegalArgumentException e) {
135     }
136
137   }
138
139   public void testStringToMonthCode() throws Exception {
140     assertEquals(JANUARY,stringToMonthCode("1"));
141     assertEquals(FEBRUARY,stringToMonthCode("2"));
142     assertEquals(MARCH,stringToMonthCode("3"));
143     assertEquals(APRIL,stringToMonthCode("4"));
144     assertEquals(MAY,stringToMonthCode("5"));
145     assertEquals(JUNE,stringToMonthCode("6"));
146     assertEquals(JULY,stringToMonthCode("7"));
147     assertEquals(AUGUST,stringToMonthCode("8"));
148     assertEquals(SEPTEMBER,stringToMonthCode("9"));
149     assertEquals(OCTOBER,stringToMonthCode("10"));
150     assertEquals(NOVEMBER, stringToMonthCode("11"));
151     assertEquals(DECEMBER,stringToMonthCode("12"));
152
153 //todo    assertEquals(-1, stringToMonthCode("0"));
154 //    assertEquals(-1, stringToMonthCode("13"));
155
156     assertEquals(-1,stringToMonthCode("Hello"));
157
158     for (int m = 1; m <= 12; m++) {
159       assertEquals(m, stringToMonthCode(monthCodeToString(m, false))
160       assertEquals(m, stringToMonthCode(monthCodeToString(m, true)))
161     }
162
163 //    assertEquals(1,stringToMonthCode("jan"));
164 //    assertEquals(2,stringToMonthCode("feb"));
165 //    assertEquals(3,stringToMonthCode("mar"));
166 //    assertEquals(4,stringToMonthCode("apr"));
167 //    assertEquals(5,stringToMonthCode("may"));
168 //    assertEquals(6,stringToMonthCode("jun"));
169 //    assertEquals(7,stringToMonthCode("jul"));
170 //    assertEquals(8,stringToMonthCode("aug"));
171 //    assertEquals(9,stringToMonthCode("sep"));
172 //    assertEquals(10,stringToMonthCode("oct"));
173 //    assertEquals(11,stringToMonthCode("nov"));
174 //    assertEquals(12,stringToMonthCode("dec"));
175
176 //    assertEquals(1,stringToMonthCode("JAN"));
177 //    assertEquals(2,stringToMonthCode("FEB"));
178 //    assertEquals(3,stringToMonthCode("MAR"));
179 //    assertEquals(4,stringToMonthCode("APR"));
180 //    assertEquals(5,stringToMonthCode("MAY"));
181 //    assertEquals(6,stringToMonthCode("JUN"));
182 //    assertEquals(7,stringToMonthCode("JUL"));
183 //    assertEquals(8,stringToMonthCode("AUG"));
184 //    assertEquals(9,stringToMonthCode("SEP"));
185 //    assertEquals(10,stringToMonthCode("OCT"));
186 //    assertEquals(11,stringToMonthCode("NOV"));
187 //    assertEquals(12,stringToMonthCode("DEC"));
188
189 //    assertEquals(1,stringToMonthCode("january"));
190 //    assertEquals(2,stringToMonthCode("february"));
```

Listagem B-4 (continuação)
BobsSerialDateTest.java

```
191 //      assertEquals(3,stringToMonthCode("march"));
192 //      assertEquals(4,stringToMonthCode("april"));
193 //      assertEquals(5,stringToMonthCode("may"));
194 //      assertEquals(6,stringToMonthCode("june"));
195 //      assertEquals(7,stringToMonthCode("july"));
196 //      assertEquals(8,stringToMonthCode("august"));
197 //      assertEquals(9,stringToMonthCode("september"));
198 //      assertEquals(10,stringToMonthCode("october"));
199 //      assertEquals(11,stringToMonthCode("november"));
200 //      assertEquals(12,stringToMonthCode("december"));
201
202 //      assertEquals(1,stringToMonthCode("JANUARY"));
203 //      assertEquals(2,stringToMonthCode("FEBRUARY"));
204 //      assertEquals(3,stringToMonthCode("MAR"));
205 //      assertEquals(4,stringToMonthCode("APRIL"));
206 //      assertEquals(5,stringToMonthCode("MAY"));
207 //      assertEquals(6,stringToMonthCode("JUNE"));
208 //      assertEquals(7,stringToMonthCode("JULY"));
209 //      assertEquals(8,stringToMonthCode("AUGUST"));
210 //      assertEquals(9,stringToMonthCode("SEPTEMBER"));
211 //      assertEquals(10,stringToMonthCode("OCTOBER"));
212 //      assertEquals(11,stringToMonthCode("NOVEMBER"));
213 //      assertEquals(12,stringToMonthCode("DECEMBER"));
214   }
215
216   public void testIsValidWeekInMonthCode() throws Exception
217     for (int w = 0; w <= 4; w++) {
218       assertTrue(isValidWeekInMonthCode(w));
219     }
220     assertFalse(isValidWeekInMonthCode(5));
221   }
222
223   public void testIsLeapYear() throws Exception {
224     assertFalse(isLeapYear(1900));
225     assertFalse(isLeapYear(1901));
226     assertFalse(isLeapYear(1902));
227     assertFalse(isLeapYear(1903));
228     assertTrue(isLeapYear(1904));
229     assertTrue(isLeapYear(1908));
230     assertFalse(isLeapYear(1955));
231     assertTrue(isLeapYear(1964));
232     assertTrue(isLeapYear(1980));
233     assertTrue(isLeapYear(2000));
234     assertFalse(isLeapYear(2001));
235     assertFalse(isLeapYear(2100));
236   }
237
238   public void testLeapYearCount() throws Exception {
239     assertEquals(0, leapYearCount(1900));
240     assertEquals(0, leapYearCount(1901));
241     assertEquals(0, leapYearCount(1902));
242     assertEquals(0, leapYearCount(1903));
243     assertEquals(1, leapYearCount(1904));
244     assertEquals(1, leapYearCount(1905));
245     assertEquals(1, leapYearCount(1906));
246     assertEquals(1, leapYearCount(1907));
247     assertEquals(2, leapYearCount(1908));
248     assertEquals(24, leapYearCount(1999));
249     assertEquals(25, leapYearCount(2001));
250     assertEquals(49, leapYearCount(2101));
251     assertEquals(73, leapYearCount(2201));
```

Listagem B-4 (continuação)
BobsSerialDateTest.java

```
252     assertEquals(97, leapYearCount(2301));
253     assertEquals(122, leapYearCount(2401));
254   }
255
256   public void testLastDayOfMonth() throws Exception {
257     assertEquals(31, lastDayOfMonth(JANUARY, 1901));
258     assertEquals(28, lastDayOfMonth(FEBRUARY, 1901));
259     assertEquals(31, lastDayOfMonth(MARCH, 1901));
260     assertEquals(30, lastDayOfMonth(APRIL, 1901));
261     assertEquals(31, lastDayOfMonth(MAY, 1901));
262     assertEquals(30, lastDayOfMonth(JUNE, 1901));
263     assertEquals(31, lastDayOfMonth(JULY, 1901));
264     assertEquals(31, lastDayOfMonth(AUGUST, 1901));
265     assertEquals(30, lastDayOfMonth(SEPTEMBER, 1901));
266     assertEquals(31, lastDayOfMonth(OCTOBER, 1901));
267     assertEquals(30, lastDayOfMonth(NOVEMBER, 1901));
268     assertEquals(31, lastDayOfMonth(DECEMBER, 1901));
269     assertEquals(29, lastDayOfMonth(FEBRUARY, 1904));
270   }
271
272   public void testAddDays() throws Exception {
273     SerialDate newYears = d(1, JANUARY, 1900);
274     assertEquals(d(2, JANUARY, 1900), addDays(1, newYears));
275     assertEquals(d(1, FEBRUARY, 1900), addDays(31, newYears));
276     assertEquals(d(1, JANUARY, 1901), addDays(365, newYears));
277     assertEquals(d(31, DECEMBER, 1904), addDays(5 * 365, newYears));
278   }
279
280   private static SpreadsheetDate d(int day, int month, int year) {return new
SpreadsheetDate(day, month, year);}
281
282   public void testAddMonths() throws Exception {
283     assertEquals(d(1, FEBRUARY, 1900), addMonths(1, d(1, JANUARY, 1900)));
284     assertEquals(d(28, FEBRUARY, 1900), addMonths(1, d(31, JANUARY, 1900)));
285     assertEquals(d(28, FEBRUARY, 1900), addMonths(1, d(30, JANUARY, 1900)));
286     assertEquals(d(28, FEBRUARY, 1900), addMonths(1, d(29, JANUARY, 1900)));
287     assertEquals(d(28, FEBRUARY, 1900), addMonths(1, d(28, JANUARY, 1900)));
288     assertEquals(d(27, FEBRUARY, 1900), addMonths(1, d(27, JANUARY, 1900)));
289
290     assertEquals(d(30, JUNE, 1900), addMonths(5, d(31, JANUARY, 1900)));
291     assertEquals(d(30, JUNE, 1901), addMonths(17, d(31, JANUARY, 1900)));
292
293     assertEquals(d(29, FEBRUARY, 1904), addMonths(49, d(31, JANUARY, 1900)));
294
295   }
296
297   public void testAddYears() throws Exception {
298     assertEquals(d(1, JANUARY, 1901), addYears(1, d(1, JANUARY, 1900)));
299     assertEquals(d(28, FEBRUARY, 1905), addYears(1, d(29, FEBRUARY, 1904)));
300     assertEquals(d(28, FEBRUARY, 1905), addYears(1, d(28, FEBRUARY, 1904)));
301     assertEquals(d(28, FEBRUARY, 1904), addYears(1, d(28, FEBRUARY, 1903)));
302   }
303
304   public void testGetPreviousDayOfWeek() throws Exception {
305     assertEquals(d(24, FEBRUARY, 2006), getPreviousDayOfWeek(FRIDAY, d(1, MARCH, 2006)));
306     assertEquals(d(22, FEBRUARY, 2006), getPreviousDayOfWeek(WEDNESDAY, d(1, MARCH, 2006)));
307     assertEquals(d(29, FEBRUARY, 2004), getPreviousDayOfWeek(SUNDAY, d(3, MARCH, 2004)));
308     assertEquals(d(29, DECEMBER, 2004), getPreviousDayOfWeek(WEDNESDAY, d(5, JANUARY, 2005)));
309
310     try {
311       getPreviousDayOfWeek(-1, d(1, JANUARY, 2006));
312       fail("Invalid day of week code should throw exception");
```

Listagem B-4 (continuação)
BobsSerialDateTest.java

```
313     } catch (IllegalArgumentException e) {
314     }
315   }
316
317   public void testGetFollowingDayOfWeek() throws Exception {
318 //    assertEquals(d(1, JANUARY, 2005),getFollowingDayOfWeek(SATURDAY, d(25, DECEMBER, 2004)
319     assertEquals(d(1, JANUARY, 2005), getFollowingDayOfWeek(SATURDAY, d(26, DECEMBER, 2004))
320     assertEquals(d(3, MARCH, 2004), getFollowingDayOfWeek(WEDNESDAY, d(28, FEBRUARY, 2004)))
321
322     try {
323       getFollowingDayOfWeek(-1, d(1, JANUARY, 2006));
324       fail("Invalid day of week code should throw exception");
325     } catch (IllegalArgumentException e) {
326     }
327   }
328
329   public void testGetNearestDayOfWeek() throws Exception {
330     assertEquals(d(16, APRIL, 2006), getNearestDayOfWeek(SUNDAY, d(16, APRIL, 2006)));
331     assertEquals(d(16, APRIL, 2006), getNearestDayOfWeek(SUNDAY, d(17, APRIL, 2006)));
332     assertEquals(d(16, APRIL, 2006), getNearestDayOfWeek(SUNDAY, d(18, APRIL, 2006)));
333     assertEquals(d(16, APRIL, 2006), getNearestDayOfWeek(SUNDAY, d(19, APRIL, 2006)));
334     assertEquals(d(23, APRIL, 2006), getNearestDayOfWeek(SUNDAY, d(20, APRIL, 2006)));
335     assertEquals(d(23, APRIL, 2006), getNearestDayOfWeek(SUNDAY, d(21, APRIL, 2006)));
336     assertEquals(d(23, APRIL, 2006), getNearestDayOfWeek(SUNDAY, d(22, APRIL, 2006)));
337
338 //todo   assertEquals(d(17, APRIL, 2006), getNearestDayOfWeek(MONDAY, d(16, APRIL, 2006)));
339     assertEquals(d(17, APRIL, 2006), getNearestDayOfWeek(MONDAY, d(17, APRIL, 2006)));
340     assertEquals(d(17, APRIL, 2006), getNearestDayOfWeek(MONDAY, d(18, APRIL, 2006)));
341     assertEquals(d(17, APRIL, 2006), getNearestDayOfWeek(MONDAY, d(19, APRIL, 2006)));
342     assertEquals(d(17, APRIL, 2006), getNearestDayOfWeek(MONDAY, d(20, APRIL, 2006)));
343     assertEquals(d(24, APRIL, 2006), getNearestDayOfWeek(MONDAY, d(21, APRIL, 2006)));
344     assertEquals(d(24, APRIL, 2006), getNearestDayOfWeek(MONDAY, d(22, APRIL, 2006)));
345
346 //    assertEquals(d(18, APRIL, 2006), getNearestDayOfWeek(TUESDAY, d(16, APRIL, 2006)));
347 //    assertEquals(d(18, APRIL, 2006), getNearestDayOfWeek(TUESDAY, d(17, APRIL, 2006)));
348     assertEquals(d(18, APRIL, 2006), getNearestDayOfWeek(TUESDAY, d(18, APRIL, 2006)));
349     assertEquals(d(18, APRIL, 2006), getNearestDayOfWeek(TUESDAY, d(19, APRIL, 2006)));
350     assertEquals(d(18, APRIL, 2006), getNearestDayOfWeek(TUESDAY, d(20, APRIL, 2006)));
351     assertEquals(d(18, APRIL, 2006), getNearestDayOfWeek(TUESDAY, d(21, APRIL, 2006)));
352     assertEquals(d(25, APRIL, 2006), getNearestDayOfWeek(TUESDAY, d(22, APRIL, 2006)));
353
354 //    assertEquals(d(19, APRIL, 2006), getNearestDayOfWeek(WEDNESDAY, d(16, APRIL, 2006)));
355 //    assertEquals(d(19, APRIL, 2006), getNearestDayOfWeek(WEDNESDAY, d(17, APRIL, 2006)));
356 //    assertEquals(d(19, APRIL, 2006), getNearestDayOfWeek(WEDNESDAY, d(18, APRIL, 2006)));
357     assertEquals(d(19, APRIL, 2006), getNearestDayOfWeek(WEDNESDAY, d(19, APRIL, 2006)));
358     assertEquals(d(19, APRIL, 2006), getNearestDayOfWeek(WEDNESDAY, d(20, APRIL, 2006)));
359     assertEquals(d(19, APRIL, 2006), getNearestDayOfWeek(WEDNESDAY, d(21, APRIL, 2006)));
360     assertEquals(d(19, APRIL, 2006), getNearestDayOfWeek(WEDNESDAY, d(22, APRIL, 2006)));
361
362 //    assertEquals(d(13, APRIL, 2006), getNearestDayOfWeek(THURSDAY, d(16, APRIL, 2006)));
363 //    assertEquals(d(20, APRIL, 2006), getNearestDayOfWeek(THURSDAY, d(17, APRIL, 2006)));
364 //    assertEquals(d(20, APRIL, 2006), getNearestDayOfWeek(THURSDAY, d(18, APRIL, 2006)));
365 //    assertEquals(d(20, APRIL, 2006), getNearestDayOfWeek(THURSDAY, d(19, APRIL, 2006)));
366     assertEquals(d(20, APRIL, 2006), getNearestDayOfWeek(THURSDAY, d(20, APRIL, 2006)));
367     assertEquals(d(20, APRIL, 2006), getNearestDayOfWeek(THURSDAY, d(21, APRIL, 2006)));
368     assertEquals(d(20, APRIL, 2006), getNearestDayOfWeek(THURSDAY, d(22, APRIL, 2006)));
369
370 //    assertEquals(d(14, APRIL, 2006), getNearestDayOfWeek(FRIDAY, d(16, APRIL, 2006)));
371 //    assertEquals(d(14, APRIL, 2006), getNearestDayOfWeek(FRIDAY, d(17, APRIL, 2006)));
372 //    assertEquals(d(21, APRIL, 2006), getNearestDayOfWeek(FRIDAY, d(18, APRIL, 2006)));
373 //    assertEquals(d(21, APRIL, 2006), getNearestDayOfWeek(FRIDAY, d(19, APRIL, 2006)));
374 //    assertEquals(d(21, APRIL, 2006), getNearestDayOfWeek(FRIDAY, d(20, APRIL, 2006)));
```

Listagem B-4 (continuação)
BobsSerialDateTest.java

```
375     assertEquals(d(21, APRIL, 2006), getNearestDayOfWeek(FRIDAY, d(21, APRIL, 2006)));
376     assertEquals(d(21, APRIL, 2006), getNearestDayOfWeek(FRIDAY, d(22, APRIL, 2006)));
377
378 //     assertEquals(d(15, APRIL, 2006), getNearestDayOfWeek(SATURDAY, d(16, APRIL, 2006))
379 //     assertEquals(d(15, APRIL, 2006), getNearestDayOfWeek(SATURDAY, d(17, APRIL, 2006))
380 //     assertEquals(d(15, APRIL, 2006), getNearestDayOfWeek(SATURDAY, d(18, APRIL, 2006))
381 //     assertEquals(d(22, APRIL, 2006), getNearestDayOfWeek(SATURDAY, d(19, APRIL, 2006))
382 //     assertEquals(d(22, APRIL, 2006), getNearestDayOfWeek(SATURDAY, d(20, APRIL, 2006))
383 //     assertEquals(d(22, APRIL, 2006), getNearestDayOfWeek(SATURDAY, d(21, APRIL, 2006))
384     assertEquals(d(22, APRIL, 2006), getNearestDayOfWeek(SATURDAY, d(22, APRIL, 2006)));
385
386     try {
387       getNearestDayOfWeek(-1, d(1, JANUARY, 2006));
388       fail("Invalid day of week code should throw exception");
389     } catch (IllegalArgumentException e) {
390     }
391   }
392
393   public void testEndOfCurrentMonth() throws Exception {
394     SerialDate d = SerialDate.createInstance(2);
395     assertEquals(d(31, JANUARY, 2006), d.getEndOfCurrentMonth(d(1, JANUARY, 2006)));
396     assertEquals(d(28, FEBRUARY, 2006), d.getEndOfCurrentMonth(d(1, FEBRUARY, 2006)));
397     assertEquals(d(31, MARCH, 2006), d.getEndOfCurrentMonth(d(1, MARCH, 2006)));
398     assertEquals(d(30, APRIL, 2006), d.getEndOfCurrentMonth(d(1, APRIL, 2006)));
399     assertEquals(d(31, MAY, 2006), d.getEndOfCurrentMonth(d(1, MAY, 2006)));
400     assertEquals(d(30, JUNE, 2006), d.getEndOfCurrentMonth(d(1, JUNE, 2006)));
401     assertEquals(d(31, JULY, 2006), d.getEndOfCurrentMonth(d(1, JULY, 2006)));
402     assertEquals(d(31, AUGUST, 2006), d.getEndOfCurrentMonth(d(1, AUGUST, 2006)));
403     assertEquals(d(30, SEPTEMBER, 2006), d.getEndOfCurrentMonth(d(1, SEPTEMBER, 2006)));
404     assertEquals(d(31, OCTOBER, 2006), d.getEndOfCurrentMonth(d(1, OCTOBER, 2006)));
405     assertEquals(d(30, NOVEMBER, 2006), d.getEndOfCurrentMonth(d(1, NOVEMBER, 2006)));
406     assertEquals(d(31, DECEMBER, 2006), d.getEndOfCurrentMonth(d(1, DECEMBER, 2006)));
407     assertEquals(d(29, FEBRUARY, 2008), d.getEndOfCurrentMonth(d(1, FEBRUARY, 2008)));
408   }
409
410   public void testWeekInMonthToString() throws Exception {
411     assertEquals("First",weekInMonthToString(FIRST_WEEK_IN_MONTH));
412     assertEquals("Second",weekInMonthToString(SECOND_WEEK_IN_MONTH));
413     assertEquals("Third",weekInMonthToString(THIRD_WEEK_IN_MONTH));
414     assertEquals("Fourth",weekInMonthToString(FOURTH_WEEK_IN_MONTH));
415     assertEquals("Last",weekInMonthToString(LAST_WEEK_IN_MONTH));
416
417 //todo    try {
418 //       weekInMonthToString(-1);
419 //       fail("Invalid week code should throw exception");
420 //     } catch (IllegalArgumentException e) {
421 //     }
422   }
423
424   public void testRelativeToString() throws Exception {
425     assertEquals("Preceding",relativeToString(PRECEDING));
426     assertEquals("Nearest",relativeToString(NEAREST));
427     assertEquals("Following",relativeToString(FOLLOWING));
428
429 //todo    try {
430 //       relativeToString(-1000);
431 //       fail("Invalid relative code should throw exception");
432 //     } catch (IllegalArgumentException e) {
433 //     }
434   }
435
```

Listagem B-4 (continuação)
BobsSerialDateTest.java

```
436   public void testCreateInstanceFromDDMMYYY() throws Exception {
437     SerialDate date = createInstance(1, JANUARY, 1900);
438     assertEquals(1,date.getDayOfMonth());
439     assertEquals(JANUARY,date.getMonth());
440     assertEquals(1900,date.getYYYY());
441     assertEquals(2,date.toSerial());
442   }
443
444   public void testCreateInstanceFromSerial() throws Exception {
445     assertEquals(d(1, JANUARY, 1900),createInstance(2));
446     assertEquals(d(1, JANUARY, 1901), createInstance(367));
447   }
448
449   public void testCreateInstanceFromJavaDate() throws Exception {
450     assertEquals(d(1, JANUARY, 1900),
                     createInstance(new GregorianCalendar(1900,0,1).getTime()));
451     assertEquals(d(1, JANUARY, 2006),
                     createInstance(new GregorianCalendar(2006,0,1).getTime()));
452   }
453
454   public static void main(String[] args) {
455     junit.textui.TestRunner.run(BobsSerialDateTest.class);
456   }
457 }
```

Listing B-5
SpreadsheetDate.java

```
1 /* ========================================================================
2  * JCommon : a free general purpose class library for the Java(tm) platform
3  * ========================================================================
4  *
5  * (C) Copyright 2000-2005, by Object Refinery Limited and Contributors.
6  *
7  * Project Info:  http://www.jfree.org/jcommon/index.html
8  *
9  * This library is free software; you can redistribute it and/or modify it
10  * under the terms of the GNU Lesser General Public License as published by
11  * the Free Software Foundation; either version 2.1 of the License, or
12  * (at your option) any later version.
13  *
14  * This library is distributed in the hope that it will be useful, but
15  * WITHOUT ANY WARRANTY; without even the implied warranty of MERCHANTABILITY
16  * or FITNESS FOR A PARTICULAR PURPOSE. See the GNU Lesser General Public
17  * License for more details.
18  *
19  * You should have received a copy of the GNU Lesser General Public
20  * License along with this library; if not, write to the Free Software
21  * Foundation, Inc., 51 Franklin Street, Fifth Floor, Boston, MA  02110-1301,
22  * USA.
23  *
24  * [Java is a trademark or registered trademark of Sun Microsystems, Inc.
25  * in the United States and other countries.]
26  *
27  * --------------------
28  * SpreadsheetDate.java
29  * --------------------
30  * (C) Copyright 2000-2005, by Object Refinery Limited and Contributors.
31  *
32  * Original Author:  David Gilbert (for Object Refinery Limited);
33  * Contributor(s):   -;
34  *
35  * $Id: SpreadsheetDate.java,v 1.8 2005/11/03 09:25:39 mungady Exp $
36  *
37  * Changes
38  * -------
39  * 11-Oct-2001 : Version 1 (DG);
40  * 05-Nov-2001 : Added getDescription() and setDescription() methods (DG);
41  * 12-Nov-2001 : Changed name from ExcelDate.java to SpreadsheetDate.java (DG);
42  *               Fixed a bug in calculating day, month and year from serial
43  *               number (DG);
44  * 24-Jan-2002 : Fixed a bug in calculating the serial number from the day,
45  *               month and year.  Thanks to Trevor Hills for the report (DG);
46  * 29-May-2002 : Added equals(Object) method (SourceForge ID 558850) (DG);
47  * 03-Oct-2002 : Fixed errors reported by Checkstyle (DG);
48  * 13-Mar-2003 : Implemented Serializable (DG);
49  * 04-Sep-2003 : Completed isInRange() methods (DG);
50  * 05-Sep-2003 : Implemented Comparable (DG);
51  * 21-Oct-2003 : Added hashCode() method (DG);
52  *
53  */
54
55 package org.jfree.date;
56
57 import java.util.Calendar;
58 import java.util.Date;
59
60 /**
61  * Represents a date using an integer, in a similar fashion to the
62  * implementation in Microsoft Excel.  The range of dates supported is
```

Listing B-5 (continuação)
SpreadsheetDate.java

```
63  * 1-Jan-1900 to 31-Dec-9999.
64  * <P>
65  * Be aware that there is a deliberate bug in Excel that recognises the year
66  * 1900 as a leap year when in fact it is not a leap year. You can find more
67  * information on the Microsoft website in article Q181370:
68  * <P>
69  * http://support.microsoft.com/support/kb/articles/Q181/3/70.asp
70  * <P>
71  * Excel uses the convention that 1-Jan-1900 = 1.  This class uses the
72  * convention 1-Jan-1900 = 2.
73  * The result is that the day number in this class will be different to the
74  * Excel figure for January and February 1900...but then Excel adds in an extra
75  * day (29-Feb-1900 which does not actually exist!) and from that point forward
76  * the day numbers will match.
77  *
78  * @author David Gilbert
79  */
80 public class SpreadsheetDate extends SerialDate {
81
82     /** For serialization. */
83     private static final long serialVersionUID = -2039586705374454461L;
84
85     /**
86      * The day number (1-Jan-1900 = 2, 2-Jan-1900 = 3, ..., 31-Dec-9999 =
87      * 2958465).
88      */
89     private int serial;
90
91     /** The day of the month (1 to 28, 29, 30 or 31 depending on the month). */
92     private int day;
93
94     /** The month of the year (1 to 12). */
95     private int month;
96
97     /** The year (1900 to 9999). */
98     private int year;
99
100    /** An optional description for the date. */
101    private String description;
102
103    /**
104     * Creates a new date instance.
105     *
106     * @param day  the day (in the range 1 to 28/29/30/31).
107     * @param month  the month (in the range 1 to 12).
108     * @param year  the year (in the range 1900 to 9999).
109     */
110    public SpreadsheetDate(final int day, final int month, final int year) {
111
112        if ((year >= 1900) && (year <= 9999)) {
113            this.year = year;
114        }
115        else {
116            throw new IllegalArgumentException(
117                "The 'year' argument must be in range 1900 to 9999."
118            );
119        }
120
121        if ((month >= MonthConstants.JANUARY)
122                && (month <= MonthConstants.DECEMBER)) {
123            this.month = month;
124        }
```

Listing B-5 (continuação)
SpreadsheetDate.java

```
125         else {
126             throw new IllegalArgumentException(
127                 "The 'month' argument must be in the range 1 to 12."
128             );
129         }
130 
131         if ((day >= 1) && (day <= SerialDate.lastDayOfMonth(month, year))) {
132             this.day = day;
133         }
134         else {
135             throw new IllegalArgumentException("Invalid 'day' argument.");
136         }
137 
138         // the serial number needs to be synchronised with the day-month-year...
139         this.serial = calcSerial(day, month, year);
140 
141         this.description = null;
142 
143     }
144 
145     /**
146      * Standard constructor - creates a new date object representing the
147      * specified day number (which should be in the range 2 to 2958465.
148      *
149      * @param serial  the serial number for the day (range: 2 to 2958465).
150      */
151     public SpreadsheetDate(final int serial) {
152 
153         if ((serial >= SERIAL_LOWER_BOUND) && (serial <= SERIAL_UPPER_BOUND))
154             this.serial = serial;
155         }
156         else {
157             throw new IllegalArgumentException(
158                 "SpreadsheetDate: Serial must be in range 2 to 2958465.");
159         }
160 
161         // the day-month-year needs to be synchronised with the serial number.
162         calcDayMonthYear();
163 
164     }
165 
166     /**
167      * Returns the description that is attached to the date.  It is not
168      * required that a date have a description, but for some applications it
169      * is useful.
170      *
171      * @return The description that is attached to the date.
172      */
173     public String getDescription() {
174         return this.description;
175     }
176 
177     /**
178      * Sets the description for the date.
179      *
180      * @param description  the description for this date (<code>null</code>
181      *                     permitted).
182      */
183     public void setDescription(final String description) {
184         this.description = description;
185     }
186 
```

Listing B-5 (continuação)
`SpreadsheetDate.java`

```
187     /**
188      * Returns the serial number for the date, where 1 January 1900 = 2
189      * (this corresponds, almost, to the numbering system used in Microsoft
190      * Excel for Windows and Lotus 1-2-3).
191      *
192      * @return The serial number of this date.
193      */
194     public int toSerial() {
195         return this.serial;
196     }
197
198     /**
199      * Returns a <code>java.util.Date</code> equivalent to this date.
200      *
201      * @return The date.
202      */
203     public Date toDate() {
204         final Calendar calendar = Calendar.getInstance();
205         calendar.set(getYYYY(), getMonth() - 1, getDayOfMonth(), 0, 0, 0);
206         return calendar.getTime();
207     }
208
209     /**
210      * Returns the year (assume a valid range of 1900 to 9999).
211      *
212      * @return The year.
213      */
214     public int getYYYY() {
215         return this.year;
216     }
217
218     /**
219      * Returns the month (January = 1, February = 2, March = 3).
220      *
221      * @return The month of the year.
222      */
223     public int getMonth() {
224         return this.month;
225     }
226
227     /**
228      * Returns the day of the month.
229      *
230      * @return The day of the month.
231      */
232     public int getDayOfMonth() {
233         return this.day;
234     }
235
236     /**
237      * Returns a code representing the day of the week.
238      * <P>
239      * The codes are defined in the {@link SerialDate} class as:
240      * <code>SUNDAY</code>, <code>MONDAY</code>, <code>TUESDAY</code>,
241      * <code>WEDNESDAY</code>, <code>THURSDAY</code>, <code>FRIDAY</code>, and
242      * <code>SATURDAY</code>.
243      *
244      * @return A code representing the day of the week.
245      */
246     public int getDayOfWeek() {
247         return (this.serial + 6) % 7 + 1;
248     }
```

Listing B-5 (continuação)
SpreadsheetDate.java

```
249
250     /**
251      * Tests the equality of this date with an arbitrary object.
252      * <P>
253      * This method will return true ONLY if the object is an instance of the
254      * {@link SerialDate} base class, and it represents the same day as this
255      * {@link SpreadsheetDate}.
256      *
257      * @param object  the object to compare (<code>null</code> permitted).
258      *
259      * @return A boolean.
260      */
261     public boolean equals(final Object object) {
262
263         if (object instanceof SerialDate) {
264             final SerialDate s = (SerialDate) object;
265             return (s.toSerial() == this.toSerial());
266         }
267         else {
268             return false;
269         }
270
271     }
272
273     /**
274      * Returns a hash code for this object instance.
275      *
276      * @return A hash code.
277      */
278     public int hashCode() {
279         return toSerial();
280     }
281
282     /**
283      * Returns the difference (in days) between this date and the specified
284      * 'other' date.
285      *
286      * @param other  the date being compared to.
287      *
288      * @return The difference (in days) between this date and the specified
289      *         'other' date.
290      */
291     public int compare(final SerialDate other) {
292         return this.serial - other.toSerial();
293     }
294
295     /**
296      * Implements the method required by the Comparable interface.
297      *
298      * @param other  the other object (usually another SerialDate).
299      *
300      * @return A negative integer, zero, or a positive integer as this object
301      *         is less than, equal to, or greater than the specified object.
302      */
303     public int compareTo(final Object other) {
304         return compare((SerialDate) other);
305     }
306
307     /**
308      * Returns true if this SerialDate represents the same date as the
309      * specified SerialDate.
310      *
```

Listing B-5 (continuação)
SpreadsheetDate.java

```
311      * @param other  the date being compared to.
312      *
313      * @return <code>true</code> if this SerialDate represents the same date as
314      *         the specified SerialDate.
315      */
316     public boolean isOn(final SerialDate other) {
317         return (this.serial == other.toSerial());
318     }
319
320     /**
321      * Returns true if this SerialDate represents an earlier date compared to
322      * the specified SerialDate.
323      *
324      * @param other  the date being compared to.
325      *
326      * @return <code>true</code> if this SerialDate represents an earlier date
327      *         compared to the specified SerialDate.
328      */
329     public boolean isBefore(final SerialDate other) {
330         return (this.serial < other.toSerial());
331     }
332
333     /**
334      * Returns true if this SerialDate represents the same date as the
335      * specified SerialDate.
336      *
337      * @param other  the date being compared to.
338      *
339      * @return <code>true</code> if this SerialDate represents the same date
340      *         as the specified SerialDate.
341      */
342     public boolean isOnOrBefore(final SerialDate other) {
343         return (this.serial <= other.toSerial());
344     }
345
346     /**
347      * Returns true if this SerialDate represents the same date a
348      * specified SerialDate.
349      *
350      * @param other  the date being compared to.
351      *
352      * @return <code>true</code> if this SerialDate represents the same date
353      *         as the specified SerialDate.
354      */
355     public boolean isAfter(final SerialDate other) {
356         return (this.serial > other.toSerial());
357     }
358
359     /**
360      * Returns true if this SerialDate represents the same date as the
361      * specified SerialDate.
362      *
363      * @param other  the date being compared to.
364      *
365      * @return <code>true</code> if this SerialDate represents the same date as
366      *         the specified SerialDate.
367      */
368     public boolean isOnOrAfter(final SerialDate other) {
369         return (this.serial >= other.toSerial());
370     }
371
372     /**
373      * Returns <code>true</code> if this {@link SerialDate} is within the
```

Listing B-5 (continuação)
SpreadsheetDate.java

```
374      * specified range (INCLUSIVE).  The date order of d1 and d2 is not
375      * important.
376      *
377      * @param d1  a boundary date for the range.
378      * @param d2  the other boundary date for the range.
379      *
380      * @return A boolean.
381      */
382     public boolean isInRange(final SerialDate d1, final SerialDate d2) {
383         return isInRange(d1, d2, SerialDate.INCLUDE_BOTH);
384     }
385
386     /**
387      * Returns true if this SerialDate is within the specified range (caller
388      * specifies whether or not the end-points are included).  The order of d1
389      * and d2 is not important.
390      *
391      * @param d1  one boundary date for the range.
392      * @param d2  a second boundary date for the range.
393      * @param include  a code that controls whether or not the start and end
394      *                 dates are included in the range.
395      *
396      * @return <code>true</code> if this SerialDate is within the specified
397      *         range.
398      */
399     public boolean isInRange(final SerialDate d1, final SerialDate d2,
400                              final int include) {
401         final int s1 = d1.toSerial();
402         final int s2 = d2.toSerial();
403         final int start = Math.min(s1, s2);
404         final int end = Math.max(s1, s2);
405
406         final int s = toSerial();
407         if (include == SerialDate.INCLUDE_BOTH) {
408             return (s >= start && s <= end);
409         }
410         else if (include == SerialDate.INCLUDE_FIRST) {
411             return (s >= start && s < end);
412         }
413         else if (include == SerialDate.INCLUDE_SECOND) {
414             return (s > start && s <= end);
415         }
416         else {
417             return (s > start && s < end);
418         }
419     }
420
421     /**
422      * Calculate the serial number from the day, month and year.
423      * <P>
424      * 1-Jan-1900 = 2.
425      *
426      * @param d  the day.
427      * @param m  the month.
428      * @param y  the year.
429      *
430      * @return the serial number from the day, month and year.
431      */
432     private int calcSerial(final int d, final int m, final int y) {
433         final int yy = ((y - 1900) * 365) + SerialDate.leapYearCount(y - 1);
434         int mm = SerialDate.AGGREGATE_DAYS_TO_END_OF_PRECEDING_MONTH[m];
435         if (m > MonthConstants.FEBRUARY) {
```

Listing B-5 (continuação)
SpreadsheetDate.java

```
436             if (SerialDate.isLeapYear(y)) {
437                 mm = mm + 1;
438             }
439         }
440         final int dd = d;
441         return yy + mm + dd + 1;
442     }
443 
444     /**
445      * Calculate the day, month and year from the serial number.
446      */
447     private void calcDayMonthYear() {
448 
449         // get the year from the serial date
450         final int days = this.serial - SERIAL_LOWER_BOUND;
451         // overestimated because we ignored leap days
452         final int overestimatedYYYY = 1900 + (days / 365);
453         final int leaps = SerialDate.leapYearCount(overestimatedYYYY);
454         final int nonleapdays = days - leaps;
455         // underestimated because we overestimated years
456         int underestimatedYYYY = 1900 + (nonleapdays / 365);
457 
458         if (underestimatedYYYY == overestimatedYYYY) {
459             this.year = underestimatedYYYY;
460         }
461         else {
462             int ss1 = calcSerial(1, 1, underestimatedYYYY);
463             while (ss1 <= this.serial) {
464                 underestimatedYYYY = underestimatedYYYY + 1;
465                 ss1 = calcSerial(1, 1, underestimatedYYYY);
466             }
467             this.year = underestimatedYYYY - 1;
468         }
469 
470         final int ss2 = calcSerial(1, 1, this.year);
471 
472         int[] daysToEndOfPrecedingMonth
473             = AGGREGATE_DAYS_TO_END_OF_PRECEDING_MONTH;
474 
475         if (isLeapYear(this.year)) {
476             daysToEndOfPrecedingMonth
477                 = LEAP_YEAR_AGGREGATE_DAYS_TO_END_OF_PRECEDING_MONTH;
478         }
479 
480         // get the month from the serial date
481         int mm = 1;
482         int sss = ss2 + daysToEndOfPrecedingMonth[mm] - 1;
483         while (sss < this.serial) {
484             mm = mm + 1;
485             sss = ss2 + daysToEndOfPrecedingMonth[mm] - 1;
486         }
487         this.month = mm - 1;
488 
489         // what's left is d(+1);
490         this.day = this.serial - ss2
491                    - daysToEndOfPrecedingMonth[this.month] + 1;
492 
493     }
494 
495 }
```

Listagem B-6
RelativeDayOfWeekRule.java

```
1 /* ========================================================================
2  * JCommon : a free general purpose class library for the Java(tm) platform
3  * ========================================================================
4  *
5  * (C) Copyright 2000-2005, by Object Refinery Limited and Contributors.
6  *
7  * Project Info:  http://www.jfree.org/jcommon/index.html
8  *
9  * This library is free software; you can redistribute it and/or modify it
10 * under the terms of the GNU Lesser General Public License as published by
11 * the Free Software Foundation; either version 2.1 of the License, or
12 * (at your option) any later version.
13 *
14 * This library is distributed in the hope that it will be useful, but
15 * WITHOUT ANY WARRANTY; without even the implied warranty of MERCHANTABILITY
16 * or FITNESS FOR A PARTICULAR PURPOSE. See the GNU Lesser General Public
17 * License for more details.
18 *
19 * You should have received a copy of the GNU Lesser General Public
20 * License along with this library; if not, write to the Free Software
21 * Foundation, Inc., 51 Franklin Street, Fifth Floor, Boston, MA  02110-1301,
22 * USA.
23 *
24 * [Java is a trademark or registered trademark of Sun Microsystems, Inc.
25 * in the United States and other countries.]
26 *
27 * --------------------------
28 * RelativeDayOfWeekRule.java
29 * --------------------------
30 * (C) Copyright 2000-2003, by Object Refinery Limited and Contributors.
31 *
32 * Original Author:  David Gilbert (for Object Refinery Limited);
33 * Contributor(s):   -;
34 *
35 * $Id: RelativeDayOfWeekRule.java,v 1.6 2005/11/16 15:58:40 taqua Exp $
36 *
37 * Changes (from 26-Oct-2001)
38 * --------------------------
39 * 26-Oct-2001 : Changed package to com.jrefinery.date.*;
40 * 03-Oct-2002 : Fixed errors reported by Checkstyle (DG);
41 *
42 */
43
44 package org.jfree.date;
45
46 /**
47  * An annual date rule that returns a date for each year based on (a) a
48  * reference rule; (b) a day of the week; and (c) a selection parameter
49  * (SerialDate.PRECEDING, SerialDate.NEAREST, SerialDate.FOLLOWING).
50  * <P>
51  * For example, Good Friday can be specified as 'the Friday PRECEDING Easter
52  * Sunday'.
53  *
54  * @author David Gilbert
55  */
56 public class RelativeDayOfWeekRule extends AnnualDateRule {
57
58     /** A reference to the annual date rule on which this rule is based. */
59     private AnnualDateRule subrule;
60
61     /**
62      * The day of the week (SerialDate.MONDAY, SerialDate.TUESDAY, and so on).
```

Listagem B-6 (continuação)
RelativeDayOfWeekRule.java

```
 63      */
 64     private int dayOfWeek;
 65
 66     /** Specifies which day of the week (PRECEDING, NEAREST or FOLLOWING). */
 67     private int relative;
 68
 69     /**
 70      * Default constructor - builds a rule for the Monday following 1 January.
 71      */
 72     public RelativeDayOfWeekRule() {
 73         this(new DayAndMonthRule(), SerialDate.MONDAY, SerialDate.FOLLOWING);
 74     }
 75
 76     /**
 77      * Standard constructor - builds rule based on the supplied sub-rule.
 78      *
 79      * @param subrule  the rule that determines the reference date.
 80      * @param dayOfWeek  the day-of-the-week relative to the reference date.
 81      * @param relative  indicates *which* day-of-the-week (preceding, nearest
 82      *                  or following).
 83      */
 84     public RelativeDayOfWeekRule(final AnnualDateRule subrule,
 85             final int dayOfWeek, final int relative) {
 86         this.subrule = subrule;
 87         this.dayOfWeek = dayOfWeek;
 88         this.relative = relative;
 89     }
 90
 91     /**
 92      * Returns the sub-rule (also called the reference rule).
 93      *
 94      * @return The annual date rule that determines the reference date for this
 95      *         rule.
 96      */
 97     public AnnualDateRule getSubrule() {
 98         return this.subrule;
 99     }
100
101     /**
102      * Sets the sub-rule.
103      *
104      * @param [illegible] that determines the reference date
105      *
[illegible]
107     public void setSubrule(final AnnualDateRule subrule) {
108         this.subrule = subrule;
109     }
110
111     /**
112      * Returns the day-of-the-week for this rule.
113      *
114      * @return the day-of-the-week for this rule.
115      */
116     public int getDayOfWeek() {
117         return this.dayOfWeek;
118     }
119
120     /**
121      * Sets the day-of-the-week for this rule.
122      *
123      * @param dayOfWeek  the day-of-the-week (SerialDate.MONDAY,
124      *                   SerialDate.TUESDAY, and so on).
```

Listagem B-6 (continuação)
RelativeDayOfWeekRule.java

```
125      */
126     public void setDayOfWeek(final int dayOfWeek) {
127         this.dayOfWeek = dayOfWeek;
128     }
129
130     /**
131      * Returns the 'relative' attribute, that determines *which*
132      * day-of-the-week we are interested in (SerialDate.PRECEDING,
133      * SerialDate.NEAREST or SerialDate.FOLLOWING).
134      *
135      * @return The 'relative' attribute.
136      */
137     public int getRelative() {
138         return this.relative;
139     }
140
141     /**
142      * Sets the 'relative' attribute (SerialDate.PRECEDING, SerialDate.NEAREST,
143      * SerialDate.FOLLOWING).
144      *
145      * @param relative  determines *which* day-of-the-week is selected by this
146      *                  rule.
147      */
148     public void setRelative(final int relative) {
149         this.relative = relative;
150     }
151
152     /**
153      * Creates a clone of this rule.
154      *
155      * @return a clone of this rule.
156      *
157      * @throws CloneNotSupportedException this should never happen.
158      */
159     public Object clone() throws CloneNotSupportedException {
160         final RelativeDayOfWeekRule duplicate
161             = (RelativeDayOfWeekRule) super.clone();
162         duplicate.subrule = (AnnualDateRule) duplicate.getSubrule().clone();
163         return duplicate;
164     }
165
166     /**
167      * Returns th[illegible]
168      *
169      * @param year  the year (1900 &lt;= year [illegible]
170      *
171      * @return The date generated by the rule for the given year (possibly
172      *         <code>null</code>).
173      */
174     public SerialDate getDate(final int year) {
175
176         // check argument...
177         if ((year < SerialDate.MINIMUM_YEAR_SUPPORTED)
178             || (year > SerialDate.MAXIMUM_YEAR_SUPPORTED)) {
179             throw new IllegalArgumentException(
180                 "RelativeDayOfWeekRule.getDate(): year outside valid range.");
181         }
182
183         // calculate the date...
184         SerialDate result = null;
185         final SerialDate base = this.subrule.getDate(year);
186
```

Listagem B-6 (continuação)
RelativeDayOfWeekRule.java

```
187         if (base != null) {
188             switch (this.relative) {
189                 case(SerialDate.PRECEDING):
190                     result = SerialDate.getPreviousDayOfWeek(this.dayOfWeek,
191                             base);
192                     break;
193                 case(SerialDate.NEAREST):
194                     result = SerialDate.getNearestDayOfWeek(this.dayOfWeek,
195                             base);
196                     break;
197                 case(SerialDate.FOLLOWING):
198                     result = SerialDate.getFollowingDayOfWeek(this.dayOfWeek,
199                             base);
200                     break;
201                 default:
202                     break;
203             }
204         }
205         return result;
206
207     }
208
209 }
```

Listagem B-7
DayDate.java (Final)

```
 1 /* ========================================================================
 2  * JCommon : a free general purpose class library for the Java(tm) platform
 3  * ========================================================================
 4  *
 5  * (C) Copyright 2000-2005, by Object Refinery Limited and Contributors.
...
36  */
37 package org.jfree.date;
38
39 import java.io.Serializable;
40 import java.util.*;
41
42 /**
43  * An abstract class that represents immutable dates with a precision of
44  * one day.  The implementation will map each date to an integer that
45  * represents an ordinal number of days from some fixed origin.
46  *
47  * Why not just use java.util.Date? We will, when it makes sense.  At times,
48  * java.util.Date can be *too* precise - it represents an instant in time,
49  * accurate to 1/1000th of a second (with the date itself depending on the
50  * time-zone).  Sometimes we just want to represent a particular day (e.g. 21
51  * January 2015) without concerning ourselves about the time of day, or the
52  * time-zone, or anything else.  That's what we've defined DayDate for.
53  *
54  * Use DayDateFactory.makeDate to create an instance.
55  *
56  * @author David Gilbert
57  * @author Robert C. Martin did a lot of refactoring.
58  */
59
60 public abstract class DayDate implements Comparable, Serializable {
61   public abstract int getOrdinalDay();
62   public abstract int getYear();
63   public abstract Month getMonth();
64   public abstract int getDayOfMonth();
65
66   protected abstract Day get[illegible]ForOrdinalZero();
67
68   pub[illegible]
69
70   }
71
72   pub[illegible]yDate plus[illegible]nths) {
73     in[illegible]thisMonthAsOrdinal = getMonth().toInt() - Month.JANUARY.toInt();
74     int thisMonthAndYearAsOrdinal = 12 * getYear() + thisMonthAsOrdinal;
75     int resultMonthAndYearAsOrdinal = thisMonthAndYearAsOrdinal + months;
76     int resultYear = resultMonthAndYearAsOrdinal / 12;
77     int resultMonthAsOrdinal = resultMonthAndYearAsOrdinal % 12 + Month.JANUARY.toInt();
78     Month resultMonth = Month.fromInt(resultMonthAsOrdinal);
79     int resultDay = correctLastDayOfMonth(getDayOfMonth(), resultMonth, resultYear);
80     return DayDateFactory.makeDate(resultDay, resultMonth, resultYear);
81   }
82
83   public DayDate plusYears(int years) {
84     int resultYear = getYear() + years;
85     int resultDay = correctLastDayOfMonth(getDayOfMonth(), getMonth(), resultYear);
86     return DayDateFactory.makeDate(resultDay, getMonth(), resultYear);
87   }
88
89   private int correctLastDayOfMonth(int day, Month month, int year) {
90     int lastDayOfMonth = DateUtil.lastDayOfMonth(month, year);
91     if (day > lastDayOfMonth)
```

Listagem B-7 (continuação)
DayDate.java (Final)

```
 92         day = lastDayOfMonth;
 93     return day;
 94   }
 95
 96   public DayDate getPreviousDayOfWeek(Day targetDayOfWeek) {
 97     int offsetToTarget = targetDayOfWeek.toInt() - getDayOfWeek().toInt();
 98     if (offsetToTarget >= 0)
 99       offsetToTarget -= 7;
100     return plusDays(offsetToTarget);
101   }
102
103   public DayDate getFollowingDayOfWeek(Day targetDayOfWeek) {
104     int offsetToTarget = targetDayOfWeek.toInt() - getDayOfWeek().toInt();
105     if (offsetToTarget <= 0)
106       offsetToTarget += 7;
107     return plusDays(offsetToTarget);
108   }
109
110   public DayDate getNearestDayOfWeek(Day targetDayOfWeek) {
111     int offsetToThisWeeksTarget = targetDayOfWeek.toInt() - getDayOfWeek().toInt();
112     int offsetToFutureTarget = (offsetToThisWeeksTarget + 7) % 7;
113     int offsetToPreviousTarget = offsetToFutureTarget - 7;
114
115     if (offsetToFutureTarget > 3)
116       return plusDays(offsetToPreviousTarget);
117     else
118       return plusDays(offsetToFutureTarget);
119   }
120
121   public DayDate getEndOfMonth() {
122     Month month = getMonth();
123     int year = getYear();
124     int lastDay = DateUtil.lastDayOfMonth(month, year);
125     return DayDateFactory.makeDate(lastDay, month, year);
126   }
127
128   public Date toDate() {
129     final Calendar calendar = Calendar.getInstance();
130     int ordinalMonth = getMonth().toInt() - Month.JANUARY.toInt();
131     calendar.set(getYear(), ordinalMonth, getDayOfMonth(), 0, 0, 0);
132     return calendar.getTime();
133   }
134
135   public String toString() {
136     return String.format("%02d-%s-%d", getDayOfMonth(), getMonth(), getYear());
137   }
138
139   public Day getDayOfWeek() {
140     Day startingDay = getDayOfWeekForOrdinalZero();
141     int startingOffset = startingDay.toInt() - Day.SUNDAY.toInt();
142     int ordinalOfDayOfWeek = (getOrdinalDay() + startingOffset) % 7;
143     return Day.fromInt(ordinalOfDayOfWeek + Day.SUNDAY.toInt());
144   }
145
146   public int daysSince(DayDate date) {
147     return getOrdinalDay() - date.getOrdinalDay();
148   }
149
150   public boolean isOn(DayDate other) {
151     return getOrdinalDay() == other.getOrdinalDay();
152   }
153
```

Listagem B-7 (continuação)
DayDate.java (Final)

```
154   public boolean isBefore(DayDate other) {
155     return getOrdinalDay() < other.getOrdinalDay();
156   }
157
158   public boolean isOnOrBefore(DayDate other) {
159     return getOrdinalDay() <= other.getOrdinalDay();
160   }
161
162   public boolean isAfter(DayDate other) {
163     return getOrdinalDay() > other.getOrdinalDay();
164   }
165
166   public boolean isOnOrAfter(DayDate other) {
167     return getOrdinalDay() >= other.getOrdinalDay();
168   }
169
170   public boolean isInRange(DayDate d1, DayDate d2) {
171     return isInRange(d1, d2, DateInterval.CLOSED);
172   }
173
174   public boolean isInRange(DayDate d1, DayDate d2, DateInterval interval) {
175     int left = Math.min(d1.getOrdinalDay(), d2.getOrdinalDay());
176     int right = Math.max(d1.getOrdinalDay(), d2.getOrdinalDay());
177     return interval.isIn(getOrdinalDay(), left, right);
178   }
179 }
```

Listagem B-8
Month.java (Final)

```
 1 package org.jfree.date;
 2
 3 import java.text.DateFormatSymbols;
 4
 5 public enum Month {
 6   JANUARY(1), FEBRUARY(2), MARCH(3),
 7   APRIL(4),   MAY(5),      JUNE(6),
 8   JULY(7),    AUGUST(8),   SEPTEMBER(9),
 9   OCTOBER(10),NOVEMBER(11),DECEMBER(12);
10   private static DateFormatSymbols dateFormatSymbols = new DateFormatSymbols();
11   private static final int[] LAST_DAY_OF_MONTH =
12     {0, 31, 28, 31, 30, 31, 30, 31, 31, 30, 31, 30, 31};
13
14   private int index;
15
16   Month(int index) {
17     this.index = index;
18   }
19
20   public static Month fromInt(int monthIndex) {
21     for (Month m : Month.values()) {
22       if (m.index == monthIndex)
23         return m;
24     }
25     throw new IllegalArgumentException("Invalid month index " + monthIndex);
26   }
27
28   public int lastDay() {
29     return LAST_DAY_OF_MONTH[index];
30   }
31
32   public int quarter() {
33     return 1 + (index - 1) / 3;
34   }
35
36   public String toString() {
37     return dateFormatSymbols.getMonths()[index - 1];
38   }
39
40   public String toShortString() {
41     return dateFormatSymbols.getShortMonths()[index - 1];
42   }
43
44   public static Month parse(String s) {
45     s = s.trim();
46     for (Month m : Month.values())
47       if (m.matches(s))
48         return m;
49
50     try {
51       return fromInt(Integer.parseInt(s));
52     }
53     catch (NumberFormatException e) {}
54     throw new IllegalArgumentException("Invalid month " + s);
55   }
56
57   private boolean matches(String s) {
58     return s.equalsIgnoreCase(toString()) ||
59            s.equalsIgnoreCase(toShortString());
60   }
61
62   public int toInt() {
63     return index;
64   }
65 }
```

Listagem B-9
Day.java (Final)

```
 1 package org.jfree.date;
 2
 3 import java.util.Calendar;
 4 import java.text.DateFormatSymbols;
 5
 6 public enum Day {
 7   MONDAY(Calendar.MONDAY),
 8   TUESDAY(Calendar.TUESDAY),
 9   WEDNESDAY(Calendar.WEDNESDAY),
10   THURSDAY(Calendar.THURSDAY),
11   FRIDAY(Calendar.FRIDAY),
12   SATURDAY(Calendar.SATURDAY),
13   SUNDAY(Calendar.SUNDAY);
14
15   private final int index;
16   private static DateFormatSymbols dateSymbols = new DateFormatSymbols();
17
18   Day(int day) {
19     index = day;
20   }
21
22   public static Day fromInt(int index) throws IllegalArgumentException {
23     for (Day d : Day.values())
24       if (d.index == index)
25         return d;
26     throw new IllegalArgumentException(
27       String.format("Illegal day index: %d.", index));
28   }
29
30   public static Day parse(String s) throws IllegalArgumentException {
31     String[] shortWeekdayNames =
32       dateSymbols.getShortWeekdays();
33     String[] weekDayNames =
34       dateSymbols.getWeekdays();
35
36     s = s.trim();
37     for (Day day : Day.values()) {
38       if (s.equalsIgnoreCase(shortWeekdayNames[day.index]) ||
39           s.equalsIgnoreCase(weekDayNames[day.index])) {
40         return day;
41       }
42     }
43     throw new IllegalArgumentException(
44       String.format("%s is not a valid weekday string", s));
45   }
46
47   public String toString() {
48     return dateSymbols.getWeekdays()[index];
49   }
50
51   public int toInt() {
52     return index;
53   }
54 }
```

Listagem B-10
DateInterval.java (Final)

```
 1 package org.jfree.date;
 2
 3 public enum DateInterval {
 4   OPEN {
 5     public boolean isIn(int d, int left, int right) {
 6       return d > left && d < right;
 7     }
 8   },
 9   CLOSED_LEFT {
10     public boolean isIn(int d, int left, int right) {
11       return d >= left && d < right;
12     }
13   },
14   CLOSED_RIGHT {
15     public boolean isIn(int d, int left, int right) {
16       return d > left && d <= right;
17     }
18   },
19   CLOSED {
20     public boolean isIn(int d, int left, int right) {
21       return d >= left && d <= right;
22     }
23   };
24
25   public abstract boolean isIn(int d, int left, int right);
26 }
```

Listagem B-11
WeekInMonth.java (Final)

```
1 package org.jfree.date;
2
3 public enum WeekInMonth {
4   FIRST(1), SECOND(2), THIRD(3), FOURTH(4), LAST(0);
5   private final int index;
6
7   WeekInMonth(int index) {
8     this.index = index;
9   }
10
11   public int toInt() {
12     return index;
13   }
14 }
```

Listagem B-12
WeekdayRange.java (Final)

```
1 package org.jfree.date;
2
3 public enum WeekdayRange {
4   LAST, NEAREST, NEXT
5 }
```

Listagem B-13
DateUtil.java (Final)

```
 1 package org.jfree.date;
 2
 3 import java.text.DateFormatSymbols;
 4
 5 public class DateUtil {
 6   private static DateFormatSymbols dateFormatSymbols = new DateFormatSymbols();
 7
 8   public static String[] getMonthNames() {
 9     return dateFormatSymbols.getMonths();
10   }
11
12   public static boolean isLeapYear(int year) {
13     boolean fourth = year % 4 == 0;
14     boolean hundredth = year % 100 == 0;
15     boolean fourHundredth = year % 400 == 0;
16     return fourth && (!hundredth || fourHundredth);
17   }
18
19   public static int lastDayOfMonth(Month month, int year) {
20     if (month == Month.FEBRUARY && isLeapYear(year))
21       return month.lastDay() + 1;
22     else
23       return month.lastDay();
24   }
25
26   public static int leapYearCount(int year) {
27     int leap4 = (year - 1896) / 4;
28     int leap100 = (year - 1800) / 100;
29     int leap400 = (year - 1600) / 400;
30     return leap4 - leap100 + leap400;
31   }
32 }
```

Listagem B-14
DayDateFactory.java (Final)

```
 1 package org.jfree.date;
 2
 3 public abstract class DayDateFactory {
 4   private static DayDateFactory factory = new SpreadsheetDateFactory();
 5   public static void setInstance(DayDateFactory factory) {
 6     DayDateFactory.factory = factory;
 7   }
 8
 9   protected abstract DayDate _makeDate(int ordinal);
10   protected abstract DayDate _makeDate(int day, Month month, int year);
11   protected abstract DayDate _makeDate(int day, int month, int year);
12   protected abstract DayDate _makeDate(java.util.Date date);
13   protected abstract int _getMinimumYear();
14   protected abstract int _getMaximumYear();
15
16   public static DayDate makeDate(int ordinal) {
17     return factory._makeDate(ordinal);
18   }
19
20   public static DayDate makeDate(int day, Month month, int year) {
21     return factory._makeDate(day, month, year);
22   }
23
24   public static DayDate makeDate(int day, int month, int year) {
25     return factory._makeDate(day, month, year);
26   }
27
28   public static DayDate makeDate(java.util.Date date) {
29     return factory._makeDate(date);
30   }
31
32   public static int getMinimumYear() {
33     return factory._getMinimumYear();
34   }
35
36   public static int getMaximumYear() {
37     return factory._getMaximumYear();
38   }
39 }
```

Listagem B-15
SpreadsheetDateFactory.java (Final)

```
 1 package org.jfree.date;
 2
 3 import java.util.*;
 4
 5 public class SpreadsheetDateFactory extends DayDateFactory {
 6   public DayDate _makeDate(int ordinal) {
 7     return new SpreadsheetDate(ordinal);
 8   }
 9
10   public DayDate _makeDate(int day, Month month, int year) {
11     return new SpreadsheetDate(day, month, year);
12   }
13
14   public DayDate _makeDate(int day, int month, int year) {
15     return new SpreadsheetDate(day, month, year);
16   }
17
18   public DayDate _makeDate(Date date) {
19     final GregorianCalendar calendar = new GregorianCalendar();
20     calendar.setTime(date);
21     return new SpreadsheetDate(
22       calendar.get(Calendar.DATE),
23       Month.fromInt(calendar.get(Calendar.MONTH) + 1),
24       calendar.get(Calendar.YEAR));
25   }
26
27   protected int _getMinimumYear() {
28     return SpreadsheetDate.MINIMUM_YEAR_SUPPORTED;
29   }
30
31   protected int _getMaximumYear() {
32     return SpreadsheetDate.MAXIMUM_YEAR_SUPPORTED;
33   }
34 }
```

Listagem B-16
SpreadsheetDate.java (Final)

```
  1 /* ========================================================================
  2  * JCommon : a free general purpose class library for the Java(tm) platform
  3  * ========================================================================
  4  *
  5  * (C) Copyright 2000-2005, by Object Refinery Limited and Contributors.
  6  *
...
 52  *
 53  */
 54
 55 package org.jfree.date;
 56
 57 import static org.jfree.date.Month.FEBRUARY;
 58
 59 import java.util.*;
 60
 61 /**
 62  * Represents a date using an integer, in a similar fashion to the
 63  * implementation in Microsoft Excel.  The range of dates supported is
 64  * 1-Jan-1900 to 31-Dec-9999.
 65  * <p/>
 66  * Be aware that there is a deliberate bug in Excel that recognises the year
 67  * 1900 as a leap year when in fact it is not a leap year. You can find more
 68  * information on the Microsoft website in article Q181370:
 69  * <p/>
 70  * http://support.microsoft.com/support/kb/articles/Q181/3/70.asp
 71  * <p/>
 72  * Excel uses the convention that 1-Jan-1900 = 1.  This class uses the
 73  * convention 1-Jan-1900 = 2.
 74  * The result is that the day number in this class will be different to the
 75  * Excel figure for January and February 1900...but then Excel adds in an extra
 76  * day (29-Feb-1900 which does not actually exist!) and from that point forward
 77  * the day numbers will match.
 78  *
 79  * @author David Gilbert
 80  */
 81 public class SpreadsheetDate extends DayDate {
 82   public static final int EARLIEST_DATE_ORDINAL = 2;     // 1/1/1900
 83   public static final int LATEST_DATE_ORDINAL = 2958465; // 12/31/9999
 84   public static final int MINIMUM_YEAR_SUPPORTED = 1900;
 85   public static final int MAXIMUM_YEAR_SUPPORTED = 9999;
 86   static final int[] AGGREGATE_DAYS_TO_END_OF_PRECEDING_MONTH =
 87     {0, 0, 31, 59, 90, 120, 151, 181, 212, 243, 273, 304, 334, 365};
 88   static final int[] LEAP_YEAR_AGGREGATE_DAYS_TO_END_OF_PRECEDING_MONTH =
 89     {0, 0, 31, 60, 91, 121, 152, 182, 213, 244, 274, 305, 335, 366};
 90
 91   private int ordinalDay;
 92   private int day;
 93   private Month month;
 94   private int year;
 95
 96   public SpreadsheetDate(int day, Month month, int year) {
 97     if (year < MINIMUM_YEAR_SUPPORTED || year > MAXIMUM_YEAR_SUPPORTED)
 98       throw new IllegalArgumentException(
 99         "The 'year' argument must be in range " +
100         MINIMUM_YEAR_SUPPORTED + " to " + MAXIMUM_YEAR_SUPPORTED + ".");
101     if (day < 1 || day > DateUtil.lastDayOfMonth(month, year))
102       throw new IllegalArgumentException("Invalid 'day' argument.");
103
104     this.year = year;
105     this.month = month;
```

Listagem B-16 (continuação)
SpreadsheetDate.java (Final)

```
106     this.day = day;
107     ordinalDay = calcOrdinal(day, month, year);
108   }
109
110   public SpreadsheetDate(int day, int month, int year) {
111     this(day, Month.fromInt(month), year);
112   }
113
114   public SpreadsheetDate(int serial) {
115     if (serial < EARLIEST_DATE_ORDINAL || serial > LATEST_DATE_ORDINAL)
116       throw new IllegalArgumentException(
117         "SpreadsheetDate: Serial must be in range 2 to 2958465.");
118
119     ordinalDay = serial;
120     calcDayMonthYear();
121   }
122
123   public int getOrdinalDay() {
124     return ordinalDay;
125   }
126
127   public int getYear() {
128     return year;
129   }
130
131   public Month getMonth() {
132     return month;
133   }
134
135   public int getDayOfMonth() {
136     return day;
137   }
138
139   protected Day getDayOfWeekForOrdinalZero() {return Day.SATURDAY;}
140
141   public boolean equals(Object object) {
142     if (!(object instanceof DayDate))
143       return false;
144
145     DayDate date = (DayDate) object;
146     return date.getOrdinalDay() == getOrdinalDay();
147   }
148
149   public int hashCode() {
150     return getOrdinalDay();
151   }
152
153   public int compareTo(Object other) {
154     return daysSince((DayDate) other);
155   }
156
157   private int calcOrdinal(int day, Month month, int year) {
158     int leapDaysForYear = DateUtil.leapYearCount(year - 1);
159     int daysUpToYear = (year - MINIMUM_YEAR_SUPPORTED) * 365 + leapDaysForYear;
160     int daysUpToMonth = AGGREGATE_DAYS_TO_END_OF_PRECEDING_MONTH[month.toInt()];
161     if (DateUtil.isLeapYear(year) && month.toInt() > FEBRUARY.toInt())
162       daysUpToMonth++;
163     int daysInMonth = day - 1;
164     return daysUpToYear + daysUpToMonth + daysInMonth + EARLIEST_DATE_ORDINAL;
165   }
166
```

Listagem B-16 (continuação)
SpreadsheetDate.java (Final)

```
167   private void calcDayMonthYear() {
168     int days = ordinalDay - EARLIEST_DATE_ORDINAL;
169     int overestimatedYear = MINIMUM_YEAR_SUPPORTED + days / 365;
170     int nonleapdays = days - DateUtil.leapYearCount(overestimatedYear);
171     int underestimatedYear = MINIMUM_YEAR_SUPPORTED + nonleapdays / 365;
172
173     year = huntForYearContaining(ordinalDay, underestimatedYear);
174     int firstOrdinalOfYear = firstOrdinalOfYear(year);
175     month = huntForMonthContaining(ordinalDay, firstOrdinalOfYear);
176     day = ordinalDay - firstOrdinalOfYear - daysBeforeThisMonth(month.toInt());
177   }
178
179   private Month huntForMonthContaining(int anOrdinal, int firstOrdinalOfYear) {
180     int daysIntoThisYear = anOrdinal - firstOrdinalOfYear;
181     int aMonth = 1;
182     while (daysBeforeThisMonth(aMonth) < daysIntoThisYear)
183       aMonth++;
184
185     return Month.fromInt(aMonth - 1);
186   }
187
188   private int daysBeforeThisMonth(int aMonth) {
189     if (DateUtil.isLeapYear(year))
190       return LEAP_YEAR_AGGREGATE_DAYS_TO_END_OF_PRECEDING_MONTH[aMonth] - 1;
191     else
192       return AGGREGATE_DAYS_TO_END_OF_PRECEDING_MONTH[aMonth] - 1;
193   }
194
195   private int huntForYearContaining(int anOrdinalDay, int startingYear) {
196     int aYear = startingYear;
197     while (firstOrdinalOfYear(aYear) <= anOrdinalDay)
198       aYear++;
199
200     return aYear - 1;
201   }
202
203   private int firstOrdinalOfYear(int year) {
204     return calcOrdinal(1, Month.JANUARY, year);
205   }
206
207   public static DayDate createInstance(Date date) {
208     GregorianCalendar calendar = new GregorianCalendar();
209     calendar.setTime(date);
210     return new SpreadsheetDate(calendar.get(Calendar.DATE),
211                                Month.fromInt(calendar.get(Calendar.MONTH) + 1),
212                                calendar.get(Calendar.YEAR));
213
214   }
215 }
```

Apêndice C

Referência Cruzada da Ocorrência das Heurísticas nos Códigos

Referência cruzada de "odores" e heurísticas. Podem-se excluir todas as outras.

Epílogo

Em 2005, durante a conferência sobre o Agile em Denver, EUA, Elisabeth Hedrickson[1] me deu uma fitinha verde de punho parecida àquela que Lance Armstrong tornou tão popular. Nela estava escrito "Obcecado por testes". Com satisfação, amarrei-a em meu punho e a usei com orgulho. Desde que Kent Beck me ensinou, em 1999, sobre o TDD, fiquei, de fato, obcecado pelo desenvolvimento dirigido a testes.

Porém, algo estranho aconteceu. Descobri que eu não poderia retirar minha fitinha do punho. Não por que ela estivesse presa a ele, mas por estar moralmente presa. A fita fazia uma afirmação evidente sobre minha ética profissional. Era uma indicação visual do meu comprometimento em criar o melhor código que eu pudesse. Tirá-la seria como trair tal ética e comprometimento.

Devido a isso, ela ainda está em meu punho. Quando escrevo um código, a vejo através de minha visão periférica. Ela é um lembrete constante da promessa que fiz a mim mesmo para criar códigos limpos.

1. http://www.qualitytree.com/

Índice Remissivo

D

E

F

L

M

N

O

P

T

U

V

O seu portal de conhecimento na internet

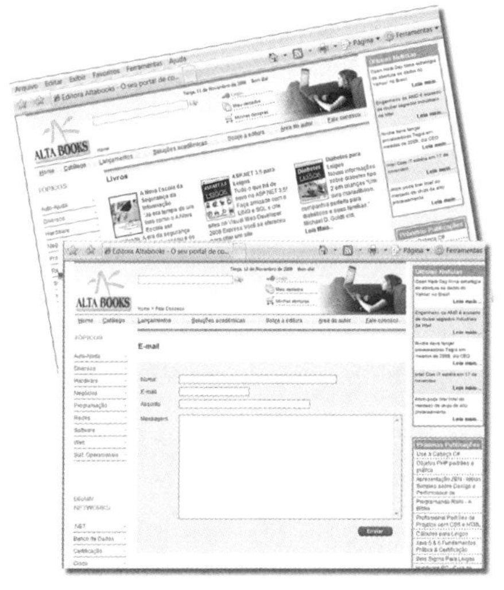

Quer saber mais sobre seus assuntos preferidos? Entre em nosso website e conheça nossos mais variados títulos.

- Guias de Viagem
- Programação & Informática
- Redes & Sistemas Operacionais
- Hardware & Softaware
- Web & Sistemas Operacionais
- Ciências exatas
- Culinária
- Negócios
- Interesse Geral
- E muito mais!

E você ainda pode efetuar sua compra direto pelo site com apenas alguns cliques.

Quer mais? Visite **www.altabooks.com.br** e conheça nossos lançamentos e publicações!